MARK TWAIN

Reise um die Welt

MARK TWAIN

Reise
um die Welt

Deutsch von
Ana Maria Brock

Aufbau-Verlag

Titel der amerikanischen Originalausgabe
Following the Equator

1. Auflage 1984
Alle Rechte Aufbau-Verlag Berlin und Weimar
(deutsche Übersetzung)
Einbandgestaltung Elizabeth Shaw/Heinz Hellmis
(140) Druckerei Neues Deutschland, Berlin
Printed in the German Democratic Republic
Lizenznummer 301. 120/292/84
Bestellnummer 613 130 5
01020

DIE QUERKOPF-MAXIMEN

Diese Weisheiten sollen die Jugend zu hoher Moral anfeifern. Der Verfasser erwarb sie nicht aus Erfahrung, sondern durch Beobachtung. Gut zu sein ist edel, aber anderen zu zeigen, wie man gut sein kann, ist edler und macht keine Mühe.

Rumwährung · Allenthalben Trunksucht · 100 000 Dollar für eine Gallone Rum · Die Entwicklung des Landes · Die Quellen des Wohlstandes

11. KAPITEL

Die Gastfreundschaft englischsprechender Menschen · Schriftsteller und ihre Dankbarkeit · Mr. Gane und die Lobhudelei · Die Bevölkerung Sydneys · Eine englische Stadt mit amerikanischer Garnierung · „Squatter" · Paläste und Schafreiche · Wolle und Hammelfleisch · Australier und Amerikaner · Fischweibersprache · England ist „zu Hause" · Tischgespräche · Das Publikum in England und in den Kolonien

12. KAPITEL

Mr. X, ein Missionar · Wieso das Christentum in Indien so langsame Fortschritte macht · Ein bedeutungsschwerer Traum · Hinduwunder und -legenden · Simson und Hanuman · Die Hügelkette aus Sandstein · Wo sind die Tore?

13. KAPITEL

Öffentliche Einrichtungen in Australasien · Der Botanische Garten von Sydney · Vier besondere Veranstaltungen · Der Regierungspalast · Ein Gouverneur und seine Funktionen · Der Admiralitätspalast · Hafenrundfahrt · Haifischangeln · Cecil Rhodes' Hai und sein erstes Vermögen · Freiverpflegung für Haie

14. KAPITEL

Schlechter Gesundheitszustand · Mit der Bahn nach Melbourne · Landkarten mangelhaft · Die Kolonie Victoria · Ein Rundreisebillett von Sydney · Umsteigen von Breit- auf Schmalspur, eine Besonderheit von Albury · Zollschranken · „Mein Wort!" · Die blauen Berge · Kaninchenhaufen · Restaurants der staatlichen Eisenbahnen · Herzoginnen als Kellnerinnen · „Schafbalsam" · Eisenbahnkaffee · Gesehenes und Nichtgesehenes

15. KAPITEL

Wagga-Wagga · Der Tichborne-Prätendent · Das Rätsel einer Abstammung · Der Grundriß der Romanze · Die Enthüllung · Das Henry-Bascom-Rätsel · Bascom Hall · Tod und Bestattung des Autors

16. KAPITEL

Melbourne und seine Attraktionen · Die Melbourner Pokalrennen · Pokal-Tag · Große Menschenmassen · Kleider ohne Rücksicht auf die Kosten · Der australische Larrikin · Ist er tot? · Australische Gastfreundschaft · Melbourner Wollmakler · Die Museen · Die Paläste · Der Ursprung Melbournes

17. KAPITEL

Das Britische Weltreich · Seine Einfuhr und Ausfuhr · Der Handel Australasiens · Nach Adelaide · Der Silberbergbau von Broken Hill · Ein Umweg · Das Buschland und sein Nutzen für den Romanautor · Der eingeborene Spurenleser · Eine Prüfung · Worin unterscheidet sich eine Kuhfährte von der anderen?

18. KAPITEL

Die Gummibäume · Ungesellige Bäume · Stechginster und Besenginster · Ein weitverbreiteter Fehler · Ein Abenteuer · Wollte 200 Pfund, bekam 20 000 000 Pfund · Ein großangelegter Besiedelungsplan · Der Zusammenbruch · Die Leiche stand auf und tanzte · Der einzigartige Beruf eines einzigen Menschen · Aufkauf von Känguruhhäuten · Die Anfahrt nach Adelaide · Dem wird alles gegeben, der abwartet · Eine gesunde Atmosphäre für die Religion · Was ist mit der Geisterwelt los?

19. KAPITEL

Der Botanische Garten · Tribut aus allen Ländern · Der Zoologische Garten von Adelaide · Der lachende Esel · Der Dingo · Eine falsch benannte Provinz · Telegrafie von Melbourne nach San

6

Eigentümliche Ansichten über Babys · Zulukönige · Ein Trappistenkloster · Politik in Transvaal
Wie der ganze Ärger kam

66. KAPITEL

67. KAPITEL

68. KAPITEL

69. KAPITEL

SCHLUSS

1. KAPITEL

Manchmal besitzt ein Mensch keine schlechten Gewohnheiten, aber schlechtere.

Querkopf Wilsons Neuer Kalender

Der Ausgangspunkt dieser Vortragsreise um die Welt war Paris, wo wir ein oder zwei Jahre verbracht hatten.

Wir fuhren nach Amerika und trafen dort gewisse Vorbereitungen. Das erforderte nur wenig Zeit. Zwei meiner Angehörigen beschlossen mitzukommen. Ein Karfunkel auch. Das Lexikon sagt, der Karfunkel sei eine Edelsteinart. Humor ist in einem Lexikon fehl am Platze.

Im Hochsommer brachen wir von New York in Richtung Westen auf, wobei bis zum Pazifik Major Pond die organisatorischen Dinge zu erledigen hatte. Eine körperliche Strapaze war es den ganzen Weg über, und in den letzten vierzehn Tagen war es überdies rauchig zum Ersticken, denn in Oregon und British Columbia wüteten gerade die Waldbrände. Eine weitere Woche voll Qualm verbrachten wir an der Küste, wo wir eine Zeitlang auf unser Schiff warten mußten. In all dem Rauch war es auf Grund gelaufen und mußte ins Dock, um ausgebessert zu werden. Endlich fuhren wir ab; und damit hatte eine Reise im Schneckentempo quer über den Kontinent ein Ende, die vierzig Tage gedauert hatte.

Um die Mitte des Nachmittags glitten wir über ein gekräuseltes und glitzerndes sommerliches Meer gen Westen; ein verlockendes Meer, ein klares und kühles Meer, das offenbar jedermann an Bord willkommen war, aber ganz gewiß mir, nach der qualvollen Staub-, Rauch- und Schwitzkur der letzten Wochen. Die Seereise würde eine dreiwöchige Erholung mit kaum einer Unterbrechung bieten. Wir hatten den ganzen Pazifischen Ozean vor uns und nichts weiter zu tun, als nichts zu tun und uns wohl zu fühlen. Die Stadt Victoria blinzelte trübe aus ihrer Rauchwolke hervor und war am Entschwinden; und nun verstauten wir die Feldstecher und setzten uns froh und zufrieden in unsere Deckstühle. Aber die gingen unter uns in Trümmer und Stücke und blamierten uns vor allen Passagieren. Sie stammten aus dem größten Möbelgeschäft in Victoria und waren ein paar Heller das Dutzend wert, obwohl sie uns den Preis anständiger Stühle gekostet hatten. Auf dem Pazifik und auf dem Indischen Ozean muß man noch immer den eigenen Deckstuhl mit an Bord bringen oder ohne einen auskommen, genau wie auf dem Atlantik in jener alten, vergessenen Zeit, dem finsteren Mittelalter der Seereisen.

Unser Schiff war leidlich komfortabel, und es gab die übliche Hochseeverpflegung – einen Überfluß an guten Nahrungsmitteln, geliefert von Gott und gekocht vom Teufel. Die Disziplin, die man an Bord beobachten konnte, war wohl gerade so wie überall auf dem Pazifischen und Indischen Ozean. Das Schiff war für Tropenfahrten nicht besonders zweckmäßig eingerichtet;

aber das hat nichts zu sagen, denn es ist die Regel bei Schiffen, die in den Tropen verkehren. Es besaß einen überreichlichen Bestand an Küchenschaben, aber auch das ist die Regel bei Schiffen, die in den südlichen Meeren eingesetzt sind – zumindest bei solchen, die schon lange im Dienst stehen.

Unser junger Kapitän war ein sehr gut aussehender Mann, hochgewachsen und tadellos gebaut, genau die richtige Statur, um eine schneidige Uniform zur besten Wirkung kommen zu lassen. Er war ein Mann bester Gesinnung, entgegenkommend und höflich, fast wie ein höfischer Kavalier. In seinem Gebaren lagen eine gefällige Anmut und ein Schliff, die jeden Ort, an dem er sich gerade befand, in einen Salon zu verwandeln schienen. Er mied das Rauchzimmer. Er besaß keine Laster. Weder rauchte er, noch priemte oder schnupfte er; weder fluchte er, noch gebrauchte er Slang oder grobe, gemeine oder unanständige Ausdrücke, noch machte er Wortspiele oder erzählte Witze oder lachte schallend oder erhob die Stimme über die gemäßigte Lautstärke, welche die Regeln des guten Tons vorschreiben. Wenn er einen Befehl erteilte, milderte seine Art ihn zu einem Ersuchen ab. Nach dem Abendessen gesellten er und seine Offiziere sich den Damen und Herren im Damensalon zu, beteiligten sich am Singen und Klavierspielen und halfen die Notenblätter umwenden. Er besaß eine wohlklingende und angenehme Tenorstimme und brachte sie mit Geschmack zur Geltung. Nach dem Musizieren spielte er, bis die Damen schlafen gingen, Whist, immer mit denselben Partnern und denselben Gegnern. Hier brannten die elektrischen Lampen so lange, wie es die Damen und ihre Freunde nur wünschten, aber im Rauchzimmer durften sie nach elf Uhr nicht mehr brennen. Die Schiffsordnung enthielt natürlich viele Vorschriften; aber soweit ich sehen konnte, waren diese und eine andere die einzigen, die streng durchgesetzt wurden. Der Kapitän erklärte, daß er auf Befolgung dieser Vorschrift bestehe, weil seine eigene Kajüte neben dem Rauchsalon liege und der Tabakrauch ihm Übelkeit verursache. Ich begriff nicht, wie unser Rauch ihn erreichen konnte, denn der Rauchsalon und seine Kajüte lagen auf dem Oberdeck, allen Winden, die da wehten, ausgesetzt; und überdies gab es keine Verbindungsspalte zwischen beiden Räumen, keine Öffnung irgendwelcher Art in der festen, trennenden Schotte. Immerhin, einem empfindlichen Magen kann sogar eingebildeter Rauch Schaden zufügen.

Mit seinem sanften Wesen, seinen geschliffenen Umgangsformen, seiner Liebenswürdigkeit, seiner Untadeligkeit in Gesinnung und Rede schien der Kapitän in seinem rauhen und autokratischen Beruf in rührender Weise fehl am Platze zu sein. Es war wohl wieder einmal ein Beispiel für die Ironie des Schicksals.

Eine Wolke überschattete seine Heimfahrt. Die Passagiere wußten von seinen Nöten, und er tat ihnen leid. Als er Vancouver ansteuerte, durch eine enge und schwierige Einfahrt, die vom Rauch der Waldbrände dicht verschleiert war, hatte er das Pech gehabt, die Orientierung zu verlieren und sein Schiff auf die Felsen zu setzen. Bei Ihnen und bei mir würde so etwas bloß als Versehen gelten; bei Direktoren von Schiffahrtsgesellschaften gilt das als Verbrechen. Der Kapitän war von dem Admiralitätsgerichtshof in Vancouver verhört worden, und dessen Spruch hatte ihn jedes Vorwurfs ledig erklärt. Aber das war ein schwacher Trost. In Sydney sollte ein strengeres Gericht den Fall untersuchen – das Gericht der Direktoren, der Gebieter einer Gesellschaft, auf deren Schiffen der Kapitän eine Reihe von Jahren als Erster Offizier gedient hatte. Dies war seine erste Reise als Kapitän.

Die Offiziere unseres Schiffes waren muntere und gesellige junge Leute, und sie beteiligten sich an den allgemeinen Belustigungen und halfen den Passagieren die Zeit vertreiben. Seereisen im Pazifik und im Indischen Ozean sind für alle Mann die reinsten Vergnügungsausflüge. Unser Zahlmeister war ein junger Schotte, der eine ganz erstaunliche Zähigkeit besaß. Er war krank und sah auch so aus, soweit es seinen Körper betraf, aber das Leiden vermochte nicht, seinen Geist unterzukriegen. Er sprühte vor Leben und hatte ein fröhliches, leistungsfähiges Mundwerk. Es hatte den Anschein, als wäre er leidend, ohne sich dessen bewußt zu sein, denn er sprach nicht über seine Beschwerden und zeigte Haltung und Benehmen eines Menschen von robuster Gesundheit; jedoch wurde er bisweilen das Opfer entsetzlich schmerzhafter Herzanfälle. Diese hielten viele Stunden an, und während des Anfalls konnte er weder sitzen noch liegen. Einmal stand er volle vierundzwanzig Stunden auf den Beinen und rang gegen diese heftigen Schmerzen um sein Leben, und doch war er am nächsten Tage so lebhaft und fröhlich und unternehmungslustig, als wäre nichts geschehen.

Der gescheiteste Mitreisende und der interessanteste und glänzendste Plauderer auf dem Schiff war ein junger Kanadier, der von der Whiskyflasche nicht lassen konnte. Er entstammte einer reichen, mächtigen Familie und hätte eine hervorragende Karriere machen und hierzu genug tatkräftige Unterstützung haben können, wenn er imstande gewesen wäre, seinen Durst zu bezwingen; aber das schaffte er nicht, und so nutzten ihm seine großartigen Anlagen gar nichts. Oft hatte er versprochen, nicht mehr zu trinken, und gab ein gutes Beispiel dafür ab, was solcher Unverstand einem Manne antun kann –, einem Manne, der nicht gerade einen eisernen Willen besitzt. Dieses System ist in zweierlei Hinsicht falsch: Einmal trifft es nicht die Wurzel des Übels, und ein Versprechen irgendeiner Art zu geben heißt, der Natur den Krieg zu erklären; denn ein Versprechen ist eine Kette, die immerzu rasselt und den Träger daran erinnert, daß er kein freier Mensch ist.

Ich habe gesagt, daß dieses System nicht die Wurzel des Übels trifft, und ich erlaube mir, das zu wiederholen. Die Wurzel ist nicht das *Trinken*, sondern die *Begierde* zu trinken. Das sind ganz verschiedene Dinge. Das eine erfordert nur Willenskraft – und zwar eine ganze Menge, sowohl hinsichtlich Masse als auch hinsichtlich Ausdauer –, die andere erfordert nur Wachsamkeit, und nicht einmal für lange. Die Begierde läuft natürlich dem Vollzug voraus, und ihr sollte die stärkste Aufmerksamkeit gelten; es kann nur wenig nützen, den Vollzug immer und immer wieder zu unterdrücken und dabei die Begierde stets unbehelligt, unbezwungen zu lassen; die Begierde wird sich immer weiter behaupten und wird auf die Dauer beinahe mit Sicherheit siegen. Wenn die Begierde sich einschleicht, muß man sie sogleich aus der Seele verbannen. Man muß ständig vor ihr auf der Hut sein – sonst findet sie Einlaß. Man muß sie rechtzeitig packen und ihr nicht gestatten, sich einzunisten. Eine Begierde, die vierzehn Tage lang ständig zurückgedrängt wird, dürfte dann eingehen. Das sollte den Hang zum Trinken wohl heilen. Wie mir scheint, ist das System, lediglich den *Vollzug* des Trinkens zu unterdrücken und die *Begierde* in voller Machtblüte zu belassen, eine unkluge Kriegstaktik.

Ich habe früher auch oft Versprechungen gemacht – und sie bald gebrochen. Meine Willenskraft war nicht stark, und ich konnte nichts daran ändern. Und dann, irgendwie gebunden zu sein, das verdrießt natürlich einen sonst freien Menschen und läßt ihn an seinen Fesseln zerren und die Freiheit herbeiwünschen. Aber als ich endlich aufhörte, festumrissene Verpflichtungen einzugehen, und nur beschloß, eine schädliche Begierde abzutöten, aber mir die Freiheit vorbehielt, die Begierde und die Gewohnheit wieder aufzugreifen, wann ich wolle, hatte ich keinen Kummer mehr. Binnen fünf Tagen vertrieb ich die Begierde zu rauchen und brauchte danach nicht mehr aufzupassen; und ich verspürte niemals wieder ein starkes Bedürfnis zu rauchen. Nach einem Jahr und drei Monaten des Faulenzens fing ich an, ein Buch zu schreiben, und bemerkte bald, daß die Feder sich seltsam widerwillig rührte. Ich versuchte es mit Rauchen, um zu sehen, ob mir das aus der Klemme heraushelfen würde. Es half. Fünf Monate lang rauchte ich acht oder zehn Zigarren und ebenso viele Pfeifen täglich; brachte das Buch zu Ende und rauchte nicht wieder, bis ein Jahr vergangen und ein neues Buch zu beginnen war.

Ich kann jederzeit jede beliebige meiner neunzehn schlechten Gewohnheiten ablegen, und zwar ohne Schwierigkeiten oder Unbehagen. Ich nehme an, daß die Dr. Tanners und die anderen, die vierzig Tage lang ohne Essen auskommen, das schaffen, indem sie zu Anfang standhaft die Begierde zu essen unterdrücken; und daß die Begierde nach einigen Stunden entmutigt ist und nicht wiederkehrt.

Einmal habe ich mein System in großem Stil medizinisch erprobt. Mehrere Tage lang hatte mich der Hexenschuß ans Bett gefesselt. Mein Fall wollte sich nicht bessern. Schließlich sagte der Arzt:

„Meine Mittel haben keine angemessene Chance. Bedenken Sie, was Sie außer dem Hexenschuß noch alles bekämpfen müssen. Sie sind ein starker Raucher, nicht wahr?"

„Ja."

„Sie trinken unmäßig Kaffee?"

„Ja."

„Etwas Tee auch?"

„Ja."

„Sie essen alle möglichen Sachen, die sich nicht miteinander vertragen?"

„Ja."

„Sie trinken jeden Abend zwei Grogs?"

„Ja."

„Nun, da sehen Sie selbst, wogegen ich ankämpfen muß. Wie es jetzt steht, können wir keine Fortschritte machen. Sie müssen bei diesen Sachen etwas abstreichen; sie müssen ihren Genuß mehrere Tage lang erheblich einschränken."

„Das kann ich nicht, Herr Doktor."

„Warum können Sie das nicht?"

„Mir fehlt die Willenskraft. Ich kann sie zwar ganz aufgeben, aber bloß einschränken kann ich sie nicht."

Er sagte, das sei zweckmäßig, und er werde in vierundzwanzig Stunden vorbeikommen und sich wieder ans Werk machen. Er wurde selbst krank und konnte nicht kommen; aber ich brauchte ihn nicht. Zwei Tage und Nächte lang ließ ich all diese Sachen sein; tatsächlich ließ ich auch alle Arten von Nahrung stehen und alle Getränke außer Wasser, und nach achtundvierzig Stunden verlor der Hexenschuß die Lust und verließ mich. Ich war ein gesunder Mensch; und so sagte ich Dank und ergab mich wieder diesen Genüssen.

Das schien eine brauchbare Therapie zu sein, und ich empfahl sie einer Dame. Sie war gesundheitlich immer weiter heruntergekommen und hatte schließlich einen Zustand erreicht, da Medikamente nicht mehr wirkten. Ich sagte, ich wisse, daß ich sie binnen einer Woche wieder auf die Beine bringen könne. Das munterte sie auf, das erfüllte sie mit Hoffnung, und sie sagte, sie werde alles tun, was ich ihr rate. Also sagte ich, sie dürfe vier Tage lang nicht fluchen, trinken, rauchen und essen, und dann werde sie wieder wohlauf sein. Und es wäre genau so gekommen, das weiß ich; aber sie sagte, sie könne Fluchen, Rauchen und Trinken nicht aufgeben, weil sie so etwas noch nie getan habe. Da hatte sie es. Sie hatte ihre Laster vernachlässigt und besaß nun keine. Jetzt, da man sie hätte brauchen können, waren keine da. Sie konnte auf nichts zurückgreifen. Sie war ein sinkendes Schiff ohne Fracht, die man hätte über Bord werfen können, um dadurch das Schiff zu erleichtern. Ja, selbst eine oder zwei kleine schlechte Angewohnheiten hätten sie retten können, aber sie war moralisch einfach eine Bettlerin. Als sie diese Laster hätte erwerben können, hatten ihre Eltern sie davon abgebracht, unwissende Leute, wenn auch in der besten Gesellschaft aufgewachsen, und jetzt war es zu spät anzufangen. Es war ein rechter Jammer; aber es gab keine Abhilfe. Man sollte sich um diese Sachen kümmern, solange man jung ist; sonst ist, wenn Alter und Krankheit sich einstellen, nichts Wirksames da, um sie zu bekämpfen.

Als ich ein junger Mann war, nahm ich alle möglichen Gelübde auf mich und tat mein Bestes, sie auch zu halten, aber es gelang mir nie, weil ich nicht den Kern des Lasters traf – die *Begierde*; meistens brach ich noch vor Ablauf eines Monats zusammen. Einmal versuchte ich, ein Laster einzuschränken. Eine Zeitlang ging das ziemlich gut. Ich gelobte, nur eine Zigarre täglich zu rauchen. Ich ließ die Zigarre bis zur Schlafenszeit warten, dann genoß ich sie schwelgerisch. Aber die Begierde verfolgte mich täglich und stündlich; und so ertappte ich mich noch vor Ablauf einer Woche dabei, daß ich größere Zigarren suchte, als die ich bisher geraucht hatte; dann noch größere und noch größere. Binnen vierzehn Tagen ließ ich mir Zigarren *anfertigen* – noch größere Exemplare. Sie wuchsen immer noch weiter. Binnen eines Monats war meine Zigarre zu solcher Größe angewachsen, daß ich sie als Krücke hätte gebrauchen können. Dann fand ich, daß die Beschränkung auf nur eine Zigarre keinen echten Schutz vermittelte, schlug mein Gelübde in den Wind und gewann meine Freiheit wieder.

Zurück zu diesem jungen Kanadier. Er war ein „Überweisungsmann", der erste, den ich je gesehen oder von dem ich je gehört hatte. Mitreisende erläuterten mir den Begriff. Sie sagten, ausschweifende Taugenichtse bedeutender englischer und kanadischer Familien würden von ihren Familien nicht ausgestoßen, solange noch eine Hoffnung bestehe, daß sie sich bessern; aber wenn diese letzte Hoffnung schließlich versiege, schicke man den Taugenichts ins Ausland, um ihn aus dem Wege zu haben. Er werde abgeschoben und habe gerade genug Geld in der Tasche – in der Tasche des Zahlmeisters –, um den Reisebedarf zu decken, und wenn er seinen Bestimmungshafen erreiche, erwarte ihn dort eine Geldüberweisung. Kein großer Betrag, sondern gerade genug, um einen Monat davon zu leben. Von dann ab treffe monatlich eine solche Überweisung ein. Der Überweisungsmann bezahle sogleich Miete und Verpflegung für den Monat – eine Pflicht, die zu vergessen sein Wirt ihm nicht gestatte –, dann verjubele er in einer einzigen Nacht den Rest des Geldes, um anschließend untätig vor sich hin zu brüten, zu dösen und Trübsal zu blasen, bis die nächste Überweisung komme. Es ist ein erschütterndes Dasein.

Es hieß, wir hätten noch weitere Überweisungsleute an Bord. Zumindest behaupteten *sie*, Ül. zu sein. Es waren zwei. Aber sie glichen dem Kanadier nicht; ihnen fehlten seine Adrettheit, sein Verstand, sein gutes Benehmen, sein unverdrossener Mut und seine menschliche und großzügige Art. Einer von beiden war ein Bursche von neunzehn oder zwanzig Jahren, eine ziemliche Ruine, was Kleidung, Gesinnung und allgemeine Erscheinung betraf. Er sagte, er sei der Sproß eines herzoglichen Hauses in England, man habe ihn zur Entlastung des Hauses nach Kanada verfrachtet, dort sei er in Unannehmlichkeiten geraten und werde nun nach Australien verfrachtet. Er sagte, einen Titel besitze er nicht. Bis auf diese Bemerkung ging er mit der Wahrheit sparsam um. Seine allererste Tat in Australien war, sich einsperren zu lassen, und die nächste, sich am nächsten Morgen auf dem Polizeigericht als Graf zu bezeichnen, ohne es beweisen zu können.

2. KAPITEL

Im Zweifelsfalle sage die Wahrheit.

Querkopf Wilsons Neuer Kalender

Etwa vier Tage hinter Victoria gerieten wir plötzlich in heißes Wetter, und alle männlichen Passagiere zogen weiße Leinenanzüge an. Einen oder zwei Tage später überfuhren wir den fünfundzwanzigsten Grad nördlicher Breite, da hängten die Schiffsoffiziere auf Befehl ihre blauen Uniformen fort und erschienen in weißem Leinen. Mittlerweile waren schon alle Damen in Weiß. Das Vorwiegen schneeweißer Kleidung verlieh dem Promenadendeck eine einladend kühle, heitere und picknickähnliche Wirkung.

Aus meinem Tagebuch:

Es gibt in der Welt verschiedene Übel, denen ein Mensch nie ganz entrinnen kann, er reise, so weit er wolle. Man entflieht einer Art Übel, nur um einer anderen Art zu begegnen. Wir haben uns weit vom Schlangenlügner und vom Fischlügner entfernt, Ruhe und Frieden lag in diesem Gedanken; aber nun sind wir im Reich des Bumeranglügners angelangt, und wieder haben wir unseren Kummer. Der Erste Offizier hat einmal gesehen, wie ein Mann dadurch seinem Feind zu entkommen suchte, daß er hinter einen Baum floh; aber der Feind schleuderte seinen Bumerang weit über den Baum hinaus in den Himmel; dann kehrte das Holz um, schoß herab und tötete den Mann. Der australische Mitreisende hat einmal gesehen, wie solches zwei Männern hinter zwei Bäumen geschah – durch ein und dasselbe Geschoß. Als man diesen Bericht mit allgemeinem Schweigen aufnahm, das Zweifel andeutete, stützte er ihn mit der Angabe, sein Bruder habe einmal gesehen, wie der Bumerang einen hundert Yard entfernten Vogel tötete und *ihn dem Werfer brachte*. Aber das sind Übel, die man erdulden muß. Da kann man nichts anderes machen.

Vom Bumerang schweifte die Unterhaltung zu Träumen hinüber – gewöhnlich ein ergiebiges Thema, zu Wasser wie zu Lande, aber diesmal war die Ausbeute mager. Dann wechselte sie über zu Beispielen außergewöhnlicher Gedächtniskraft – mit besseren Ergebnissen. Man erwähnte den Blinden Tom, den Negerpianisten, und es hieß, er könne jedes beliebige Musikstück ganz genau nachspielen, wenn er es einmal gehört habe, wie lang und schwierig es auch sei; und ein halbes Jahr später treffe er es wieder ganz genau, ohne es in der Zwischenzeit gespielt zu haben. Eine der verblüffendsten Geschichten erzählte ein Herr, der im Stabe des Vizekönigs von Indien gedient hatte. Er entnahm die Einzelheiten seinem Notizbuch und erklärte, er habe sie sofort nach dem geschilderten Vorfall niedergeschrieben, weil er glaubte, wenn er sie nicht schwarz auf weiß festhielte, würde er schließlich noch denken, er hätte sie geträumt oder erfunden.

Der Vizekönig machte damals eine Rundreise, und zu den Aufführungen, die der Maharadscha von Maisur zu seiner Unterhaltung veranstaltete, gehörte auch eine Schaustellung der Gedächtniskraft. Der Vizekönig und dreißig Herren seines Gefolges saßen in einer Reihe, man führte den Gedächtniskünstler herein, einen Brahmanen hoher Kaste, und wies ihm vor ihnen auf dem Boden einen Platz an. Er sagte, er könne nur zwei Sprachen, die englische und seine eigene, wolle aber keine ausländische Sprache von den Prüfungen ausschließen, denen sein Gedächtnis ausgesetzt werden sollte. Dann verkündete er dem Publikum sein Programm – es war recht außergewöhnlich. Er schlug vor, einer der Herren solle ihm ein Wort aus einem fremdsprachigen Satz und seine Stelle innerhalb des Satzes nennen. Er bekam das französische Wort „est" und erfuhr, daß es das zweite in einem Satz aus drei Wörtern sei. Der nächste Herr gab ihm das deutsche Wort „verloren" und sagte, es sei das dritte in einem Satz aus vier Wörtern. Den nächsten Herrn bat er um eine Zahl aus einer Additionsaufgabe; einen anderen um eine Zahl aus einer Subtraktionsaufgabe; andere um einzelne Zahlen aus mathematischen Aufgaben verschiedener Art; er bekam sie. Dazwischen nannte man ihm einzelne Wörter aus Sätzen in Griechisch, Lateinisch, Spanisch, Portugiesisch, Italienisch und anderen Sprachen und gab ihre Stellung innerhalb der Sätze an. Als ihm schließlich jeder einen einzelnen Fetzen aus einem fremdsprachigen Satz oder eine Zahl aus einer Aufgabe genannt hatte, fing er wieder von vorn an und bekam ein zweites Wort und eine zweite Zahl und erfuhr ihre Stellungen innerhalb der Sätze und Aufgaben; und so weiter und so fort. Er fing immer wieder von vorn an, bis er alle Teile der Aufgaben und alle Teile der Sätze eingesammelt hatte – und natürlich alle durcheinander, nicht in der richtigen Reihenfolge. Das hatte zwei Stunden gedauert.

Nun saß der Brahmane eine Weile schweigend und nachdenklich da, dann begann und wiederholte er alle Sätze, wobei er die Wörter in ihrer richtigen Reihenfolge nannte, entwirrte die durcheinandergeratenen Rechenaufgaben und nannte zu allen richtige Lösungen.

Zu Anfang hatte er die Gesellschaft aufgefordert, ihn während der zwei Stunden mit Mandeln zu bewerfen, und er wollte sich merken, wie viele jeder Herr werfe; aber man warf keine, denn der Vizekönig sagte, die Prüfung werde auch ohne die zusätzliche Erschwernis belastend genug.

General Grant besaß ein ausgezeichnetes Gedächtnis für alle möglichen Sachen, sogar für Namen und Gesichter, und ich hätte ein Beispiel dafür liefern können, wenn ich daran gedacht hätte. Ich sah ihn zum erstenmal kurz nach Antritt seiner Präsidentschaft. Ich war gerade, von der Pazifikküste kommend, in Washington eingetroffen, fremd und völlig unbekannt, und ging eines Vormittags am Weißen Haus vorüber, als ich einem Freund begegnete, einem Senator aus Nevada. Er fragte mich, ob ich gern den Präsidenten sehen wolle. Ich sagte, ich würde mich sehr darüber freuen; also gingen wir hinein. Ich nahm an, der Präsident würde sich inmitten einer Menschenmenge befinden, und ich könnte ihn aus einer gewissen Entfernung in Ruhe und Sicherheit betrachten, wie eben eine verirrte Katze einen König so betrachten würde. Aber es war Vormittag, und der Senator machte von einem Vorrecht seines Amtes Gebrauch, von dem ich noch nichts gehört hatte – dem Vorrecht, in die Arbeitszeit des höchsten Beamten einbrechen zu dürfen. Ehe ich zur Besinnung kam, standen der Senator und ich vor ihm, und außer uns dreien war kein Mensch da. General Grant erhob sich langsam hinter seinem Tisch, legte die Feder hin und stand vor mir mit der eisernen Miene eines Mannes, der seit sieben Jahren nicht gelächelt hatte und nicht die Absicht hegte, in den nächsten sieben Jahren zu lächeln. Er schaute mir fest in die Augen – mein Blick verzagte und senkte sich. Ich hatte noch nie vor einem großen Manne gestanden und befand mich in einem elenden Zustand von Bammel und Gehemmtheit. Der Senator sagte:

„Herr Präsident, darf ich mir erlauben, Ihnen Mr. Clemens vorzustellen?"

Der Präsident drückte mir gleichgültig die Hand und ließ sie fallen. Er sagte kein Wort, sondern stand bloß da. In meiner Not fiel mir überhaupt nichts zu sagen ein, ich hatte nur den einen Wunsch, mich zu verziehen. Es entstand eine peinliche Pause, eine schreckliche Pause, eine entsetzliche Pause. Dann fiel mir etwas ein, ich blickte auf in dieses unnachgiebige Antlitz und sagte schüchtern: „Herr Präsident, ich – ich bin verwirrt. Sie auch?"

Seine Miene entspannte sich – nur ein bißchen – ein winziger Schimmer, das flüchtig aufflackernde Wetterleuchten eines Lächelns, um sieben Jahre verfrüht – und mit diesem zugleich war auch ich fort und verschwunden.

Zehn Jahre vergingen, bevor ich ihn zum zweiten Male traf. Inzwischen war ich bekannter geworden; und ich war einer derjenigen, die man dazu ausersehen hatte, Toastreden bei dem Bankett zu erwidern, das die Tennessee-Armee zu Ehren General Grants in Chicago veranstaltete, als er von seiner Weltreise zurückgekehrt war. Spät nachts kam ich an und stand spät am Morgen auf. Alle Gänge des Hotels wimmelten von Leuten, die General

Grant sehen wollten, wenn er sich zu der Stelle begab, von der aus er die große Parade abnehmen sollte. Ich arbeitete mich durch die Flucht überfüllter Salons hindurch und bemerkte in einem Eckzimmer ein offenes Fenster, vor dem sich eine geräumige, mit Flaggen geschmückte und mit Teppichen belegte Tribüne befand. Ich trat auf sie hinaus und sah, wie unter mir Millionen Menschen alle Straßen verstopften und wie sich weitere Millionen in allen Fenstern und auf allen Dächern ringsum zusammendrängten. Diese Massen hielten mich für General Grant und brachen in vulkanische Eruptionen und Hochrufe aus; aber der Platz war gut, um den Vorbeimarsch zu sehen, und ich blieb. Bald hörte ich von fernher Militärmusik schmettern und sah weit hinten in der Straße den Zug erscheinen, wie er sich seinen Weg durch die jubelnden Menschenmassen bahnte, an der Spitze Sheridan zu Pferde, die schneidigste Persönlichkeit des Krieges, in der Paradeuniform eines Generalleutnants.

Und nun trat General Grant, Arm in Arm mit Major Carter Harrison, auf die Tribüne heraus, und ihnen folgte paarweise das dekorierte und uniformierte Empfangskomitee. General Grant sah ganz genau so aus, wie er bei jener peinlichen Situation vor zehn Jahren ausgesehen hatte — ganz eiserne und bronzene Selbstbeherrschung. Mr. Harrison trat heran, führte mich vor den General und stellte mich in aller Form vor. Bevor ich die passende Bemerkung zusammenbringen konnte, sagte General Grant:

„Mr. Clemens, ich bin nicht verwirrt. Und Sie?" — und jenes kleine, siebenjährliche Lächeln huschte wieder über sein Antlitz.

Siebzehn Jahre sind seither vergangen, und heute drängen und stoßen sich in den Straßen New Yorks die Menschen, um den sterblichen Überresten des großen Soldaten Ehre zu erweisen, wenn sie zu ihrem letzten Ruheplatz unter dem Monument vorüberziehen; die Luft dröhnt von Trauergesängen und dem Donner des Saluts, und all die Millionen Amerikas gedenken des Mannes, der die Union und die Flagge rettete und der demokratischen Regierungsform neues Leben und, wie wir hoffen und glauben, einen bleibenden Platz unter den wohltätigen Errungenschaften der Menschheit verlieh.

Ein Spiel hatten wir auf dem Schiff, das einen guten Zeitvertreib darstellte — zumindest abends im Rauchsalon, wenn die Männer sich von den eintönigen und langweiligen Stunden des Tages erholten. Es war das Vollenden unvollendeter Geschichten. Das heißt, jemand erzählte eine ganze Geschichte, ausgenommen den Schluß, dann versuchten die anderen, das Ende aus eigener Erfindung zu liefern. Wenn jeder, der wollte, sich versucht hatte, gab der Mann, der die Geschichte vorgetragen hatte, ihr den eigentlichen Schluß — dann konnte man sich entscheiden. Manchmal erwies es sich, daß die neuen Schlüsse besser waren als der alte. Aber die Geschichte, welche die hartnäckigste und verbissenste und ehrgeizigste Bemühung herausforderte, war eine, die gar kein Ende besaß, und deshalb gab es nichts, mit dem man die neugeschaffenen Schlüsse hätte vergleichen können. Der Mann, der sie erzählte, sagte, er könne die näheren Umstände nur bis zu einer bestimmten Stelle mitteilen, weil er von der Geschichte weiter gar nichts wisse. Er habe sie vor fünfundzwanzig Jahren in einem Band Skizzen gelesen und sei unterbrochen worden, bevor er zum Schluß gekommen sei. Er wolle demjenigen fünfzig Dollar zahlen, der die Geschichte zur Zufriedenheit einer von uns zu wählenden Jury zu Ende brächte. Wir ernannten eine Jury und rangen mit der Erzählung. Wir erfanden viele Schlüsse, aber die Jury wies sie alle zurück. Die Jury hatte recht. Es war eine Geschichte, die vielleicht der Autor selbst befriedigend zum Abschluß gebracht haben mag, und wenn er wirklich dieses Glück gehabt haben sollte, würde ich gern wissen, wie der Schluß lautete. Jeder gewöhnliche Mensch wird feststellen, daß der Höhepunkt der Geschichte in der Mitte liegt und daß es anscheinend keine Möglichkeit gibt, ihn an den Schluß zu versetzen, wo er natürlich hingehört. Im wesentlichen ging das Geschichtchen wie folgt:

John Brown, einunddreißig Jahre alt, gutmütig, sanft, verschämt, schüchtern, wohnte in einem ruhigen Dorf in Missouri. Er war Vorsteher der presbyterianischen Sonntagsschule. Es war nur ein anspruchsloses, doch immerhin sein einziges offizielles Amt, und er war in aller Bescheidenheit stolz darauf und seinen Aufgaben und Belangen ergeben. Jedermann erkannte an, wie ungemein gütig seine Natur war; tatsächlich sagten die Leute, er bestehe gänzlich aus guten Trieben und Schüchternheit; man könne immer mit seiner Hilfe rechnen, wenn sie gebraucht würde, und mit seiner Schüchternheit, wo sie angebracht und auch wo sie nicht angebracht sei.

Mary Taylor, dreiundzwanzig, bescheiden, liebenswürdig, anziehend und schön an Leib und Seele, war sein ein und alles. Und er selbst war sehr nahe daran, ihr ein und alles zu sein. Sie schwankte noch, er war voll schöner Hoffnungen. Ihre Mutter war anfangs dagegen gewesen. Aber nun schwankte auch sie; er konnte es bemerken. Seine warme Anteilnahme an ihren zwei Schützlingen und seine Beiträge zu deren Unterhalt erweichten sie. Das waren zwei alleinstehende, alte Schwestern, die vier Meilen von Mrs. Taylors Hof entfernt einsam an einer Seitenstraße eine Blockhütte bewohnten. Eine der Schwestern war verrückt und manchmal ein bißchen gewalttätig, aber nicht oft.

Schließlich schien die Zeit für einen entscheidenden Vorstoß gekommen, und Brown raffte seinen Mut zusammen und beschloß, ihn auszuführen. Er wollte eine Spende mitnehmen, doppelt so hoch bemessen wie gewöhnlich, und die Mutter auf seine Seite bringen; wäre ihr Widerstand erst überwunden, würde der Rest der Eroberung sicher und rasch vor sich gehen.

An einem heiteren Sonntagnachmittag im milden Missourisommer machte er sich auf, und seine Erscheinung war seiner Mission angepaßt. Er war ganz in weißes Leinen gekleidet, mit einer blauen Schleife als Halsbinde, und trug flotte, knappsitzende Stiefel. Pferd und Wägelchen waren die hübschesten, die der Mietstall zu liefern vermochte. Die Wagendecke aus weißem Leinen war neu und wies eine handgestickte Kante auf, so schön und kunstvoll, daß sie in der ganzen Gegend nicht ihresgleichen hatte.

Als er auf der einsamen Landstraße vier Meilen weit gekommen war und das Pferd gerade über einen Holzsteg führte, flog sein Strohhut davon, fiel in den Bach, trieb fort und landete an einer Sandbank. Er wußte nicht recht, was er machen sollte. Den Hut mußte er haben, das war klar; aber wie sollte er ihn kriegen?

Dann hatte er eine Idee. Die Straßen waren leer, nichts rührte sich. Ja, er würde es wagen. Er führte das Pferd an den Straßenrand und ließ es weiden;

dann zog er sich aus und legte seine Sachen in das Wägelchen, tätschelte kurz das Pferd, um sich seine Anteilnahme und Treue zu erkaufen, und eilte zum Flüßchen hinab. Er schwamm hinaus, schnell hatte er den Hut. Als er das Ufer erklommen hatte, war das Pferd fort!

Fast versagten ihm die Beine den Dienst. Das Pferd schritt gemächlich die Straße entlang. Brown trabte hinterher und sagte dabei: „Brrr, brrr, na, komm schon"; aber immer, wenn er nahe genug herangekommen war, um einen Sprung auf das Wägelchen riskieren zu können, beschleunigte das Pferd seine Gangart ein bißchen und lief ihm davon. So ging das weiter, und der nackte Mann kam um vor Angst und erwartete jeden Augenblick, daß Leute in Sicht kämen. Er rannte und rannte, flehte das Pferd an, bettelte, bis er eine ganze Meile zurückgelegt hatte und sich dem Taylorschen Grundstück näherte; da endlich hatte er Erfolg und gelangte in den Wagen. Er warf sich in Hemd, Halstuch und Jackett; dann griff er nach – aber es war zu spät; hastig setzte er sich und zog die Wagendecke hoch, denn er sah jemanden aus dem Tor treten – eine Frau, so schien ihm. Er lenkte das Pferd nach links und schlug rasch den Seitenweg ein. Der verlief schnurgerade und nach beiden Seiten hin ungeschützt; aber drei Meilen voraus gab es Wälder und eine scharfe Kurve, und er war heilfroh, als er dort anlangte. Als er um die Ecke bog, ließ er das Pferd Schritt gehen und griff nach seinen Ho… – wieder zu spät.

Er war auf Mrs. Enderby, Mrs. Glossop, Mrs. Taylor und Mary gestoßen. Sie waren zu Fuß und schienen müde und aufgeregt zu sein. Sofort traten sie an das Wägelchen heran, reichten Brown die Hand, redeten alle gleichzeitig los und sagten ehrlich und aufrichtig, wie froh sie seien, daß er sich hier eingefunden habe, und was das für ein Glück sei. Und Mrs. Enderby sagte nachdrücklich:

„Es *sieht aus* wie ein Zufall, daß er in einem solchen Augenblick ankommt; aber entweihe das niemand mit einem solchen Ausdruck; er wurde gesandt – von oben gesandt."

Alle waren bewegt, und Mrs. Glossop sagte mit ehrfürchtiger Stimme: „Sarah Enderby, in deinem ganzen Leben hast du kein wahreres Wort gesprochen. Das ist kein Zufall, es ist eine besondere Vorsehung. Er ist uns *gesandt* worden. Er ist ein Engel – ein Engel, so wahr es Engel gibt – ein rettender Engel. Ich sage *Engel*, Sarah Enderby, und lasse kein anderes Wort gelten. Nie wieder soll mir jemand sagen, besondere Vorsehungen gibt es nicht; denn wenn das hier keine ist, begründe das, wer kann."

„Ich weiß, daß es so ist", sagte Mrs. Taylor inbrünstig. „John Brown, ich könnte Sie anbeten! ich könnte vor Ihnen auf die Knie sinken. Hat nicht etwas zu Ihnen gesprochen? – haben Sie nicht *gespürt*, daß Sie uns gesandt wurden? Ich könnte den Saum Ihrer Wagendecke küssen."

Er war nicht fähig zu reden; er war hilflos vor Scham und Angst.

Mrs. Taylor fuhr fort: „Sieh es dir doch mal von allen Seiten an, Julia Glossop. *Jeder* kann die Hand der Vorsehung darin erkennen. Was sehen wir heute mittag? Wir sehen den Rauch aufsteigen. Ich sage: ‚Nanu', sage ich, ‚da brennt doch das Häuschen von den alten Leutchen.' Stimmt's nicht, Julia Glossop?"

„Genau deine Worte, Nancy Taylor. Ich stand so dicht neben dir wie jetzt, und ich habe sie gehört. Vielleicht hast du Hütte statt Häuschen gesagt, aber dem Sinn nach ist es dasselbe. Und du hast auch blaß ausgesehen."

„Blaß? Ich war so blaß, daß ich – ach, du brauchst dir bloß diese Wagendecke anzusehen. Dann war das nächste, was ich sagte: ,Mary Taylor, sag dem Knecht, er soll anspannen – wir wollen ihnen zu Hilfe kommen.' Und sie sagte: ,Mutter, weißt du nicht mehr, daß du ihm gesagt hast, er kann seine Leute besuchen und den ganzen Sonntag bleiben?' Und genau so war es. Ich hatte es wahrhaftig vergessen. ,Dann', sagte ich, ,werden wir zu Fuß gehen.' Und gegangen sind wir. Und haben auf der Straße Sarah Enderby getroffen."

„Und wir sind alle zusammen hingegangen", sagte Mrs. Enderby. „Und fanden, daß die Verrückte die Hütte angesteckt und niedergebrannt hatte, und die armen, alten Frauen waren so matt und schwach, daß sie nicht zu Fuß gehen konnten. Und wir haben sie an eine schattige Stelle gebracht, es ihnen so bequem wie möglich gemacht und angefangen zu überlegen, wie wir es anstellen sollten, um eine Möglichkeit zu finden, sie nach Nancy Taylors Haus zu bringen. Und ich habe gesagt – na, was habe ich doch gesagt? Habe ich nicht gesagt: ,Überlassen wir es der Vorsehung'?"

„Freilich, wahrhaftig, das hast du gesagt! Das hatte ich ganz vergessen!"

„Ich auch", sagten Mrs. Glossop und Mrs. Taylor, „aber du hast es bestimmt gesagt. Na, war das nicht erstaunlich?"

„Ja, das habe ich gesagt. Und dann sind wir zwei Meilen zu Mr. Moseley gegangen, und sie waren alle fort drüben in Stony Fork zu einer Andacht im Freien; und dann sind wir den ganzen Weg zurückgegangen, zwei Meilen, und dann hierher, noch eine Meile – und die Vorsehung *hat* geholfen. Ihr seht es doch."

Sie starrten einander von Ehrfurcht ergriffen an, hoben die Hände auf und sprachen einstimmig: „Es ist ein-fach wunderbar."

„Und jetzt", sagte Mrs. Glossop, „was meint ihr, was sollen wir nun machen – soll Mr. Brown die alten Leute nacheinander zu Nancy Taylor fahren, oder soll er sie beide in das Wägelchen setzen und das Pferd führen?"

Brown schnappte nach Luft.

„Ja, also, das ist wirklich die Frage", sagte Mrs. Enderby. „Wissen Sie, wir sind alle erschöpft, und wie wir es auch einrichten, es wird schwierig sein. Denn wenn Mr. Brown sie beide mitnimmt, muß mindestens eine von uns mit zurückgehen und ihm helfen, denn er kann sie nicht ganz allein auf das Wägelchen laden, wo sie doch so hilflos sind."

„Das stimmt", sagte Mrs. Taylor. „Es sieht nicht – oh, wie wäre denn das! – eine von uns fährt *mit* Mr. Brown hin, und ihr anderen geht zu mir nach Hause und richtet alles her. Ich werde mit ihm fahren. Wir zwei zusammen können eine der alten Frauen in den Wagen heben, sie dann zu mir nach Hause fahren und…"

„Aber wer soll sich um die andere kümmern?" sagte Mrs. Enderby. „Wir dürfen sie nicht dort im Wald allein lassen, wißt ihr – besonders die Verrückte nicht. Hin und zurück sind es immerhin acht Meilen."

Sie hatten jetzt schon alle eine Zeitlang im Gras neben dem Wägelchen gesessen, um ihre müden Glieder auszuruhen. Für kurze Zeit wurden sie still und schlugen sich in Gedanken mit der verwirrenden Situation herum; dann strahlte Mrs. Enderby auf und sagte: „Ich glaube, ich hab's. Seht ihr, *laufen* können wir nicht mehr. Denkt doch nur, was wir geleistet haben; vier Meilen dorthin, zwei zu Moseleys, das macht sechs, dann hierher zurück – neun Meilen seit Mittag, und keinen Bissen zu essen: ich muß schon sagen, ich begreife gar nicht, wie wir das geschafft haben; ich jedenfalls bin einfach am Verhungern. Also, jemand muß umkehren, um Mr. Brown zu helfen – darum kommen wir nicht herum; aber wer mitgeht, muß fahren, nicht laufen. Ich habe mir das nun so gedacht: Eine von uns fährt mit Mr. Brown zurück, fährt dann mit einer von den alten Frauen zu Nancy Taylors Haus und läßt Mr. Brown zurück, um der anderen Gesellschaft zu leisten; ihr alle geht jetzt zu Nancy, ruht euch aus und wartet; dann fährt eine von euch zurück, holt die andere und fährt *sie* zu Nancy, und Mr. Brown läuft."

„Großartig!" riefen sie alle. „Oh, das geht, so klappt das wunderbar!" Und sie sagten, Mrs. Enderby habe von allen den besten Kopf zum Planen; und sie sagten, sie wunderten sich, warum sie nicht selbst auf diesen simplen Plan gekommen seien. Sie hatten das Kompliment gar nicht zurücknehmen wollen, die guten, schlichten Seelen, und wußten nicht, daß sie es getan hatten. Nach einer Beratung wurde beschlossen, daß Mrs. Enderby mit Mr. Brown zurückfahren solle, denn ihr gebühre dieser Vorzug, weil sie den Plan ersonnen habe. Nachdem nun alles befriedigend geregelt und festgelegt war, standen die Frauen erleichtert und froh auf und glätteten ihre Kleider, und drei von ihnen machten sich auf den Heimweg; Mrs. Enderby setzte den Fuß auf das Trittbrett des Wägelchens und wollte gerade einsteigen, als Brown einen Rest seiner Stimme wiederfand und hervorstieß:

„Bitte, Mrs. Enderby, rufen Sie sie zurück – ich bin sehr schwach; ich kann nicht laufen, wirklich, ich kann nicht."

„Aber, lieber Mr. Brown! Sie sehen *wirklich* bleich aus; ich schäme mich, daß ich es nicht eher bemerkt habe. Kommt alle zurück! Mr. Brown fühlt sich nicht wohl. Kann ich etwas für Sie tun, Mr. Brown? – Es tut mir wirklich leid. Haben Sie Schmerzen?"

„Nein, Madam, nur schwach bin ich; ich bin nicht krank, sondern nur schwach – seit kurzem; noch nicht lange, sondern erst seit kurzem."

Die anderen kamen zurück, verströmten Anteilnahme und Mitleid und machten sich Vorwürfe, daß sie nicht bemerkt hätten, wie bleich er war. Und sie entwarfen sogleich einen neuen Plan und waren sich bald darüber einig, daß er bei weitem der allerbeste sei. Sie würden alle zu Nancy Taylor gehen und zuerst Mr. Brown versorgen. Er könnte auf dem Sofa im Wohnzimmer liegen, und während Mrs. Taylor und Mary sich um ihn kümmerten, würden die anderen zwei Damen das Wägelchen nehmen, eine der alten Frauen holen, eine von ihnen würde bei der anderen bleiben und…

Schon hatten sie, ohne zu fragen, das Pferd am Kopf und fingen an, es umzulenken. Die Gefahr war riesengroß, aber Brown fand seine Stimme wieder und rettete sich.

Er sagte: „Aber, meine Damen, Sie übersehen etwas, das den Plan unausführbar macht. Sehen Sie, wenn Sie *eine* nach Hause bringen und eine mit der anderen zurückbleibt, werden drei Personen dort sein, wenn eine von Ihnen zurückkommt, um die andere zu holen, denn jemand muß das Wägelchen doch zurückfahren, und *drei* können darin nicht nach Hause kommen."

Sie riefen alle: „Aber ja, freilich, so ist es!" und wieder waren alle ratlos.

„Herrje, herrje, was *können* wir bloß machen?" sagte Mrs. Glossop; „das ist die verdrehteste Sache, die es je gab. Der Fuchs und die Gans und der Mais und Dings – oje, das ist ja gar nichts dagegen."

Erschöpft setzten sie sich wieder, um ihre strapazierten Köpfe weiter nach einem Plan zu zermartern, der durchführbar wäre. Dann legte Mary einen Plan vor; es war ihr erster Versuch.

Sie sagte: „Ich bin jung und kräftig und habe jetzt ausgeruht. Nehmt Mr. Brown zu uns nach Hause und helft ihm – ihr seht ja selbst, wie nötig er es hat. Ich kehre um und kümmere mich um die alten Leutchen; in zwanzig Minuten kann ich dort sein. Ihr könnt machen, was ihr zuerst vorhattet – an der Landstraße vor unserem Haus warten, bis jemand mit einem Wagen vorbeikommt; dann schickt nach uns dreien und holt uns ab. Ihr werdet nicht lange warten müssen; die Bauern werden jetzt bald aus der Stadt zurückkommen. Ich werde der alten Polly Geduld und Mut zusprechen – die Verrückte braucht es nicht."

Dieser Plan wurde besprochen und angenommen; er schien unter diesen Umständen der bestmögliche zu sein, und die alten Leutchen würden mittlerweile wohl ängstlich werden.

Brown fühlte sich erleichtert und war innig dankbar. Wenn er nur erst einmal an die Landstraße käme, wollte er schon eine Fluchtmöglichkeit finden.

Dann sagte Mrs. Taylor: „Bald kommt die Abendkühle, und die armen ausgedörrten Frauen werden etwas zum Zudecken brauchen. Nimm die Wagendecke mit, Liebes."

„Gut, Mutter, das mache ich." Sie trat an das Wägelchen und streckte die Hand aus, um die Decke zu nehmen...

Damit war die Geschichte zu Ende. Der Mitreisende, der sie erzählte, sagte, an dieser Stelle sei er unterbrochen worden, als er sie vor fünfundzwanzig Jahren in einem Zug las – der Zug stürzte von einer Brücke.

Zuerst dachten wir, wir könnten die Geschichte mühelos zu Ende führen, und machten uns zuversichtlich ans Werk; aber bald wurde klar, daß es keine einfache Sache war, sondern schwierig und verwirrend. Das lag an Browns Charakter – große Hilfsbereitschaft und Menschenfreundlichkeit, aber kompliziert durch ungewöhnliche Scheu und Schüchternheit, besonders in Gegenwart von Damen. Da war seine Liebe zu Mary, in einem Stadium der Hoffnung, aber noch nicht der Sicherheit – tatsächlich gerade an einem Punkt, da ihre Sache mit großem Takt geführt werden mußte und kein Fehler gemacht, kein Anstoß erregt werden durfte. Und da war die Mutter – schwankend, halb und halb einverstanden – durch geschickte und fehlerlose Diplomatie zu gewinnen, gerade jetzt oder vielleicht überhaupt nie. Außerdem warteten die hilflosen alten Leutchen dort im Walde – ihr Schicksal und Browns Glück hingen davon ab, was Brown in den nächsten zwei Sekunden tun würde. Mary griff nach der Wagendecke; Brown mußte sich entschließen – es war keine Zeit zu verlieren.

Natürlich wollte die Jury nur ein glückliches Ende der Geschichte gelten lassen; zum Schluß müßte Brown sich bei den Damen in höchstem Ansehen befinden, sein Betragen müßte untadelig sein, sein Schamgefühl unverletzt bleiben. Sein Ruf als Muster der Selbstaufopferung müßte erhalten bleiben, die alten Leutchen sollten durch ihn, ihren Wohltäter, gerettet werden, die ganze Gesellschaft sollte stolz und glücklich über ihn sein und Lob auf allen Lippen liegen.

Wir versuchten, es so einzurichten, aber hartnäckige und nicht zu beseitigende Schwierigkeiten stellten sich dazwischen. Wir erkannten, daß Browns Schüchternheit ihm nicht gestatten würde, die Wagendecke aufzugeben. Das würde Mary und ihre Mutter kränken; und es würde die anderen Damen überraschen, teils, weil diese Filzigkeit den leidenden alten Leutchen gegenüber nicht zu Browns Charakter passen würde, und teils, weil er eine besondere Vorsehung war und schicklicherweise so nicht handeln konnte. Wenn er aufgefordert würde, sein Benehmen zu erklären, würde ihm seine Schüchternheit nicht gestatten, die Wahrheit zu sagen, und aus Mangel an Erfindungskraft und Übung wäre er unfähig, eine überzeugende Lüge zu ersinnen. Bis drei Uhr morgens arbeiteten wir an der mühseligen Aufgabe.

Inzwischen griff Mary immer noch nach der Wagendecke. Wir gaben es auf und beschlossen, sie weiterhin greifen zu lassen. Es bleibt dem Leser überlassen, selbst zu ermitteln, wie die Sache ausging.

3. KAPITEL

Es macht mehr Mühe, einen Grundsatz aufzustellen, als das Rechte zu tun.

Querkopf Wilsons Neuer Kalender

Am siebenten Tag nach unserer Abfahrt sahen wir eine verschwommene, ungeheure Masse aus der Weite des Pazifiks aufragen und wußten, jenes geisterhafte Vorgebirge war Diamond Head, ein Teil der Erde, den ich seit neunundzwanzig Jahren nicht mehr gesehen hatte. Also näherten wir uns Honolulu, der Hauptstadt der Sandwichinseln – jener Inseln, die für mich das Paradies bedeuteten; ein Paradies, das wiederzusehen ich mich all diese Jahre hindurch gesehnt hatte. Nichts auf der Welt hätte mich so erregen können wie der Anblick dieses großartigen Felsens.

Nachts ankerten wir eine Meile vor der Küste. Durch meine Luke konnte ich die blinzelnden Lichter von Honolulu sehen und die dunkle Masse der Bergkette, die sich nach rechts und links hinzog. Das wunderschöne Nuanatal konnte ich nicht erkennen, aber ich wußte, wo es lag, und erinnerte mich, wie es früher ausgesehen hatte. Damals ritten wir immer zu Pferde hinauf – wir jungen Leute –, schlugen uns beiseite und sammelten in einer sandigen Gegend Knochen, wo eine der ersten Schlachten Kamehamehas stattgefunden hatte. Als König war er ein bemerkenswerter Mann; und er war auch als Wilder ein bemerkenswerter Mann. Bei Kapitän Cooks Ankunft im Jahre 1788 war er ein bloßer Zaunkönig von wenig oder keiner Bedeutung; aber etwa vier Jahre später faßte er den Plan, seinen Einflußbereich zu erweitern. Das ist eine höfliche moderne Formulierung, die besagt, den Nachbarn zu berauben – zum Nutzen des Nachbarn; und der wichtigste Schauplatz ihrer wohltätigen Wirksamkeit ist Afrika. Kamehameha zog in den Krieg, und binnen zehn Jahren vertrieb er alle anderen Könige und machte sich zum Gebieter jeder einzelnen der neun oder zehn Inseln, aus denen die Gruppe besteht. Aber er tat noch mehr. Er kaufte Schiffe, belud sie mit Sandelholz und anderen einheimischen Produkten und schickte sie bis nach Südamerika und China; er verkaufte seinen Wilden die ausländischen Waren und Werkzeuge und Gebrauchsgegenstände, die in diesen Schiffen zurückkamen, und setzte den Vormarsch der Zivilisation in Gang. Es ist fraglich, ob in der Geschichte irgendeines anderen Wilden etwas zu finden wäre, das diesem außergewöhnlichen Umstand ebenbürtig wäre. Wilde sind darauf erpicht, vom weißen Mann jede neue Methode zu lernen, einander umzubringen, aber die höheren und edleren Ideen, die er ihnen anbietet, pflegen sie nicht gerade begierig aufzugreifen und tatkräftig zu verwirklichen. Die Einzelheiten der Geschichte Kamehamehas zeigen, daß er stets gern bereit war, die Ideen des weißen Mannes zu prüfen, und daß er bei der Auswahl zwischen den ausgestellten Mustern ein feines Unterscheidungsvermögen walten ließ.

Er bewies, so scheint mir, eine scharfsinnigere Urteilskraft als sein Sohn und Nachfolger Liholiho. Liholiho hätte vielleicht als Reformer getaugt, aber als König war er ein Versager. Ein Versager, weil er versuchte, beides zu sein, König *und* Reformer. Das heißt Feuer und Schießpulver vermengen. Einen König gehen Reformen überhaupt nichts an. Er verfährt am klügsten, die Dinge so zu belassen, wie sie sind; und wenn das nicht geht, sollte er versuchen, sie zu verschlimmern. Das ist nicht ins Blaue hineingeredet; ich habe diese Angelegenheit sehr gründlich durchdacht, so daß ich, falls ich einmal Gelegenheit hätte, König zu werden, genau wüßte, wie die Geschäfte am besten zu führen wären.

Als Liholiho seinem Vater nachfolgte, fand er sich im Besitz einer Ausstattung an königlichem Handwerkszeug und Sicherheitsvorkehrungen, die ein weiserer König klug zu verwalten, umsichtig anzuwenden und sich nützlich zu machen gewußt hätte. Das ganze Land war unter einem einzigen Zepter vereinigt, und dieses Zepter war sein. Es existierte eine Staatskirche, und er war ihr Oberhaupt. Es existierte ein stehendes Heer, und sein Oberhaupt war er; ein Heer von 114 Soldaten unter dem Kommando von 27 Generalen und einem Feldmarschall. Es existierte ein stolzer und uralter Erbadel. Noch ein Aktivposten existierte. Es war das *Tabu* – ein mit geheimnisvoller und ungeheurer Gewalt ausgestatteter Machtfaktor, ein Machtwerkzeug, wie es unter den Besitztümern keines einzigen europäischen Monarchen zu finden war, ein Hilfsmittel von unschätzbarem Wert für das Geschäft. Liholiho war Vorsteher des Tabus. Das Tabu war die sinnreichste und wirksamste aller Erfindungen, die jemals erdacht wurden, um die Rechte eines Volkes befriedigend in Schranken zu halten.

Es schrieb den Geschlechtern vor, in getrennten Häusern zu wohnen. Es erlaubte den Leuten nicht, in einem dieser Häuser zu essen; das mußten sie woanders tun. Es erlaubte den weiblichen Angehörigen eines Mannes nicht, sein Haus zu betreten. Es erlaubte den Geschlechtern nicht, gemeinsam zu essen; die Männer mußten zuerst essen, und die Frauen mußten sie bedienen. Dann durften die Frauen essen, was übrig war – wenn überhaupt etwas übrig war –, und sich selbst bedienen. Ich will sagen, wenn etwas Grobes oder Schlechtschmeckendes üriggeblieben war, durften es die Frauen nehmen. Aber nicht die guten, die feinen, die leckeren Sachen wie Schweine-fleisch, Geflügel, Bananen, Kokosnüsse, die besten Sorten Fisch und derglei-chen. Das alles war durch Tabu den Männern vorbehalten; die Frauen sehn-ten sich ihr Leben lang nach diesen Sachen und fragten sich, wie sie wohl schmeckten; und sie starben, ohne es herausbekommen zu haben.

Wie Sie sehen, waren diese Vorschriften ganz einfach und klar. Es war leicht, sie sich zu merken; und zweckmäßig. Denn die Strafe für die Übertre-tung jeder einzelnen Vorschrift dieser ganzen Liste war der *Tod*. Jene Frauen lernten mühelos, sich als Nahrung mit Haifisch, Taro und Hund zu begnü-gen, da die anderen Sachen so teuer waren.

Es bedeutete für jeden Menschen den Tod, auf tabuiertem Boden zu ge-hen; oder eine tabuierte Sache durch seine Berührung zu verunreinigen; oder es an der notwendigen Kriecherei einem Häuptling gegenüber fehlen zu las-sen; oder auf den Schatten des Königs zu treten. Dauernd hängten die Ed-len, der König und die Priester hier und da und dort kleine Lappen auf, um dem Volk bekanntzugeben, daß die dekorierte Stelle oder Sache tabu sei und der Tod dort lauere. Der Lebenskampf auf den Inseln war damals schwierig und riskant.

So vorteilhaft war die Lage des neuen Königs. Wird man glauben, daß es seine erste Handlung war, seine Staatskirche mit Stumpf und Stiel zu ver-nichten? Er hat es wirklich getan. Um den Fall bildlich darzustellen: Er war ein erfolgreicher Seemann, der sein Schiff verbrannte und auf ein Floß um-stieg. Diese Kirche war eine scheußliche Sache. Sie bedrückte das Volk schwer; sie ließ es ständig vor dem Dunkel geheimnisvoller Drohungen erzit-tern; sie schlachtete es als Opfer vor ihren grotesken hölzernen und steiner-nen Götzen hin; sie schüchterte es ein, sie terrorisierte es, sie machte es zu Sklaven ihrer Priester und durch die Priester zu Sklaven des Königs. Sie war der beste Freund, den ein König besitzen konnte, und auch der zuverlässig-ste. Einem Berufsreformer, der eine so furchtbare und verheerende Macht wie diese Kirche vernichtet, gebühren Verehrung und Ruhm; aber einem König, der das tut, können nur Vorwürfe gebühren; Vorwürfe, gemildert durch Trauer; Trauer darüber, daß er für sein Amt so ungeeignet ist.

Er zerstörte seine Staatskirche, und heute ist sein Königreich infolge die-ses Schrittes eine Republik.

Als er die Kirche vernichtete und die Götzen verbrannte, tat er für die Zi-vilisation und das Wohl seines Volkes etwas Gewaltiges – aber es war „ge-schäftlich unklug". Es war unköniglich, es war stillos. Es brachte seiner Dy-nastie Ärger. Die amerikanischen Missionare trafen ein, während die ver-brannten Götzen noch rauchten. Sie fanden das Volk ohne Religion vor und behoben den Schaden. Sie boten ihre eigene Religion an, und man empfing diese mit Freuden. Aber sie stellte keine Stütze des absoluten Königtums dar, und so begann von diesem Tage an die königliche Macht zu schwinden. Als ich siebenundvierzig Jahre später wieder auf den Inseln war, versuchte Ka-mehameha V. gerade, Liholihos Fehler wiedergutzumachen, ohne Erfolg. Er hatte eine Staatskirche gegründet und sich zu ihrem Oberhaupt gemacht. Aber sie war nur eine unechte Sache, Nachahmung, Spielerei, leerer Schein. Sie hatte keine Macht, keinen Wert für einen König. Sie konnte weder drangsalieren noch verbrennen, noch erschlagen, sie ähnelte in keiner Weise dem bewundernswerten Machtmittel, das Liholiho zerstört hatte. Es war eine Staatskirche ohne Fundament im Staate, alle Leute waren Dissidenten.

Lange vorher schon war das Königtum selbst zu einem bloßen Namen, einem Aushängeschild geworden. Die Missionare hatten frühzeitig etwas daraus gemacht, das einer Republik sehr stark ähnelte; und die weißen Geschäftsleute haben neuerdings etwas daraus gemacht, das einer Republik haargenau gleicht.

Zur Zeit des Kapitäns Cook (1778) wurde die eingeborene Bevölkerung der Inseln auf 400 000 geschätzt; im Jahre 1836 auf knapp 200 000; im Jahre 1866 auf 50 000; heute beträgt sie laut Volkszählung 25 000. Alle intelligenten Menschen loben Kamehameha I. und Liholiho dafür, daß sie dem Volke die große Wohltat der Zivilisation geschenkt haben. Ich selbst würde das auch tun, aber meine Intelligenz hat gerade wegen Überanstrengung Schaden erlitten.

Als ich vor fast einem Menschenalter auf den Inseln weilte, kannte ich ein junges amerikanisches Ehepaar, zu dessen Besitz ein reizender siebenjähriger Sohn gehörte – reizend, aber kein geeigneter Umgang für mich, weil er kein Englisch konnte. Er hatte von Geburt an mit den kleinen Kanaken auf der Plantage seines Vaters gespielt, hatte ihre Sprache vorgezogen und keine andere lernen wollen. Einen Monat, nachdem ich auf den Inseln eingetroffen war, zog die Familie nach Amerika, und sogleich fing der Junge an, sein Kanaka zu verlernen und Englisch aufzuschnappen. Bis er zwölf war, konnte er kein einziges Wort Kanaka mehr; die Sprache war seiner Zunge und seinem Geist vollständig entfallen. Neun Jahre später, als er einundzwanzig war, traf ich die Familie in einem der Binnenseeorte des Staates New York wieder, und die Mutter berichtete mir von einem Abenteuer, das ihr Sohn erlebt hatte. Er war jetzt von Beruf Taucher. Ein Passagierboot war auf dem See in einen Sturm geraten und mit allen Menschen untergegangen. Ein paar Tage später stieg der junge Taucher in voller Ausrüstung hinab, drang in die Back des Bootes ein, stand am Fuße der Kajüttreppe mit der Hand auf der Reling und spähte durch das trübe Wasser. Plötzlich berührte ihn etwas an der Schulter, er drehte sich um und sah einen toten Mann, der um ihn herumpendelte, auf und nieder stippte und ihn scheinbar forschend betrachtete. Er war starr vor Schrecken. Sein Eindringen hatte das Wasser aufgerührt, und jetzt machte er undeutlich eine Anzahl Leichen aus, die auf ihn zutrieben, mit den Köpfen wackelnd und mit den Körpern schwankend, wie verschlafene Leute, die zu tanzen versuchen. Ihm schwanden die Sinne, und in diesem Zustand zog man ihn an die Oberfläche empor. Zu Hause wurde er zu Bett gelegt und war bald sehr krank. Mehrere Tage lang machte er delirante Zustände durch, die jedesmal mehrere Stunden anhielten; und während ihrer Dauer sprach er unaufhörlich und fließend Kanaka, und zwar ausschließlich Kanaka. Er war jetzt noch immer sehr krank und sprach mich in diesem Dialekt an; aber ich verstand ihn natürlich nicht. Die medizinischen Bücher berichten uns, daß solche Fälle nicht ungewöhnlich sind. Nun, dann sollten die Ärzte diese Fälle studieren und herausfinden, wie man sie vervielfältigen kann. Viele Sprachkenntnisse und andere Dinge kommen im Kopfe eines Menschen abhanden und bleiben es, weil dieses Mittel fehlt.

Viele Erinnerungen an meinen früheren Besuch auf den Inseln kamen mir in den Sinn, als wir in jener Nacht vor Honolulu lagen. Und Bilder – Bilder – Bilder – eine bezaubernde Folge! Ich wartete ungeduldig auf den Morgen.

Als er kam, brachte er natürlich eine Enttäuschung. In der Stadt war die Cholera ausgebrochen, und wir durften keinerlei Verbindung mit der Küste aufnehmen. So plötzlich zerbrach mein neunundzwanzig Jahre alter Traum. Botschaften von Freunden trafen ein, aber die Freunde selbst sollte ich überhaupt nicht sehen. Mein Vortragssaal stand bereit, aber ich sollte auch ihn nicht sehen.

Mehrere unserer Passagiere waren aus Honolulu, und diese schickte man an Land; aber niemand durfte an Land gehen und dann zurückkommen. An Land befanden sich Leute, die mit uns nach Australien fahren sollten, aber wir konnten sie nicht aufnehmen; es hätte uns eine Quarantänezeit in Sydney gekostet. Am Tag zuvor hätten sie per Schiff nach San Francisco entkommen können; aber nun war das Tor verschlossen, und sie mußten vielleicht wochenlang warten, bevor ein Schiff es wagen könnte, sie irgendwohin mitzunehmen. Und auch andere erlebten Unannehmlichkeiten. Eine ältere Dame und ihr Sohn, Vergnügungsreisende aus Massachusetts, waren ziellos in westliche Richtung gestreift, immer weiter von Hause fort, wobei sie stets die Absicht hatten, den Rückweg einzuschlagen, aber stets entschieden, noch ein bißchen weiter zu fahren; und nun ankerten sie hier vor Honolulu – unbedingt der letzten Etappe, die sie sich in westlicher Richtung gönnen wollten – das hatten sie beschlossen –, aber was hat es auf dieser Welt für einen Sinn, etwas zu beschließen? Gewöhnlich ist es Zeitverschwendung. Die beiden würden bis Australien bei uns bleiben müssen. Dann könnten sie weiter, rund um die Welt oder auf dem Weg zurück, den sie gekommen waren; die Entfernung, die Fahrtbedingungen und der Zeitaufwand wären genau die gleichen, gleichgültig, welche der beiden Routen sie wählten. Denken Sie bloß: ein Ausflug, auf fünfhundert Meilen geplant, der ohne besondere Absicht stufenweise auf vielleicht vierundzwanzigtausend erweitert wird. Aber mittlerweile waren sie Programmerweiterungen gewöhnt, und sie störten sich nicht mehr allzusehr an dieser neuen.

Und wir hatten einen Rechtsanwalt aus Victoria unter uns, den die Regierung in einer internationalen Angelegenheit ausgesandt hatte, und er hatte seine Frau mitgenommen und die Kinder bei der Dienerschaft zu Hause gelassen – und was sollte nun geschehen? An Land mitten unter die Cholera gehen und das Risiko auf sich nehmen? Ganz gewiß nicht. Sie beschlossen, zu den Fidschiinseln weiterzufahren, dort vierzehn Tage auf das nächste Schiff zu warten und dann nach Hause zurückzukehren. Sie konnten nicht voraussehen, daß sie sechs Wochen lang kein heimfahrendes Schiff mehr sehen würden und daß in dieser ganzen Zeit keine Nachricht von den Kindern sie erreichen und von ihnen keine Nachricht zu den Kindern gelangen konnte. Es ist in dieser Welt leicht, Pläne zu machen; sogar eine Katze kann das; und wenn man hier draußen auf diesen fernen Meeren weilt, ist festzustellen, daß die Pläne einer Katze und die eines Menschen ungefähr das gleiche wert sind. Die Bedeutung beider schrumpft etwa im gleichen Maße.

Uns blieb nichts weiter übrig, als uns in den Schatten der Sonnensegel zu setzen und zur fernen Küste hinüberzuschauen. Wir lagen in leuchtendblauem Wasser; zur Küste hin war das Wasser grün – grün und glitzernd; an

31

der Küste selbst brach es sich in einer langen weißen Krause, und kein Donnern, kein Geräusch war bei uns zu hören. Die Stadt lag unter einer Laubdecke begraben, die wie ein Moospolster aussah. Die seidigen Berge waren in den sanften, satten Schimmer verschmelzender Farben gehüllt, und einige Klippen waren von schräg aufsteigendem Dunst verschleiert. Ich erkannte alles wieder. Es war genau so, wie ich es vor langer Zeit gesehen hatte, nichts von seiner Schönheit war verlorengegangen, nichts von seinem Zauber fehlte.

Eine Änderung war wohl eingetreten, aber diese war politischer Natur und vom Schiff aus nicht sichtbar. Die Monarchie von einst war dahin, und an ihrer Stelle thronte eine Republik. Es war kein bedeutender Wechsel. Der alte, nachgemachte Pomp und das Flitterbeiwerk sind dahin, auch das königliche Warenzeichen – das ist ungefähr alles, was man vermissen könnte, nehme ich an. Diese nachgeäffte Monarchie war damals schon grotesk genug; hätte sie weitere dreißig Jahre bestanden, dann wäre sie eine Monarchie ohne Untertanen von der Rasse des Königs gewesen.

Wir erlebten einen besonders schönen Sonnenuntergang. Die ungeheure Fläche des Meeres war in Streifen scharf kontrastierender Farben aufgeteilt: große Strecken Dunkelblau, andere Purpur, andere polierte Bronze; die wogenden Berge zeigten alle Arten köstlicher Braun-, Grün-, Blau-, Purpur- und Schwarztöne, und die gerundeten, samtigen Kuppen von einigen flößten das Verlangen ein, sie zu streicheln, wie man den weichen Rücken einer Katze streicheln würde. Das lange, sanft abfallende Vorgebirge, das gen Westen in das Meer hinausragte, wurde glanzlos, bleiern und geisterhaft, dann stand es rosa übergossen da – löste sich sozusagen in einen rosigen Traum auf, so ätherisch und unwirklich sah es aus. Bald war das Gewölk von einer feurigen Farbenpracht überflutet, die auf dem Meeresspiegel noch einmal erschien, und das zu betrachten machte einen vor Entzücken trunken.

Aus Unterhaltungen mit verschiedenen Passagieren, die aus Honolulu stammten, und aus einer Skizze von Mrs. Mary H. Krout konnte ich feststellen, was das heutige Honolulu ist, verglichen mit dem Honolulu zu meiner Zeit. Damals war es eine wunderschöne kleine Stadt aus schneeweißen Holzhäuschen, die in einer herrlichen Flut tropischer Ranken, Blumen, Bäume und Sträucher erstickten; und die Straßen und Wege aus Korallen waren fest und glatt und so weiß wie die Häuser. Die äußeren Merkmale des Ortes wiesen auf einen bescheidenen und behaglichen Wohlstand hin, einen allgemeinen Wohlstand – vielleicht darf man den Ausdruck verstärken und sagen: einen allumfassenden Wohlstand. Es gab keine feinen Häuser, keine feinen Möbel. Es gab keine Dekorationen. Talgkerzen spendeten den Schlafräumen Licht, eine Walfischtranlampe der guten Stube. Einheimische Matten dienten als Bodenbelag. In der guten Stube fand man gewöhnlich zwei oder drei Lithographien an den Wänden – in der Regel Porträts: Kamehameha IV., Ludwig Kossuth, Jenny Lind; und vielleicht einen oder zwei Stiche: Rebekka am Brunnen, Moses schlägt den Felsen, Josephs Knechte finden den Becher in Benjamins Sack. In der Mitte stand ein großer Tisch mit Büchern beschaulichen Charakters: „Des Menschen ungeteilte Pflicht", Baxters „Heiligenruh", Foxes „Märtyrer", Tuppers „Philosophie in Sprichworten", gebundene Jahrgänge des „Missionarsboten" und von „Pater Damons Seemannsfreund". Ein Harmonium; ein Notenständer mit „Willie, du hast uns sehr gefehlt", „Abendstern", „Gleite weiter, Silbermond", „Sind wir bald da", „Ich möcht' nicht ewig leben" und anderen Liedern voll Liebe und Empfindsamkeit nebst einer Auswahl von Chorälen. Ein Nipptisch mit halbkugeligen gläsernen Briefbeschwerern, die Miniaturbildchen von Schiffen, ländlichen Schneestürmen in Neuengland und ähnlichem umschlossen; Meermuscheln, auf denen kameenartig Bibeltexte eingeschnitzt waren; Kuriositäten der Eingeborenen; ein Walzahn mit eingeschnitztem, voll aufgetakeltem Schiff. Nichts erinnerte an fremde Gegenden, denn niemand war im Ausland gewesen. Zwar wurden Abstecher nach San Francisco gemacht, aber das konnte man nicht „ins Ausland fahren" nennen. Kurz gesagt, niemand reiste.

Aber seither ist Honolulu reich geworden, und natürlich hat der Reichtum Veränderungen eingeführt; einige der früheren schlichten Züge sind verschwunden. Hier ist ein modernes Haus, wie Mrs. Krout es beschreibt:

„Fast jedes Haus umgeben weiträumige Rasenflächen und Gärten, die mit Mauern aus Eruptivgestein oder dichten Hecken des leuchtenden Hibiskus eingehegt sind.

Die Häuser sind außerordentlich geschmackvoll und behaglich eingerichtet; die Böden aus Hartholz sind mit Teppichen oder sehr schönen indianischen Matten ausgelegt; dazu werden, wie in den meisten warmen Ländern, Rotang- oder Bambusmöbel bevorzugt; das übliche Zubehör von Nippsachen, Bildern, Büchern ist vertreten, auch Kuriositäten aus allen Teilen der Welt, denn diese Inselbewohner sind unermüdliche Reisende.

Beinahe jedes Haus besitzt das sogenannte Lanai. Das ist ein geräumiges Gemach, überdacht und gedielt, nach drei Seiten hin offen, von dem aus eine Tür oder eine verhängte Türwölbung in den Salon führt. Häufig besteht das Dach aus den dichten, ineinander verflochtenen Zweigen des Houbaumes, die für Sonne und sogar Regen, ausgenommen heftige Gewitter, undurchdringlich sind. An den Seiten sind Ranken hochgezogen – die Stephanotis oder ein anderes der zahllosen duftenden und blühenden Schlinggewächse, die auf den Inseln in Hülle und Fülle vorkommen. Auch sind Vorhänge aus Matten vorhanden, die man herablassen kann, um Sonne oder Regen abzuhalten. Der Fußboden ist zur besseren Kühlung unbedeckt oder nur zum Teil mit Teppichen belegt, und das Lanai ist hübsch ausgestattet mit bequemen Stühlen und Sofas und mit Tischen, die mit Blumen oder wunderbaren Topffarnen beladen sind.

Das Lanai ist das bevorzugte Empfangszimmer, und hier wickelt sich bei jeder geselligen Veranstaltung das Musikprogramm ab, hier serviert man Kuchen und Eis; hier empfängt man die Vormittagsbesucher oder fröhliche Reitgesellschaften, bei denen die Damen hübsche Hosenröcke tragen, die beim Reiten im Herrensitz praktisch sind – die allgemein übliche Reitart, die Europäer und Amerikaner ebenso wie die Eingeborenen übernommen haben.

Die Behaglichkeit und Pracht eines solchen Raumes, besonders in einer am Meeresufer gelegenen Villa, kann man sich kaum vorstellen. Die sanften Brisen, schwer vom Dufte des Jasmins und der Gardenien, durchwehen ihn, und die wiegenden Zweige der Palme und der Mimose geben flüchtige Ausblicke auf zerklüftete Berge frei, deren Gipfel in Wolken gehüllt sind, und auf purpurnes Meer, dessen weiße Brandung unaufhörlich gegen die Riffe donnert – weißer noch im gelben Sonnenlicht oder im zauberischen Mondlicht der Tropen."

Da: Teppiche, Eis, Bilder, Lanais, weltliche Bücher, sündhafte Nippsachen von überallher. Und die Damen reiten im Herrensitz. Das sind wahrlich Veränderungen. Zu meiner Zeit ritten zwar die eingeborenen Frauen im Herrensitz, aber den weißen fehlte der Mut, ihren vernünftigen Brauch zu übernehmen. Zu meiner Zeit war Eis in Honolulu selten zu sehen. Manchmal kam es in Segelschiffen aus Neuengland als Ballast; und wenn dann zufällig gerade ein Kriegsschiff im Hafen lag und infolgedessen eine Epidemie von Bällen und Festessen herrschte, war der Ballast pro Tonne sechshundert Dollar wert, wie eine glaubwürdige Überlieferung lautet. Aber jetzt ist die Eismaschine auf der ganzen Welt verbreitet und hat das Eis jedem in Reichweite gebracht. Heutzutage benutzt in Lappland und Spitzbergen niemand mehr einheimisches Eis, ausgenommen Bären und Walrosse.

Das Fahrrad wird nicht erwähnt. Das war auch gar nicht notwendig. Ohne anzufragen, wissen wir, daß es vorhanden ist. Es ist überall. Ohne das Fahrrad hätten die Menschen niemals Sommerhäuser auf dem Gipfel des Montblanc gehabt; vor seiner Zeit besaß der Grundbesitz dort oben nur einen Nennwert. Zu spät haben die Damen der hawaiischen Hauptstadt die richtige Art gelernt, auf einem Pferd Platz zu nehmen – zu spät, um viel daraus zu profitieren. Überall in der Welt zieht sich das Reitpferd von seinem Amt zurück. In Honolulu wird es in wenigen Jahren nur noch eine Legende sein.

Wir alle wissen über Pater Damien Bescheid, den französischen Priester, der freiwillig der Welt entsagte und nach der Leprainsel Molokai zog, um unter den unglücklichen Verbannten zu wirken, die dort in langsam verzehrendem Elend darauf warten, daß der Tod komme und sie von ihren Nöten erlöse; und wir wissen, daß geschah, was er von vornherein erwartete: daß er selbst aussätzig wurde und an dieser entsetzlichen Krankheit starb. Offenbar gab es ein weiteres Beispiel der Selbstaufopferung. Ich erkundigte mich nach „Billy" Ragsdale, zu meiner Zeit Dolmetscher im Parlament – einem Halbblut. Er war ein prächtiger junger Mensch und sehr beliebt. Als Dolmetscher wäre ihm schwerlich jemand gewachsen gewesen. Er trat im Parlament auf und übertrug die englischen Reden ins Hawaiische und die hawaiischen Reden ins Englische, mit einer Promptheit und Geläufigkeit, die einfach erstaunlich waren. Ich erkundigte mich nach ihm und erfuhr, daß seine erfolgreiche Laufbahn jäh und unerwartet abgebrochen sei, gerade als er im Begriffe gestanden habe, ein schönes Halbblutmädchen zu heiraten. Er erkannte an einem beinahe unsichtbaren Zeichen auf seiner Haut, daß das Gift der Lepra in ihm steckte. Das Geheimnis gehörte ihm ganz allein und hätte noch jahrelang verborgen bleiben können; aber er wollte das Mädchen, das ihn liebte, nicht betrügen; er wollte sie nicht an ein solches Verhängnis ketten. Und so brachte er seine Angelegenheiten in Ordnung, ging zu allen seinen Freunden, sagte ihnen Lebewohl und fuhr mit dem Lepraschiff nach Molokai. Dort starb er den ekelerregenden und langsamen Tod, den alle Aussätzigen sterben.

Lassen Sie mich an dieser Stelle ein paar Absätze aus „Paradies im Pazifik" (von Ehrwürden H. H. Gowen) einfügen:

„Arme Aussätzige! Denen, die keine Verwandten oder Freunde unter ihnen haben, fällt es leicht, ihnen das Gebot der Absonderung aufzuerlegen, aber wer kann die furchtbaren, die herzzerreißenden Szenen schildern, die diese Zwangsmaßnahmen zur Folge haben?

Ein Mann auf Hawaii wurde unerwartet nach kurzer Haft fortgebracht und ließ eine hilflose Frau zurück, die bald einem Kinde das Leben schenken sollte. Unter großen Schmerzen und Gefahren kam die treue Frau den ganzen Weg nach Honolulu gereist und flehte solange, bis die Behörden ihrer Bitte nicht mehr widerstehen konnten, hinziehen und wie eine Leprakranke bei ihrem aussätzigen Mann leben zu dürfen.

Eine Frau in der Blüte ihres Lebens und ihrer Kraft wird als Leprakranke im Anfangsstadium verurteilt und plötzlich aus ihrem Heim entfernt, ihr Mann kommt nach Hause und findet seine zwei hilflosen kleinen Kinder vor, wie sie nach der verlorenen Mutter weinen.

Stellen Sie sich das vor! Das Schicksal der Babys ist hart, aber die Bitterkeit ihres Schicksals ist eine Kleinigkeit – weniger als eine Kleinigkeit, weniger als nichts – verglichen mit dem, was die Mutter erdulden muß; und was sie Minute um Minute, Stunde um Stunde, Tag um Tag, Monat um Monat, Jahr um Jahr leiden muß, ohne Atempause, ohne Abhilfe oder Linderung ihres Schmerzes, bis sie stirbt.

Eine Frau, Luka Kaaukau, lebt seit zwölf Jahren mit ihrem aussätzigen Mann in der Siedlung. Der Mann hat kaum noch ein Gelenk, seine Glieder sind nur noch verzerrte, schwärende Stümpfe, seit vier Jahren muß ihm seine Frau jeden Bissen in den Mund schieben. Schon vor langer Zeit verlangte er, seine Frau solle seinen elenden Körper verlassen, da sie selbst gesund und wohlauf war, aber Luka sagte, sie bliebe lieber und wolle den Mann, den sie liebe, pflegen, bis seine Seele von der Qual befreit werde.

Ich selbst habe genug harte Schicksale kennengelernt – das eines Mädchens, das zu Ostern, offenbar noch bei voller Gesundheit, mit mir zusammen die Kirche schmückte und noch vor Weihnachten als bestätigte Leprakranke fortgebracht wird; das einer Mutter, die ihr Kind jahrelang in den Bergen versteckte, so daß nicht einmal ihre besten Freunde wußten, daß sie ein lebendes Kind hatte, damit man es nicht fortbringe; das eines angesehenen Weißen, der von Frau und Familie losgerissen und gezwungen wurde, Bewohner der Leprasiedlung zu werden, wo er als tot betrachtet wird, sogar von den *Versicherungsgesellschaften*.“

Und der große Jammer dabei ist, daß diese armen Dulder unschuldig sind. Der Aussatz stammt nicht von Sünden, die sie selbst begangen haben, sondern von Sünden, die ihre Vorväter begingen, die dem Fluch der Lepra *entkommen* sind!

Mr. Gowan berichtet über eine bestimmte, sehr überraschende Tatsache. Würden Sie erwarten, in dieser entsetzlichen Leprasiedlung einen Brauch zu finden, der es wert wäre, in Ihr eigenes Land übernommen zu werden? Es gibt einen, und er ist unaussprechlich ergreifend und schön. Wenn dort der Tod die Gefängnistür des Lebens öffnet, grüßt das Orchester die befreite Seele mit einem Tusch fröhlicher Musik!

4. KAPITEL

> Ein Dutzend offene Kritiken sind leichter zu
> ertragen als ein halbseidenes Kompliment.
>
> *Querkopf Wilsons Neuer Kalender*

Von Honolulu abgereist. Aus dem Tagebuch:

2. September. Scharen fliegender Fische – schlank, wohlgestaltet, anmutig und intensiv weiß. Von der Sonne beschienen, sehen sie aus wie ein Schwarm silberner Obstmesser. Sie können hundert Yard weit fliegen.

3. September. Frühstück unter 9°50′ nördlicher Breite. Nähern uns im spitzen Winkel dem Äquator. Diejenigen unter uns, die den Äquator noch nie gesehen haben, sind ziemlich aufgeregt. Ich glaube, ich möchte ihn brennend gern sehen. In der vergangenen Nacht sind wir in die Kalmenzone gekommen – wechselnde Winde, Regenschauer, dazwischen Windstille mit Kabbelsee und einer schwankenden, betrunkenen Bewegung des Schiffes – ein Zustand, den man in anderen Gegenden manchmal antrifft, aber in der Kalmenzone immer. Der erdumspannende Gürtel, den man Kalmenzone nennt, ist zwanzig Grad breit, und der Faden, den man Äquator nennt, zieht sich längs ihrer Mitte.

4. September. Gestern abend totale Mondfinsternis. Um halb acht fing er an zu verschwinden. Auf dem Höhepunkt – oder nahe daran – wirkte er wie eine sattrosa Wolke mit gewölbter Oberfläche, eingefaßt in einen Ring und aus ihm hervortretend – sozusagen eine Kugel Erdbeereis. Bei Halbfinsternis sah der Mond aus wie eine vergoldete Eichel in ihrem Becher.

5. September. Erreichen heute mittag den Äquator. Ein Matrose erklärte einem jungen Mädchen, die Geschwindigkeit des Schiffes sei gering, weil wir gerade die Wölbung zur Mitte der Erdkugel hinaufführen; aber wenn wir erst einmal am Äquator darüber hinweg wären und hinabführen, würden wir rasen. Als sie ihn neulich fragte, was die Fockrahe sei, sagte er, das sei der Vorhof, der freie Teil am vorderen Ende des Schiffes. Dieser Mann trägt eine Menge Kenntnisse mit sich herum, und das Mädchen wird sie wahrscheinlich alle übernehmen.

Nachmittags. Den Äquator überquert. Von weitem sah er wie ein über den Ozean gespanntes blaues Band aus. Mehrere Passagiere haben ihn geknipst. Es gab keine läppischen Zeremonien, keine Kostümierung, keine derben Streiche. All so etwas ist vorbei. Früher kam ein als Neptun verkleideter Matrose mit seinem Gefolge über den Bug herauf, seifte alle ein, die zum ersten Male den Äquator überfuhren, rasierte sie und säuberte dann diese Unglücklichen, indem er sie von der Rahnock aus hinausschwang und dreimal ins Meer tauchte. Das fand man spaßig. Niemand weiß, warum. Nein, das stimmt nicht. Wir wissen doch, warum. An Land wäre so etwas nie lustig; nicht ein Abschnitt der grotesken Veranstaltungen, die man früher an Bord eines Schiffes auf die Beine brachte, um das Überqueren des Äquators zu feiern, könnte an Land spaßig wirken – Landbewohnern kämen sie langweilig und witzlos vor. Aber auf See, auf einer langen Seereise, würden die Landbewohner ihre Meinung darüber ändern. Auf einer solchen Reise mit ihrer unendlichen Monotonie löst der Intellekt sich auf; bald erreicht der Besitzer des Intellekts ein Stadium, da er kindische Dinge solchen einer reiferen Stufe beinahe vorzuziehen scheint. Man ist oft überrascht, welchen Albernheiten sich erwachsene Menschen auf See hingeben, welche Anteilnahme sie ihnen widmen und welches überwältigende Vergnügen sie ihnen entlocken. Das gilt nur für lange Seereisen. Der Sinn wird allmählich träge, schwerfällig, stumpf; er verliert sein gewohntes Interesse an geistigen Dingen; nur derbe Späße können ihn anregen, nur wilde und alberne Grotesken können ihn unterhalten. Auf kurzen Seereisen stellt er sich nicht so sehr bloß; er hat nicht genug Zeit, um auf dieses klägliche Niveau abzusinken.

Der Passagier auf kurzen Seereisen arbeitet sich körperlich hauptsächlich beim „Pferdebillard" aus – dem Beilkespiel. Das ist eine nette Unterhaltung. Wir spielen es hier auf dem Schiff. Ein Maat zeichnet mit Kreide nebenstehende Figur auf das Deck.

Der Spieler benutzt einen Stock, der wie ein Besenstiel aussieht, an dessen unterem Ende ein hölzernes Mondviertel befestigt ist. Mit diesem schubst er hölzerne Scheiben von der Größe einer Untertasse – er versetzt der Scheibe einen kräftigen Stoß und läßt sie

	10	
8	1	6
3	5	7
4	9	2
	10 minus	

fünfzehn oder zwanzig Fuß weit das Deck entlangrutschen und, wenn er kann, in einem der Quadrate landen. Bleibt sie dort liegen, bis die Runde zu Ende gespielt ist, dann zählt sie im Spiel so viele Punkte, wie die Zahl in dem betreffenden Quadrat ausweist. Der Gegner bemüht sich, diese Scheibe hinauszuschubsen und die eigene an ihre Stelle zu bringen – ganz besonders, wenn sie auf der 9 oder 10 oder einer anderen der hohen Zahlen liegt; aber wenn die gegnerische Scheibe auf der „10 minus" liegt, mauert er sie ein, läßt seine Scheibe bis auf einen oder zwei Fuß hinter sie rutschen, um es ihrem Besitzer schwer zu machen, sie aus diesem ungünstigen Feld herauszustoßen und seinen Spielstand zu verbessern. Wenn die Runde zu Ende gespielt ist, stellt man etwa fest, daß jeder Gegner seine vier Scheiben an Stellen gebracht hat, wo sie zählen, oder man stellt fest, daß einige Scheiben Kreidelinien berühren und nicht mitzählen; und sehr oft stellt man fest, daß es einen allgemeinen Schiffbruch gegeben hat und keine Scheibe innerhalb der Figur geblieben ist. Jedenfalls wird das Ergebnis notiert, wie es auch ausgefallen sei, und das Spiel geht weiter. Das Ziel sind 100 Punkte, und es dauert zwanzig bis vierzig Minuten, es zu erreichen, je nach Glück und Meeresbeschaffenheit. Es ist ein aufregendes Spiel, und die Zuschauermenge spendet glücklichen Schüssen reichlich Beifall und der anderen Seite viel Gelächter. Es ist ein Geschicklichkeitsspiel, aber gleichzeitig kommt die unregelmäßige Bewegung des Schiffes der Geschicklichkeit ständig in die Quere; das macht es zu einem Glücksspiel, und der Zufall spielt eine große Rolle dabei.

Wir organisierten ein paar große Turniere, um den „Pazifischen Meister" zu ermitteln: unter den Teilnehmern befanden sich fast alle Passagiere beiderlei Geschlechts und die Schiffsoffiziere, und die Kämpfe bescherten uns viele Tage ungeheurer Anteilnahme und Erregung und auch mörderische Ausarbeitung – denn Pferdebillard ist ein körperlich anstrengendes Spiel.

Die Zahlen in der folgenden Aufstellung über die Ergebnisse einiger Endspiele des ersten Turniers zeigen besser als jede Beschreibung, wie sehr das Spiel vom Glück abhängig ist. Die hier aufgeführten Verlierer waren alle in den vorhergehenden Spielen der Serie Sieger gewesen, und zwar einige mit erheblichem Punktvorsprung:

Chase	102	Chase	98
Miss. C.	105	Mortimer	105
Taylor	109	Clemens	101
Thomas	102	Miss C.	108
Coomber	106	Clemens	111
Mrs. D.	57	Arzt	92
Mrs. T.	9	Taylor	92
Davies	95	Mortimer	55
Roper	76	Miss C.	89

Und so weiter; bis nur noch drei Siegerpaare übrig waren. Dann schlug ich meinen Gegner, der junge Smith schlug den seinen, und Thomas gewann auch. Das verringerte die Zahl der Kämpfer auf drei. Smith und ich nahmen unsere Plätze ein, und ich fing an. Nach der ersten Runde hatte ich zehn Minuspunkte und Smith sieben Pluspunkte. Das Glück stand weiterhin gegen mich. Als ich 57 Punkte hatte, stand Smith auf 97 – drei Punkte vor dem Ziel. Dann schlug das Glück um. Er erwischte eine 10 minus und konnte das nicht mehr ausgleichen. Ich schlug ihn.

Das nächste Spiel sollte Turnier Nr. 1 abschließen.

Mr. Thomas und ich waren die Endspielgegner. Das Los fiel auf ihn, und er griff zur Krücke, wenn man so sagen darf. Und da stand er und hielt das Rundholz seines Schlägers gegen die Scheibe, während das Schiff sich langsam hob, sich langsam senkte, sich wieder hob, sich wieder senkte. Es schien sich nie zu einer Stellung zu erheben, die ihm richtig gepaßt hätte. Es fing wieder an sich zu heben; und kurz vor der Umkehr der Bewegung stieß er zu und brachte seine Scheibe haarscharf in die linke Ecke der 10. (Beifall.) Der Kampfrichter verkündete „eine gute 10", und der Protokollführer notierte es. Ich kam dran. Meine Scheibe streifte Mr. Thomas' Scheibe und glitt aus dem Spielfeld heraus. (Kein Beifall.)

Mr. Thomas kam wieder dran – und brachte seine zweite Scheibe so neben die erste, daß sie fast deren rechten Rand berührte. „Gute 10." (Großer Beifall.)

Ich war dran und verfehlte sie beide. (Kein Beifall.)

Mr. Thomas gab seinen dritten Schuß ab und plazierte seine Scheibe genau rechts neben die beiden anderen. „Gute 10." (Grenzenloser Beifall.)

Da lagen sie nebeneinander, alle drei in einer Reihe. Es schien unmöglich, daß jemand sie verfehlen könnte. Und doch tat ich das. (Grenzenloses Schweigen.)

Mr. Thomas spielte seine letzte Scheibe aus. Es ist fast unglaublich, aber er setzte diese Scheibe tatsächlich genau rechts neben den anderen ab, eine schnurgerade, geschlossene Reihe von vier Scheiben. (Stürmischer und langanhaltender Beifall.)

Dann spielte ich meine letzte Scheibe aus. Es schien wiederum unmöglich, daß jemand diese Reihe verfehlen könnte – eine Reihe, die vierzehn Zoll lang gewesen wäre, wenn man die Scheiben aneinandergeheftet hätte, die aber länger war, da die Abstände zwischen ihnen noch hinzukamen. Aber ich vollbrachte es. Kann sein, daß ich allmählich nervös wurde.

Ich halte es für unwahrscheinlich, daß diese Runde jemals in der Geschichte des Pferdebillards eine Parallele gehabt hat. Die vier Scheiben nebeneinander in die 10 zu bringen, war eine außergewöhnliche Leistung; es war wirklich eine Art Wunder. Sie zu verfehlen, war ein weiteres Wunder. Es wird hundert Jahre dauern, bis es wieder einen Menschen gibt, der alle vier Scheiben in die 10 bringt; und noch länger wird es dauern, einen Menschen zu finden, der sie nicht herausstößt. Damals habe ich mich meiner Leistung geschämt, aber jetzt, da ich darüber nachdenke, sehe ich ein, daß sie recht gut und schwierig war.

Das Glück blieb Mr. Thomas treu, und er gewann das Spiel und später die Meisterschaft.

Bei einem kleinen Turnier gewann ich einen Preis, und zwar eine Taschenuhr aus Waterbury. Ich packte sie in den Koffer. Neun Monate später ging in Pretoria, Südafrika, meine richtige Uhr entzwei, und ich holte die Waterbury heraus, zog sie auf, stellte sie nach der großen Uhr am Parlamentsgebäude (8.05 Uhr), ging dann in mein Zimmer zurück und zu Bett, von einer langen Bahnfahrt ermüdet. Die Parlamentsuhr besaß die Eigentümlichkeit, von der ich damals nichts wußte – eine Eigentümlichkeit, die keine andere Uhr besitzt und die auch diese nicht besäße, wenn ein Mensch mit gesundem Verstand sie gebaut hätte; um halb schlägt sie die folgende *volle* Stunde, dann schlägt sie zur richtigen Zeit die Stunde *noch einmal*. Ich lag ein Weilchen da, las noch etwas und rauchte; dann, als ich die Augen nicht länger offenhalten konnte und gerade das Licht löschen wollte, fing die große Uhr an zu dröhnen, und ich zählte – zehn. Ich griff nach der Waterbury, um zu sehen, wie sie ginge. Sie zeigte neun Uhr dreißig an. Für eine Dreidollaruhr fand ich das ein ziemlich schwaches Tempo, aber ich nahm an, das Klima bekäme ihr nicht. Ich stellte sie eine halbe Stunde vor, griff wieder nach meinem Buch und wartete ab, was nun käme. Um zehn schlug die große Uhr *wieder* zehn. Ich sah nach – die Waterbury zeigte zehn Uhr dreißig an. Dieses Tempo war zu lebhaft für den Preis, und es beunruhigte mich. Ich stellte die Zeiger eine halbe Stunde zurück und wartete wieder; ich mußte warten, denn jetzt war ich verärgert und unruhig, und meine Schläfrigkeit war vergangen. Schließlich schlug die große Uhr elf. Die Waterbury zeigte zehn Uhr dreißig. Ich stellte sie eine halbe Stunde vor und wurde etwas ärgerlich. Schließlich schlug die große Uhr wieder elf. Jetzt zählte die Waterbury elf Uhr dreißig, und ich schlug ihr am Bettpfosten den Schädel ein. Am nächsten Tag, als ich dahinterkam, tat es mir leid.

Zurück zum Schiff.

Der Durchschnittsmensch ist ein niederträchtiges Geschöpf; und ist er das nicht, dann liebt er schlechte Späße. Die Wirkung auf den Betroffenen ist ungefähr die gleiche, nämlich, er muß leiden. Das Deckschrubben beginnt auf allen Schiffen zu sehr früher Stunde; auf sehr wenigen Schiffen wird etwas getan, um die Passagiere zu schützen, sei es, daß man sie weckte und warnte oder daß man einen Steward ausschickte, ihre Luken zu schließen. Und so haben die Deckschrubber ihre Gelegenheit und benutzen sie auch.

Sie schütten schwungvoll einen Eimer Wasser an der Schiffswand entlang und in die Luken hinein, daß es die Kleider der Passagiere und oft auch die Passagiere selbst durchnäßt. Dieser gute, alte Brauch herrschte auch auf unserem Schiff, und zwar unter ungewöhnlich günstigen Umständen, denn in den glühheißen Tropen ragt aus der Luke ein bewegliches Blechding wie ein Zuckerlöffel hervor, um den Wind aufzufangen und hineinzuleiten; dieses Ding fängt auch das Spülwasser auf und leitet es hinein – und zwar in Strömen. Mrs. I., eine leidende Dame, mußte auf der Sofatruhe unter ihrer Luke schlafen, und jedesmal, wenn sie verschlief und sich deshalb nicht vorsah, ertränkten die Deckschrubber sie beinahe.

Und die Anstreicher, was die für einen Spaß hatten! Dieses Schiff sollte in Sydney für einen Monat zur Reparatur auf Dock kommen; aber ganz egal, immerzu wurde irgendwo gestrichen. Dauernd wurden Damenkleider verdorben, dennoch waren Proteste und Bitten wertlos. Manchmal hielt eine Dame auf Deck neben einem Ventilator oder einer anderen Sache, die nicht gestrichen zu werden brauchte, ein Nachmittagsschläfchen, erwachte endlich und bemerkte, daß der humorvolle Anstreicher das Ding geräuschlos angepinselt und ihr weißes Kleid über und über mit kleinen öligen, gelben Flecken besprenkelt hatte.

Die Schuld an dieser unangebrachten Anstreicherei traf nicht die Schiffsoffiziere, sondern den Brauch. Schon zu Noahs Zeiten wurde es Gesetz, daß Schiffe auf See ständig zu streichen und zu befummeln seien; aus dem Gesetz erwuchs der Brauch, und auf See kennt ein Brauch kein Ende; dieser Brauch wird weiterleben, bis das Meer austrocknet.

8. September, Sonntag. Wir fahren jetzt fast genau in südlicher Richtung, so daß wir täglich nur etwa zwei Längengrade überqueren. Heute morgen befanden wir uns 178° westlich von Greenwich und 57° westlich von San Francisco. Morgen werden wir der Mitte der Erde sehr nahe sein – dem 180. westlichen Längengrad und dem 180. östlichen Längengrad.

Und dann müssen wir einen Tag ausfallen lassen – einen Tag aus unserem Leben verlieren, einen Tag, der niemals wiederzugewinnen ist. Wir alle werden einen Tag früher sterben, als uns von Anbeginn der Zeiten her zu sterben vorherbestimmt war. In alle Ewigkeit werden wir um einen Tag nachhinken. Stets werden wir den Engeln sagen: „Schöner Tag heute", und stets werden sie erwidern: „Aber es ist nicht heute, es ist morgen." Wir werden immerzu in einem Zustand der Verwirrung leben und niemals erfahren, was wahre Seligkeit bedeutet.

Am nächsten Tag. Tatsächlich, es ist passiert! Gestern war *Sonntag, der 8. September*, heute ist laut Anschlagtafel oben an der Kajüttreppe *Dienstag, der 10. September*. Etwas Unheimliches liegt darin. Und etwas Unbehagliches. Wahrhaftig, etwas beinahe Unausdenkbares und gänzlich Unvorstellbares, wenn man es sich richtig überlegt. Während wir den 180. Längengrad überfuhren, war es am Heck des Schiffes, wo meine Familie sich befand, *Sonntag*, und am Bug, wo ich war, *Dienstag*. Sie aß am 8. einen halben frischen Apfel, und ich aß gleichzeitig die andere Hälfte am 10. – und konnte bemerken, wie alt er schon schmeckte. Die Familie war genau so alt wie vor fünf Minuten, als ich sie verlassen hatte, ich aber war jetzt einen Tag älter als vorher. Der Tag, in dem sie lebten, dehnte sich hinter ihnen um den halben Globus herum, über den Pazifik und Amerika und Europa hinweg; der Tag, in dem ich lebte, dehnte sich vor mir um die andere Hälfte herum, dem anderen zu begegnen. Es waren an Masse und Ausdehnung ungeheure Tage, scheinbar viel umfangreichere Tage, als wir sie je vorher durchlebt hatten. Im Vergleich dazu waren alle vorhergehenden Tage schrumplige kleine Dinger gewesen. Der Temperaturunterschied zwischen den zwei Tagen war sehr ausgeprägt, denn ihr Tag war heißer als meiner, weil er näher am Äquator lag.

Um den Zeitpunkt herum, da wir den Großen Meridian überquerten, kam im Zwischendeck ein Kind zur Welt, und nun läßt sich nicht feststellen, an welchem Tag es geboren wurde. Die Hebamme meint, es sei Sonntag, der Arzt meint, es sei Dienstag gewesen. Das Kind wird nie seinen eigenen Geburtstag wissen. Immer wird es sich erst den einen, dann den anderen aussuchen, und es wird nie imstande sein, sich endgültig zu entscheiden. Das wird zu Wankelmütigkeit und Unsicherheit in seinen Ansichten über Religion, Politik, Geschäfte, Liebschaften und alles mögliche führen, wird seine Grundsätze unterhöhlen, wird es verkommen lassen und das arme Ding seines Charakters berauben und einen Erfolg im Leben unmöglich machen. Jeder auf dem Schiff sagt das. Und das ist noch nicht alles – tatsächlich noch nicht einmal das Schlimmste. Denn auf dem Schiff gibt es einen mächtig reichen Brauer, der vor zehn Tagen sagte, wenn das Kind an seinem Geburtstag zur Welt komme, wolle er ihm zehntausend Dollar geben, mit denen es sein kleines Leben beginnen könne. Sein Geburtstag war Montag, der 9. September.

Wenn die Schiffe alle in die eine Richtung führen – westwärts, meine ich –, erlitte die Welt einen ungeheuren Verlust an wertvoller Zeit, da am Großen Meridian Schiffsbesatzungen und Passagiere so zahllose Tage über Bord werfen. Aber glücklicherweise fahren die Schiffe nicht alle westwärts, die Hälfte fährt ostwärts. So tritt kein echter Verlust auf. Die letzteren sammeln alle weggeworfenen Tage auf und fügen sie dem Weltbestand wieder zu; und sogar so gut wie neu; denn das Salzwasser konserviert sie natürlich.

5. KAPITEL

> Lärm beweist nichts. Oft gackert eine Henne, die bloß ein Ei legte, als hätte sie einen Planetoiden gelegt.
>
> *Querkopf Wilsons Neuer Kalender*

Mittwoch, 11. September. Auf dieser Welt unterlaufen uns häufig Fehlurteile. In der Regel kommen wir nicht heil und unversehrt mit ihnen davon, aber manchmal doch. Gestern abend bei Tisch – anwesend war eine zusammengewürfelte Gesellschaft aus Schotten, Engländern, Amerikanern, Kanadiern und Australasiern – brach eine Diskussion über die Aussprache gewisser schottischer Wörter aus. Das war privater Grund und Boden, und die nichtschottischen Nationalitäten verhielten sich, mit einer einzigen Ausnahme, taktvoll still. Aber ich bin nicht taktvoll, und ich mischte mich ein. Über das

Thema wußte ich gar nichts, sondern mischte mich einfach ein, nur um etwas zu tun zu haben. Der Streit ging gerade um das Wort „three". Ein Schotte behauptete, die schottische Landbevölkerung spreche es three aus, seine Gegner behaupteten, das stimme nicht, sie sage thraw. Dem einzelnen Schotten wurde es recht sauer, und so gedachte ich, ihm meine Hilfe zukommen zu lassen. In meiner Lage war ich notwendigerweise ganz unparteiisch und gerade so gut und so schlecht ausgerüstet, auf der einen Seite wie auf der anderen zu kämpfen. Also meldete ich mich zu Wort und sagte, die Landbevölkerung spreche das Wort three aus, nicht thraw. Es war ein Fehlurteil. Einen Augenblick lang herrschte erstaunte und unheildrohende Stille, dann kam das Unwetter. Der Sturm brach los und griff überraschend um sich, und in sehr wenigen Minuten war ich eingeschneit. Das war eine schlimme Niederlage für mich – eine Art Waterloo. Dabei schien es zu bleiben, und ich wünschte, ich hätte mehr Verstand besessen, als mich auf ein so hoffnungsloses Unternehmen einzulassen. Aber gerade da kam mir ein rettender Einfall – oder doch einer, der eine Aussicht bot. Während der Sturm noch tobte, dachte ich mir einen schottischen Reim aus, meldete mich dann zu Wort und sagte:

„Na schön, sagen Sie nichts weiter. Ich gebe mich geschlagen. Ich dachte, ich wüßte Bescheid, aber ich sehe meinen Irrtum ein. Ich ließ mich von einem Ihrer schottischen Dichter täuschen."

„Einem *schottischen* Dichter! Na, na! Wer soll denn das sein?"

„*Robert Burns.*"

Wunderbar ist die Macht dieses Namens. Diese Leute schauten zweifelnd drein, aber immerhin sprachlos. Einen Augenblick lang schwiegen sie; dann sagte einer – mit der Ehrfurcht in der Stimme, die stets im Tonfall eines Schotten liegt, wenn er den Namen ausspricht: „Sagt Robbie Burns – *was* sagt er?"

„Er sagt folgendes:

> There were nae bairns but only three –
> Ane at the breast, twa at the knee."

Das machte der Diskussion ein Ende. Niemand hier wäre so ruchlos, so treulos gewesen, auch nur ein Wort gegen eine Sache zu sagen, die Robert Burns entschieden hatte. Stets werde ich diesem großen Namen Ehre erweisen um der Rettung willen, die er mir in jener Stunde der Not gebracht hat.

Ich bin davon überzeugt, daß beinahe jedes erfundene Zitat gute Aussicht hat zu täuschen, sofern es mit Selbstvertrauen ausgespielt wird. Es gibt Leute, die annehmen, Ehrlichkeit sei immer die beste Politik. Das ist ein Aberglaube; zuzeiten ist der Anschein der Ehrlichkeit sechsmal soviel wert.

Wir fahren stetig südwärts – und geraten dabei immer tiefer unter den vorgewölbten Bauch des Erdballs. Gestern abend haben wir den Großen Bären und den Polarstern unter den Horizont sinken und aus unserer Welt entschwinden sehen. Nein, nicht „wir", sondern „man". Man hat es gesehen – jemand hat es gesehen – und mir davon berichtet. Aber das ist gleichgültig, ich hatte mir ohnehin nichts aus diesen Dingern gemacht. Ich habe sie jedenfalls satt. Sie sind soweit ganz in Ordnung, finde ich, aber man möchte sie nicht immerzu um sich haben. Mein ganzes Interesse richtete sich auf das

Kreuz des Südens. Das hatte ich noch nie gesehen. Ich hatte mein ganzes Leben lang von ihm gehört, und es war nur natürlich, daß ich darauf brannte, es zu sehen. Kein anderes Sternbild wird soviel beredet. Gegen den Großen Bären hatte ich nichts – und konnte natürlich auch nichts gegen ihn haben, da er ein Bürger unseres eigenen Himmels und Eigentum der Vereinigten Staaten ist –, aber ich wünschte mir, daß er aus dem Wege ginge und diesem Ausländer eine Chance ließe. Danach zu urteilen, wie sehr das Kreuz des Südens von sich reden machte, brauchte es, meinte ich, einen Himmel ganz für sich allein.

Aber das war ein Irrtum. Heute abend haben wir das Kreuz gesehen, und es ist nicht groß. Nicht groß und nicht auffallend hell. Aber es stand niedrig über dem Horizont, und vielleicht gewinnt es, wenn es am Himmel höhersteigt. Der Name des Sternbildes ist geistreich gewählt, denn es sieht genau so aus, wie ein Kreuz aussehen würde, wenn es wie etwas anderes aussähe. Aber der beschreibende Name beschreibt nicht; er ist zu verschwommen, zu allgemein, zu unbestimmt. Irgendwie erinnert es an ein Kreuz – ein kaputtes Kreuz – oder ein verzeichnetes Kreuz; es ist nicht korrekt nachgebildet. Es ist langgestreckt, mit einem kurzen Querbalken, und der Querbalken hängt schief.

Es besteht aus vier großen Sternen und einem kleinen. Der kleine liegt nicht auf einer Linie und verdirbt die Figur noch mehr. Er müßte auf dem Schnittpunkt des Längsbalkens mit dem Querbalken sitzen. Wenn man nicht in Gedanken von Stern zu Stern einen Strich zieht, erinnert es nicht an ein Kreuz – überhaupt nicht an etwas Besonderes.

Man muß den kleinen Stern übersehen und ihn aus der Kombination weglassen – er bringt alles durcheinander. Wenn man ihn wegläßt, kann man aus den vier Sternen eine Art Kreuz bilden – schief; oder eine Art Drachen – schief; oder eine Art Sarg – schief.

Es war schon immer mißlich, Sternbilder zu benennen. Verleiht man einem von ihnen einen phantasievollen Namen, weigert es sich unbedingt, diesem nachzueifern; es besteht unbedingt darauf, dem Ding nicht zu gleichen, nach dem es benannt worden ist. Zuletzt muß man, um die Öffentlichkeit zufriedenzustellen, den phantasievollen Namen zugunsten eines vernünftigen, eines eindeutig beschreibenden aufgeben. Der Große Bär war jahrtausendelang der Große Bär – und als solcher nicht zu erkennen; alle beschwerten sich ständig und ganz zu Recht darüber; aber sobald er Eigentum der Vereinigten Staaten wurde, taufte der Kongreß ihn in „Großer Taucher" um, und jetzt sind alle zufrieden, von Unruhen ist nicht mehr die Rede. Ich würde das Kreuz des Südens nicht in „Sarg des Südens", ich würde es in „Drachen des Südens" umtaufen; denn die allgemeine Leere dort oben ist die rechte Heimat für einen Drachen, aber nicht für Särge und Kreuze und Taucher. Binnen kurzem – ich kann nicht genau sagen, wie lange es noch dauern wird – wird der Erdball den englischsprechenden Völkern gehören; und natürlich auch der Himmel. Dann werden die Sternbilder reorganisiert und aufpoliert und umgetauft – die meisten in „Viktoria", schätze ich, aber dieses hier wird von da an als „Drachen des Südens" segeln oder ganz aus dem Geschäft ausscheiden. Verschiedene Städte und Dinge sind hier und da bereits nach Ihrer Majestät benannt worden.

In den letzten Tagen pflügen wir uns durch eine ungeheure Milchstraße aus Inseln. Auf der Karte stehen sie so dicht, daß man kaum etwarten würde, zwischen ihnen genug Platz für ein Kanu zu finden; dennoch erblicken wir selten eine. Einmal haben wir die verschwommene Masse einiger von ihnen erspäht, geisterhafte und traumhafte Erscheinungen: Inseln aus der Horne-Gruppe, Alofa und Fortuna. Auf der größeren gibt es zwei rivalisierende eingeborene Könige – und es geht dort hoch her. Sie sind Katholiken; ihre Völker auch. Die Missionare dort sind französische Priester.

Von der Vielzahl der Inseln in dieser Gegend holte man früher die „Rekruten" für die Pflanzungen in Queensland herbei; und ich glaube, man holt sie noch immer von dort her. Fahrzeuge, ausgerüstet wie die einstigen Sklavenschiffe, kamen hierher und führten die Eingeborenen fort, die in der großen australischen Provinz als Landarbeiter dienen sollten. Anfangs war es einfacher, schlichter Menschenraub, wie die Missionare bezeugen. Das hat man abgestritten, aber nicht durch Beweise entkräftet. Danach wurde es gesetzlich verboten, einen Eingeborenen ohne seine Zustimmung „auszuheben", und allen Aushebungsschiffen wurden Regierungsvertreter beigegeben, die auf Beachtung des Gesetzes zu sehen hatten – was sie nach Aussage der Werber auch taten und was sie nach Aussage der Missionare manchmal auch nicht taten. Das Gesetz gestattete, einen Mann für eine dreijährige Dienstzeit anzuwerben; er konnte sich freiwillig für eine weitere Dienstzeit entscheiden, wenn er wollte; wenn seine Zeit abgelaufen war, konnte er auf seine Insel zurückkehren. Und er besaß auch die Mittel dazu; denn die Regierung verlangte vom Dienstherrn, bei ihr zu diesem Zweck Geld zu hinterlegen, ehe man ihm den Angeworbenen übergab.

Kapitän Wawn war viele Jahre lang Herr eines Aushebungsschiffes. Aus seinem unterhaltenden Buch gewinnt man den Eindruck, daß die Aushebungsaktionen bei den Inselbewohnern in der Regel recht beliebt waren. Und doch machte dies das Geschäft nicht gänzlich langweilig und uninteressant; denn man findet ziemlich häufig kleine Unterbrechungen der Monotonie – wie zum Beispiel diese:

„Am Nachmittag unserer Ankunft an der Leperinsel lag der Schoner beinahe in Windstille im Lee der hohen Mittelregion der Insel, etwa eine dreiviertel Meile vor der Küste. Die Boote waren in einiger Entfernung zu sehen. Das Werberboot war an der felsigen Küste in einen kleinen Schlupfwinkel unter einem Steilufer gefahren, über dem vor dichtem Wald eine einsame Hütte stand. Der Regierungsvertreter und der Erste Offizier im zweiten Boot lagen etwa vierzig Yard westlich davon.

Plötzlich hörten wir Schüsse, gefolgt vom Gebrüll der Eingeborenen an Land, und dann sahen wir das Werberboot mit anscheinend verminderter Besatzung abstoßen. Das Boot des Ersten Offiziers kam schnell heran, nahm es ins Schlepptau und brachte es längsseits, da die eigene Mannschaft sämtlich mehr oder weniger verletzt war. Offenbar hatten die Eingeborenen sie unter Vorspiegelung freundschaftlichen Entgegenkommens an jene Stelle gelockt. Ein Haufe scharte sich um das Heck des Bootes, und mehrere Kerle stiegen sogar hinein. Urplötzlich wurden unsere Leute mit Keulen und Streitäxten angegriffen. Der Werber wich den ersten auf ihn gerichteten Hieben aus und ließ seine Fäuste sprechen, bis er Gelegenheit fand, den Revolver zu ziehen. ,Tom Sayers', ein Maré, bekam einen Beilhieb gegen den Kopf ab, der den Skalp aufriß, aber glücklicherweise nicht in den Schädel drang. ,Bobby Towns', einem anderen Maré und Ruderer, wurden bei der Abwehr von Hieben beide Daumen verletzt und einer davon fast ganz von der Hand abgetrennt, so daß die Ärzte die Amputation zu Ende führen mußten. Lihu, ein Lifuknabe, der persönliche Diener des Werbers, bekam an mehreren Stellen Hiebe und Stiche ab, aber nirgends ernstliche. Jack, einer der ausgehobenen Tannas, den wir als Ruderer eingesetzt hatten, erhielt einen Pfeil durch den Unterarm, dessen Spitze – ein sieben oder acht Zoll langes Knochenstück – noch im Arm steckte und an beiden Seiten herausragte, als die Boote zurückkehrten. Der Werber selbst wäre unverletzt davongekommen, hätte ihm nicht, gerade als sie davonfuhren, ein Pfeil einen Finger an den Schaft des Steuerruders genagelt. Das Gefecht war kurz, aber heftig gewesen. Der Feind verlor zwei Mann, beide erschossen."

In Wahrheit liefert Kapitän Wawn eine so große Anzahl Beispiele von fatalen Zusammenstößen zwischen Eingeborenen und französischen und englischen Werbemannschaften (denn die Franzosen beteiligen sich für die Pflanzungen in Neukaledonien am Geschäft), daß man beinahe glauben möchte, das Ausheben sei bei den Inselbewohnern nicht restlos beliebt; warum sonst diese haarsträubende Reihe von Überfällen und grauenerregenden Gemetzeln? Der Kapitän führt alles auf „Einflüsse von Exeter Hall" zurück. Steckten die Philanthropen nicht überall ihre Nase hinein, würden die eingeborenen Väter und Mütter mit Freuden sehen, daß man ihre Kinder ins Exil fortschleppt und gelegentlich ins Grab, anstatt darüber zu weinen und zu versuchen, die menschenfreundlichen Werber umzubringen.

6. KAPITEL

> Er war so schüchtern wie eine Zeitung, wenn
> sie ihre eigenen Verdienste erwähnt.
>
> *Querkopf Wilsons Neuer Kalender*

In einem Punkt ist Kapitän Wawn kristallklar. Er hat mit den Missionaren nichts im Sinn. Sie behindern sein Geschäft. Sie machen das „Ausheben", wie er es nennt („Sklavenfang", wie *sie* es in ihrer offenherzigen Art nennen), zur Mühe, während es bloß ein Picknick und ein Vergnügungsausflug sein sollte. Die Missionare haben ihre eigene Meinung über die Art, wie der Arbeitskräftehandel betrieben wird und die Werber die gesetzlichen Vorschriften umgehen, und über diesen Handel selbst, und diese Meinung ist eindeutig wenig schmeichelhaft für diesen Handel und alles, was damit zusammenhängt, einschließlich des Gesetzes zu seiner Regelung. Kapitän Wawns Buch ist sehr neuen Datums; mir liegt eine Broschüre noch neueren Datums vor – die Druckerschwärze ist noch feucht – von Ehrwürden Wm. Gray, einem Missionar; das Buch und die Flugschrift zusammengenommen geben eine überaus interessante Lektüre ab, finde ich.

Interessant und leicht zu verstehen – bis auf einen Punkt, den ich sogleich erwähnen werde. Es ist leicht zu verstehen, warum der Zuckerpflanzer aus

Queensland den angeworbenen Kanaken haben möchte: Er ist billig. Wirklich, sehr billig. Der Pflanzer zahlt folgende Summen: 20 Pfund dem Werber für das Vermitteln des Kanaken – oder das „Fangen", wie die Redensart der Missionare lautet; 3 Pfund an die Regierung von Queensland für das „Überwachen" der Einfuhr; 5 Pfund als Depositum bei der Regierung für die Heimreise des Kanaken, wenn seine drei Jahre abgelaufen sind, falls er so lange am Leben bleiben sollte; etwa 25 Pfund an den Kanaken selbst als Lohn und Bekleidungsgeld für drei Jahre; Gesamtsumme für die dreijährige Verwendung eines Mannes: 53 Pfund; oder einschließlich Verpflegung 60 Pfund. Insgesamt 100 Dollar im Jahr. Man kann verstehen, warum der Werber das Geschäft schätzt; der Ausgehobene kostet ihn ein paar billige Geschenke (welche die Angehörigen erhalten, nicht er selbst) und ist für den Werber bei der Auslieferung in Queensland 20 Pfund wert. Das alles ist klar genug; aber nicht klar ist, was an alledem den Angeworbenen locken kann. Er ist jung und lebhaft; das Leben zu Hause auf seiner schönen Insel ist für ihn ein einziger langer, müßiger Feiertag; oder er kann, wenn er arbeiten möchte, wöchentlich ein paar Säcke voll Kopra sammeln und sie zu vier oder fünf Schilling pro Sack verkaufen. In Queensland muß er bei Tagesanbruch aufstehen, acht bis zwölf Stunden täglich auf den Zuckerrohrfeldern arbeiten – in viel heißerem Klima, als er es gewohnt ist – und bekommt weniger als vier Schilling wöchentlich dafür.

Ich kann seine Bereitwilligkeit, nach Queensland zu gehen, nicht begreifen. Sie ist mir ein tiefes Rätsel. Hier folgt die Erklärung aus der Sicht des Pflanzers; wenigstens entnehme ich der Druckschrift des Missionars, daß es die des Pflanzers ist:

„Wenn er aus seiner Heimat kommt, ist er schlicht und klar ein Wilder. Er empfindet keine Scham über seine Nacktheit und seine mangelnde Ausstaffierung. Wenn er heimkehrt, ist er gut gekleidet und prunkt mit einer Waterbury-Uhr, Kragen, Manschetten, Schuhen und Schmuck. Er hat einen oder zwei Koffer bei sich, vollgefüllt mit Kleidung, einem oder zwei Musikinstrumenten, Parfümerien und anderen Luxusartikeln, die er schätzen gelernt hat."

Einen kurzen Augenblick scheint uns der Blitz der Erkenntnis zu kommen, aus welchem Grunde der Kanake ins Exil geht: er geht, um *Zivilisation* anzunehmen. Ja, er war nackt und schämte sich nicht, jetzt ist er bekleidet und weiß sich zu schämen; er war unbelehrt, jetzt hat er eine Waterbury-Uhr; er war ungehobelt, jetzt hat er Schmuck und etwas, um gut zu riechen; er war ein Nichts, ein Provinzler, jetzt ist er in fernen Ländern gewesen und kann angeben.

Das alles wirkt einleuchtend – einen Augenblick lang. Dann nimmt der Missionar sich diese Erklärung vor, zerfetzt sie in tausend Stücke, trampelt darauf herum und richtet sie so zu, daß sie nicht wiederzuerkennen ist.

„Räumt man ein, daß die vorgenannte Beschreibung die durchschnittlich gültige ist, dann ist die durchschnittliche Folge diese: Wenn Manschetten und Kragen überhaupt benutzt werden, so von Halbwüchsigen, die sie mitnehmen und als Schmuck knapp unter dem Knie um das Bein binden. Die Waterbury, zerbrochen und verschmutzt, findet ihren Weg zum Händler, der eine Kleinigkeit dafür gibt; oder der Kanake nimmt das Werk heraus, reiht die Rädchen auf einen Faden und hängt sie sich um den Hals. Messer, Äxte, Kaliko und Taschentücher verteilt er unter Freunde, und es entfällt kaum auf jeden ein Stück. Die Koffer, deren Schlüssel oft auf dem Heimweg verlorengegangen sind, kann man für zweieinhalb Schilling kaufen. Man kann sie in fast jedem Küstendorf auf Tanna im Freien verrotten sehen. (Ich spreche von Dingen, die ich selbst erlebt habe.) Ein zurückgekehrter Kanake hatte einen wilden Zorn auf mich, weil ich seine Hosen nicht kaufen wollte, die genau meine Größe wären, wie er erklärte. Er verkaufte sie dann einem meiner Aniwanlehrer für Tabak im Werte von neun Pence – ein Paar Hosen, das ihn in Queensland wahrscheinlich acht oder neun Schilling gekostet hatte. Ein Rock oder Hemd sind für kaltes Wetter zweckmäßig. Die weißen Taschentücher, das ‚Senet' (Parfüm), den Regenschirm und vielleicht den Hut behält der Kanake. Die Schuhe bleiben ihrem Schicksal überlassen, wenn sie nicht zufällig dem Koprahändler passen. ‚Senet' im Haar, Farbstreifen im Gesicht, ein schmutziges weißes Taschentuch um den Hals, Stifte aus Schildpatt in den Ohren, ein Gürtel, ein Messer mit Futteral und ein Regenschirm bilden die Ausstaffierung des heimgekehrten Kanaken am Tage nach der Landung."

Ein Hut, ein Regenschirm, ein Gürtel, ein Halstuch. Sonst splitternackt. In einem einzigen Tag ist die schwerverdiente „Zivilisation" auf diesen Stand zusammengeschmolzen. Und selbst diese vergänglichen Dinge schwinden bald dahin. Wahrhaftig, nur ein einziges Merkmal seiner Zivilisation wird ihm zuverlässig anhängen: er hat das Fluchen gelernt, wie der Missionar sagt. Das ist eine Kunst, und lange währt die Kunst, sagt der Dichter.

In allen Ländern werfen die Gesetze Licht auf die Vergangenheit. Queenslands Gesetz zur Regelung der Arbeitskräftevermittlung ist ein Eingeständnis. Es ist das Eingeständnis, daß die Übel, welche die Missionare diesem Handel zur Last legen, früher wirklich existierten und daß sie auch noch existiert haben, als das Gesetz geschaffen wurde. Die Missionare erheben eine weitere Anklage: Die Werber umgehen das Gesetz, und der Regierungsvertreter helfe ihnen manchmal dabei. Verordnung Nr. 31 enthüllt zweierlei: daß manchmal ein junger Dummkopf unter den Angeworbenen wieder zu Verstand kommt, nachdem man ihn überredet hat, durch seine Unterschrift für drei Jahre auf die Freiheit zu verzichten, und liebend gerne vom Vertrag zurücktreten und zu Hause bei seinem Volk bleiben möchte; und daß Drohungen, Einschüchterungen und Gewalt angewandt werden, um ihn an Bord des Aushebungsschiffes zurückzuhalten und ihn an seine Verpflichtung zu fesseln. Verordnung Nr. 31 untersagt diese Nötigungen. Das Gesetz bestimmt, er müsse freigegeben werden; und eine weitere Klausel bestimmt, der Werber müsse ihn an Land zurückbringen – per Boot, wegen der zahlreichen Haie. Ehrwürden Mr. Gray sagt aus:

„Es gibt Hintertürchen, um den reumütigen Kanaken doch mitzunehmen. Meine erste Erfahrung mit dem Handel war im Jahre 1884 ein Fall solcher Art. Ein Schiff ankerte knapp außer Sichtweite unserer Station, man gab mir Nachricht, daß einige Jungen geraubt worden seien und die Verwandten mich bäten, hinauszufahren und sie zurückzuholen. Wie ich erfuhr, verhielt es sich so, daß sechs Jungen sich hatten anwerben lassen; sie seien ins Boot *gestürmt*, teilte mir der Regierungsvertreter mit. Sie hätten alle ‚unterschrie-

47

ben'; und, sagte der Regierungsvertreter, ,an Bord sollen sie bleiben'. Man versicherte mir, die sechs Jungen seien mündig und wünschten zu gehen. Als ich mich jedoch anschickte, das Schiff zu verlassen, fand ich vier der Jungen drauf und dran, in dem Boot an Land zu fahren! Das untersagte ich. Einer von ihnen sprang ins Wasser und bestand darauf, in meinem Boot an Land zu fahren. Als ich mich an den Regierungsvertreter wandte, schlug er vor, daß wir weiterfahren und ihn zurücklassen sollten, damit ihn das Boot des Schiffes aufnehmen könne, das zu der Zeit eine Viertelmeile weit entfernt war!"

Das Gesetz und die Missionare fühlen mit dem reumütigen Angeworbenen – und mit Recht, wenn man sich diesen Gedanken erlauben darf, denn er ist nur ein junger Bursche, unwissend und leicht zu seinem Nachteil zu überreden – aber der Werber hat keine Teilnahme für ihn übrig. Ehrwürden Mr. Gray sagt:

„Ein Kapitän, der viele Jahre in dem Handel tätig war, erläuterte mir, wie man einen Reumütigen fassen könne. ,Wenn ein Bursche über Bord springt, nehmen wir einfach ein Boot und überholen ihn, dann legen wir uns zwischen ihn und das Ufer. Ist er durch das Schwimmen noch nicht erschöpft und zieht am Boot vorbei, überholt man ihn immer wieder in gleicher Weise. Der Kniff versagt selten. Im allgemeinen ermattet der Bursche vom Schwimmen, steigt freiwillig ins Boot und geht ruhig mit an Bord.' "

Ja, die Erschöpfung wird einen Burschen schon zur Ruhe bringen. Wäre der bedrängte Bursche der Sohn des Sprechers gewesen und die Häscher Wilde, hätte der Sprecher überrascht festgestellt, wie anders der Fall von dem neuen Standpunkt aus gewirkt hätte, jedoch es ist nicht unser Brauch, uns an die Stelle des anderen zu versetzen. Irgendwie liegt etwas Ergreifendes in der Resignation dieses enttäuschten jungen Wilden. Ich muß hier erklären, daß im Berufsjargon „Bursche" nicht immer Bursche bedeutet; es bedeutet einen jungen Mann von mehr als sechzehn Jahren. Das ist nach queensländischem Gesetz das Mündigkeitsalter, obwohl behauptet wird, daß die Werber sich beim Schätzen des Alters einigen Spielraum vorbehalten.

Kapitän Wawn vom freiheitlichen Sinne schnaubt wider die Belästigung durch „gußeiserne Vorschriften". Diese und die Missionare haben sein Leben vergiftet. Er trauert den guten, alten Zeiten nach, die auf immer dahin sind. Seht ihn weinen; hört ihn zwischen den Zeilen fluchen!

„Lange Zeit hindurch durften wir alle Deserteure, die den Vertrag auf dem Schiff unterzeichnet hatten, ergreifen und an Bord zurückhalten, aber die ,gußeisernen' Vorschriften des Gesetzes von 1884 machten dem ein Ende und gestatteten dem Kanaken, den dreijährigen Arbeitsvertrag zu unterzeichnen, mit dem Schiff umherzureisen, reguläre Verpflegung zu empfangen, zu schnorren, was er nur konnte, und sich davonzumachen, wann es ihm paßte, sofern er seine Vergnügungsreise nur nicht bis Queensland ausdehnte."

Ehrwürden Mr. Gray nennt dasselbe einschränkende, gußeiserne Gesetz eine „Farce". „Den Eingeborenen wird durch erlaubte Handlungen ebensoviel Grausamkeit und Ungerechtigkeit zugefügt wie durch ungesetzliches Vorgehen. Die bestehenden Vorschriften sind ungerecht und unzulänglich – ungerecht und unzulänglich werden sie stets bleiben." Er gibt seine Gründe für diese Stellungnahme, aber die Darlegungen sind zu lang, um sie hier wiederzugeben.

Aber wenn das Höchste, was ein Kanake in Queensland aus einem dreijährigen Lehrgang in Zivilisation für sich herausholt, ein Halsschmuck, ein Regenschirm und ein paar prahlerische, aber stümperhafte Fähigkeiten in der Kunst des Fluchens sind, dann muß es wohl so sein, daß aller Nutzen an dem Handel mit Arbeitskräften dem Weißen zugute kommt. Das könnte zu einem überzeugenden Argument dafür zurechtgedreht werden, daß dieser Handel rundweg abgeschafft werden sollte.

Jedoch besteht Grund zu der Hoffnung, daß sich das ganz von selbst erledigt. Es wird behauptet, daß dieser Handel innerhalb der nächsten zwanzig oder dreißig Jahre seine eigenen Nachschubquellen entvölkern wird. Queensland ist für Weiße eine sehr gesunde Gegend – Sterblichkeitsziffer 12 von 1000 –, aber die Sterblichkeitsziffer der Kanaken liegt weit höher. Die Bevölkerungsstatistik für das Jahr 1893 gibt sie mit 52 an; für das Jahr 1894 (Mackay-Distrikt) mit 68. Die ersten sechs Monate des Exils sind für den Kanaken wegen der Härte des neuen Klimas besonders gefährlich. Die Sterblichkeitsziffer unter den Neuankömmlingen hat 180 von 1000 erreicht. In der Heimat der Kanaken liegt die Sterblichkeitsziffer bei 12 in Friedenszeiten und 15 in Kriegszeiten. Also ist die Verbannung nach Queensland – mit der Gelegenheit, Zivilisation, einen Regenschirm und Flüche ziemlich minderwertiger Sorte zu erwerben – für ihn zwölfmal tödlicher als der Krieg. Die einfachste christliche Nächstenliebe, die einfachste Menschlichkeit erfordern offensichtlich nicht nur, diese Leute nach Hause zurückzuführen, sondern ihnen zu ihrer Erhaltung Krieg, Pestilenz und Hungersnot ins Land zu bringen.

Mit Bezug auf diese Pazifischen Inseln und ihre Volksstämme sprach vor langen Jahren ein beredter Prophet – vor fünfundfünfzig Jahren. Allerdings, er sprach ein bißchen zu früh. Das Prophezeien ist ein günstiger Geschäftszweig, aber voller Risiken. Dieser Prophet war Bischof M. Russel, LL. L., D. C. L., aus Edinburgh:

„Soll die Welle der Zivilisation nur bis zum Fuße der Rocky Mountains rollen, und soll die Sonne der Erkenntnis endgültig in den Wogen des Pazifiks untergehen? Nein; der mächtige viertausendjährige Tag neigt sich seinem Ende zu; die Sonne der Menschheit hat ihre vorgezeichnete Bahn zurückgelegt; aber lange, bevor ihre untergehenden Strahlen im Westen verlöschen, haben ihre aufsteigenden Strahlen die Inseln der östlichen Meere mit Glanz übergossen… Und jetzt sehen wir den Stamm Japheths aufbrechen, um die Inseln zu bevölkern, und die Staaten eines neuen Europas und eines zweiten Englands werden im Reich der Sonne ausgesät. Aber beachtet die Worte der Prophezeiung: ‚Gott breite Japheth aus und lasse ihn wohnen in den Hütten des Sem; und Kanaan sei sein Knecht.‘ Es heißt nicht, Kanaan solle sein *Sklave* sein. Den angelsächsischen Völkern ist das Zepter über den Erdball, aber nicht die Peitsche des Sklaventreibers noch das Folterwerkzeug des Henkers gegeben. Der Osten werde nicht von denselben Scheußlichkeiten wie der Westen verdunkelt; der entsetzliche Eiterherd eines unterjochten Volkes gefährde nicht das Geschick der Söhne Japheths in der orientalischen Welt. Indem ihr Vormarsch Gesittung, keine Vernichtung bringt;

indem sie sich mit den Völkern verbünden, mit denen sie zusammen leben, und sie nicht versklaven, dürften die britischen Völker…" und so weiter und so fort.

Und er beendet seine Vision mit einem Zitat aus Campbell:

> Komm, lichter Fortschritt, mit dem Flug der Zeit,
> Beherrsch' der Erde Zonen weit und breit!

Ja, sehen Sie, der lichte Fortschritt ist eingetroffen mit seiner Zivilisation, seiner Waterbury, seinem Regenschirm, seinem drittklassigen Geflucke, seiner Gesittung-und-nicht-Vernichtung-bringenden Maschinerie und seiner Sterblichkeitsrate von 180, und alles läuft reibungslos!

Aber der Prophet, der zuletzt spricht, hat einen Vorteil über den Pionier im Fach. Ehrwürden Mr. Gray sagt:

„Was mich bekümmert, ist, daß wir als christliche Nation diese Völker ausrotten, um uns zu bereichern."

Und er beschließt seine Schrift mit einer bitteren Anklage, die in ihrem geradlinigen, ehrlichen Englisch genau so beredt ist wie die handgemalte Rhapsodie des frühen Propheten:

„Ich klage Queenslands Handel mit Kanaka-Arbeitern in folgenden Punkten an:

1. Meist demoralisiert und stets verarmt er den Kanaken, beraubt ihn seines Bürgerrechtes und entvölkert die Inseln, die ihm als Heimat angemessen sind.

2. Es besteht der Eindruck, daß der Handel die Würde des weißen Landarbeiters herabsetze, und zweifellos drückt er dessen Löhne.

3. Das ganze System ist mit gesundheitlichen Gefahren für Australien und die Inseln belastet.

4. Aus sozialen und politischen Gründen muß Queenslands Handel mit Kanaka-Arbeitern ein Hindernis auf dem Wege zu einer echten Föderation der australischen Kolonien bilden.

5. Die Vorschriften, denen in Queensland der Arbeitskräftehandel unterworfen ist, sind ungeeignet, Mißbrauch zu verhüten, und müssen es den Umständen nach bleiben.

6. Das ganze System steht im Widerspruch zu Geist und Lehre des Evangeliums Jesu Christi. Das Evangelium befiehlt uns, dem Schwachen zu helfen, aber der Kanake wird gerupft und mit Füßen getreten.

7. Der Grundstein dieser Arbeitskräftevermittlung ist die Einstellung, das Leben und die Freiheit eines Schwarzen seien von geringerem Wert als die eines Weißen. Und ein Handel, der aus der ‚Sklavenjagd' erwachsen ist, wird ganz bestimmt bis zum Schluß seinem Ursprung ähneln."

7. KAPITEL

Die Wahrheit ist unser wertvollstes Gut. Laßt
uns sparsam mit ihr umgehen.

Querkopf Wilsons Neuer Kalender

Aus dem Tagebuch: Seit einem oder zwei Tagen durchpflügen wir ein un-
sichtbares, unermeßliches Gewirr von Inseln und haben dann und wann eine
davon flüchtig und schattenhaft erblicken können. Offenbar gibt es heuer
eine riesige Menge von Inseln; die Karte dieser Gegend ist über und über gesprenkelt und gepunktet. Ihre Zahl scheint Legion zu sein. Wir fahren jetzt
zwischen den Fidschiinseln dahin – 224 Inseln und Inselchen zählt diese
Gruppe. Vor uns, gen Westen, erstreckt sich das Gewirr auf Australien zu,
dann biegt es aufwärts nach Neuguinea und immer noch weiter bis Japan;
hinter uns, in östlicher Richtung, zieht es sich sechzig Längengrade weit über
den Pazifik hin; südlich von uns liegt Neuseeland. Irgendwo zwischen diesen
Myriaden verbirgt sich Samoa und ist auf der Karte nicht zu entdecken.
Aber wenn Sie dort hinfahren möchten, finden Sie es mühelos, sofern Sie die
Anweisungen befolgen, die Robert Louis Stevenson den Herren Dr. Conan
Doyle und J. M. Barrie erteilte: „Sie fahren nach Amerika, überqueren den
Kontinent bis San Francisco, und dann liegt es um die zweite Ecke links."
Um die volle Würze des Witzes mitzukriegen, muß man einen Blick auf die
Karte werfen.

Mittwoch, 11. September. Gestern fuhren wir dicht an einer Insel vorüber
und machten die allgemein bekannten Merkmale der Fidschiinseln aus:
einen breiten Gürtel reinen, weißen Korallensandes um die Insel herum; dahinter einen anmutigen Saum schiefstehender Palmen, und Eingeborenen-
hütten, behaglich in das Buschwerk zu ihren Füßen geschmiegt; hinter diesen
eine Strecke ebenen, mit tropischem Pflanzenwuchs bedeckten Grundes; dahinter zerklüftete und malerische Berge. Ein Detail des Vordergrundes: ein
verrottendes Schiff, weit oben auf einem Riff abgesetzt. Es rundet die Kom-
position ab und macht das Bild vom künstlerischen Standpunkt aus vollkommen.

Am Nachmittag erreichten wir Suva, die Hauptinsel der Gruppe, und
schlängelten uns in den abgeschlossenen kleinen Hafen hinein – ein glattes
Becken strahlendblauen und grünen Wassers, wohlgeborgen zwischen die
schützenden Berge gekuschelt. Ein paar Schiffe lagen darin vor Anker –
eines davon ein Segelschiff mit der amerikanischen Flagge; und es hieß, es
komme aus Duluth! Das ist eine Reise! Duluth liegt mehrere tausend Meilen
vom Meer entfernt, und doch hat es Anrecht auf den stolzen Namen „Herrin
der Handelsmarine der Vereinigten Staaten von Amerika". Ein einziges
freies, unabhängiges, nichtsubventioniertes amerikanisches Schiff befährt
fremde Meere, und das gehört Duluth. Ganz für sich allein stellt dieses
Schiff die amerikanische Flotte vor. Ganz für sich allein bewirkt es, daß der
amerikanische Name und die amerikanische Macht in den fernen Regionen
des Erdenrunds geachtet werden. Ganz für sich allein bestätigt es der Welt,
daß die volkreichste zivilisierte Nation der Erde mit Recht stolz auf ihre riesige Küstenlinie und entschlossen ist, den ihr zukommenden Platz als eine

der großen Seemächte des Planeten einzunehmen und zu behaupten. Ganz für sich allein gewöhnt es ausländische Augen an eine Flagge, die sie seit vierzig Jahren außerhalb des Museums noch nicht gesehen haben. Dafür, was Duluth geleistet hat, indem es ganz auf eigene Kosten die Amerikanische Außenhandelsflotte baute, ausrüstete und unterhielt, dadurch den amerikanischen Namen vor der Schande rettete und ihn zur Huldigung der Völker hoch emporhob, schulden wir der Stadt eine Dankbarkeit, zu der sich unsere Herzen mit beschleunigten Pulsen bekennen werden, wann immer von jetzt an der Name Duluth fällt. Viele patriotische Trinksprüche werden im Laufe der Zeit untergehen, aber solange die Flagge weht und die Republik lebt, werden die, welche unter ihrem Schutze leben, immer noch stehend und barhäuptig diesen hier ausbringen: Gesundheit und Wohlstand Dir, o Duluth, amerikanische Königin der Fremden Meere!

Von der Küste begannen Ruderboote heranzuschwärmen; ihre Besatzungen waren die ersten Eingeborenen, die wir sahen. Diese Männer trugen kein Übermaß an Kleidung, und das war vernünftig, denn es war sehr heiß. Schöne, große, dunkelhäutige Männer waren es, muskulös, gut gebaut und mit Gesichtern, die Charakter und Intelligenz ausdrückten. Ich möchte annehmen, daß es schwerfiele, bei den dunklen Rassen irgendwo Leute zu finden, die ihnen überlegen wären.

Alle gingen an Land, um sich umzusehen, die Gegend auszukundschaften und das zu erleben, was für Seereisende den Genuß aller Genüsse darstellt – eine Landmahlzeit. Und hier sahen wir noch mehr Eingeborene: runzelige alte Frauen, die ihre flachen Brüste über die Schultern geworfen trugen oder vorn herabhängend wie der Tropfen, der bei kaltem Wetter am Siruphahn hängt; rundliche und lächelnde junge Mädchen, fröhlich und vergnügt, ungezwungen und graziös, erfreulich anzusehen; junge verheiratete Frauen, groß, gerade gewachsen, anmutig, edel gebaut, die mit erhobenem Kinn und einem an unbewußter Hoheit und Würde unvergleichlichen Gang vorübereilten; stattliche junge Männer – Athleten nach Körperbau und Muskulatur –, in eine lose Drapierung aus blendendem Weiß gekleidet, mit nackter Bronzebrust und Bronzebeinen, der Kopf ein Rohrwischer aus dichtem, vom Schädel weggekämmtem und satt ziegelrot gefärbtem Haar. Noch vor sechzig Jahren lagen sie in Unwissenheit versunken; jetzt haben sie das Fahrrad.

Wir bummelten in der kleinen Stadt der Weißen umher, über die umgebenden Hügel auf Pfaden und Straßen zwischen europäischen Wohnhäusern, Gärten und Pflanzungen und an Hibiskusgruppen vorbei, die einen blinzeln machten, so intensiv rot waren die großen Blüten; und schließlich blieben wir stehen, um an einen älteren englischen Kolonisten einige Fragen zu richten und ihm wegen der sengenden Hitze unsere Teilnahme auszusprechen; aber er war überrascht und sagte:

„Jetzt? Jetzt ist es doch nicht heiß. Im Sommer müßten Sie einmal hier sein!"

„Wir dachten, jetzt wäre Sommer; seine Merkmale sind jedenfalls vorhanden. Man könnte dieses Wetter beinahe in jedes Land bringen und die Leute damit täuschen. Aber wenn das nicht Sommer ist, was fehlt denn noch?"

„Es fehlt ein halbes Jahr. Jetzt ist tiefster Winter."

Seit mehreren Monaten litt ich an Erkältungen, und ein solcher plötzlicher Wechsel der Jahreszeit konnte nicht verfehlen, mir zu schaden. Er bescherte mir eine weitere Erkältung. Kurios, diese plötzlichen Sprünge aus einer Jahreszeit in die andere. Vor vierzehn Tagen haben wir Amerika im Hochsommer verlassen, jetzt ist tiefster Winter; in etwa einer Woche kommen wir im Frühling in Australien an.

Nach dem Essen traf ich im Billardzimmer einen Ortsansässigen, den ich woanders in der Welt kennengelernt hatte, fand bald einige neue Freunde und fuhr mit ihnen aufs Land hinaus, um Seine Exzellenz, das Staatsoberhaupt, zu besuchen, das in seinem Landhaus weilte, um der Strenge des Winters zu entgehen, wie ich annehme, denn das Haus stand luftig auf hohem Grund und war viel behaglicher als die tieferen Regionen, wo die Stadt liegt und wo der Winter sich austobt und häufig Leuten die Haare in Brand steckt, wenn sie zum Gruß den Hut ziehen. Das hochliegende Haus des Gouverneurs bietet eine schöne und erhabene Aussicht auf Meer, Inseln und zinnenartige Gipfel, und seine unmittelbare Umgebung schlummert in der träumerischen Ruhe und heiteren Gelassenheit, die den Zauber des Lebens auf den Inseln des Pazifiks ausmachen.

Einer der neuen Freunde, die mit mir hinausfuhren, war ein großer, breiter Mann, und den ganzen Weg über hatte ich sein Format bewundert. Ich bewunderte es immer noch, als er auf der Veranda plaudernd neben dem Gouverneur stand; dann trat der Fidschidiener heraus, um den Tee zu melden, und ließ ihn zusammenschrumpfen. Vielleicht ließ er ihn nicht direkt zusammenschrumpfen, aber jedenfalls war der Gegensatz ziemlich frappierend. Womöglich war dieser dunkle Riese ein König im Zustand politischer Suspension. Mir ist, als sei bei der Unterhaltung dort auf der Veranda gesagt worden, daß auf den Fidschi- wie auf den Sandwichinseln die eingeborenen Könige und Häuptlinge viel größer und breiter gebaut seien als die gewöhnlichen Leute. Dieser Mann war in fließende weiße Gewänder gekleidet, und sie waren genau das richtige für ihn; sie stimmten gut mit seiner hohen Gestalt und seiner königlichen Haltung und Würde überein. Europäische Kleidung hätte ihn erniedrigt und gewöhnlich wirken lassen. Ich weiß es, denn das tut sie jedem an, der sie trägt.

Es hieß, die einstige Ergebenheit gegenüber den Häuptlingen und die Verehrung für ihre Person lebe immer noch in dem eingeborenen Bürger fort, und zwar in hohem Maße. Der gebildete junge Herr, welcher Häuptling des um die Hauptstadt herum wohnenden Stammes ist, kleidet sich nach der Mode vornehmer europäischer Herren, aber nicht einmal die Kleidung kann ihn in der Achtung seiner Leute herabsetzen. Ihr Stolz auf seinen erhabenen Rang und auf sein altehrwürdiges Geschlecht bleiben bestehen, trotz seiner verlorenen Macht und der bösen Magie seines Schneiders. Er hat es nicht nötig, sich durch Arbeit zu entehren oder sein Herz mit den grimmigen Sorgen des Lebens zu belasten; der Stamm sorgt dafür, daß es ihm an nichts mangelt und daß er den Kopf hoch tragen und wie ein Gentleman leben kann. Unten in der Stadt hatte ich ihn flüchtig gesehen. Vielleicht ist er ein Abkömmling des letzten Königs – des Königs mit dem schwierigen Namen, dessen Andenken ein bemerkenswertes, in Stein gehauenes Denkmal bewahrt, das man in der Einfriedigung im Zentrum der Stadt sieht. Thakombau – jetzt erinnere ich mich; das ist der Name. Es ist leichter, ihn auf einem Granitblock zu bewahren als im Kopf.

Dieser König trat die Fidschiinseln im Jahre 1858 an England ab. Einer der beim Gouverneur anwesenden Herren zitierte eine Bemerkung, die der König zur Zeit der Unterhandlungen machte – eine hübsche und auch ein bißchen ergreifende Erwiderung. Der englische Bevollmächtigte hatte Thakombau ein Krümchen Trost dargeboten, indem er sagte, die Übergabe des Königreiches an Großbritannien sei nur „eine Art Einsiedlerkrebsformalität, wissen Sie". – „Ja", sagte der arme Thakombau, „aber mit einem Unterschied – der Krebs zieht in eine leere Muschel, doch meine ist nicht leer."

Soweit ich aus den Büchern ersehen kann, befand sich der König jedoch damals zwischen zwei Stühlen und hatte keine große Wahl. Er schuldete den Vereinigten Staaten eine beträchtliche Summe – eine Summe, die er hätte bezahlen können, wenn man ihm Zeit gelassen hätte, aber die Frist wurde ihm verweigert. Er mußte auf der Stelle bezahlen, sonst wären ihm die Kriegsschiffe über den Hals gekommen. Um seine Leute vor diesem Unheil zu bewahren, trat er sein Land an Großbritannien ab, mit einer Klausel im Vertrag, welche die endgültige Bezahlung der amerikanischen Schuld vorsah.

In alter Zeit waren die Fischiinsulaner ungestüme Kämpfer, sie waren sehr religiös und trieben Götzendienst; die großen Häuptlinge waren stolz und hochmütig und lebten in vieler Hinsicht in großem Stil; alle Häuptlinge besaßen mehrere Frauen, die größten Häuptlinge manchmal bis zu fünfzig; wenn ein Häuptling gestorben war und bestattet werden sollte, wurden vier oder fünf seiner Frauen erdrosselt und zu ihm ins Grab gelegt.

Im Jahre 1804 flohen siebenundzwanzig britische Sträflinge von Australien nach den Fidschiinseln und brachten Gewehre und Munition mit. Bedenken Sie, welche Macht sie mit dieser Bewaffnung darstellten und welche Gelegenheit ihnen geboten war. Wären es tatkräftige und nüchtern denkende Menschen gewesen und hätten sie Verstand besessen und gewußt, ihn zu gebrauchen, dann hätten sie die Herrschaft über den Archipel erlangen können – siebenundzwanzig Könige, jeder mit acht oder neun Inseln unter seinem Zepter. Aber nichts wurde aus dieser Gelegenheit. Sie lebten ein wertloses Dasein in Sünde und Üppigkeit und starben ehrlos – in den meisten Fällen auf gewaltsame Art. Nur einer von ihnen besaß überhaupt Ehrgeiz; es war ein Ire namens Connor. Er versuchte, eine Nachkommenschaft von fünfzig Kindern aufzuziehen, und schaffte achtundvierzig. Noch im Sterben beklagte er seinen Mißerfolg. Das war eine ganz alberne Habsucht. Mancher Vater wäre mit vierzig reich genug gewesen.

Ein tüchtiger Menschenschlag sind die Fidschiinsulaner, mit Verstand im Kopf und einem Hang zum Grübeln. Offenbar schloß die religiöse Vorstellungswelt ihrer wilden Vorfahren eine Unsterblichkeitslehre ein – mit Einschränkungen. Das heißt, ihr toter Freund ginge in ein glückliches Jenseits ein, wenn man ihn wieder zusammenbekommen könne, sonst aber nicht. Sie zogen eine Grenze; die Lehre des Missionars fanden sie zu weitgehend, zu umfassend. Sie machten ihn auf gewisse Tatsachen aufmerksam. Zum Beispiel waren viele ihrer Freunde von Haien verschlungen worden; die Haie wiederum wurden von anderen Leuten gefangen und gegessen; später wurden diese Leute im Kriege gefangen und vom Feind aufgefressen. Die ersten

Leute waren in den Körperbestand der Haie eingegangen; dann waren sie und die Haie Teil von Fleisch und Blut und Knochen der Kannibalen geworden. Wie also konnte man die Bestandteile der ursprünglichen Leute aus dem endgültigen Konglomerat heraussuchen und wieder zusammensetzen? Die Fragesteller steckten voller Zweifel und fanden, der Missionar habe den Fall nicht mit dem Ernst und der Aufmerksamkeit geprüft, die eine so folgenschwere Sache verdiene.

Der Missionar lehrte diese schwer zufriedenzustellenden Wilden viele wertvolle Sachen und empfing von ihnen auch etwas – eine sehr nette und poetische Vorstellung; diese wilden und unwissenden armen Naturkinder glaubten, daß die Blumen, wenn sie verwelkt sind, auf den Flügeln des Windes aufsteigen zu den strahlenden Himmelsauen und dort auf ewig in unsterblicher Schönheit blühen!

8. KAPITEL

> Wahrscheinlich ließe es sich durch Fakten und Zahlen beweisen, daß es in Amerika keine einwandfrei einheimische kriminelle Schicht gibt, mit Ausnahme des Kongresses.
>
> *Querkopf Wilsons Neuer Kalender*

Wenn man einen Blick auf die Karte wirft, scheinen die einzelnen Inseln des ungeheuren Gewirrs im Pazifik einander zu bedrängen; aber nein, da gibt es kein Gedränge, nicht einmal im Zentrum einer Gruppe; und zwischen den Gruppen liegen einsame, weite Meeresflächen. Nicht alles über die Inseln, ihre Volksstämme und ihre Sprachen ist bekannt. In staunenerregender Weise erinnert daran die Tatsache, daß vor zwanzig Jahren auf den Fidschiinseln zwei fremde und einsame Wesen lebten, die aus einem unbekannten Land stammten und eine unbekannte Zunge sprachen. „Sie wurden von einem vorbeikommenden Schiff *viele hundert Meilen von jedem bekannten Land entfernt* aufgelesen, wo sie in demselben winzigen Kanu dahintrieben, in dem sie auf das Meer hinausgeweht worden waren. Als man sie fand, waren sie nur noch Haut und Knochen. Niemand konnte verstehen, was sie sagten, und sie haben niemals ihr Land genannt; oder wenn sie es getan haben, stimmt der Name nicht mit dem irgendeiner Insel auf irgendeiner Karte überein. Jetzt sind sie dick und rund und so glücklich, wie der Tag lang ist. Im Logbuch des Schiffes ist die geographische Länge und Breite eingetragen, unter der sie gefunden wurden, und das ist wahrscheinlich der einzige Leitfaden, den sie jemals zu ihrer verlorenen Heimat haben werden."*

Welch eine seltsame und romantische Episode ist das doch; und wie plagt einen die Neugier, zu erfahren, woher diese geheimnisvollen Geschöpfe gekommen sind, diese „Männer ohne Vaterland", umherirrende Waisen, die ihre verlorene Heimat nicht nennen können, wandernde „Kinder des Nirgendwo".

Wahrhaftig, dieses Inselgewirr ist die wahre Heimat der Romantik, der

* Forbes, „Zwei Jahre auf Fidschi".

Träume und des Geheimnisses. Die Einsamkeit, der feierliche Ernst, die Schönheit und die tiefe Ruhe dieser Wildnis bezaubern auf ganz eigene Weise die verwundeten Seelen von Menschen, die im Lebenskampf der großen Welt gerungen und versagt haben; und Menschen, die man wegen Verbrechen aus der großen Welt verstoßen hat; und andere Menschen, die ein sorgloses und lässiges Dasein lieben; und andere, die ein freies Leben des Umherschweifens voll Unrast, Abwechslung und Abenteuer lieben; und noch andere, die eine mühelose und bequeme Art, Handel zu treiben und Geld zu verdienen, lieben, dazu ein reiches Maß lockere Ehen, die durch Kauf begründet werden, Scheidungen ohne Verfahren oder Kosten und als Zugabe unbegrenzte Saufereien, um das Leben ideal und vollkommen zu gestalten.

Wir fuhren erfrischt weiter.

Der gebildetste Mensch auf dem Schiff war ein junger Engländer, der in Neuseeland zu Hause war. Er war Naturforscher. Seine Gelehrsamkeit auf seinem Spezialgebiet war tief und umfassend, sein Interesse an dem Thema war eher als Leidenschaft zu bezeichnen, er besaß die Gabe flüssiger Rede; und so war es ein Vergnügen, ihm zuzuhören, wenn er über Tiere sprach. Und es war auch sehr lehrreich, obwohl er manchmal schwer zu verstehen war, weil er gelegentlich wissenschaftliche Fachausdrücke anwandte, die den Horizont einiger von uns überstiegen. Meinen Horizont überstiegen sie ziemlich regelmäßig, aber da er durchaus bereit war, sie zu erläutern, unterließ ich es nie, ihn dazu zu bewegen. Ich besaß von vornherein annehmbare Kenntnisse in seinem Fach – die Kenntnisse eines Laien –, aber seine Belehrungen kristallisierten sie zu wissenschaftlicher Form und Klarheit – mit einem Wort, verliehen ihnen Wert.

Sein besonderes Interesse galt der Fauna Australasiens, und sein Wissen auf diesem Gebiet war ebenso erschöpfend, wie es genau war. Ich wußte bereits eine ganze Menge von den Kaninchen in Australasien und ihrer erstaunlichen Fruchtbarkeit, aber bei meinen Gesprächen mit ihm erfuhr ich, daß meine Vorstellungen von der ungeheuren Behinderung und Belästigung, welche die Kaninchenplage für den Handels- und Reiseverkehr bedeutete, den Tatsachen bei weitem nicht gerecht wurden. Er erzählte mir, das erste Paar Kaninchen, das nach Australasien eingeführt wurde, habe sich so unglaublich vermehrt, daß binnen sechs Monaten die Kaninchen so dicht standen, daß die Leute Gräben durch sie hindurchziehen mußten, um von einer Stadt zur anderen zu gelangen.

Er erzählte mir eine Menge über Würmer und das Känguruh und andere Koleopteren und sagte, er kenne die Geschichte und Gewohnheiten aller solcher Pachydermen. Er sagte, das Känguruh habe Taschen und trage seine Jungen darin, wenn es keine Äpfel kriegen könne. Und er sagte, der Emu sei so groß wie ein Strauß, sehe genau so aus, besitze einen amorphen Appetit und fresse Steine. Und der Dingo sei überhaupt kein Dingo, sondern bloß ein wilder Hund; und der einzige Unterschied zwischen einem Dingo und einem Dodo sei der, daß keiner von beiden belle; sonst seien sie genau gleich.

Er sagte, der einzige jagdbare Vogel in Australien sei der Wombat, und der einzige Singvogel sei der Larrikin, und beide würden von der Behörde geschützt. Der schönste der einheimischen Vögel sei der Paradiesvogel. Danach kämen zwei Lyraarten, die sich aber nicht genau gleich schrieben. Er sagte, die eine Art sterbe aus, die andere vermehre sich. Er erklärte, daß der „Sundowner" kein Vogel sei, sondern ein Mensch; Sundowner sei bloß die australische Entsprechung zu unserem Wort „Tramp". Er ist ein Landstreicher, ein Säufer und ein Nassauer. In der Zeit der Schafschur durchstreift er das Land und gibt vor, Arbeit zu suchen; aber er richtet es immer so ein, daß er gerade um Sonnenuntergang auf einer Schafweide eintrifft, wenn die Tagesarbeit zu Ende geht; er will nur Whisky, Abendbrot, eine Schlafstatt und Frühstück; das bekommt er und verschwindet dann. Der Naturforscher sprach über den Glockenvogel, das Tier, das den ganzen Tag lang aus der Tiefe des Waldes in kurzen Abständen sein volles und köstliches Geläut erklingen läßt. Er ist der liebste und beste Freund des durstigen, müden Sundowners; denn der weiß, wo der Glockenvogel ist, da ist Wasser; und er geht woandershin.

Der Naturforscher sagte, der kurioseste Vogel in ganz Australasien sei der Lachende Esel und der größte der jetzt ausgestorbene Große Moa. Der Moa sei dreizehn Fuß hoch gewesen und habe über einen gewöhnlichen Mann hinwegschreiten oder ihm den Hut herunterstoßen können; den Kopf übrigens auch. Er sagte, der Vogel sei flügellos, aber ein schneller Läufer gewesen. Die Eingeborenen seien auf ihm geritten. Er habe vierzig Meilen in der Stunde laufen und das vierhundert Meilen lang durchhalten können und sei danach noch ziemlich frisch gewesen. Als in Neuseeland die Eisenbahn eingeführt wurde, habe er noch existiert; noch existiert und die Post befördert. Die Eisenbahn habe mit demselben Fahrplan angefangen, den sie heute noch hat: zwei Expreßzüge in der Woche, Stundengeschwindigkeit zwanzig Meilen. Die Eisenbahngesellschaft habe den Moa ausgerottet, damit ihr die Postbeförderung übertragen würde.

Als er von den indigenen Kaninchen und bakterischen Kamelen sprach, sagte der Naturforscher, die koniferische und bakteriologische Ausbeute Australiens sei bemerkenswert wegen ihrer zahlreichen Abweichungen von den anerkannten Regeln, welchen diese Art Tuberkeln sonst unterliegen, aber seiner Meinung nach trete die Vorliebe der Natur, mit dem Exzentrischen herumzutändeln, am interessantesten in jener seltsamen Kombination von Vogel, Fisch, Amphibie, Wühler, Kriechtier, Vierbeiner und Christenmenschen zutage, die Ornithorhynchus heißt − groteskes Tier, König der Animalculen der Welt hinsichtlich Wandlungsfähigkeit des Charakters und des Äußeren. Er sagte:

„Man kann ihn nennen, wie man will, und hat recht damit. Er ist ein Fisch, denn er lebt die halbe Zeit im Fluß; er ist ein Landbewohner, denn er lebt die halbe Zeit auf dem Land; er ist ein Amphibium, da er beides mag und nicht weiß, welches er bevorzugt; er ist ein Winterschläfer, denn wenn langweilige Zeiten herrschen und nichts Besonderes los ist, vergräbt er sich unter dem Schlamm auf dem Grund einer Pfütze und schläft dort ein paar Wochen lang hintereinander; er ist eine Art Entenvogel, denn er hat einen Entenschnabel und vier Ruderpfoten mit Schwimmhäuten; er ist Fisch und Vierfüßler zugleich, denn im Wasser schwimmt er mit den Ruderpfoten, und an Land tappt er damit querfeldein; er ist eine Art Robbe, denn er trägt ein

Robbenfell; er ist Karnivore, Herbivore, Insektivore und Vermifuge, denn er frißt Fische und Gras und Schmetterlinge, und in der entsprechenden Jahreszeit gräbt er Würmer aus dem Schlamm und verschlingt sie; er ist eindeutig ein Vogel, denn er legt Eier und brütet sie aus; er ist eindeutig ein Säugetier, denn er säugt seine Jungen; er ist offensichtlich eine Art Christenmensch, denn er heiligt den Sabbat, wenn jemand in der Nähe ist, und wenn niemand da ist, tut er es nicht. Er hegt alle Neigungen, die es gibt, ausgenommen verfeinerte, er besitzt alle Gewohnheiten, die es gibt, ausgenommen die guten.

Er ist ein Beispiel – ein Beispiel für das Überleben des Tauglichsten. Mr. Darwin hat die Theorie erfunden, die unter diesem Namen bekannt ist, aber der Ornithorhynchus war der erste, der sie einer tatsächlichen Erprobung unterwarf und bewies, daß das möglich ist. Daher gebührt ihm ebensoviel Ehre wie Mr. Darwin. Er war nicht in der Arche; man wird ihn dort nicht erwähnt finden; er blieb großmütig draußen und verfuhr nach der Theorie. Von allen Geschöpfen der Welt war er das einzige, das für den Versuch zweckmäßig ausgerüstet war. Die Arche trieb dreizehn Monate dahin, und das ganze Erdenrund war versunken; kein Land war über der Flut zu sehen, kein Pflanzenwuchs, keine für Säugetiere geeignete Nahrung, kein für Säugetiere geeignetes Wasser; denn alle Säugetiernahrung war vernichtet, und als die reinen Fluten des Himmels und die salzigen Ozeane der Erde ihre Wasser mischten und über die Berggipfel hinausstiegen, war das Ergebnis ein Getränk, das kein Vogel oder Tier gewöhnlicher Bauart genießen und lebendig überstehen konnte. Aber diese Mischung war Zucker für den Ornithorhynchus, wenn ich einen solchen Ausdruck verwenden darf, ohne Anstoß zu erregen. Seine Flußheimat war schon immer von der Gezeitenflut des Meeres gesalzen worden. Auf der Oberfläche der Noahschen Sintflut trieben unzählige Waldbäume. Auf diesen reiste der Ornithorhynchus in Frieden dahin; reiste von einem Himmelsstrich zum anderen, von einer Hemisphäre zur anderen, in aller Ruhe und Behaglichkeit, mit männlichem Interesse an dem beständigen Szenenwechsel, in demütiger Dankbarkeit für sein Vorrecht, mit stets wachsender Begeisterung über die Entfaltung der großartigen Theorie, für deren Gültigkeit er sein Leben, sein Glück und seine unverletzliche Ehre verpfändet hatte, wenn ich solche Ausdrücke schicklicherweise auf ein Geschehen solcher Art anwenden darf.

Er lebte das stille und genußreiche Leben eines Geschöpfes, das für seinen Unterhalt auf niemanden angewiesen ist. An Dingen, die er für seine Existenz und seine Glückseligkeit wirklich benötigte, fehlte überhaupt nichts. Wenn er spazierengehen wollte, kroch er auf dem Baumstamm entlang; bei Tag überließ er sich im Schatten des Laubes seinen Gedanken, bei Nacht schlief er von ihm geborgen; wenn er zur Erfrischung schwimmen wollte, tat er es; er fraß Blätter, wenn er eine vegetarische Diät wünschte, er scharrte unter der Rinde nach Würmern und Raupen; wenn er Fisch wollte, fing er sich welchen, wenn er Eier wollte, legte er sie. Wenn in einem Baum die Raupen aufgebraucht waren, schwamm er zu einem anderen; was den Fisch anging, so brachte ihn die Reichhaltigkeit des Angebots direkt in Verlegenheit. Und wenn er schließlich Durst hatte, schlapperte er genießerisch und dankbar eine Mixtur hinunter, die ein Krokodil umgehauen hätte.

Als er nach dreizehn Monaten des Reisens und Forschens in allen Zonen schließlich auf einem Berggipfel strandete, schritt er an Land und sprach in seinem Herzen: ‚Mögen die, die nach mir kommen, wenn sie Lust haben, Theorien erfinden und Träume vom »Überleben des Tauglichsten« träumen – ich bin der erste, der es *getan* hat!'

Dieses wunderbare Geschöpf stammt, wie das Känguruh und viele andere australische Hydrocephali invertebrati, aus einem Zeitalter lange vor dem Auftreten des Menschen auf der Erde. Sie stammen tatsächlich aus einem Zeitalter, als ein Hunderte Meilen breiter und Tausende Meilen langer Damm Australien mit Afrika verband, die Tiere dieser zwei Länder sich glichen und alle jenem fernen geologischen Zeitalter angehörten, das die Wissenschaft als Ältere Rote Schleifsteinepoche des Post-Pleosauriums kennt. Später versank der Damm im Meer; unterirdische Erschütterungen hoben den afrikanischen Kontinent um tausend Fuß höher, als er vorher war, aber Australien behielt seine alte Höhe bei. In Afrikas neuem Klima fingen die Tiere notwendigerweise an, sich zu entwickeln und in neue Formen und Familien und Spezies abzuwandeln, aber die Tiere Australiens blieben ebenso notwendigerweise unverändert und sind es bis heute geblieben. Im Laufe einiger Jahrmillionen entwickelte sich der afrikanische Ornithorhynchus immerzu weiter und weiter, warf einen Bestandteil seiner Ausstaffierung nach dem anderen ab, bis das Tier schließlich völlig aufgelöst und in alle Winde zerstreut war. Immer, wenn man in Afrika einen Vogel oder ein Raubtier oder eine Robbe oder einen Otter sieht, weiß man, daß es sich nur um ein armseliges Überbleibsel des erhabenen Originals handelt, von dem ich gesprochen habe – jenes Geschöpfes, das alles im allgemeinen und nichts im besonderen war –, das großzügig ausgestattete E pluribus unum der Tierwelt.

Das ist die Geschichte des urältesten, des höchstbetagten, des ehrwürdigsten Geschöpfes, das heute auf der Welt existiert, *Ornithorhynchus platypus extraordinariensis* – das Gott erhalten möge!"

Wenn er stark bewegt war, konnte er sich auf diese Art mühelos in höhere Regionen aufschwingen. Und nicht nur in Prosa, sondern auch in poetischer Form. Zu seiner Zeit hatte er viele Gedichte geschrieben, und diese Manuskripte lieh er im Kreise der Passagiere herum und war gern bereit zu gestatten, sich eine Abschrift anzufertigen. Mir schien, als wäre aus dieser Serie das Gedicht, welches die wenigsten Fachausdrücke enthielt und vielleicht den erhabensten Ton erreichte, seine

ANRUFUNG

Von deinem schlamm'gen Lager komm,
Ornithorhynchus, vor!
Und mit herzlichem Klauendruck
Den Fremden grüß', des Ohr

Von deinen Lippen hören möcht'
Der dunklen Herkunft Mär:
Denn Fleisch besitzt du statt Gebein,
Und Bein, wo Fleisch wohl wär'.

Hast Pfoten nicht, doch Fisches Flossen
Nebst Bibers Schaufelschwanz,
Doch Kiemen nicht, im Raubtiermaule
Starrt dir der Zähne Kranz.

Komm, Känguruh, so wahr und echt!
Kurz sind die Beine dir,
Verjüngt der Leib wie bei dem Sack-,
Nein, besser: Beuteltier.

Wieso, sag an, verweilst du hier,
Du Sohn entschwund'ner Zeit.
Die Freunde ruhen längst fossil
In Stein auf Ewigkeit!

Möglicherweise ist kein Dichter ein bewußter Plagiator; aber es scheint Grund zu der Vermutung zu bestehen, daß es keinen Dichter gibt, der nicht irgendwann einmal ein unbewußter Plagiator ist. Die oben angeführten Verse sind wirklich schön und in ihrer Art ergreifend; aber ein gewisses Etwas durchweht sie, das unweigerlich an die Nachtigall von Michigan erinnert. Man kann kaum bezweifeln, daß der Autor die Werke dieser Dichterin gelesen hatte und von ihnen beeindruckt war. Es ist nicht ersichtlich, daß er auch nur ein Wort oder auch nur eine Phrase aus ihnen geborgt hätte, aber der Stil, der Schwung, die Meisterschaft und die Melodie der Nachtigall sind alle vorhanden. Vergleichen Sie diese Anrufung mit „Frank Dutton" – besonders die erste und die siebzehnte Strophe – und ich glaube, Sie werden überzeugt davon sein, daß, wer das eine schrieb, das andere gelesen hatte:

I

Frank Dutton war ein feiner Kerl,
Du wünschtest dir keinen andern.
Und er ertrank im Pine-Island-See,
wird nicht mehr auf Erden wandern.
Sein Alter betrug fast fünfzehn Jahr,
und mutterlos war der Arme
und lebte bei seiner Großmutter,
als er ertrank, der Arme.

XVII

Er ertrank am Dienstag nachmittag,
Am Sonntag fand man ihn,
Und die Kunde von dem ertrunk'nen Kind
ertönt' über Meilen hin.
Ins kalte Erdreich, der Mutter zur Seit,
ließ man den Leichnam hinab.
Und fließen wird der Freunde Trän',
wenn sie sehn sein kleines Grab.*

* „Das empfindsame Liederbuch", von Mrs. Julia Moore, S. 36.

9. KAPITEL

> Deine menschliche Umgebung ist es, die das
> Klima bestimmt.
>
> *Querkopf Wilsons Neuer Kalender*

15. September – nachts. Jetzt dicht vor Australien. Sydney 50 Meilen entfernt. Diese Notiz erinnert mich an ein Erlebnis. Man rief die Passagiere, zum Bug hinaufzukommen und sich etwas Schönes anzusehen. Es war sehr dunkel. Die Meeresoberfläche war nicht weiter als fünfzig Yard in jeder Richtung zu überblicken – in etwa dieser Entfernung von uns trübte sie sich und verschwamm immer mehr. Aber starrte man eine kurze Weile lang geduldig in die Dunkelheit hinaus, wurde man reich belohnt. Plötzlich sah man eine Viertelmeile entfernt auf dem Wasser blendendes Licht aufspritzen oder aufbersten – ein so überraschender und so verblüffend strahlender Blitz, daß einem der Atem stockte; dann breitete sich dieser Lichtfleck im Nu aus und nahm die Spiralform und eindrucksvolle Länge der sagenhaften Seeschlange an, jede Windung des Leibes, die vom Kopfe ausgehende „Bugwelle" und das Kielwasser hinter dem Schwanz in den grellen Glanz lebendigen Feuers gehüllt. Und Himmel, sie nahte ja mit Blitzesschnelle! Fast bevor man es sich versah, kam dieses Lichtungeheuer, fünfzig Fuß lang, flammend vorbeigerast und verschwand. Und draußen in der Ferne, woher es gekommen war, sah man wieder einen Blitz, noch einen, noch einen, und sah sie im Augenblick zu Seeschlangen werden; und einmal blitzten sechzehn gleichzeitig auf und kamen auf uns zugefegt, ein Schwarm sich dahinschlängelnder Kurven, eine Feuersbrunst im Vormarsch, ein Vision verwirrender Schönheit, ein Anblick von Feuer und Kraft, desgleichen die meisten dieser Leute erst wieder sehen werden, wenn sie gestorben sind.

Es waren Tümmler – Tümmler, in phosphoreszierendem Licht erglühend. Später sammelten sie sich zu einem wilden und großartigen Gewirr unter dem Bug, und dort spielten sie eine Stunde lang, schnellten empor, tummelten sich und tobten, schossen vor oder über dem Vordersteven Kobolz und wurden nie getroffen, verrechneten sich nie, obwohl der Vordersteven sie in der Regel nur um etwa einen Zoll verfehlte. Es waren Tümmler von gewöhnlicher Länge – acht oder zehn Fuß –, aber mit jeder Windung des Leibes setzten sie eine Folge ineinanderfließender, schimmernder Bogenlinien nach achtern in Bewegung. Dieses feurige Gewirr war bezaubernd anzusehen, und wir blieben bis zum Schluß der Vorstellung; ein solches Schauspiel wird einem nicht zweimal im Leben geboten. Der Tümmler ist das Kätzchen des Meeres; nie hat er einen ernsthaften Gedanken, nichts kümmert ihn als bloß Spaß und Spiel. Aber ich glaube, noch nie hatte ich ihn so reizend gesehen wie in jener Nacht. Es geschah in der Nähe eines Zentrums der Zivilisation, und womöglich hatte er getrunken.

Allmählich, als wir uns den Sydney Heads bis auf etwa dreißig Meilen genähert hatten, konnte man das große elektrische Licht ausmachen, das auf einem dieser hohen Wälle angebracht ist, und mit der Zeit wurde der kleine Funken zu einer großen Sonne und durchbohrte das dunkle Firmament mit einem weitreichenden Lichtschwert.

Der Hafen von Sydney liegt abgeschlossen hinter einer Steilwand, die sich mehrere Meilen weit wie eine Mauer hinzieht und dem unkundigen Fremden keine Lücke zeigt. In der Mitte ist zwar eine Lücke vorhanden, aber diese fällt so wenig auf, daß sogar Kapitän Cook an ihr vorübergesegelt ist, ohne sie zu sehen. Nahe dieser Lücke findet sich eine falsche Lücke, die ihr ähnelt und die in früheren Zeiten, bevor die Stelle beleuchtet wurde, dem Seemann bei Nacht Schwierigkeiten machte. Sie war schuld an der denkwürdigen Katastrophe der „Duncan Dunbar", einer der ergreifendsten Tragödien in der Geschichte jenes erbarmungslosen Wüterichs, des Meeres. Es war ein Segelschiff; ein schönes und gern benutztes Passagier- und Postschiff unter dem Kommando eines beliebten Kapitäns von ausgezeichnetem Ruf. Man erwartete es aus England zurück, und ganz Sydney harrte seiner und zählte die Stunden; zählte die Stunden und rüstete sich, ihm ein herzbewegendes Willkommen zu bereiten; denn es brachte eine große Gruppe Mütter und Töchter nach Hause, den langentbehrten Sonnenschein und die Blüte vieler Häuser Sydneys; Töchter, die jahrelang zum Schulbesuch fortgewesen, und Mütter, die in all diesen Jahren bei ihnen geblieben waren und sie behütet hatten. In der ganzen Welt pflegten nur Indien und Australasien den Brauch, Schiffe und ganze Flotten mit ihren Herzen zu beladen, und kennen die furchtbare Bedeutung dieser Redensart; nur sie wissen, wie das Warten ist, wenn diese Fracht den launischen Winden, nicht dem Dampf, anvertraut wird, und wie groß das Glück ist, wenn das Schiff, das diesen Schatz zurückbringt, sicher den Hafen erreicht und das lange Bangen vorüber ist.

An Bord der „Duncan Dunbar", die am späten Nachmittag auf die Sydney Heads zuflog, trafen die glücklichen Heimkehrerinnen eifrig ihre Vorbereitungen, denn es bestand kein Zweifel daran, daß sie, noch ehe der Tag endete, ihren Freunden in den Armen liegen würden; sie packten ihre Reisekleidung weg und zogen Kleider an, die dem Wiedersehen angemessener waren, ihre kostbarsten und schönsten Kleider legten sie an, die armen Bräute des Grabes. Aber der Wind ließ an Stärke nach, oder es war eine Fehlberechnung unterlaufen, und die Dunkelheit brach herein, bevor die Heads in Sicht kamen. Es hieß, normalerweise hätte der Kapitän eine sichere Stelle auf hoher See aufgesucht und den Morgen abgewartet; aber es lag kein gewöhnlicher Fall vor; ihn umringten flehende Gesichter, Gesichter, die in ihrer Enttäuschung ans Herz rührten. Und dergestalt bewog ihn seine Anteilnahme dazu, die gefährliche Durchfahrt im Dunkeln zu wagen. Er war siebzehnmal zwischen den Heads eingefahren und meinte die Gegend zu kennen. Und so steuerte er geradenwegs auf die falsche Öffnung zu, die er für die richtige hielt. Er bemerkte seinen Irrtum erst, als es zu spät war. Es bestand keine Aussicht, das Schiff zu retten. Die hohen Wogen rissen es mit sich und zermalmten es auf den Felszacken am Fuße der Steilwand zu Schutt und Splittern. Keine einzige aus der ganzen schönen und lieblichen Gesellschaft sah man lebend wieder. Diese Geschichte erzählt man jedem Fremden, der an der Stelle vorbeifährt, und noch viele Generationen lang wird man sie allen erzählen, die noch vorbeikommen werden; aber niemals wird sie veralten, nie läßt die Gewöhnung sie schal werden, niemals kann sich das Herzeleid, das sie in sich birgt, erschöpfen.

Zweihundert Menschen befanden sich auf dem Schiff, und nur ein einziger überlebte die Katastrophe. Es war ein Matrose. Eine ungeheure Woge schleuderte ihn an der Steilwand empor, setzte ihn auf einem schmalen Steinsims ab, halben Weges zwischen Gipfel und Fuß, und dort lag er die ganze Nacht über. Zu jeder anderen Zeit hätte er für den Rest seines Lebens dort gelegen, ohne Aussicht, entdeckt zu werden; aber am nächsten Morgen flog die entsetzliche Nachricht durch Sydney, die „Duncan Dunbar" sei in Sichtweite der Heimat untergegangen, und alsbald waren die Wälle der Heads schwarz von Trauernden; und einer von ihnen, der sich über den Abgrund reckte, um zu erforschen, was unten zu sehen wäre, erspähte diesen auf wunderbare Weise erretteten Überlebenden des Schiffbruchs. Man holte Seile herbei und vollbrachte die fast unmögliche Tat, den Mann aus seiner Lage zu befreien. Er war ein praktisch veranlagter Mensch, mietete in Sydney einen Saal und stellte sich für Sixpence pro Person zur Schau, bis er die Jahresausbeute der Goldfelder erschöpft hatte.

Wir fuhren ein und warfen den Anker aus, und am Morgen oh-ten und ah-ten wir vor Bewunderung, als wir die Krümmungen und Biegungen des geräumigen und schönen Hafens durchfuhren – eines Hafens, der Sydneys Lieblingsschatz und ein wahres Weltwunder ist. Es überrascht nicht, daß die Leute stolz auf ihn sind, auch nicht, daß sie ihre Begeisterung wortreich zum Ausdruck bringen. Ein zurückkehrender Bürger fragte mich, wie ich den Hafen finde, und ich äußerte mich mit einer Herzlichkeit, die meiner Schätzung nach den Marktwert erreichte. Ich sagte, er sei schön – herrlich schön. Dann, aus einem natürlichen Impuls heraus, gab ich Gott die Ehre.

Der Bürger schien nicht ganz zufrieden zu sein. Er sagte: „Er *ist* schön, natürlich ist er schön – der Hafen; aber er ist nicht alles, er ist nur die Hälfte; die andere Hälfte ist Sydney, und sie beide zusammen bringen erst die Ruhmesglocke zum Läuten. Gott hat den Hafen geschaffen, und das ist in Ordnung; aber Sydney hat der Satan geschaffen."

Ich brachte natürlich eine Entschuldigung vor und bat ihn, sie auch seinem Freund zu übermitteln. Er hatte recht damit, daß Sydney die andere Hälfte darstellt. Auch ohne Sydney wäre der Hafen schön, aber höchstens halb so schön wie jetzt, da Sydney dabei ist. Er hat etwa die Form eines Eichenblattes – eine weite Fläche schönen, blauen Wassers, und beiderseits dringen schmale Abzweigungen tief ins Land, eingefaßt von Landstreifen, lang und schmal wie Finger, und bewaldeten Bergrücken mit abgeschrägten Hängen wie Gräber. Hier und da nisten stattliche Landhäuser auf diesen Berghängen und schmiegen sich in das Laub, und wenn das Schiff an ihnen vorüber auf die Stadt zu gleitet, erhascht man flüchtige, verlockende Ausblicke auf sie. Die Stadt selbst überzieht eine Gruppe Hügel und eine Krause benachbarter Berghänge mit ihren wogenden Mauermassen, und aus diesen Massen ragen Türme und Türmchen und andere architektonische Kostbarkeiten und Sehenswürdigkeiten auf, welche die fließenden Linien brechen und dem ganzen Bild eine malerische Wirkung verleihen.

Die schmalen Buchten, die ich erwähnt habe, schlängeln sich überall tief ins Land hinein und verstecken sich dort, und immerzu sind Vergnügungsdampfer mit Ausflugsgesellschaften an Bord auf ihnen unterwegs, um sie zu durchforschen. Vertrauenswürdige Leute sagen, wenn man sie alle durchforsche, werde man danach feststellen, daß man siebenhundert Meilen Wasserweg zurückgelegt habe. Aber heuer gibt es überall Lügner, und sie verdoppeln diese Zahl, wenn ihr Mundwerk reibungslos funktioniert.

Der Oktober stand vor der Tür, der Frühling war gekommen. Es war wirklich Frühling – das sagten alle; aber in Kanada hätte man ihn als Sommer verkaufen können, und niemand hätte Verdacht geschöpft. Es herrschte genau das Wetter, das unsere heimatlichen Sommer zum Höhepunkt klimatischen Wohlbefindens macht; ich meine, wenn man sich im Wald oder am Meer aufhält. Aber die Leute hier sagten, jetzt sei es kühl – es müsse einer Sydney im Sommer sehen, wenn er wissen wolle, was warmes Wetter bedeute, und er müsse tausend oder fünfzehnhundert Meilen weit nach Norden reisen, um zu erfahren, was heißes Wetter sei. Sie sagten, dort oben, auf den Äquator zu, legten die Hühner Spiegeleier. Sydney ist der Ort, wo man sich hinwenden muß, um Auskunft über die klimatischen Bedingungen anderer Leute zu erhalten. Mir scheint, die Tätigkeit eines „vorurteilsfreien Reisenden, der Auskunft sucht", ist der angenehmste und am wenigsten verantwortliche Beruf, den es gibt. Stets kann der Reisende alles, was er möchte, durch bloßes Fragen erfahren. Er kann sich alle Tatsachen beschaffen und noch mehr. Alle helfen ihm, niemand behindert ihn. Jeder, der eine alte Tatsache auf Lager hat, die auf dem heimischen Markt nicht mehr geht, überläßt sie ihm zu beliebigem Preis. Leicht und rasch sind solche Waren angesammelt. Sie kosten fast nichts und bringen auf dem Auslandsmarkt den Nennwert. Reisende, die nach Amerika kommen, befrachten sich stets mit denselben alten Kindermärchen, die schon ihre Vorgänger auswählten, nehmen sie mit und stoßen sie immer mühelos auf dem heimischen Markt ab.

Wären die Klimazonen der Welt von den Breitengraden abhängig, dann wäre uns das Klima eines Ortes aus seiner Lage auf der Karte bekannt; und so wüßten wir, daß das Klima Sydneys dem Klima Columbias in Südkarolina und Little Rocks in Arkansas entspräche, da Sydney etwa das gleiche Stück südlich vom Äquator liegt wie diese anderen Städte nördlich von ihm – vierunddreißig Grad. Aber nein, das Klima beachtet die Breitengrade nicht. In Arkansas gibt es einen Winter; in Sydney gibt es seinen Namen, aber nicht die Sache selbst. Ich habe das Eis im Mississippi an der Mündung des Arkansas vorbeitreiben sehen; und in Memphis, nur ein kleines Stück weiter oben, ist der Mississippi von einem Ufer zum anderen zugefroren gewesen. Aber in Sydney hat man noch nie eine Kältewelle erlebt, die das Quecksilber auf den Gefrierpunkt herabgedrückt hätte. Einmal ist dort an einem strengen Wintertag im Monat Juli das Quecksilber auf 2° gefallen, und das bleibt nun der denkwürdige „kalte Tag" in der Geschichte der Stadt. Little Rock hat es zweifellos schon unter Null gesehen. Einmal ist in Sydney im Hochsommer, so um den Neujahrstag herum, das Quecksilber auf 41° im Schatten angestiegen, und das ist Sydneys denkwürdiger „heißer Tag". Ich glaube, das dürfte ungefähr mit Little Rocks heißestem Tag übereinstimmen. Meine Sydneyer Zahlenangaben sind einem amtlichen Bericht entnommen und vertrauenswürdig. Hinsichtlich des Sommerwetters hat Arkansas vielleicht keinen Vorteil über Sydney, aber was das Winterwetter angeht, das ist eine ganz andere Geschichte. Man könnte einen Arkansaswinter in hundert Sydneywinter aufteilen und hätte immer noch genug übrig für Arkansas und die Armen.

Der ganze schmale, hügelige Streifen der Pazifikseite von Neusüdwales hat das Klima seiner Hauptstadt – eine mittlere Wintertemperatur von 12° und eine mittlere Sommertemperatur von 21,5°. Es ist ein Klima, das man sich nicht gesünder denken kann. Aber die Experten sagen, 33° in Neusüdwales seien schlechter zu vertragen als 44° in der angrenzenden Kolonie Victoria, weil die Luft des ersteren feucht sei und die der letzteren trocken.

Die mittlere Temperatur des südlichsten Punktes von Neusüdwales ist die gleich wie die Nizzas (15°), doch liegt Nizza 460 Meilen weiter vom Äquator entfernt als jener.

Aber die Natur geht mit vollkommenen Klimaten immer geizig um; im Falle Australiens noch geiziger als gewöhnlich. Offenbar besitzt dieser weiträumige Kontinent ein wirklich gutes Klima nur am Rande herum.

Wenn wir eine Weltkarte betrachten, sehen wir mit Überraschung, wie groß Australien ist. Es ist etwa zwei Drittel so groß wie die Vereinigten Staaten waren, bevor wir Alaska hinzufügten.

Doch während man beinahe überall in den Vereinigten Staaten annehmbar gutes Klima und fruchtbares Land antrifft, scheint festzustehen, daß man innerhalb des australischen Randgürtels viele Wüsten vorfindet und stellenweise ein Klima, dem nichts standhalten kann, ausgenommen ein paar der abgehärteteren Steinarten. Im wesentlichen ist Australien noch immer unbewohnt. Wenn Sie eine Karte der Vereinigten Staaten nehmen und die Staaten an der atlantischen Küste stehenlassen, auch den Saum der Südstaaten von Florida westwärts bis zur Mississippimündung, dazu einen schmalen, bewohnten Streifen den Mississippi aufwärts halbwegs bis zu seinem Quellgebiet, auch einen schmalen bewohnten Streifen entlang der pazifischen Küste, dann einen Pinsel voll Farbe nehmen und die ganze gewaltige Strecke Landes auslöschen, die zwischen den Staaten an der Atlantikküste und dem Streifen an der pazifischen Küste liegt, wird Ihre Karte aussehen wie die neueste Karte von Australien.

Diese ungeheure Leere ist heiß, um nicht zu sagen gluteiß; ein Teil ist fruchtbar, der Rest ist Wüste; sie ist spärlich bewässert; sie weist keine Städte auf. Man braucht nur die Bergkette von Neusüdwales zu überqueren und in die westlichen Regionen hinabzusteigen, um festzustellen, daß man das vorzügliche Klima hinter sich gelassen und ein neues von ganz anderem Charakter vorfindet. Das Thermometer würde einem jedenfalls nicht verraten, daß man sich nicht auf den blasenziehenden Ebenen Indiens befindet. Kapitän Sturt, der große Forscher, gibt uns eine Schilderung der Hitze:

„Der Wind, der den ganzen Vormittag aus Nordosten geweht hatte, steigerte sich zu einem starken Sturm, und nie werde ich seine ausdörrende Wirkung vergessen. Ich suchte hinter einem hohen Gummibaum Schutz, aber die heißen Windstöße waren so fürchterlich, daß ich mich wunderte, *wieso das Gras nicht Feuer fing.* Das war wirklich keine Einbildung: alles, belebt oder unbelebt, erschlaffte; die Pferde wandten dem Wind den Rücken zu und hielten die Nase am Boden, weil sie nicht genug Kraft hatten, den Kopf aufzurichten; die Vögel waren stumm, und die Blätter der Bäume, unter denen wir saßen, *fielen wie ein Schneeschauer um uns nieder.* Am Mittag holte ich ein Thermometer, das bis 55° ging, aus dem Koffer und stellte fest, daß das Quecksilber bei 51,5° stand. Ich nahm an, es wäre von unechten Begleitumständen beeinflußt worden, und legte es, vor Wind und Sonne geschützt, in die Astgabel eines Baumes, der dicht bei mir stand. Etwa eine Stunde später ging ich hin, um es zu untersuchen, und stellte fest, daß das Quecksilber im Instrument bis nach oben gestiegen war und *das Röhrchen gesprengt* hatte, ein Umstand, den, wie ich glaube, noch kein Reisender jemals zu berichten hatte. Ich kann keine Worte finden, um dem Leser eine Vorstellung davon zu vermitteln, wie intensiv und drückend die Hitze war."

Dieser heiße Wind fegt manchmal über Sydney hinweg und führt einen sogenannten „Staubsturm" mit sich. Es heißt, daß die meisten australischen Städte den Staubsturm kennen. Ich glaube ihn zu kennen, denn Mr. Ganes nachfolgende Schilderung stimmt weitgehend mit dem Alkalistaubsturm Nevadas überein, wenn man die Sache mit der Schaufel fortläßt. Immerhin ist die Sache mit der Schaufel ein ziemlich wichtiger Teil und scheint anzudeuten, daß mein Nevadasturm schließlich doch nur ein armseliges Ding ist:

„In dem Maße, wie wir vorankamen, verringerte sich die Höhenlage, und die Hitze stieg im gleichen Verhältnis an, bis wir Dubbo erreichten, das nur 600 Fuß über dem Meeresspiegel liegt. Es ist eine hübsche Stadt, auf einer ausgedehnten Ebene erbaut... Wenn ein Regenschauer mit seinen Auswirkungen vorüber ist, zerfällt die Bodenoberfläche zu einer dicken Staubschicht, und gelegentlich, wenn der Wind aus einer bestimmten Richtung weht, *wird sie in einer einzigen langen, undurchsichtigen Wolke buchstäblich vom Boden emporgehoben.* Inmitten eines solchen Sturmes kann man auf ein paar Yard weit nichts mehr erkennen, und der Pechvogel, der gerade zufällig draußen ist, muß die nächstliegende Zuflucht aufsuchen. Wenn die sorgliche Hausfrau in der Ferne die dunkle Säule in ständigem Wirbel auf ihr Haus vorrücken sieht, schließt sie schleunigst Türen und Fenster. Ein Salon, dessen Fenster während eines Staubsturms aus Nachlässigkeit offengeblieben ist, bietet einen wirklich außerordentlichen Anblick. Eine Dame, die einige Jahre in Dubbo gewohnt hat, sagt, der Staub liege dann so dick auf dem Teppich, daß man eine Schaufel nehmen müsse, um ihn zu entfernen."

Und wahrscheinlich einen Wagen. Ich hatte mich geirrt; ich habe keinen richtigen Staubsturm erlebt. Für meinen Begriff sind die äußere Erscheinung und der Charakter Australiens faszinierend, so seltsam sind sie, so unheimlich, so neu, so ungewöhnlich, ein so verblüffender und interessanter Gegensatz zu den anderen Teilen des Planeten, den Teilen, die uns allen bekannt, vertraut sind. Was die Einzelheiten angeht – ein Detail hier, ein Detail da –, so haben wir das vorzügliche Klima der Küste von Neusüdwales durchgenommen; wir haben die australische Hitze durchgenommen, wie sie Kapitän Sturt lieferte; wir haben den erstaunlichen Staubsturm durchgenommen; und wir haben das Phänomen einer beinahe leeren, heißen Wildnis besprochen, die halb so groß wie die Vereinigten Staaten ist und die ein schmaler Gürtel mit Zivilisation, Bevölkerung und gutem Klima umgibt.

10. KAPITEL

Alles Menschliche ist leidbestimmt. Selbst des
Humors geheime Quelle ist nicht Freude, sondern Leid. Im Himmel gibt es keinen Humor.

Querkopf Wilsons Neuer Kalender

Kapitän Cook entdeckte Australien im Jahre 1770, und achtzehn Jahre später begann die britische Regierung, Sträflinge dorthin zu überführen. Insgesamt nahm Neusüdwales in dreiundfünfzig Jahren 83 000 auf. Die Sträflinge
trugen schwere Ketten; sie wurden mangelhaft verpflegt und von ihren
Aufsehern schlecht behandelt; selbst für geringe Verstöße gegen die Verordnungen wurden sie streng bestraft; „der brutalste Zwang, der jemals bekannt
geworden ist", sagt ein Historiker über ihr Leben.[*]

Die englische Rechtsprechung war damals grausam. Wegen unbedeuten-
der Vergehen, die man heute mit einer geringen Geldstrafe oder ein paar Tagen Haft bestrafen würde, schickte man Männer, Frauen und Jugendliche
hierher ans andere Ende der Welt, um sie Strafen von sieben und vierzehn
Jahren abbüßen zu lassen; und wegen ernstlicher Verbrechen deportierte
man sie auf Lebenszeit. Kinder verschickte man auf sieben Jahre in die Straf-
kolonien, weil sie ein Kaninchen gestohlen hatten!

Als ich vor dreiundzwanzig Jahren in London war, hatte man eine neue
Strafe eingeführt, um den Straßenraub und die Mißhandlung von Ehefrauen
einzudämmen – fünfundzwanzig Hiebe mit der neunschwänzigen Katze auf
den bloßen Rücken. Es hieß, diese furchtbare Strafe vermochte die verstock-
testen Halunken zur Räson zu bringen; und es habe sich noch kein Mann
gefunden, der genug Mumm besessen hätte, um seine Gefühle über
den neunten Hieb hinaus bei sich zu behalten; in der Regel brüllte der
Mann schon früher. Diese Strafe übte auf die Straßenräuber und Frauen-
mißhandler eine große und heilsame Wirkung aus; aber das humane moderne London konnte sie nicht ertragen. Es ließ das Gesetz abschaffen. Manche braun und blau geschlagene englische Ehefrau hat seither Grund
gehabt, diese grausame Errungenschaft gefühlvoller „Humanität" zu beklagen.

Fünfundzwanzig Peitschenhiebe! In Australien und Tasmanien verpaßte
man einem Sträfling für fast jeden kleinen Verstoß fünfzig; und es kam vor,
daß ein brutaler Beamter fünfzig hinzufügte und dann nochmals fünfzig und
so weiter, solange der Gequälte die Marter aushielt und am Leben blieb. In
Tasmanien habe ich die Eintragung in einem alten, handgeschriebenen Pro-
tokollbuch gelesen, wo in einem Fall ein Sträfling *dreihundert* Peitschenhiebe
erhielt – weil er einige Silberlöffel gestohlen hatte. Und gelegentlich bekamen die Leute noch mehr. Wer schwang die Katze? Manchmal war es ein anderer Sträfling, manchmal war es der beste Kamerad des Schuldigen, und er
mußte mit aller Kraft zuschlagen, sonst wäre er für seine Barmherzigkeit
selbst ausgepeitscht worden – denn er wurde beobachtet – und hätte seinem
Freunde doch nicht geholfen: den Freund hätte sich ein anderer vorgenom-

[*] J. S. Laurie, „Die Geschichte Australasiens".

men, und der hätte es ihm hinsichtlich der Gründlichkeit des Strafvollzugs an nichts fehlen lassen.

Das Sträflingsdasein in Tasmanien war so unerträglich und Selbstmord so schwierig durchzuführen, daß ein- oder zweimal verzweifelnde Männer sich zusammentaten und losten, wer von ihnen einen anderen aus der Gruppe umbringen sollte – dieser Mord sollte dem Täter und den Zeugen den Tod durch die Hand des Henkers sichern!

Die angeführten Vorfälle sind bloße Fingerzeige, bloße Andeutungen, wie das Sträflingsleben aussah – sie sind nur ein paar Details, die aus einem uferlosen Meer ihresgleichen in das Blickfeld gespült werden; oder, um das Gleichnis zu wechseln, sie sind nur ein paar flammende Türme, so von einer Stelle aus aufgenommen, daß dem Blick die brennende, sich von ihrem Fuß nach allen Richtungen erstreckende Stadt verborgen bleibt.

Einige Sträflinge – tatsächlich eine ganze Menge – waren sehr schlechte Menschen, selbst für jene Zeit; aber die meisten waren vermutlich nicht merklich schlimmer als der Durchschnitt der Leute, die sie zu Hause zurückließen. Wir müssen das annehmen; wir kommen nicht darum herum. Wir sind zu der Annahme gezwungen, daß eine Nation, die unbewegt zusehen konnte, wie man verhungernde oder erfrierende Frauen henkte, weil sie Speck oder Lumpen im Werte von sechsundzwanzig Cent gestohlen hatten, und wie man für ähnlich unbedeutende Vergehen Knaben von ihren Müttern und Männer von ihren Familien losriß und für lange Jahre an das andere Ende der Welt schickte, eine Nation war, auf die sich der Ausdruck „zivilisiert" nicht im umfassenden Sinne anwenden ließ. Und wir müssen auch annehmen, daß eine Nation, die mehr als vierzig Jahre hindurch wußte, was jenen Verbannten angetan wurde, und die sich dennoch damit zufriedengab, nicht gerade in besonders auffälligem Tempo auf eine höhere Stufe der Zivilisation vordrang.

Wenn wir den Charakter und das Verhalten der Offiziere und Gentlemen untersuchen, welche die Aufsicht über die Sträflinge führten und sich ihrer Rücken und Magen annahmen, müssen wir zugeben, daß zwischen dem Sträfling und seinen Vorgesetzten sowie zwischen beiden und der Nation zu Hause eine recht auffällige durchgehende Ähnlichkeit bestand.

Vier Jahre waren vergangen, und viele Sträflinge waren gekommen. Allmählich trafen auch achtbare Siedler ein. Diese zwei Klassen von Kolonisten waren zu schützen, falls Unruhen untereinander oder mit den Eingeborenen vorkommen sollten. Man muß die Eingeborenen wenigstens erwähnen, obwohl sie kaum mitzählten, so spärlich waren sie. Zu einer Zeit, als man sie noch gar nicht groß behelligte – weil sie noch nicht im Wege waren –, wurde geschätzt, daß in Neusüdwales nur ein Eingeborener auf 45 000 Acres Land kam.

Die Leute waren zu beschützen. Die Offiziere der regulären Armee wollten diesen Dienst nicht tun – weit fort an einem Ort, wo weder Ehre noch Auszeichnung zu gewinnen waren. Also rekrutierte England eine Art Miliz aus tausend uniformierten Zivilisten, das sogenannte Neusüdwales-Korps, versah sie mit Offizieren und verschiffte sie.

Das war der allerschlimmste Schlag. Er brachte die Kolonie mächtig ins Wanken. Das Korps gab Anschauungsunterricht über die moralische Verfassung Englands außerhalb der Gefängnismauern. Die Kolonisten zitterten und bebten. Man befürchtete, daß als nächstes ein Import von Adligen drankäme.

In jener Frühzeit konnte die Kolonie sich nicht selbst erhalten. Alle Lebensnotwendigkeiten – Nahrung, Kleidung und alles andere – kamen aus England herüber, wurden in großen Regierungsspeichern gelagert, an die Sträflinge ausgegeben und an die Siedler verkauft – mit einem geringfügigen Aufschlag auf den Selbstkostenpreis. Das Korps erkannte seine Gelegenheit. Seine Offiziere stiegen in den Handel ein, und zwar in höchst ungesetzlicher Weise. Sie gingen daran, unter Mißachtung der Verordnungen und Einsprüche der Regierung, Rum einzuführen und ihn auch in privaten Brennereien herzustellen. Sie schlossen sich zusammen und beherrschten den Markt; sie boykottierten die Regierung und andere Händler; sie bauten ein geschlossenes Monopol auf und behielten es eisern in der Hand. Wenn ein Schiff mit Spirituosen eintraf, ließen sie nicht zu, daß jemand anderes etwas kaufte als sie selbst, und zwangen den Besitzer, zu einem Preis an sie zu verkaufen, den sie selbst bestimmten – und der war immer niedrig genug. Sie kauften Rum zu einem Durchschnittspreis von zwei Dollar pro Gallone und verkauften ihn zu einem Durchschnittspreis von zehn. Sie *machten Rum zur Währung des Landes* – denn es war wenig oder kein Geld vorhanden –, und achtzehn oder zwanzig Jahre lang hielten sie ihren verheerenden Einfluß aufrecht und beherrschten das Land, bevor sie endgültig von der Regierung besiegt und auseinandergesprengt wurden.

Inzwischen hatte sich überall die Trunksucht verbreitet. Und für Rum hatten sie eine Farm nach der anderen aus den Händen der Siedler gepreßt und dadurch sich selbst großzügig bereichert. Wenn sich ein Farmer in den Höllenqualen des Durstes wand, machten sie sich das zunutze und nahmen ihn aus für einen Schluck.

In einem Fall überließen sie einem Manne eine Gallone Rum im Werte von zwei Dollar gegen einen Besitz, den man einige Jahre später für hunderttausend Dollar verkaufte.

Als die Kolonie etwa achtzehn oder zwanzig Jahre bestand, fand man heraus, daß sich das Land für die Wollproduktion besonders eignete. Wohlstand zog ein, der Handel mit der Welt begann, mit der Zeit erschloß man reiche Edelmetallvorkommen, Einwanderer strömten ins Land, Kapital floß herein. Das Ergebnis ist das große, reiche und freisinnige Gemeinwesen Neusüdwales.

Das Land ist reich an Minen, Wollfarmen, Straßenbahnen, Eisenbahnen, Dampferlinien, Schulen, Zeitungen, Botanischen Gärten, Kunstgalerien, Bibliotheken, Museen, Hospitälern, gelehrten Gesellschaften; es ist das gastfreundliche Heim jeglichen Kulturzweiges und jeglicher Art sachlicher Bestrebungen, und vor jeder Haustür steht eine Kirche und gegenüber eine Rennbahn.

11. KAPITEL

Wir sollten darauf achten, einer Erfahrung
nur so viel Weisheit zu entnehmen, wie in ihr
steckt – mehr nicht; damit wir nicht der
Katze gleichen, die sich auf die heiße Herdplatte setzte. Sie setzt sich nie wieder auf eine
heiße Herdplatte – und das ist richtig; aber sie
setzt sich auch nie wieder auf eine kalte.

Querkopf Wilsons Neuer Kalender

Alle englischsprechenden Kolonien bestehen aus überströmend gastfreundlichen Leuten, und Neusüdwales mit seiner Hauptstadt gleicht darin den übrigen. Die englischsprechende Kolonie Vereinigte Staaten von Amerika wird
vom reisenden Engländer stets als überströmend gastfreundlich bezeichnet.
Was die anderen englischsprechenden Kolonien angeht, von Kanada angefangen rund um die ganze Welt, so weiß ich aus Erfahrung, daß die Beschreibung auf sie zutrifft. Ich möchte diese Angelegenheit nicht näher besprechen, denn ich bemerke, daß Schriftsteller, wenn sie ihre Dankbarkeit hier
und da und dort einzeln auszuteilen versuchen, auf Schwierigkeiten stoßen
und unangenehm ins Stolpern geraten.

Mr. Gane („Neusüdwales und Victoria im Jahre 1885") hat versucht, seine
Dankbarkeit auszuteilen, und hatte kein Glück damit:

„Die Einwohner Sydneys sind für ihre Gastfreundlichkeit berühmt. Die
Aufnahme, die uns von diesen großherzigen Leuten zuteil wurde, wird mehr
als alles andere dazu beitragen, daß wir uns mit Freuden unseres Aufenthaltes bei ihnen erinnern. In der Rolle als Gastgeber und Gastgeberinnen sind
sie hervorragend. Der ‚neue Freund' braucht nur einen einzigen von ihnen
kennenzulernen, und alsbald wird er zum glücklichen Empfänger zahlreicher
ehrender Einladungen und aufmerksamer Freundlichkeiten. Von den Städten, die wir das Glück hatten zu besuchen, hat keine das Abbild der Heimat
so echt beschworen wie Sydney."

Niemand könnte das besser ausdrücken. Hätte er dann die Schleusen geschlossen und sich von Dubbo ferngehalten – aber nein, der leichtsinnige
Mann öffnete sie wieder. Er öffnete sie, als er in seinem Buch ein Stück fort-
geschritten war und seine Erinnerung an das, was er über Sydney gesagt
hatte, verblaßte:

„Wir können die aufstrebende Stadt Dubbo nicht verlassen, ohne die herzlichen und gastfreundlichen Bräuche seiner Bewohner wärmstens zu preisen
und zu bezeugen. Sydney verdient zwar seinen Ruf hinsichtlich der freundlichen Behandlung von Fremden voll und ganz, zeigt aber ein wenig Förmlichkeit und Zurückhaltung. In Dubbo dagegen herrscht wohl die gleiche sympathische Lebensart, aber man findet auch einen angenehmen Grad respektvoller Vertraulichkeit, die der Stadt eine anheimelnde, anderswo nicht oft
anzutreffende Gemütlichkeit mitteilt. Indem wir unsere Feder beiseite legen,
sind wir erfreut, die Möglichkeit gehabt zu haben, wenn auch so weit am
Ende dieses Werkes, eine Lobrede, wie anspruchslos auch immer, auf eine
Stadt zu halten, die, obwohl sie keine malerische Umgebung ihr eigen nennt

und auch keine interessanten architektonischen Werke, dennoch eine Schar Bürger besitzt, deren Herzen ihrer Stadt unbedingt einen ehrenvollen Ruf für Wohlwollen und Freundlichkeit erwerben dürften."

Ich möchte bloß wissen, womit ihn Sydney verärgert hat. Es erscheint merkwürdig, wie das angenehme Maß einer mit drei oder vier Fingern dargebotenen respektvollen Vertraulichkeit einen Menschen so beduseln sollte, daß er einen so schlimmen Anfall von Lobhudelei bekommt. Denn den hat er, und zwar im höchsten Grade – jeder kann das erkennen. Ein Mann, der völlig bei sich ist, wirft nicht kalte Verachtung auf die architektonischen Schöpfungen und die malerische Umgebung einiger Leute und deutet dann an, er jedenfalls bevorzuge einen Dubboneser Staubsturm und ein angenehmes Maß respektvoller Vertraulichkeit. Nein, das sind uralte Symptome; und wenn sie auftreten, wissen wir, daß der Mann einen Anfall von Lobhudelei erlitten hat.

Sydney hat 400 000 Einwohner. Wenn ein Fremder aus Amerika dort an Land geht, fällt ihm als erstes auf, daß der Ort acht- oder neunmal größer ist, als er erwartet hatte; und als nächstes fällt ihm auf, daß es eine englische Stadt mit amerikanischer Garnierung ist. Später findet er in Melbourne die amerikanische Garnierung noch ausgeprägter vor; dort erinnert sogar die Architektur oft an Amerika; eine Photographie der prächtigsten Melbourner Geschäftsstraße könnte man ihm als ein Bild der schönsten Straße einer amerikanischen Stadt unterschieben. Ich erfuhr, die meisten schönen Wohnsitze seien Stadtwohnungen von Squattern. Die Bezeichnung schien irgendwie schief zu sein. Als die Erklärung folgte, lieferte sie ein weiteres Beispiel für die seltsamen Wandlungen, die Wörter ebenso wie Tiere durch Milieu- und Klimawechsel durchmachen. Wenn Sie bei uns von einem Squatter sprechen, wird allgemein angenommen, daß Sie einen armen Mann meinen; wenn Sie in Australien von einem Squatter sprechen, nimmt man an, Sie sprechen von einem Millionär; in Amerika bezeichnet das Wort den Besitzer einiger weniger Acres und eines zweifelhaften Rechtstitels, in Australien bezeichnet es einen Mann, dessen Besitztum sich so lang erstreckt wie eine Eisenbahnlinie und dessen Rechtstitel in dieser oder jener Form in Ordnung gebracht wurde; in Amerika bezeichnet das Wort einen Mann, der ein Dutzend Stück Vieh besitzt, in Australien einen Mann, dem fünfzigtausend bis eine halbe Million Stück Vieh gehören; in Amerika bezeichnet das Wort einen Mann, der unbekannt und unbedeutend, in Australien einen Mann, der prominent und höchst bedeutend ist; in Amerika zieht man vor keinem Squatter den Hut, aber in Australien; in Amerika verheimlicht man es, wenn der Onkel ein Squatter ist, in Australien macht man damit Reklame; in Amerika hat es keine Folgen, wenn der Freund ein Squatter ist, aber wenn man in Australien einen Squatter zum Freund hat, kann man mit Königen zur Tafel gehen, wenn sich welche in der Nähe herumtreiben.

In Australien braucht man etwa zweieinhalb Acre Weideland (manche sagen, doppelt soviel), um ein Schaf zu halten; und wenn der Squatter eine halbe Million Schafe besitzt, ist sein Privatbesitz etwa so groß wie Rhode Island, allgemein gesprochen. Sein Jahresertrag an Wolle kann eine viertel oder halbe Million Dollar betragen.

Er bewohnt einen Palast in Melbourne oder Sydney oder einer der anderen großen Städte und macht gelegentlich Abstecher in sein Schafreich, das mehrere hundert Meilen weit entfernt in den großen Ebenen liegt, um nach seinen Bataillonen Berittener, Schäfer und anderer Hilfskräfte zu sehen. Dort draußen hat er ein bequemes Wohnhaus, und wenn er Sie mag, lädt er Sie ein, dort eine Woche zu verbringen, macht es Ihnen behaglich und gemütlich, zeigt Ihnen den großartigen Betrieb in allen Einzelheiten, speist Sie, tränkt Sie und räuchert Sie mit dem Besten, was für Geld zu haben ist.

Auf mindestens einem dieser riesigen Güter steht eine ansehnliche Stadt mit all den verschiedenen Geschäfts- und Handwerkszweigen, die zu einer bedeutenden Stadt gehören; die Stadt und der Boden, auf dem sie steht, sind Eigentum der Squatter. Ich habe diese Stadt gesehen, und es ist nicht unwahrscheinlich, daß es in Australien noch mehr Städte gibt, die Squattern gehören.

Australien beliefert die Welt nicht nur mit feiner Wolle, sondern auch mit Hammelfleisch. Die moderne Erfindung der Tiefkühlung und ihre Anwendung in Schiffen hat diesen umfangreichen Handel ermöglicht. In Sydney habe ich eine riesige Anlage besucht, wo man täglich tausend Schafe schlachtet, ausnimmt und einfriert, um sie nach England zu verschiffen.

Die Australier scheinen sich nicht merklich von den Amerikanern zu unterscheiden, weder in der Kleidung noch im Auftreten, im Verhalten, in der Aussprache, der Sprachmelodie oder der allgemeinen Erscheinung. Flüchtige und schwache Andeutungen ihres englischen Ursprungs waren vorhanden, aber in der Regel nicht betont genug, um aufzufallen. Die Menschen zeigen von Anfang an eine ungezwungene und herzliche Art – von dem Augenblick an, da die gegenseitige Vorstellung beendet ist. Das ist amerikanisch. Um es anders zu formulieren, es ist englische Freundlichkeit unter Fortfall englischer Schüchternheit und Befangenheit.

Dann und wann – aber das ist selten – hört man Wörter wie piper für paper, lydy für lady und tyble für table von Lippen fallen, denen man eine solche Aussprache nicht zugetraut hätte. In Sydney herrscht der Aberglaube vor, diese Aussprache sei ein Australismus, aber Leute, die „zu Hause" gewesen sind – wie der Einheimische ehrerbietig und liebevoll England nennt –, wissen es besser. Es ist „Fischweibersprache". In ganz Australasien ist diese Aussprache beim Personal fast so gebräuchlich wie in London bei den Ungebildeten und Halbgebildeten aller Arten und Stände. Dieses falsch angebrachte „y" ist eindrucksvoll, wenn jemand in einem kurzen Satz genug davon unterbringt, um es recht zur Geltung zu bringen. In dem Hotel in Sydney sagte das Zimmermädchen eines Morgens: „The tyble is set, and here is the piper; and if the lydy is ready I'll tell the wyter to bring up the breakfast."

Vorhin habe ich nebenbei den Brauch des gebürtigen Australasiers erwähnt, von England als von „zu Hause" zu sprechen. Das hörte sich jedesmal nett an und wurde oft so unbewußt zärtlich vorgebracht, daß es rührend wirkte; es rührte in einer Weise, daß eine Empfindung zu Fleisch und Blut zu werden schien und man glaubte, Australasien als ein junges Mädchen zu sehen, welches das alte, graue Haupt der Mutter England streichelte.

Im australasischen Familienkreis ist das Tischgespräch lebhaft und ungehemmt, nicht steif oder gezwungen. Das erinnert einen nicht so sehr an England wie an Amerika. Aber Australasien ist streng demokratisch, und Zurückhaltung und Gezwungenheit sind eben Dinge, die durch Rangunterschiede entstehen.

Ein englisches Publikum oder ein Publikum in den Kolonien ist sehr aufmerksam und geht fabelhaft mit. Wenn in England Menschen in größeren Massen versammelt sind, tritt der Kastengeist zurück und mit ihm die englische Zurückhaltung; für den Augenblick besteht Gleichheit, und jedes Individuum ist frei; so frei von jedem Bewußtsein seiner Fesseln, daß der Engländer seine Gewohnheit, auf sich zu achten und sich vor jeder unbesonnenen Bloßstellung seiner Empfindungen zu hüten, vergißt und verdrängt – und zwar bis zu einem solchen Grade, daß er tapfer ganz allein Beifall klatscht, wenn er Lust hat – ein Wagemut, der überall sonst in der Welt ungewöhnlich ist.

Aber es ist schwer, einen neuen englischen Bekannten in Schwung zu bringen, wenn er allein oder wenn die anwesende Gesellschaft klein und ihm fremd ist. Dann ist er auf der Hut, und seine natürliche Zurückhaltung überwiegt. Das hat ihm den falschen Ruf eingebracht, keinen Humor und keinen Sinn für Humor zu besitzen. Amerikaner sind keine Engländer, und amerikanischer Humor ist nicht englischer Humor; aber der Amerikaner stammt ebenso wie sein Humor aus England und haben sich bloß durch veränderte Lebensumstände und eine neue Umgebung selbst verändert. Wohl die besten humoristischen Reden, die ich bisher gehört habe, wurden in Australien bei Klubessen gehalten – eine von einem Engländer, die andere von einem Australier.

12. KAPITEL

> Es gibt Leute, die den Schuljungen verlachen
> und ihn leichtfertig und oberflächlich nennen.
> Dabei war es ein Schuljunge, der gesagt hat:
> „Glaube ist, wenn man was glaubt und weiß,
> es ist nicht so."
>
> *Querkopf Wilsons Neuer Kalender*

In Sydney hatte ich einen bedeutungsschweren Traum und erzählte ihn im Laufe des Gesprächs einem Missionar aus Indien, der unterwegs war, um Verwandte in Neuseeland zu besuchen. Ich hatte geträumt, das sichtbare All sei die körperliche Gestalt Gottes; die ungeheuren Welten, die wir Millionen Meilen voneinander entfernt in den Weiten des Weltraums blinken sehen, seien die Blutkörperchen in seinen Adern; und wir und die anderen Geschöpfe seien die Mikroben, welche die Blutkörperchen mit wimmelndem Leben erfüllen.

Mr. X, der Missionar, bedachte den Traum eine Weile, dann sagte er: „Er ist an Großartigkeit nicht zu übertreffen, denn sein Maß und Ziel sind Maß und Ziel des Universums selbst; und mir scheint, daß er fast etwas erklärt, das sonst so gut wie unerklärlich wäre – den Ursprung der heiligen Legenden der Hindus. Vielleicht träumen sie diese und glauben dann aufrichtig, es seien göttliche Wahrheitsenthüllungen. So könnte es sein, denn die Legenden sind nach einem so ungeheuren Maßstab geschaffen, daß es nicht plausibel erscheint, büffelnde Priester sollten im wachen Zustand auf solche kolossalen Phantasiegebilde gekommen sein."

Er erzählte einige Legenden und sagte, Hindus aller Schichten, auch solche von hohem Rang und hoher Intelligenz, glaubten blind an sie; und er sagte, diese allgemeine Leichtgläubigkeit sei für den Missionar bei seiner Arbeit eine große Behinderung. Dann sagte er etwa folgendes:

„Zu Hause wundern sich die Leute, warum in Indien das Christentum keine schnelleren Fortschritte macht. Sie hören, die Inder glaubten leicht, brächten Wundern ein spontanes Vertrauen entgegen und erwiesen ihnen gastfreundliche Aufnahme. Dann argumentieren sie so: Da die Inder leicht glauben, setzt man ihnen das Christentum vor, und sie müssen glauben; erhärtet seine Wahrheiten durch die biblischen Wunder, und sie werden nicht länger zweifeln. Weil das Christentum in Indien nur unwesentliche Fortschritte macht, ist die natürliche Folgerung, daß die Schuld bei uns liege: wir hätten kein Geschick, die Lehren und die Wunder darzubringen.

Aber in Wahrheit sind wir keineswegs so gut ausgerüstet, wie sie denken. Wir haben *nicht* die leichte Aufgabe vor uns, die sie sich vorstellen. Um ein militärisches Bild zu gebrauchen, wir werden gegen den Feind vorgeschickt mit gutem Pulver in den Gewehren, aber nur mit Pfropfen als Kugeln; das heißt, unsere Wunder sind nicht wirkungsvoll; die Hindus machen sich nichts aus ihnen; sie haben selbst erstaunlichere. Jede einzelne Lehre ihrer eigenen Religion ist durch Wunder bewiesen und bekräftigt; die Lehren der unseren müssen ebenso bewiesen werden. Als ich mit meiner Arbeit in Indien anfing, habe ich die Schwierigkeiten weit unterschätzt, die sich mir dadurch entgegenstellten. Es dauerte nicht lange, bis ich meine Einstellung berichtigte. Ich hatte gedacht, wie unsere Freunde zu Hause denken: Um meine kindlichen Wunderverehrer vorzubereiten, wohlwollend meiner ernsten Botschaft zu lauschen, brauchte ich den Weg dahin nur mit Wundern, Zeichen und Mirakeln zu verzaubern. Mit vollem Selbstvertrauen erzählte ich von den Wundern, die Simson vollbrachte, der stärkste Mann, der je gelebt hat – denn so nannte ich ihn.

Zuerst entdeckte ich in den Mienen meiner Leutchen lebhafte Vorfreude und starkes Interesse, aber in dem Maße, wie ich in dieser großartigen Geschichte von einem Ereignis zum anderen vorrückte, stellte ich bekümmert fest, daß ich die Anteilnahme meines Publikums zunehmend verlor. Ich konnte das nicht begreifen. Es überraschte und enttäuschte mich. Noch bevor ich am Ende war, hatte sich die verblassende Anteilnahme zu Gleichgültigkeit verflüchtigt. Von da an bis zum Schluß blieb die Gleichgültigkeit bestehen; ich war nicht imstande, sie irgendwie zu beeindrucken.

Ein guter alter vornehmer Hindu verriet mir, woran das lag. Er sagte:

‚Wir Hindus erkennen einen Gott an den Werken seiner Hände – ein anderes Zeugnis lassen wir nicht gelten. Offenbar ist das auch bei euch Christen so. Und wir erkennen, daß ein Mensch seine Kraft von einem Gotte hat, wenn er Dinge vollbringt, die er als Mensch mit bloßen Menschenkräften nicht schaffen könnte. Offensichtlich ist das auch die Methode der Christen, festzustellen, wann ein Mann mit der Kraft eines Gottes arbeitet und nicht mit eigener. Ihr habt erkannt, daß in Simsons Haar eine übernatürliche Eigenschaft lag, denn ihr bemerktet, daß er wie andere Menschen wurde, nachdem er sein Haar verloren hatte. Das ist unsere Methode, wie ich schon sagte. Es gibt viele Völkerschaften auf der Welt, und jede Gruppe hat ihre eigenen Götter und erweist den Göttern anderer keine Verehrung. Jede Gruppe hält ihre eigenen Götter für die mächtigsten und würde sie nicht austauschen, höchstens gegen Götter, die den ihren an Macht nachweislich überlegen sind. Der Mensch ist nur ein schwaches Geschöpf und braucht die Hilfe der Götter – ohne sie kann er nicht auskommen. Soll er sein Geschick in die Hände schwacher Götter legen, wenn es womöglich stärkere gibt? Das wäre töricht. Nein, sollte er von Göttern hören, die stärker wären als seine, dann dürfte er nicht taub dafür sein, denn es geht um keine Kleinigkeit. Wie aber soll er entscheiden, welche Götter stärker sind, seine eigenen oder solche, die die Geschicke anderer Völker lenken? Indem er die bekannten Werke seiner eigenen Götter mit denen jener anderen vergleicht; es gibt keinen anderen Weg. Nun aber, wenn wir diesen Vergleich anstellen, fühlen wir uns nicht zu den Göttern irgendeines anderen Volkes hingezogen. Unsere Götter sind an ihren Werken als die stärksten, die mächtigsten zu erkennen. Die Christen besitzen nur wenige Götter, und die sind neu – neu und nicht stark, wie uns scheint. Sie werden an Zahl zunehmen, zugegeben, denn das hat sich bisher mit allen Göttern zugetragen, aber diese Zeit liegt noch in weiter Ferne, viele Generationen und Dutzende von Generationen weit, denn Götter vervielfachen sich langsam, wie es Wesen angemessen ist, für die tausend Jahre nur ein kurzer Augenblick sind. Unsere eigenen Götter sind in Abständen von Millionen Jahren geboren. Dieser Prozeß geht langsam vor sich, die Akkumulation von Kraft und Macht ebenso langsam. Im trägen Ablauf der Jahrtausende ist die aufgespeicherte Kraft unserer Götter schließlich ungeheuer groß geworden. Tausend Beweise dafür liefert uns das kolossale Gepräge ihrer eigenen Taten und der Taten gewöhnlicher Menschen, denen sie übernatürliche Eigenschaften verliehen haben. Eurem Simson wurde übernatürliche Kraft verliehen, und als er die Stricke sprengte, die Tausende mit dem Kinnbacken eines Esels erschlug und die Stadttore auf den Schultern forttrug, wart ihr erstaunt – und auch fromm erschrocken, denn ihr erkanntet die göttliche Quelle seiner Kraft. Aber es hätte keinen Zweck, diese Dinge eurer Hindugemeinde vorzubringen und ihre Bewunderung herauszufordern; denn diese würden sie mit der Tat vergleichen, die Hanuman vollbrachte, als die Götter seine Muskeln mit ihrer übernatürlichen Kraft erfüllten; und Simsons Taten wären ihnen gleichgültig – wie Sie gesehen haben. In uralter Zeit, vor vielen, vielen Jahrhunderten, als unser Gott Rama gegen den bösen Gott von Ceylon kämpfte, gedachte Rama das Meer zu überbrücken und Ceylon mit Indien zu verbinden, damit seine Heerscharen leicht hinübergelangen könnten; und er sandte seinen General Hanuman aus, der wie euer Simson mit göttlicher Kraft begabt war, das Baumaterial für die Brücke herbeizuholen. In zwei Tagen legte Hanuman fünfzehnhundert Meilen bis zum Himalaja zurück, nahm eine zweihundert Meilen lange Kette dieser hohen Berge auf die Schulter und brach damit nach Ceylon auf. Es war Nacht; und als er die Ebene überquerte, hörten die Leute von Govardhun das Dröhnen seines Schrittes und fühlten die Erde davon wanken, sie liefen hinaus und sahen die Berge des Himalaja vorbeiziehen, und ihre

Schneegipfel ragten hoch in den Himmel empor. Und als dieser gewaltige Kontinent vorüberflog und die Erde überschattete, entdeckten sie auf seinen Hängen die blinzelnden Lichter von tausend schlafenden Dörfern, und es war, als schwebten die Sternbilder in feierlichem Zuge durch den Himmel. Während sie noch schauten, strauchelte Hanuman, und eine kleine, zwanzig Meilen lange Hügelkette aus rotem Sandstein brach los und fiel herab. Die halbe Länge ist im Verlauf der Jahrhunderte abgebröckelt, aber die anderen zehn Meilen liegen bis zum heutigen Tage in der Ebene bei Govardhun als Beweis für die Kraft, die unsere Götter verleihen können. Sie müssen einsehen, daß Hanuman diese Berge ohne die Kraft der Götter nicht nach Ceylon hätte tragen können. Sie wissen, daß es nicht mit seiner eigenen Kraft geschah, deshalb wissen Sie, daß es mit der Kraft der Götter geschah, genau wie Sie wissen, daß Simson die Tore mit göttlicher Kraft trug und nicht mit eigener. Ich glaube, Sie müssen zweierlei zugeben: erstens, daß Simson damit, daß er die Stadttore auf seinen Schultern trug, die Überlegenheit seiner Götter über unsere nicht erwiesen hat; zweitens, daß seine Tat ausschließlich durch mündliches Zeugnis bestätigt wird, während die Hanumans nicht nur mündliches Zeugnis bestätigt, sondern dieses Zeugnis wird erhärtet, gefestigt, beglaubigt durch einen sichtbaren, greifbaren Beweis, der von allen Zeugenaussagen der stärkste ist. Wir haben die Hügelkette aus Sandstein, und solange diese besteht, können und werden wir nicht zweifeln. Habt ihr die Tore?'"

13. KAPITEL

Der zaghafte Mann schmachtet nach dem vollen Wert und fordert ein Zehntel. Der kühne Mann streitet um den doppelten Wert und schließt einen Kompromiß auf Pari.

Querkopf Wilsons Neuer Kalender

Man ist unbedingt beeindruckt von der Großzügigkeit, mit der Australien Geld für öffentliche Arbeiten ausgibt – wie Parlamentsgebäude, Rathäuser, Krankenhäuser, Asyle, Parks und botanische Gärten. Ich möchte sagen, wo kleinere Städte in Amerika hundert Dollar für das Rathaus und für öffentliche Parks und Gärten ausgeben, wenden gleichartige Städte in Australien tausend auf. Und ich glaube, dieses Verhältnis gilt auch bei Krankenhäusern. In einem australischen Dorf von fünfhundert Einwohnern habe ich ein kostspieliges, gut eingerichtetes und architektonisch ansprechendes Hospital gesehen. Es war aus Privatmitteln errichtet, welche die Dorfbewohner und die benachbarten Pflanzer aufgebracht hatten, und das Geld für seine laufenden Kosten stammte aus den gleichen Quellen. Ich nehme an, es dürfte wohl schwerfallen, in irgendeinem anderen Land etwas Ähnliches zu finden. Als ich dort weilte, war dieses Dorf gerade im Begriff, einen Kontrakt über eine elektrische Straßenbeleuchtung abzuschließen. London ist noch nicht soweit. London wird immer noch mit Gas verdunkelt – mit Gaslicht, das in einigen Bezirken ziemlich spärlich gestreut ist; so spärlich, daß man, ausgenommen in mondhellen Nächten, Mühe hat, die Gaslampen zu erkennen.

Der Botanische Garten Sydneys bedeckt achtunddreißig Acres, ist wunderschön angelegt und strotzt von Gewächsen aus allen Ländern und allen Klimazonen der Welt. Er liegt inmitten der Stadt auf erhöhtem Grund über dem großartigen Hafen und schließt sich an die weiträumigen Parkanlagen des Regierungspalastes an – sechsundfünfzig Acres; und in der Nähe liegt auch noch ein Volkspark von zweiundachtzig Acres. Dazu kommen noch der Zoologische Garten, die Rennbahn und die großen Kricketfelder, wo die internationalen Spiele ausgetragen werden. Es ist also reichlich Platz vorhanden zum geruhsamen Faulenzen und Bummeln, aber auch zur körperlichen Bewegung für diejenigen, welche diese Art Arbeit mögen.

An geselligen Veranstaltungen kann man vier Spezialitäten mitmachen. Wenn Sie sich in das Besucherbuch im Regierungspalast eintragen, bekommen Sie, sofern Ihnen nichts nachzuweisen ist, eine Einladung zum nächsten dort stattfindenden Ball. Und der ist sehr nett; denn Sie treffen dort alle Welt, ausgenommen den Gouverneur, und fügen Ihrer Liste eine Anzahl von Bekanntschaften und mehrere Freunde hinzu. Der Gouverneur ist in England. Das ist er immer. Der Kontinent besitzt vier oder fünf Gouverneure, und ich weiß nicht, wie viele erforderlich sind, um den davorliegenden Archipel zu regieren; aber jedenfalls bekommen Sie sie nicht zu sehen. Wenn sie ernannt werden, kommen sie von England herüber, werden feierlich eingeführt, geben einen Ball, helfen, um Regen zu beten, besteigen ein Schiff und kehren nach Hause zurück. Und so hat der stellvertretende Gouverneur die ganze Arbeit. Ich war dreieinhalb Monate in Australien und habe nur einen einzigen Gouverneur getroffen. Die anderen waren zu Hause.

Der australasische Gouverneur wäre vielleicht nicht so ruhelos, wenn er einen Krieg oder ein Vetorecht oder so etwas hätte, das seine brachliegenden Kräfte in Anspruch nähme, aber er hat nichts. Krieg ist keiner, und ein Vetorecht hat er auch nicht. Also spielt sich in seiner Branche wirklich wenig oder nichts ab. Das Land regiert sich selbst und legt Wert darauf; es ist so eifrig dabei und bewacht seine Unabhängigkeit so eifersüchtig, daß es sogar widerspenstig wird, wenn zu Hause die britische Regierung ihre Hilfe anbietet; so steht das Vetorecht der britischen Regierung, obwohl es tatsächlich existiert, doch hauptsächlich auf dem Papier.

Deshalb sind die Aufgaben des Gouverneurs sehr viel beschränkter als die Aufgaben eines Gouverneurs bei uns. Und deshalb auch anstrengender. Er ist das augenscheinliche Oberhaupt des Staates, er ist das tatsächliche Oberhaupt der Gesellschaft. Er verkörpert Kultur, feine Lebensart, gehobenes Empfinden, Vornehmheit, Religion; durch sein Beispiel wirbt er für diese Dinge, und sie breiten sich aus, blühen und tragen Frucht. Er macht die Mode und gibt den Ton an. Sein Ball ist der Ball der Bälle, und unter der Gnadensonne seines Antlitzes gedeiht das Pferderennen.

Gewöhnlich ist es ein Lord, und das ist gut so; denn seine Stellung zwingt ihn, ein kostspieliges Leben zu führen, und dafür ist ein englischer Lord meistens gut ausgestattet.

Eine andere der gesellschaftlichen Veranstaltungen Sydneys ist ein Besuch im Admiralitätspalast; dieser liegt sehr schön auf einer Anhöhe mit Aussicht über das Wasser. Die schmucken Dienstboote befördern den Gast hinüber; hier und auch an Bord des Flaggschiffes erlebt man ganz genau dieselbe

Gastfreundschaft wie im Regierungspalast. Ein Admiral, der einen Standort in britischen Gewässern befehligt, ist ein Magnat ersten Ranges und ist prächtig untergebracht, wie es der Würde seines Amtes angemessen ist.

Als drittes auf der Liste besonderer Vergnügen steht die Hafenrundfahrt in einer schönen Dampfbarkasse. Ihre reicheren Freunde besitzen solche Boote und laden Sie ein, und an den Freuden des Ausflugs gemessen, wird ein langer Tag kurz erscheinen.

Und schließlich noch der Haifischfang. Der Sydneyer Hafen wimmelt von den prachtvollsten Rassen menschenfressender Haie der Welt. Manche Leute leben davon, daß sie Haie fangen; denn die Regierung bezahlt eine Prämie dafür. Je größer der Hai, desto größer die Prämie, und manche Haie sind zwanzig Fuß lang. Man bekommt nicht nur die Prämie, sondern es gehört einem alles, was in dem Hai drinsteckt. Manchmal ist der Inhalt recht wertvoll.

Der Hai ist der schnellste aller Fische. Die Geschwindigkeit des schnellsten Dampfers ist, mit der seinen verglichen, kümmerlich. Und er ist ein großer Herumtreiber, durchschweift die Meere weit und breit und besucht im Zuge seiner rastlosen Ausflüge schließlich einmal eine jede Küste. Ich kann jetzt eine Geschichte erzählen, die bisher noch nicht im Druck erschienen ist. Im Jahre 1870 traf ein junger Fremder in Sydney ein und ging auf Arbeitsuche; aber er kannte keinen Menschen und brachte keine Empfehlungen mit, und das Ergebnis war, daß er keine Anstellung erhielt. Zuerst hatte er sein Ziel hoch gesteckt, aber in dem Maße, wie Zeit und Geld dahinschwanden, wurde er immer weniger wählerisch, bis er schließlich bereit war, in der bescheidensten Stellung zu dienen, wenn sie ihm nur zu Brot und einem Obdach verhülfe. Aber das Glück stand immer noch gegen ihn; er konnte keinerlei offene Stelle finden. Schließlich war sein Geld restlos ausgegeben. Er lief den ganzen Tag über durch die Straßen und grübelte; er lief auch die ganze Nacht über durch die Straßen, grübelte, grübelte und wurde immer hungriger. Bei Tagesanbruch bemerkte er, daß er ein ganzes Stück von der Stadt entfernt war, und schlenderte ziellos am Hafenufer entlang. Als er an einem dösenden Haifischangler vorüberging, blickte der Mann auf und sagte:

„Hör mal, Kumpel, nimm doch mal die Leine eine Weile und bring mir ein bißchen Glück."

„Woher wissen Sie, daß ich Ihnen kein Pech bringe?"

„Weil du das nicht kannst. Soviel Pech wie heute nacht hatte ich noch nie. Wenn du mir kein Glück bringst, schadet's nichts, ändert sich was, dann zum Guten, ist doch klar. Na, komm schon her!"

„Schön, und was kriege ich dafür?"

„Ich gebe dir den Hai, wenn du einen fängst."

„Und ich esse ihn auf, mit Haut und Haar. Geben Sie die Leine her."

„Da. Ich gehe jetzt eine Weile fort, damit nicht mein Pech dein Glück verdirbt; soundso oft habe ich schon gemerkt, daß, wenn – da, hol ein, hol ein, Mann, er hat angebissen! Ich hab doch gewußt, wie es kommt. Na, gleich wie ich dich sah, habe ich gesehen, daß du ein richtiger Glückspilz bist. In Ordnung – der ist draußen."

Es war ein ungewöhnlich großer Hai – „volle neunzehn Fuß", sagte der Angler, als er das Tier mit dem Messer aufschlitzte.

„Jetzt nimmst du ihn aus, Kumpel, und ich gehe rüber und hole frischen Köder aus dem Korb. Meistens ist was drin, was das Rausholen lohnt. Siehst du, du hast mir Glück gebracht. Aber, herrje, ich hoffe, du hast deinem eigenen nicht geschadet."

„Oh, das wäre nicht so schlimm; machen Sie sich darüber keine Sorgen. Holen Sie Ihren Köder. Ich nehme ihn solange aus."

Als der Angler zurückkehrte, hatte der junge Mann sich in der Bucht die Hände gewaschen und wandte sich gerade zum Gehen.

„Was! Du gehst doch nicht etwa?"

„Ja. Leben Sie wohl."

„Aber was ist mit deinem Hai?"

„Der Hai? Ach, was soll ich mit dem anfangen?"

„Was du mit ihm anfangen sollst? Das ist gut! Weißt du denn nicht, daß wir ihn bei der Regierung melden gehen können? Und daß du glatte, runde achtzig Schilling Prämie bekommst? Bar auf die Hand, verstehst du. Was sagst du *jetzt*?"

„Ach, na, das können Sie kassieren."

„Und *behalten*? Meinst du das so?"

„Ja."

„Na, das ist komisch. Du bist einer von der Sorte, die sie Originale nennen, schätze ich. Es heißt immer, man soll einen Menschen nicht nach seiner Kleidung einschätzen, und jetzt glaube ich das selber. Deine sehen einfach schäbig aus, weißt du; und trotzdem wirst du wohl reich sein."

„Und ob."

Der junge Mann ging langsam und tief in Gedanken versunken zur Stadt zurück. Vor dem besten Restaurant hielt er einen Augenblick an, dann schaute er an seiner Kleidung hinab, ging weiter und frühstückte in einer Imbißstube. Die Mahlzeit war sehr reichlich und kostete fünf Schilling. Er zahlte mit einem Sovereign, bekam sein Wechselgeld zurück, sah sich das Silber an, murmelte vor sich hin: „Das reicht nicht, um Kleidung zu kaufen", und ging seinen Weg weiter.

Um halb zehn saß der reichste Wollhändler Sydneys zu Hause in seinem Frühstückszimmer und verdaute beim Lesen der Morgenzeitung seine Mahlzeit. Ein Dienstbote steckte den Kopf hinein und sagte:

„Ein Sundowner ist an der Tür und will Sie sprechen, Sir."

„Wozu meldest du mir so etwas? Er soll sich packen."

„Er geht nicht, Sir. Ich habe es versucht."

„Er geht nicht? Das ist – na, das ist doch ungewöhnlich. Dann kann er also nur zweierlei sein: entweder ist es jemand Besonderes, oder er ist verrückt. Ist er verrückt?"

„Nein, Sir. Er sieht nicht so aus."

„Dann ist es jemand Besonderes. Was will er denn?"

„Das sagt er nicht, Sir; er sagt nur, es ist sehr wichtig."

„Und geht nicht. *Sagt* er denn, daß er nicht geht?"

„Sagt, er bleibt, bis er Sie sprechen kann, Sir, und wenn es den ganzen Tag dauert."

„Und ist doch nicht verrückt. Bringe ihn herauf."

Der Sundowner wurde hereingeführt.

Der Makler sagte sich: ,Nein, verrückt ist er nicht; das sieht man; also muß er das andere sein.' Dann laut: „Na, guter Mann, machen Sie schnell; verschwenden Sie keine Worte; was wollen Sie also?"

„Ich will hunderttausend Pfund geborgt haben."

„Jesses!" (,Ich hab mich geirrt; er ist doch verrückt... Nein – das *kann* er nicht sein – nicht mit diesem Blick.') „Na, da bleibt mir die Luft weg. Sagen Sie, wer *sind* Sie?"

„Niemand, den Sie kennen."

„Wie heißen Sie?"

„Cecil Rhodes."

„Nein, ich kann mich nicht erinnern, den Namen schon einmal gehört zu haben. Also – nur aus Neugier – was hat Sie bewogen, mit diesem außergewöhnlichen Ansinnen zu mir zu kommen?"

„Die Absicht, innerhalb der nächsten sechzig Tage hunderttausend Pfund für Sie und ebensoviel für mich selbst zu verdienen."

„Schön, schön, schön. Das ist der ungewöhnlichste Einfall, den ich – setzen Sie sich doch – Sie interessieren mich. Und irgendwie – ja, faszinieren Sie mich, ich glaube, das drückt es ungefähr aus. Und es ist nicht Ihr Vorschlag – nein, der fasziniert mich nicht; es ist etwas anderes, ich weiß nicht genau, was: ein Fluidum, das Sie besitzen und das von Ihnen ausgeht, nehme ich an. Also nun, nur wieder aus Neugier, nichts weiter: Wie ich verstanden habe, ist es Ihr Wunsch, zu bor..."

„Ich sagte *Absicht*."

„Verzeihung, das ist richtig. Ich dachte, es wäre ein unbedachter Gebrauch des Wortes – eine ungenaue Abschätzung seines Gewichts, verstehen Sie."

„Ich war mir seines Gewichts bewußt."

„Na, ich muß schon sagen – wissen Sie, ich gehe mal ein bißchen auf und ab, der Kopf wirbelt mir gewissermaßen, obwohl *Sie* anscheinend ungerührt sind." (,Offensichtlich ist dieser junge Bursche nicht verrückt; aber jemand Besonderes – ja, das ist er wirklich, und noch etwas mehr.') „Nun also, ich glaube, jetzt kann mich nichts mehr verblüffen. Schlagen Sie zu, und verschonen Sie mich nicht. Wie sieht Ihr Plan aus?"

„Den Wollertrag zu kaufen – lieferbar in sechzig Tagen."

„Was, den *ganzen*?"

„Den ganzen."

„Nein, ich war im Grunde doch nicht auf alle Überraschungen gefaßt. Was Sie nicht sagen. Wissen Sie, was der Ertrag insgesamt ausmachen wird?"

„Zweieinhalb Millionen Pfund Sterling – vielleicht ein bißchen mehr."

„Na, Ihre Statistik stimmt immerhin. Und wissen Sie wohl, was die Marge insgesamt betragen würde, um ihn auf sechzig Tage Ziel aufzukaufen?"

„Die hunderttausend Pfund, die zu bekommen ich hergekommen bin."

„Wieder richtig. Lieber Himmel, ich wünschte, Sie hätten das Geld, nur um zu sehen, was passieren würde. Und wenn Sie es hätten, was würden Sie damit anfangen?"

„Ich werde in sechzig Tagen zweihunderttausend Pfund daraus machen."

„Sie meinen natürlich, daß Sie das *vielleicht* machen würden, wenn..."

„Ich sagte ,werde'."

„Ja, zum Kuckuck, Sie *haben* ,werde' gesagt! Was sprachlichen Ausdruck angeht, sind Sie der exakteste Teufel, den ich je erlebt habe. Jemine, passen Sie mal auf! Klare Sprache bedeutet Geistesklarheit. Auf mein Wort, ich glaube, Sie haben einen, wie Sie denken, vernünftigen *Grund*, sich in dieses Haus zu wagen, ein völlig Fremder, mit diesem phantastischen Plan, den Wollertrag einer ganzen Kolonie spekulativ aufzukaufen. Heraus damit – ich bin gewappnet – akklimatisiert, wenn ich den Ausdruck gebrauchen darf. *Warum* würden Sie den Ertrag kaufen, und *warum* würden Sie diese Summe daran verdienen? Das heißt, was veranlaßt Sie, zu glauben…"

„Ich glaube nicht, ich weiß."

„Wieder klar ausgedrückt. *Woher* wissen Sie?"

„Weil Frankreich Deutschland den Krieg erklärt hat und in London Wolle um vierzehn Prozent gestiegen ist und weiter steigt."

„Oh, wirklich? So, *jetzt* habe ich Sie! So ein Donnerschlag, wie Sie ihn losgelassen haben, hätte mich aus dem Stuhl reißen müssen, aber er hat mich nicht das geringste bißchen aufgeregt, sehen Sie. Und aus einem sehr einfachen Grund: ich habe die Morgenzeitung gelesen. Sie können hineinschauen, wenn Sie wollen. Das schnellste Schiff der Linie ist gestern abend um elf Uhr eingelaufen, fünfzig Tage nach der Abfahrt von London. Alle Neuigkeiten, die es mitgebracht hat, sind hier abgedruckt. Nirgends sind Kriegswolken zu sehen; und was die Wolle anbetrifft, na, das ist die flaueste Ware auf dem englischen Markt. Jetzt sind Sie dran, aufzuspringen…Nun, warum springen Sie nicht? Warum sitzen Sie so gelassen da, wenn…"

„Weil ich jüngere Nachrichten habe."

„Jüngere Nachrichten? Na, hören Sie mal – jüngere Nachrichten als fünfzig Tage, brühwarm aus London mit dem…"

„Meine Nachricht ist erst zehn Tage alt."

„O Münchhausen, höre den Verrückten! Woher haben Sie sie?"

„Aus einem Hai herausgeholt."

„Oh, oh, oh, das *ist* zuviel! Alarm! Ruft die Polizei – bringt mir das Gewehr – schlagt in der Stadt Alarm! Alle Irrenhäuser der Christenheit sind entfesselt in der einzigen Gestalt dieses…"

„Setzen Sie sich! Und fassen Sie sich. Was hat es für einen Zweck, sich aufzuregen? Bin ich aufgeregt? Kein Grund zur Aufregung vorhanden. Wenn ich etwas behaupte, das ich nicht beweisen kann, haben Sie immer noch Zeit, abfälligen Gedanken über mich und meinen Geisteszustand Raum zu geben."

„Oh, bitte tausendmal um Entschuldigung! Ich muß mich schämen, und ich schäme mich auch wirklich, zu denken, eine solche Lappalie wie einen Hai nach England auszusenden, um einen Marktbericht zu holen…"

„Wofür steht der Mittelbuchstabe in Ihrem Namen?"

„Andrew. Was schreiben Sie da?"

„Einen Augenblick. Beweis für den Hai – und noch etwas anderes. Nur zehn Zeilen. Da – fertig. Unterschreiben Sie."

„Vielen Dank. Wollen mal sehen; da steht – da steht – oh, wissen Sie, das ist ja *interessant*! Aber – aber – hören Sie mal! beweisen Sie, was Sie hier sagen, und ich stelle das Geld zur Verfügung, und wenn nötig doppelt soviel, und teile den Gewinn halb und halb mit Ihnen. Da, bitte – ich habe unterschrieben; erfüllen Sie nun Ihr Versprechen, wenn Sie können. Zeigen Sie mir eine erst zehn Tage alte Nummer der Londoner ‚Times‘.“

„Hier ist sie – und dazu diese Knöpfe und ein Tagebuch, die dem Manne gehörten, den der Hai verschlungen hat. Verschlang ihn zweifellos in der Themse; denn Sie sehen, daß die letzte Eintragung in diesem Buch ‚London‘ überschrieben ist, das gleiche Datum wie die ‚Times‘ trägt und lautet: ‚Per consequentz der Kriegserklärung, reise ich heute nach Deutschland ab, auf daß ich mein Leben auf den Altar meines Landes legen mag‘ – so reines, echtes Deutsch, wie man es überhaupt zu Papier bringen kann, und es heißt, daß als Folge der Kriegserklärung diese treue Seele *heute* nach der Heimat abreist, um zu kämpfen. Und er ist auch abgereist, aber der Hai schnappte ihn, bevor der Tag vergangen war, den armen Kerl.“

„Wirklich ein Jammer. Aber alles zu seiner Zeit, und wir werden das Trauern später besorgen; jetzt drängen andere Sachen. Ich werde das Räderwerk unauffällig in Bewegung setzen, gehen und den Ertrag aufkaufen. Das wird die gesunkenen Lebensgeister der Herrschaften vorübergehend aufheitern. Alles ist vergänglich auf dieser Welt. In sechzig Tagen, wenn sie die Ware abzuliefern haben, werden sie denken, der Blitz hat sie getroffen. Aber alles zu seiner Zeit, und wir werden das Trauern mit dem anderen zugleich besorgen. Kommen Sie mit, ich bringe Sie zu meinem Schneider. Wie sagten Sie doch, wie war Ihr Name?“

„Cecil Rhodes.“

„Er läßt sich schwer behalten. Aber ich glaube, wenn Sie am Leben bleiben, werden Sie dafür sorgen, daß es einem leichter fällt. Es gibt drei Arten von Leuten – gewöhnliche Männer, bemerkenswerte Männer und Verrückte. Ich reihe Sie unter die Bemerkenswerten ein und nehme das Risiko auf mich.“

Das Geschäft klappte und brachte dem jungen Fremden das erste Vermögen ein, das er je eingesteckt hatte.

Die Sydneyer müßten sich vor den Haien eigentlich fürchten, aber aus irgendeinem Grunde scheinen sie das nicht zu tun. Sonnabends fahren die jungen Männer in ihren Booten hinaus, und manchmal ist das Wasser von den kleinen Segeln förmlich bedeckt. Dann und wann schlägt ein Boot versehentlich um, infolge übermütigen Tobens; manchmal lassen die Jungen zum Spaß ihr Boot umschlagen – und ringsherum warten die Haie sichtlich auf gerade so einen Vorfall. Die jungen Burschen klettern unversehrt an Bord – manchmal – nicht immer. Mehr als einmal sind Unglücksfälle vorgekommen. Während ich mich in Sydney aufhielt, hieß es, in der Mündung des Paramatta sei ein Junge aus einem Boot gefallen und habe um Hilfe gerufen, und ein Junge aus einem anderen Boot sei über Bord gesprungen, um ihn vor den zusammenströmenden Haien zu retten; aber die Haie hätten mit beiden kurzen Prozeß gemacht.

Die Regierung zahlt für den Hai eine Prämie; um die Prämie zu bekommen, besetzen die Fischer den Haken oder das Netz mit leckerem Hammelfleisch; die Nachricht breitet sich aus, und aus dem ganzen Pazifik kommen die Haie herbei, um die Freiverpflegung zu empfangen. Mit der Zeit wird die Haifischzucht eine der erfolgreichsten Unternehmungen der Kolonie sein.

14. KAPITEL

> Wir können uns der Anerkennung anderer
> versichern, wenn wir recht handeln und ernst-
> lich streben; aber unsere eigene ist das Hun-
> dertfache davon wert, und sich dieser zu versi-
> chern, ist noch kein Weg gefunden.
>
> *Querkopf Wilsons Neuer Kalender*

Meine Gesundheit hatte im Mai in New York versagt; in den folgenden
32 Tagen war sie in zweifelhaftem, aber annehmbarem Zustand geblieben;
auf dem Pazifik versagte sie wieder. In Sydney wieder, aber erst, nachdem ich
eine weite Ausfahrt gemacht und auch meine Vortragsverpflichtungen erfüllt
hatte. Durch dieses letzte Versagen entging mir die Gelegenheit, Queensland
zu besuchen. Unter den gegebenen Umständen war es nicht ratsam, nach
Norden in heißeres Wetter zu fahren.

Also reisten wir siebzehn Stunden mit der Bahn nach Süden mit einer kleinen Abweichung nach Westen zur Hauptstadt der Kolonie Victoria, Melbourne – dieser jugendlichen Stadt von sechzig Jahren und einer halben
Million Einwohnern. Auf der Karte sah die Entfernung gering aus; aber das
ist in einem so riesigen Land wie Australien bei allen Entfernungseinteilun-
gen ein Problem. Die Kolonie Victoria selbst sieht auf der Karte klein aus –
wie ein Landkreis –, aber sie ist etwa so groß wie England, Schottland und
Wales zusammengenommen. Oder, um einen anderen Blickwinkel zu wählen, sie ist genau achtzigmal größer als der Staat Rhode Island und ein Drittel so groß wie der Staat Texas.

Außerhalb Melbournes scheint Victoria einer Handvoll Squattern zu gehören, jedem mit einem Rhode Island als Schaffarm. Das ist der Eindruck,
den man aus den Unterhaltungen gewinnt, jedoch ist die Wollerzeugung von
Victoria keineswegs so groß wie die von Neusüdwales. Das Klima Victorias
ist günstig für andere Produktionszweige, unter anderen den Weizen- und
den Weinanbau.

Etwa um vier Uhr nachmittags bestiegen wir in Sydney den Zug. In einer
Hinsicht war er amerikanisch, denn wir hatten einen sehr vernünftigen
Schlafwagen; auch war der Wagen sauber, schön und neu – nichts an ihm
erinnerte an den Wagenpark des europäischen Kontinents. Aber man wog
unser Gepäck ab und berechnete das Übergewicht extra. Das war kontinental. Kontinental und lästig. Jeden Begleitumstand des Eisenbahnfahrens, der
nicht lästig ist, kann man anständigerweise nicht als kontinental bezeichnen.

Die Fahrkarten galten für eine Rundreise – nach Melbourne, durchge-
hend bis nach Adelaide in Südaustralien, und dann die ganze Strecke zurück
nach Sydney. Zwölfhundert Meilen mehr, als wir zu reisen gedachten, aber
da die Rundreise nicht viel mehr als die einfache Reise kosten sollte, schien
es ganz in Ordnung, so viele Meilen zu kaufen, wie man sich leisten konnte,
selbst wenn man sie wahrscheinlich nicht brauchte. Der Mensch hat den natürlichen Drang, von einer guten Sache mehr zu besitzen, als er braucht.

Jetzt kommt etwas Einzigartiges, das Kurioseste, das Seltsamste, das ver-
wirrendste und unerklärlichste Wunderding, das Australasien zu bieten hat:

An der Grenze zwischen Neusüdwales und Victoria wurden wir, der ganze
Haufe Reisender, frühmorgens bei Laternenschein in der beißenden Kälte
einer Berglage aus den molligen Betten gerissen, um auf einer Strecke, die
von Sydney bis Melbourne keine Unterbrechung aufweist, umzusteigen! Stellen Sie sich die Geisteslähmung vor, welche diesen Einfall hervorgebracht
hat; malen Sie sich den Gipsblock auf den Schultern irgendeines verknöcherten Gesetzgebers aus, dem er entsprungen ist!

Eine Schmalspurstrecke führt bis zur Grenze, und von da bis Melbourne
eine Breitspurstrecke. Die zwei Regierungen haben die Bahnlinie gebaut und
sind ihre Eigentümer. Man nennt für diesen kuriosen Zustand einen oder
zwei Gründe. Der eine lautet, er sei ein Sinnbild der Eifersucht, die zwischen
den zwei Kolonien herrsche – den beiden wichtigsten Kolonien Australasiens.
Wie der andere lautete, habe ich vergessen. Aber das ist ohne Bedeutung. Es
könnte nur ein weiterer Versuch sein, das Unerklärliche zu erklären.

Alle Passagiere ärgern sich über die zweifache Spurweite; jeder, der Fracht
aufgibt, muß sich zwangsläufig darüber ärgern; jedem Betroffenen werden
unnötige Kosten, Zeitverluste und Belästigungen auferlegt, und niemand hat
einen Nutzen davon.

Jede australische Kolonie schließt sich durch eine Zollschranke von ihrem
Nachbarn ab. Ich persönlich habe nichts dagegen, aber es muß doch für die
Leute eine große Unbequemlichkeit sein. In Amerika haben wir hier und da
etwas Ähnliches, aber es heißt anders. Das riesige Gebiet an der Pazifikküste
braucht unendlich viele Maschinen und könnte sie auf wirtschaftlich vorteilhafte Weise an Ort und Stelle bauen, wenn die Zölle auf ausländisches Eisen
beseitigt würden. Aber das werden sie nicht. Die Schutzbestrebungen zugunsten Pennsylvaniens und Alabamas verhindern das. Die Folgen für die Pazifikküste sind die gleichen, als stünden zwischen der Küste und dem Osten
mehrere Reihen von Zollschranken. Eisen, das zu hohen Eisenbahntarifen
quer über den amerikanischen Kontinent gefahren würde, wäre bei der Ankunft wertvoll genug, um gemünzt zu werden.

Wir stiegen um. Das geschah in Albury. Und dort war es auch, glaube ich,
wo der junge Tag und die Morgensonne die ferne Bergkette enthüllten, die
Blauen Berge. Treffender Name. „Mein Wort!" wie die Australier sagen, was
war das doch für eine frappierende Farbe, dieses Blau. Tief, kräftig, satt,
köstlich; hochaufragende und majestätische Massen von Blau – einem verhalten strahlenden Blau, einem glühenden Blau, als würde es durch Feuer im
Innern auf unbestimmte Weise erhellt. Es wischte das Blau des Himmels aus
– machte es blaß und ungesund, weißlich und verwaschen. Eine wundervolle
Farbe – einfach göttlich.

Ein Ortsansässiger erzählte mir, das seien keine Berge; er sagte, es seien
Kaninchenhaufen. Und erklärte dazu, langes Liegen und der überreife Zustand der Kaninchen seien die Ursache dafür, daß sie so blau aussähen. Dieser Mann hatte vielleicht recht, aber die ausgiebige Lektüre von Reisebüchern hat mich gegenüber Gratisauskünften von Privatleuten eines Landes
mißtrauisch gemacht. Die Tatsachen, die solche Leute Reisenden mitteilen,
sind gewöhnlich irrig und manchmal unmäßig irrig. Die Kaninchenplage ist
in Australien wirklich sehr schlimm, und sie könnte einen Berg erklären,
aber nicht eine ganze Bergkette, finde ich. Das ist ein zu großer Maßstab.

Wir frühstückten im Bahnhof. Ein gutes Frühstück, ausgenommen den Kaffee; und billig. Die Regierung setzt die Preise fest und hängt sie aus. Die Kellner waren Männer, glaube ich; aber das ist in Australasien nicht die Regel. Sonst hat man Mädchen. Nein, nicht Mädchen, junge Damen – im allgemeinen Herzoginnen. Kleidung? Sie würden bei jedem königlichen Lever in Europa Aufmerksamkeit erregen. Selbst Kaiserinnen und Königinnen kleiden sich nicht so wie sie. Nicht etwa, daß sie es sich nicht leisten könnten, aber sie wüßten nicht, wie sie es machen sollten.

Den ganzen schönen Morgen lang glitten wir sanft über die Ebenen hin, durch lichte – nicht dichte – Wälder von großen. melancholischen Gummibäumen, deren Stämme durch aufgerollte, sich lösende Fetzen der Rinde zottig wirkten – sozusagen Rekonvaleszenten, die nach überstandener Wundrose die abgestorbene Haut abstreiften. Und die ganze Strecke entlang standen winzige Hütten, manchmal aus Holz, manchmal aus graublauem Wellblech gebaut; auf den Türschwellen und Zäunen hockten Trauben von Kindern – zerzauste, kleine, schlichtgekleidete Kerlchen, die aussahen, als hätte man sie samt und sonders von den Ufern des Mississippi importiert.

Und dann gab es kleine Dörfer mit sauberen Stationsgebäuden, die mit grellen Reklameplakaten reichlich beklebt waren – hauptsächlich für beinahe *allzu* selbstgerechte Marken von „Schafbalsam" – wenn es so heißt – und ich glaube, es heißt so. Es ist ein teerartiges Zeug und wird auf Stellen aufgetupft, wo der Scherer ein Stück aus dem Schaf herausschnippelt. Er hält die Fliegen ab, besitzt heilende Eigenschaften und zwickt so, daß die Schafe loshüpfen wie junge Füllen auf der Weide. Er schmeckt nicht gut. Das heißt, er schmeckt nicht gut, wenn man ihn nicht mit Eisenbahnkaffee vermischt. Den Eisenbahnkaffee verbessert er. Ohne ihn ist Eisenbahnkaffee zu lahm. Aber mit ihm kriegt er Selbstvertrauen und Elan. Für sich allein ist Eisenbahnkaffee zu passiv; aber Schafbalsam weckt ihn auf und gibt ihm Schwung. Ich möchte wissen, wo sie den Eisenbahnkaffee herholen.

Wir sahen Vögel, aber kein Känguruh, kein Emu, keinen Ornithorhynchus, keinen Vortragsreisenden, keinen Eingeborenen. Wirklich, das Land schien überhaupt kein Wild zu bergen. Aber ich habe das Wort „Eingeborener" falsch gebraucht. In Australien wird es nur auf in Australien geborene Weiße angewendet. Ich hätte sagen sollen, daß wir keine Ureinwohner gesehen haben – keine „Schwarzen". Und bis zum heutigen Tage habe ich keinen gesehen. In den großen Museen findet man alle anderen Kuriositäten, aber die Kuriosität, die den Fremden hauptsächlich interessiert, fehlt ihnen allen. Zu Hause haben wir Museen im Überfluß, und keinen einzigen amerikanischen Indianer darin. Das ist eindeutig absurd, aber es ist mir noch nie vorher aufgefallen.

15. KAPITEL

> Die Wirklichkeit ist seltsamer als die Dich-
> tung – für manche Leute, aber ich bin eini-
> germaßen mit ihr vertraut.
>
> *Querkopf Wilsons Neuer Kalender*

> Die Wirklichkeit ist seltsamer als die Dich-
> tung, aber das liegt daran, daß die Dichtung
> sich an Wahrscheinlichkeiten halten muß; die
> Wirklichkeit nicht.
>
> *Querkopf Wilsons Neuer Kalender*

Die Luft war balsamisch und schmeichelnd, die Sonne strahlte; es war ein bezaubernder Ausflug. In seinem Verlaufe kamen wir in eine Stadt, deren wunderlicher Name vor einem Vierteljahrhundert in der ganzen Welt berühmt war – Wagga-Wagga. Das kam daher, daß der Tichborne-Prätendent dort einen Fleischerladen gehabt hatte. Mitten aus seinem bescheidenen Bestand von Würsten und Kutteln heraus flog er zum Zenit der Berühmtheit empor und schwebte dort eine Zeitlang in den Weiten des Weltraumes, während die Teleskope aller Nationen in unstillbarer Neugier auf ihn gerichtet waren – Neugier darüber, welche der zwei seit langem vermißten Personen er sei: Arthur Orton, der verlorengegangene Hafenarbeiter aus Wapping, oder Sir Roger Tichborne, der abhandengekommene Erbe eines Namens und Besitzes, so alt wie die englische Geschichte selbst. Jetzt wissen wir es alle, aber damals wußte es kein Dutzend Menschen; und diese behielten das Geheimnis für sich und ließen zu, daß die verzwickteste und fesselndste und wunderbarste Romanze aus dem Leben, die jemals auf der Weltbühne abgerollt ist, sich im Zuge des langwierigen und mühseligen Prozeßverfahrens vor einem britischen Gerichtshof gelassen, Akt um Akt, enthüllte.

Wenn wir uns die Einzelheiten dieser großartigen Romanze ins Gedächtnis zurückrufen, staunen wir, welche tollkühnen Risiken die Wirklichkeit sich bei der Konstruktion einer Fabel erlauben darf, verglichen mit den armseligen, geringen, beschränkten Risiken, die der Dichtung erlaubt sind. Der frei erfindende Dichter könnte mit dem Stoff dieser prächtigen Tichborne-Romanze keinen Erfolg erringen. Die Hauptpersonen müßte er streichen; das Publikum würde sagen, solche Leute seien unglaubhaft. Er müßte eine Anzahl der wirkungsvollsten Episoden streichen; das Publikum würde sagen, solche Dinge könnten nie geschehen. Und doch haben die Hauptpersonen gelebt und haben sich die Episoden ereignet.

Es hat die Tichbornegüter 400 000 Dollar gekostet, den Prätendenten zu entlarven und davonzujagen; und selbst nach der Entlarvung glaubten Scharen von Engländern noch an ihn. Es hat die britische Regierung weitere 400 000 Dollar gekostet, ihn des Meineides zu überführen; und nach der Überführung glaubten dieselben Scharen von Engländern immer noch an ihn; unter diesen Gläubigen befanden sich viele gebildete und intelligente Leute; manche von ihnen hatten den echten Sir Roger persönlich gekannt. Der Prätendent wurde zu vierzehn Jahren Haft verurteilt. Als er aus dem Geängnis entlassen wurde, ging er nach New York und betrieb eine Zeitlang in der Bowery eine Whiskykneipe, dann tauchte er unter.

Er hat stets behauptet, Sir Roger Tichborne zu sein, bis der Tod ihn abberief. Das ist erst wenige Monate her – ein knappes Menschenalter, seit er Wagga-Wagga verließ, um von seinen Gütern Besitz zu ergreifen. Auf dem Sterbebett gab er sein Geheimnis preis und gestand schriftlich ein, daß er nur Arthur Orton aus Wapping sei, Vollmatrose und Fleischer – und weiter nichts. Aber man kann wohl kaum daran zweifeln, daß es Leute gibt, die selbst sein Geständnis auf dem Totenbett nicht überzeugt. Durch die eingefleischte Gewohnheit, unglaubliche Dinge zu verdauen, muß in ihrem Falle scharfe Kost wohl zur Lebensnotwendigkeit geworden sein; ein schwächerer Artikel würde ihnen vermutlich gar nicht bekommen.

Ich hielt mich gerade in London auf, als dem Prätendenten wegen Meineides der Prozeß gemacht wurde. Ich besuchte eine seiner glanzvollen Abendgesellschaften in der prunkvollen Wohnung, die ihm die Geldbeutel seiner Anhänger und wohlwollenden Freunde verschafft hatten. Er trug einen Abendanzug, und ich fand ihn einen recht eleganten und stattlichen Menschen. Es waren etwa fünfundzwanzig Herren anwesend; gebildete Männer, Männer der guten Gesellschaft, keiner war gewöhnlich; einige waren hervorragende Leute, keiner war zweifelhaft. Sie waren seine herzlichen Freunde und Bewunderer. Es hieß „S'r Roger", immerzu und von allen Seiten „S'r Roger"; kein einziger verkniff sich den Titel, alle rollten ihn mit Salbung auf der Zunge, als schmeckte er gut.

Seit vielen Jahren hatte ich ein Rätsel mit mir herumgetragen. Melbourne, nur Melbourne konnte es lösen. Im Jahre 1873 kam ich mit meiner Frau und meinem kleinen Kind in London an und erhielt bald darauf aus Neapel einen kurzen Brief, mit einem Namen unterschrieben, der mir fremd war. Er lautete nicht Bascom und auch nicht Henry; aber der Zweckmäßigkeit halber will ich ihn Henry Bascom nennen. Diese etwa sechs Zeilen lange Mitteilung stand auf einem Streifen weißen Papiers mit ausgefransten Rändern. In den folgenden Jahren lernte ich diese Streifen noch gut kennen. Ihre Größe und Form blieben sich immer gleich. Ihr Inhalt lief in der Regel auf dasselbe hinaus: Würden ich und die Meinen wohl an dem und dem Tage mit dem und dem Zuge zu dem Landsitz des Schreibers in England kommen, zwölf Tage bleiben und nach Ablauf der genannten Zeit mit dem und dem Zuge abfahren? Am Bahnhof würde uns ein Wagen erwarten.

Diese Einladungen kamen immer auf lange Zeit im voraus; wenn wir in Europa waren, drei Monate, wenn wir in Amerika waren, sechs bis zwölf Monate im voraus. Stets nannten sie das genaue Datum und den Zug für den Beginn und auch für das Ende des Besuches.

Dieses erste Briefchen lud uns für drei Monate später ein. Es bat uns, am 6. August mit dem Zug 16.10 Uhr aus London einzutreffen. Der Wagen würde warten. Der Wagen würde uns sieben Tage später wieder fortbringen – Zug war angegeben. Und da standen noch folgende Worte: „Sprechen Sie mit Tom Hughes."

Ich zeigte das Briefchen dem Autor von „Tom Brown in Rugby", und er sagte: „Sagen Sie zu, und freuen Sie sich."

Er schilderte Mr. Bascom als einen genialen Menschen, einen Mann von vielseitiger Bildung, einen in jeder Hinsicht hervorragenden Mann, einen außergewöhnlichen und edlen Charakter. Er sagte, Bascom Hall sei ein besonders schönes Exemplar der stattlichen Landsitze aus Elisabethanischer Zeit, ein Haus, das zu sehen unbedingt lohnte – wie Knole; Mr. B. sei gesellig veranlagt, schätze die Gesellschaft sympathischer Leute, und Vertreter dieser Gattung gingen ständig bei ihm ein und aus.

Wir machten also den Besuch. Wir statteten in späteren Jahren noch weitere ab, das letzte Mal im Jahre 1879. Bald danach trat Mr. Bascom auf einer Dampfjacht eine Weltreise an – eine lange und gemächliche Reise, denn er legte in allen Ländern Sammlungen von Vögeln, Schmetterlingen und derlei an.

An dem Tag, da Präsident Garfield von dem Mörder Guiteau erschossen wurde, hielten wir uns in einem kleinen Badeort am Long Island Sund auf; und mit der Post jenes Tages traf ein Brief ein, der den Stempel von Melbourne trug. Er war an meine Frau gerichtet, aber ich erkannte die Handschrift Mr. Bascoms auf dem Umschlag und öffnete ihn. Es war das übliche Briefchen – wenige Zeilen – und auf den gewohnten Papierstreifen geschrieben; aber der Inhalt war keineswegs der übliche. Das Briefchen teilte meiner Frau mit, wenn es ihren Schmerz lindern könne, zu erfahren, daß ihres Gatten Vortragsreise in Australien von Anfang bis Ende ein gelungenes Unternehmen gewesen war, so könne er, der Schreiber, ihr das bezeugen; auch daß Menschen aller Schichten den jähen Tod ihres Gatten betrauert hätten, wie sie wohl bereits lange vor Erhalt dieses Briefes aus den Pressetelegrammen erfahren habe; daß der Beisetzung offizielle Vertreter der Kolonial- und der Stadtverwaltung beigewohnt hätten; und daß er, der Schreiber, ihr Freund und der meine, zwar nicht rechtzeitig nach Melbourne gekommen sei, um den Toten zu sehen, jedoch die traurige Ehre genossen habe, als einer der Bahrtuchhalter zu fungieren. Gezeichnet „Henry Bascom".

Mein erster Gedanke war, warum hatte er den Sarg nicht öffnen lassen? Er hätte erkannt, daß die Leiche ein Betrüger war, und hätte sogleich handeln, die meisten jener Tränen trocknen, jene trauernden Regierungsvertreter trösten, die Hinterlassenschaft verkaufen und mir das Geld schicken können.

Ich unternahm nichts in der Angelegenheit. In Amerika hatte ich ein paarmal die Justiz auf die Spur lebender Vortrags-Doppelgänger meiner Person gesetzt, und es war der Justiz nicht gelungen, sie zu fangen; auch andere in meinem Gewerbe hatten versucht, *ihre* betrügerischen Doppelgänger zu stellen, und keinen Erfolg damit gehabt. Was hatte es also für einen Sinn, einen Geist zu entlarven? Keinen – deshalb störte ich ihn nicht. Ich verspürte eine gewisse Neugier, etwas über die Vortragsreise und die letzten Stunden dieses Mannes zu erfahren, aber das hatte Zeit. Wenn ich Mr. Bascom treffen würde, sollte er mir alles erzählen. Aber er verschied, und ich habe ihn nie wiedergesehen. Meine Neugier verblaßte.

Aber als ich erfuhr, daß ich nach Australien reisen würde, lebte sie wieder auf. Und zwar natürlicherweise; denn falls die Leute sagen sollten, ich wäre eine langweilige, armselige Erscheinung, verglichen mit dem, was ich vor meinem Tode war, so hätte sich das schädlich auf das Geschäft ausgewirkt. Nun, zu meiner Überraschung hatten die Sydneyer Journalisten *nie von jenem Be-*

rüger gehört! Ich drang in sie, aber sie blieben fest – sie hatten nie von ihm gehört und glaubten nicht an ihn.

Ich konnte das nicht begreifen; immerhin dachte ich, in Melbourne würde sich alles aufklären. Die Regierung würde sich erinnern; und die anderen Leidtragenden. Beim Festessen des Journalistenverbandes wollte ich alles über den Fall herausbekommen. Aber nein – es stellte sich heraus, daß auch sie niemals etwas davon gehört hatten.

Also war mein Rätsel immer noch ein Rätsel. Es war eine große Enttäuschung. Ich meinte, es würde sich – in diesem Leben – niemals aufklären, also schlug ich es mir aus dem Sinn.

Aber endlich! gerade, als ich es am wenigsten erwartete...

Jedoch ist das nicht die passende Stelle für den Rest der Geschichte; ich komme in einem weitentfernten Kapitel wieder auf die Angelegenheit zürück.

16. KAPITEL

> Es gibt einen Sinn für die Moral, und es gibt einen Sinn für die Unmoral. Die Geschichte lehrt uns, daß der Sinn für die Moral uns befähigt, das Moralische zu erkennen und zu meiden, und daß der Sinn für die Unmoral uns befähigt, das Unmoralische zu erkennen und zu genießen.
>
> *Querkopf Wilsons Neuer Kalender*

Melbourne breitet sich über eine ungeheuer weite Fläche aus. Es ist eine ansehnliche Stadt, sowohl im architektonischen Sinne als auch hinsichtlich seiner Größe. Es besitzt ein verzweigtes Kabelbahnsystem; es besitzt Museen, Colleges, Schulen, Parks, Elektrizität, Gas, Bibliotheken, Theater, zentrale Institutionen des Bergbaus, der Wollproduktion und der Künste und Wissenschaften, Handelskammern, Schiffe, Eisenbahnen, einen Hafen, gesellschaftliche Klubs, Journalistenklubs, Rennklubs, einen prunkvoll untergebrachten und ausgestatteten Squatterklub und so viele Kirchen und Banken, wie ihr Auskommen finden können. Mit einem Wort, es ist mit allem versehen, was die moderne Großstadt ausmacht. Es ist die größte Stadt Australasiens und spielt diese Rolle mit Ehre und Ansehen. Eine Spezialität besitzt Melbourne, die man nicht mit dem anderen in einen Topf werfen darf. Die Stadt ist der gesalbte Hohepriester des Pferderennkultes. Melbournes Rennbahn ist das Mekka Australasiens. Am großen jährlichen Opfertag – dem 5. November, Guy-Fawkes-Tag – ruhen alle Geschäfte in einem Gebiet über Land und Meer, so breit wie von New York nach San Francisco und länger als von den Großen Seen bis zum Golf von Mexiko; jeder Mann und jede Frau von gehobenem wie von einfachem Stande, die es sich leisten können, lassen ihre anderen Pflichten im Stich und eilen hin. Vierzehn Tage vor dem Ereignis kommen die ersten per Schiff und Bahn hereingeströmt, und Tag für Tag strömen sie in immer dichteren Schwärmen, bis alle Transportmittel ihr Äußerstes hergeben müssen, um dem Ansturm gewachsen zu sein, und alle Hotels und Unterkünfte sich infolge des hohen Innendruckes nach außen ausbauchen. Es kommen hunderttausend Menschen, wie die zuverlässig sten Gewährsleute sagen, und sie drängen sich auf den weiten Standfläche und Tribünen und geben ein Bild ab, wie man es niemals und nirgends sons in Australasien zu sehen bekommt.

Der „Pokal von Melbourne" ist es, der diese Menschen zusammenführt Ihre Kleidung haben sie schon lange vorher ohne Rücksicht auf die Koster und ohne Beschränkung hinsichtlich Schönheit und Prächtigkeit in Auftrag gegeben und bis jetzt verborgen gehalten, denn bis zu diesem Tag sind si tabu. Ich spreche von den Kleidern der *Damen*; aber das kann man sich woh denken.

Und so bieten die Tribünen einen strahlenden und wundervollen Anblick einen Farbenrausch, ein Traumbild der Schönheit. Der Sekt fließt, alles is lebhaft, erregt, glücklich; alles wettet, Handschuhe und Vermögen wechseln immerzu von einer Hand in die andere. Tag für Tag werden die Rennen fort gesetzt, Vergnügen und Erregung bleiben in Weißglut; und wenn ein Tag vergangen ist, tanzen die Leute die ganze Nacht durch, um für das Renner am nächsten Morgen frisch zu sein. Und am Schluß der großartigen Woche sichern sich die Schwärme Unterkunft und Beförderung für das nächste Jahr, dann strömen sie in ihre ferne Heimat zurück, zählen Gewinn und Verlust, geben die Pokalkleider für das nächste Jahr in Auftrag, legen sich hir und schlafen zwei Wochen lang, stehen auf und bedenken mit Bedauern, daß ein ganzes Jahr irgendwie durchzustehen ist, bevor sie wieder restlos glücklich sein dürfen.

Der „Pokal von Melbourne" ist der Nationalfeiertag Australiens. Es dürfte schwierig sein, seine Bedeutung zu übertreiben. Er überragt in jenem Koloniengemengsel alle anderen Festtage und Feiertage aller Art. Überragt sie Ich könnte fast sagen, er löscht sie aus. Jeder Feiertag erregt Beachtung, abe nicht bei allen; jeder erregt Anteilnahme, aber nicht bei allen; jeder erreg Begeisterung, aber nicht bei allen; in jedem Falle ist ein Teil der Beachtung Anteilnahme und Begeisterung eine Sache der Gewohnheit und des Brau ches, und ein anderer Teil davon ist offiziell und oberflächlich. Der Pokal Tag und nur der Pokal-Tag erregt eine Beachtung, eine Anteilnahme und eine Begeisterung, die allumfassend sind – und dem Innern entspringen nicht oberflächlich sind. Der Pokal-Tag ist der Gipfel – er hat keinen Rivalen. Ich kann mich in keinem Land an einen besonderen Jahrestag erinnern, den man mit diesem schwerwiegenden Namen bezeichnen könnte – der Gipfel. Ich kann mich in keinem Land an einen besonderen Jahrestag erinnern, dessen Herannahen im ganzen Land eine wahre Feuersbrunst von Gesprächen, Vorbereitungen, Vorfreude und Jubel entzündete! Auf keinen bis auf diesen hier; aber dieser schafft das alles.

In Amerika haben wir keinen Tag im Jahr, der den Gipfelpunkt darstellte; keinen Tag, dessen Nahen die ganze Nation froh machte. Wir haben den 4. Juli, Weihnachten und den Danksagungstag. Keiner von ihnen kann den Vorrang beanspruchen; keiner von ihnen kann eine Begeisterung erregen, die annähernd allumfassend wäre. Acht von zehn erwachsenen Amerikanern fürchten das Näherrücken des Vierten mit seinem Höllenlärm und seinen Gefahren, und sie sind heilfroh, wenn er vorüber ist – falls sie noch leben. Das Herannahen des Weihnachtsfestes beschert vielen ausgezeichneten Leuten aufreibende Tage und Furcht. Sie müssen eine Wagenladung Geschenke kaufen, und sie wissen nie, was sie kaufen sollen, um die verschiedenen Geschmacksrichtungen zu treffen; sie wenden drei Wochen schwerer und sorgenvoller Arbeit auf, und wenn der Weihnachtsmorgen da ist, sind sie mit dem Ergebnis so unzufrieden und so enttäuscht, daß sie sich hinsetzen und weinen möchten. Dann danken sie Gott, daß Weihnachten nur einmal im Jahr kommt. In den letzten Jahren hat es sich allgemein verbreitet, den Danksagungstag – als feierlichen Akt – zu feiern. Die Dankbarkeit ist nicht so allgemein verbreitet. Das ist nur natürlich. Zwei Drittel der Nation haben jeweils das Jahr hindurch nur Pech und saure Tage gehabt, und das dämpft ihre Begeisterung etwas.

Wir haben *doch* einen Gipfeltag – einen mitreißenden, gewaltigen und tumultuarischen Tag, einen Tag, der sich restlose Einmütigkeit der Anteilnahme und Aufregung erzwingt; aber er kommt nicht alljährlich. Er kehrt nur alle vier Jahre einmal wieder; deshalb kommt er als Nebenbuhler des Pokal-Tags von Melbourne nicht in Frage.

In Großbritannien und Irland gibt es zwei große Tage – Weihnachten und den Geburtstag der Königin. Aber sie sind in gleichem Maße beliebt; es besteht kein Übergewicht.

Ich glaube, man muß zugeben, der australasische Tag steht einzigartig, einsam und ohnegleichen da; und diesen hohen Rang wird er wahrscheinlich lange Zeit behalten.

Was uns interessiert, wenn wir reisen, sind erstens die Leute; dann die neuen Eindrücke; und schließlich die Geschichte der besuchten Orte und Länder. Neue Eindrücke sind selten in Großstädten, welche die fortgeschrittenste Zivilisation unserer Tage verkörpern. Wenn man solche Städte in den anderen Teilen der Welt kennt, dann kennt man im wesentlichen die Städte Australasiens. Die äußeren Eindrücke bringen wenig Neues. Wohl treten neue Namen auf, aber manchmal entdeckt man dann, daß die durch sie bezeichneten Dinge weniger neu sind als ihre Namen. Geringe Unterschiede mögen bestehen, aber die sind wohl zu hauchfein, als daß sie das unzulängliche Auge des durchreisenden Fremden erkennen könnte. Im „Larrikin" wird er keine neue Gattung entdecken können, sondern nur eine alte, der er schon anderswo begegnet ist und die man abwechselnd Schubiack, Raufbold, Krakeeler, Schläger oder Schwätzer nennt, je nach der geographischen Lage. Der Larrikin unterscheidet sich um eine Schattierung von diesen anderen, da er dem Fremden gegenüber umgänglicher ist als diese, wohlwollender, entgegenkommender, herzlicher, freundlicher. Mir wenigstens schien es so, und ich hatte Gelegenheit, meine Beobachtungen zu machen. Zumindest in Sydney. In Melbourne mußte ich zum Vortragssaal und zurück fahren, aber in Sydney konnte ich beide Wege zu Fuß gehen und tat es auch. Jeden Abend um zehn oder Viertel nach zehn traf ich auf meinem Heimweg an verschiedenen Straßenecken den Larrikin in großen Gruppen an, und stets begrüßte er mich auf folgende nette Weise:

„Hallo, Mark!"

„Prost, Kumpel!"

„Du – Mark – ist er tot?" Das bezog sich auf eine Stelle in einem meiner Bücher, obwohl ich damals nicht erfaßte, daß es darauf anspielte. Und ich erfaßte es auch später in Melbourne nicht, als ich zum ersten Mal auf die Bühne trat und dieselbe Frage von der schwindelerregenden Höhe des Olymps auf mich herabfiel. Es ist immer schwierig, so eine plötzliche Frage zu beantworten, wenn man nicht darauf vorbereitet ist und nicht weiß, was sie bedeutet. Ich möchte an dieser Stelle anmerken – wenn es nicht ungehörig ist –, daß der Empfang, den ein amerikanischer Vortragsredner von einem Publikum in den britischen Kolonien erfährt, etwas ist, das ihn bis in die tiefsten Tiefen bewegt, ihm den Blick verschleiert und die Stimme ersticken läßt. Und von Winnipeg bis Afrika wird ihn die Erfahrung nichts lehren; nie wird er lernen, darauf gefaßt zu sein, jedesmal wird es ihn überrumpeln. Die Kriegswolke, die schwarz über England und Amerika hing, brachte mir keine Unannehmlichkeiten. Ich hatte Aussicht, Kriegsgefangener zu werden, aber weder bei Festessen noch auf dem Podium oder sonst irgendwo kam jemals etwas vor, das mich daran erinnert hätte. Das war Gastfreundschaft reinsten Wassers und hätte in manchem Land unter den waltenden Umständen offenkundig gefehlt.

Und da ich gerade von der Kriegserregung spreche, ich fand, daß sie in einer oder zwei Einzelheiten etwas Unerwartetes enthüllte. Das Kriegsgeschrei schien sich auf die Politiker beiderseits des Wassers zu beschränken; während doch bis dahin immer, wenn zwischen zwei Nationen ein Krieg in der Luft gelegen hatte, die Öffentlichkeit am lautesten geschrien hatte und im schärfsten Ton.

Die Einstellung der Zeitungen war auch neu. Ich spreche von denen Australasiens und Indiens, denn nur diese waren mir zugänglich. Sie behandelten das Thema in sachlicher und würdiger Form, nicht mit Haß und Wut. Das war ein ganz neuer Geist, den sie nicht aus der französischen und der deutschen Presse übernommen hatten, weder vor Sedan noch danach. Ich hörte mir viele Reden an, und sie spiegelten die Mäßigung der Zeitungen wider. Es besteht die Aussicht, daß in hundert Jahren das englischsprechende Geschlecht die Erde beherrscht, wenn nicht seine Untergruppen anfangen, gegeneinander zu kämpfen. Es wäre schade, diese Aussicht durch Kriege zu verderben, welche die Entwicklung nur behinderten und verzögerten, wo doch ein gütlicher Vergleich die Differenzen soviel besser und auch soviel endgültiger beilegen könnte.

Nein, wie ich schon angedeutet habe, neue Eindrücke sind in den großen Städten der heutigen Zeit rar. Selbst die Wollbörse in Melbourne könnte man nicht von den bekannten Effektenbörsen anderer Länder unterscheiden; Wollmakler sind genau wie Börsenmakler; sie alle springen von den Sitzen auf, heben die Hände und brüllen im Chor – kein Fremder kann sagen, was – und der Leiter sagt seelenruhig: „Geht an Smith & Co., drei Pence Farthing – weiter!" – während wahrscheinlich nichts Derartiges geschehen ist; denn woher sollte er das wissen?

In den Museen findet man weite Flächen voller seltsamster und fesselndster Gegenstände; aber alle Museen sind fesselnd, und ihre aufreibende Anziehungskraft strengt deshalb die Augen so sehr an, läßt den Rücken erlahmen und holt einem die letzte Kraft aus den Knochen. Man sagt immer, man wolle nie wieder hingehen, aber man geht doch. Die Paläste der Reichen in Melbourne ähneln sehr den Palästen der Reichen in Amerika, und das Leben in ihnen ist das gleiche; aber da hört die Ähnlichkeit auf. Der Park, der einen amerikanischen Palast umgibt, ist selten groß und selten schön, aber im Falle Melbournes sind die Parks oft von fürstlicher Ausdehnung, und das Klima zusammen mit dem Gärtner macht sie traumhaft schön. Es heißt, einige Landsitze seien von Parks – ganzen Domänen – umgeben, deren Liebreiz und Großartigkeit mit den Anlagen wetteiferten, die das Herrenhaus eines englischen Lords einfassen; aber ich bin nicht auf das Land hinausgekommen; ich hatte in der Stadt alle Hände voll zu tun.

Und welches war der Ursprung dieser majestätischen Stadt und ihres Blütenkranzes palastartiger Stadthäuser und Landsitze? Ihren ersten Grundstein legte und ihr erstes Haus baute ein durchziehender Sträfling. Die australische Geschichte ist fast immer pittoresk; sie ist so merkwürdig und seltsam, daß sie selbst den hervorragendsten aller neuen Eindrücke darstellt, die das Land zu bieten hat, und verweist so die anderen neuen Eindrücke auf den zweiten und dritten Platz. Sie liest sich nicht wie Geschichte, sondern wie die wunderschönsten Lügen. Aber wie Lügen frischer, neuer Prägung, nicht schimmelige, abgestandene, alte Lügen. Sie steckt voller Überraschungen, Abenteuer, Ungereimtheiten, Widersprüchlichkeiten und Unglaubwürdigkeiten; aber sie sind alle wahr, es hat sich alles ereignet.

17. KAPITEL

Die Engländer werden in der Bibel erwähnt: Selig sind die Sanftmütigen; denn sie werden das Erdreich besitzen.

Querkopf Wilsons Neuer Kalender

Wenn wir die Unermeßlichkeit des britischen Weltreiches hinsichtlich seiner Bodenfläche, seiner Bevölkerungszahl und seines Handelsvolumens ins Auge fassen, so muß man schon alle Glaubenskraft zusammennehmen, um den Zahlen zu trauen, die Australasiens Beitrag zur wirtschaftlichen Größe des Empires ausdrücken. Verglichen mit dem Grundbesitz des Empires, ist der Grundbesitz, den jede andere Macht mit Ausnahme einer einzigen – Rußlands – beherrscht, in seiner Größe nicht sehr eindrucksvoll. Nach meinen Quellen ist das britische Weltreich um knapp ein Viertel größer als das russische Reich. Das entspricht etwa dem Verhältnis: Wenn die ganze Hand das britische Weltreich darstellen soll und man dann die Finger ein Stückchen über dem mittleren Knöchel des Mittelfingers abschneidet, stellt das, was von der Hand übrig ist, Rußland dar. Die Zahlen der Bevölkerungen, die von Großbritannien und China beherrscht werden, sind ungefähr die gleichen – jeweils 400 000 000. Keine andere Macht kommt diesen Zahlen nahe. Selbst Rußland bleibt weit zurück.

Die Bevölkerung Australasiens – 4 000 000 – sinkt in diesem britischen Ozean von 400 000 000 zu einem Nichts hinab und entschwindet dem Blick. Doch die Statistik zeigt, daß sie wieder auftaucht und sehr auffällig ins Blickfeld rückt, sobald man ihren Anteil am Handel des Empires betrachtet. Der Wert der jährlichen Exporte und Importe Englands wird mit 3 000 000 000

Dollar angegeben, und es wird behauptet, daß Australiens Exporte nach England und Importe aus England mehr als ein Zehntel dieses ungeheuren Gesamtbetrages ausmachen*. Zusätzlich treibt Australasien auch noch mit anderen Ländern Handel, der sich auf 100 000 000 Dollar jährlich beläuft und einen Binnenhandel zwischen den Kolonien, der 150 000 000 aus macht.**

In runden Zahlen kaufen und verkaufen die 4 000 000 Menschen Güter im Werte von etwa 600 000 000 Dollar jährlich. Es wird behauptet, daß Waren australasiatischer Produktion etwa die Hälfte davon ausmachen. Die Waren, die Indien jährlich ausführt, sind etwas über 500 000 000 Dollar wert.***
Es folgen nun einige Zahlenangaben, die die Glaubenskraft stark beanspruchen:

Indische Produktion (300 000 000 Menschen) 500 000 000 Dollar Australasiatische Produktion (4 000 000 Menschen) 300 000 000 Dollar.

Das heißt, das Jahresprodukt des einzelnen Inders (zur Ausfuhr) ist 1,7 Dollar wert; das des einzelnen Australasiaten (zur Ausfuhr) 75 Dollar! Oder um es anders auszudrücken, die indische Familie mit Mann, Frau und drei Kindern versendet ein Jahresprodukt im Werte von 8,75 Dollar, während die australasiatische Familie einen Wert von 375 Dollar versendet.

Es gibt vertrauenswürdige Zahlenangaben von Sir Richard Temple und anderen, die ausweisen, daß das gesamte Jahresprodukt des einzelnen Inders sowohl für den Export wie für den Inlandsmarkt, nur etwa 7,50 Dollar in Gold wert ist oder 37,50 Dollar für die gesamte Familie. Nach dem gleichen Verfahren ausgerechnet, würde die Produktion der australasiatischen Familie beinahe 1600 Dollar betragen. Wahrhaftig, nichts ist so erstaunlich wie Zahlen, wenn sie sich erst einmal in Bewegung gesetzt haben.

Wir fuhren von Melbourne mit dem Zug nach Adelaide, der Hauptstadt der weiträumigen Provinz Südaustralien – eine Reise von siebzehn Stunden. Im Zuge trafen wir mehrere Sydneyer Freunde; darunter einen Richter, der eine Rundreise antrat, um die Assisen abzuhalten, und in Broken Hill, wo die berühmte Silbermine liegt, eine Gerichtssitzung durchführen sollte. Es schien einen kuriosen Weg eingeschlagen zu haben, um in jene Gegend zu fahren. Broken Hill liegt nahe an der Westgrenze von Neusüdwales, und Sydney liegt an der Ostgrenze. Eine ziemlich gerade, 700 Meilen lange Linie von Sydney aus nach Westen gezogen, träfe auf Broken Hill, genau wie eine etwas kürzere, von Boston aus nach Westen gezogen, auf Buffalo träfe. Der Weg, den der Richter einschlug, so sagte er, würde ihn mit der Bahn 2000 Meilen weit führen; von Sydney südwestlich hinab nach Melbourne, dann nördlich nach Adelaide hinauf, dann zurück nach Nordosten und über die Grenze wieder nach Neusüdwales – nach Broken Hill. Es war so, als fahre man von Boston südwestlich nach Richmond, Virginia, dann nordwestwärts hinauf nach Erie, Pennsylvanien, dann zurück nach Nordosten und über die Grenze – nach Buffalo, New York.

Aber die Erklärung war einfach. Vor Jahren brach der fabelhaft reiche Silberfund in Broken Hill ganz plötzlich über eine nichtsahnende Welt herein

* Blaubuch von Neusüdwales.
** D. M. Luckie.
*** Blaubuch von Neusüdwales.

Seine Aktien begannen mit Schillingen und kletterten in langen Sprüngen zu den unglaublichsten Ziffern empor. Es war einer jener Fälle, wo die Köchin einen Monatslohn in Aktien anlegt und im nächsten Monat kommt, dir ohne Feilschen dein Haus abkauft und selbst einzieht; wo der Kutscher ein paar Aktien nimmt und im nächsten Monat eine Bank gründet; und wo der einfache Matrose den Betrag einer Sauftour anlegt und im nächsten Monat die Dampfergesellschaft aufkauft und auf eigene Faust in das Geschäftsleben einsteigt. Mit einem Wort, es war eine jener Aufwallungen, die große Menschenwogen wie eine Sturzflut in einem gemeinsamen Mittelpunkt zusammenführte, und die Bedürfnisse dieser Menschen mußten an Ort und Stelle befriedigt werden. Adelaide lag nahe, Sydney lag fern. Adelaide schlug eine kurze Bahnstrecke über die Grenze, bevor Sydney Zeit hatte, eine lange einzurichten; es lohnte gar nicht, daß Sydney überhaupt noch etwas einrichtete. Der ganze ungeheure Profit aus dem Handel mit Broken Hill fiel unwiderruflich Adelaide in die Hände. Neusüdwales stellt für Broken Hill die Gerichtsbarkeit und schickt seine Richter 2000 Meilen weit – größtenteils durch fremde Provinzen –, um sie auszuüben; Adelaide aber streicht ohne ein Wort der Klage den Gewinn ein.

Um 4.20 Uhr nachmittags fuhren wir ab und durchquerten bis abends weite Ebenen. Am nächsten Morgen sahen wir eine Strecke weit Buschland – eine für den australischen Romanschreiber so sehr nützliche Landschaft. Im Buschwerk lauert der feindliche Ureinwohner, huscht geheimnisvoll umher und kommt von Zeit zu Zeit herausgeschlüpft, um den Siedler zu überrumpeln und niederzumetzeln; dann schlüpft er wieder zurück und hinterläßt keine Spur, die der weiße Mann verfolgen könnte. Im Buschwerk verirrt sich die Heldin des Schriftstellers, die Suche hat keinen Erfolg; sie irrt hierhin und dahin, bricht schließlich erschöpft und ohnmächtig zusammen, die Suchexpedition geht ein oder zwei Yard neben ihr vorüber, ohne zu ahnen, daß sie so nahe ist, und später findet irgendein Wanderer ihre Gebeine und das erschütternde Tagebuch, das sie mit versagender Hand gekritzelt und zurückgelassen hat. Nur der eingeborene Spurenleser kann eine verirrte Heldin im Buschwerk finden, und der gibt sich nicht für das Unternehmen her, wenn es nicht in den Plan des Schriftstellers paßt. Das Buschwerk erstreckt sich meilenweit nach allen Richtungen und sieht aus wie ein flaches Dach aus Buschwipfeln ohne Lücke oder Riß – allem Anschein nach so nahtlos wie eine Decke. Mir scheint, man könnte ebensogut unter Wasser laufen und dabei hoffen, einen Weg zu finden und auf ihm zu bleiben. Und doch wird behauptet, daß der eingeborene Spurenleser fähig gewesen sei, Leute aufzustöbern, die sich im Buschland verirrt hatten. Auch im Urwald, auch in der Wüste; und er habe ihnen sogar über kahle Felsenstrecken und Schwemmland folgen können, von dem scheinbar jeder Fußabdruck weggespült worden war.

Aus der Lektüre australischer Bücher und aus der Unterhaltung mit den Leuten gewann ich die Überzeugung, daß die detektivischen Leistungen der eingeborenen Spurenleser von einer Geschicklichkeit, einem Scharfsinn, einem klaren Verstand und einer peinlich genauen Beobachtungsgabe zeugen, die man bei keinem anderen Volk, ob weiß oder farbig, auch nur in annähernd so erstaunlichem Maße findet. In einem amtlichen Bericht über die schwarze Bevölkerung Australasiens, den die Regierung von Victoria veröffentlichte, liest man, daß der Ureinwohner nicht nur die schwachen Spuren bemerkt, welche die Krallen eines kletternden Opossums auf der Rinde eines Baumes hinterlassen haben, sondern irgendwie auch weiß, ob die Spuren am selben Tag oder am Tag vorher entstanden sind.

Und es gibt den schriftlich niedergelegten Fall, wo A., ein Siedler, mit B. wettet, daß B. eine Kuh so gründlich wie nur möglich verstecken soll und A. einen Ureinwohner stellen wird, der sie findet. B. wählt eine Kuh aus und zeigt dem Spurenleser ihren Hufabdruck, dann läßt er ihn bewachen. Nun treibt B. die Kuh ein paar Meilen weit einen Kurs, der in alle Richtungen abschweift und häufig im Bogen auf sich selbst zurückkommt; und er sucht immerzu schwierigen Grund, treibt die Kuh sogar ein oder zweimal durch ganze Kuhherden und läßt ihre Spuren in dem Durcheinander der anderen aufgehen. Schließlich bringt er seine Kuh nach Hause; der Ureinwohner wird freigelassen und schreitet sogleich einen großen Kreis ab, wobei er alle Kuhspuren untersucht, bis er diejenige findet, hinter der er her ist; dann bricht er auf, folgt ihr auf ihrem ganzen ziellosen Kurs und geht ihr schließlich bis zu dem Stall nach, wo B. die Kuh versteckt hat. Worin unterscheidet sich eine Rinderspur wohl von der anderen? Ein Unterschied muß bestehen, sonst hätte der Spurenleser die Leistung nicht vollbringen können; ein winziger, wesenloser und von Ihnen oder mir oder dem verstorbenen Sherlock Holmes nicht zu entdeckender Unterschied, und doch dem Angehörigen einer Rasse erkennbar, die manche Leute beschuldigen, den untersten Platz auf der Stufenleiter menschlicher Intelligenz einzunehmen.

18. KAPITEL

Der Zug erforschte jetzt ein schönes Hügelland und wand sich durch liebliche kleine, grüne Täler hindurch. Es gab da verschiedene Gummibaumarten, darunter viele Riesenexemplare. Einige ähnelten in Gestalt und Rinde dem Bergahorn; andere wirkten phantastisch und erinnerten an die wunderlichen Apfelbäume auf japanischen Bildern. Und ein eigenartig schöner Baum trat auf, dessen Namen und Art ich nicht kannte. Das Nadelwerk schien aus großen Büscheln von Fichtennadeln zu bestehen, wobei die untere Hälfte jeden Büschels eine satte braune oder altgoldene Farbe, die obere Hälfte ein überaus grelles, lebhaftes, schreiendes Grün aufwies. Die Wirkung war einfach bezaubernd. Der Baum war offenbar selten. Ich möchte sagen, daß das erste und das letzte Exemplar, die wir sahen, nicht weiter als eine halbe Stunde auseinanderstanden. Es gab noch einen Baum von auffallendem Aussehen, eine Fichtenart, wie man uns sagte. Sein Nadelkleid war anscheinend so fein wie Haar, und diese Masse wölbte sich über dem nackten, geraden Stamm wie eine Explosion dunstigen Rauches. Er war nicht gesellig veranlagt; er versammelte sich nicht in Gruppen oder zu Paaren, nein, jeder einzelne stand weit von seinem nächsten Nachbarn entfernt. Er verteilte sich in dieser weiträumigen und unnahbaren Art über die Hänge schwellender, grasbedeckter Hügel und stand in der vollen Flut des wunderschönen Sonnenlichtes; und so weit, wie man den Baum selbst erkennen konnte, erkannte man auch den tintenschwarzen Flecken seines Schattens auf dem leuchtendgrünen Teppich zu seinen Füßen.

Irgendwann auf dieser Bahnfahrt sahen wir Stechginster und Besenginster – Importe aus England –, und ein Herr, der zu einem Besuch in unser Abteil kam, versuchte mir zu erklären, welcher von beiden welcher sei; aber da er es selbst nicht wußte, fiel es ihm schwer. Er sagte, seine Unkenntnis sei ihm peinlich, aber man habe ihm in den mehr als fünfzig Jahren, die er in Australien verbracht habe, noch niemals diese Frage gestellt, und so habe er sich eben nie für den Fall interessiert. Aber es brauchte ihm nicht peinlich zu sein. Die meisten von uns haben diesen Fehler. Wir nehmen an neuartigen Dingen ein natürliches Interesse, aber es widerspricht unserer Natur, für vertraute Sachen Anteilnahme aufzubringen. Stechginster und Besenginster verliehen der Landschaft einen sehr schönen Akzent. Hier und da flammten sie vor einem gedämpften oder düsteren Hintergrund in einer jähen Feuersbrunst von grellen Gelbtönen auf, was so überwältigend wirkte, daß man vor angenehmer Überraschung den Atem anhielt. Dann gab es noch die Wattleakazie, einen einheimischen Strauch oder Baum, eine hinreißende Wolke aus prächtig gelben Blüten. Sie ist ein Liebling der Australier und hat einen zarten Duft, eine Eigenschaft, die australischen Blüten gewöhnlich fehlt.

Der Herr, der mich mit seinen spärlichen Kenntnissen über Stechginster und Besenginster bereicherte, erzählte mir, daß er als Zwanzigjähriger aus England herübergekommen sei und die Provinz Südaustralien mit 36 Schilling in der Tasche betreten habe – ein Abenteurer ohne Geschäft, Beruf oder Freunde, aber mit einem festumrissenen Ziel im Kopf: er wollte bleiben, bis er 200 Pfund wert wäre, dann nach Hause zurückkehren. Er gab sich fünf Jahre Frist für die Anhäufung dieses Vermögens.

„Das geschah vor mehr als fünfzig Jahren", sagte er, „und hier bin ich immer noch."

Als er hinausging, begegnete er an der Tür einem Freund, wandte sich um und stellte ihn mir vor, und der Freund und ich unterhielten uns und rauchten. Ich sprach von der vorangegangenen Unterhaltung und sagte, es liege etwas sehr Ergreifendes in diesem halben Jahrhundert des Exils, und ich wünschte, der Plan mit den 200 Pfund wäre gelungen.

„Bei *ihm*? Er ist gelungen. Der Fall ist nicht so besonders traurig. Der Junge kam gerade rechtzeitig in Südaustralien an, um bei der Entdeckung der Burra-Burra-Kupferminen mitzuhelfen. In den ersten drei Jahren warfen sie 700 000 Pfund ab. Bis jetzt haben sie 20 000 000 Pfund erbracht. Er hat seinen Anteil davon abbekommen. Bevor der Junge zwei Jahre im Lande war, hätte er heimkehren und ein Dorf aufkaufen können; jetzt könnte er hingehen und eine Großstadt aufkaufen, glaube ich. Nein, sein Fall hat nichts so besonders Ergreifendes. Er und sein Kupfer kamen genau zur rechten Zeit, um Südaustralien zu retten. Der Zusammenbruch einer Grundstückskonjunktur hatte es eine Weile vorher ziemlich plattgequetscht."

Das ist sie wieder, die pittoreske Geschichte des Landes – Australiens Spezialität. Im Jahre 1829 wies Südaustralien keinen einzigen Weißen auf. Im

Jahre 1836 erhob das britische Parlament es zur Würde einer Provinz – immer noch eine Einöde – und schenkte ihm einen Gouverneur und weiteres Regierungszubehör. Jetzt griffen Spekulanten zu, stellten einen großangelegten Besiedelungsplan auf die Beine und regten die Einwanderung an, indem sie mit verschwommenen Verheißungen schnell zu erreichenden Wohlstandes dazu ermutigten. In London wurde wirksame Reklame gemacht; Bischöfe, Politiker und alle möglichen Leute rissen sich um die Aktien der Siedlungsgesellschaft. Bald begannen Einwanderer in die Gegend von Adelaide einzuströmen und sich im Sand und in den Mangrovensümpfen am Meer Stadtgrundstücke und Farmen auszusuchen. Es kamen immer mehr Massen, die Landpreise stiegen, höher und immer höher, alle waren reich und glücklich, die Konjunktur schwoll zu gigantischem Ausmaß an. Ein Dorf aus Wellblechhütten und Bretterbuden schoß aus dem Sand auf, und in diesen Wigwams spreizte sich die elegante Welt; reichgekleidete Damen spielten auf teuren Pianos, Londoner Gecken in Abendanzug und Lackschuhen gab es im Überfluß, und in dieser Hauptstadt aus bescheidenen Schuppen trank die vornehme Gesellschaft Sekt und gab sich auch sonst so, wie sie es in den aristokratischen Vierteln der Weltmetropole zu tun gewöhnt war. Die Provinzialregierung errichtete für sich selbst kostspielige Bauten und für ihren Gouverneur einen von Gärten umgebenen Palast. Der Gouverneur besaß eine Wachtruppe und hielt Hof. Man baute Straßen, Hafenanlagen und Krankenhäuser. Das alles auf Kredit, auf Papier, auf aufgeblähten und fiktiven Werten – buchstäblich auf dem blauen Dunst der Hausse.

Das ging vier oder fünf Jahre lang wunderbar. Dann kam jäh der Zusammenbruch. Erhebliche Wechsel, die der Gouverneur auf das Schatzamt gezogen hatte, wurden nicht honoriert, der Kredit der Siedlungsgesellschaft ging in Rauch auf, eine Panik folgte, Kurse fielen ins Bodenlose, die bestürzten Einwanderer rafften ihre Habe auf, flohen in andere Gegenden und hinterließen das gelungene Ebenbild einer Einöde, wo bis vor kurzem ein summender und wimmelnder menschlicher Bienenstock gewesen war.

Adelaide stand tatsächlich fast leer; seine Bevölkerung war auf 3000 Menschen abgesunken. Zwei Jahre oder länger hielt der Todesschlaf an. Aussicht auf Wiederbelebung bestand nicht; die Hoffnung darauf verging. Dann, so plötzlich, wie die Erstarrung eingetreten war, kam die Auferstehung. Die erstaunlich reichen Kupferminen wurden entdeckt, die Leiche stand auf und tanzte.

Die Wollerzeugung begann zu steigen; es folgte der Getreideanbau – und er folgte so energisch, daß vier oder fünf Jahre nach dem Kupferfund diese kleine Kolonie, die vorher ihr Brotgetreide einführen und schweres Geld dafür bezahlen mußte – einmal fünfzig Dollar für ein Faß Mehl –, bereits Getreide ausführte. Die Glückssträhne hielt an. In dem Wunsch, Neusüdwales ihre besondere Wertschätzung zu erweisen und eine liebevolle Anteilnahme an seinem Wohlergehen zu bekunden, die allen Nationen die Anerkennung der bemerkenswerten Rechtschaffenheit und der hervorragenden Verdienste dieser Kolonie bestätigen sollte, schenkte die Vorsehung nach vielen Jahren der Provinz jene Fundgrube unvorstellbarer Reichtümer, Broken Hill; und Südaustralien ging über die Grenze und nahm sie sich mit bestem Dank.

Zu unseren Mitreisenden gehörte ein Amerikaner mit einem einzigartigen

Beruf. Einzigartig ist ein starkes Wort, aber ich verwende es zu Recht, wenn ich das, was mir der Amerikaner erzählte, richtig aufgefaßt habe; denn wie ich verstand, sagte er, in der ganzen Welt sei kein anderer Mensch in dem Geschäft tätig, das er betreibe. Er kaufte die Ausbeute an Känguruhhäuten auf; die ganze Ausbeute, die australische und die tasmanische; er kaufte sie für eine amerikanische Firma in New York. Die Preise seien nicht hoch, da es keine Konkurrenz gebe, aber die gesamte Jahresausbeute an Häuten werde ihn doch 30 000 Pfund kosten. Ich hatte die Vorstellung gehabt, daß das Känguruh in Tasmanien so ziemlich ausgestorben und auf dem Festland sehr selten geworden sei. In Amerika werden die Häute gegerbt und zu Schuhen verarbeitet. Nach dem Gerben nimmt das Leder einen neuen Namen an, den ich vergessen habe – ich erinnere mich nur, der neue Name weist nicht darauf hin, daß das Känguruh das Leder liefert. Vor einigen Jahren bestand eine Zeitlang eine deutsche Konkurrenz, aber die hat aufgehört. Es gelang den Deutschen nicht, hinter das Geheimnis zu kommen, wie man die Häute erfolgreich gerbt, und sie zogen sich aus dem Geschäft zurück. Also bitte, ich glaube doch einem Manne begegnet zu sein, dessen Tätigkeit wirklich berechtigt ist, das großmächtige Beiwort „einzigartig" zu führen. Und ich glaube, daß es keine andere Tätigkeit auf der Welt gibt, die den Händen eines einzigen Menschen vorbehalten ist. Mir fällt kein Beispiel dafür ein. Es gibt mehr als einen Papst, es gibt mehr als einen Kaiser, es gibt sogar mehr als einen lebendigen Gott, der auf Erden wandelt und in aller Aufrichtigkeit von vielköpfigen Völkerschaften angebetet wird. Ich habe in Indien selbst zwei dieser Wesen gesehen und gesprochen, und von einem besitze ich ein Autogramm. Ich schätze, das kann mir einmal nützlich sein, wenn ich es einem „Passierschein" beifüge.

In der Nähe von Adelaide stiegen wir vom Zug ab, wie die Franzosen sagen, und wurden in einem offenen Wagen über Hügel und durch Täler in die Stadt gefahren. Es war ein Ausflug von einer oder zwei Stunden, und ich glaube, man könnte bei der Schilderung seiner Reize gar nicht übertreiben. Die Straße wand sich um Klüfte und Schluchten und bot die mannigfaltigste Szenerie und Aussicht – Berge, Klippen, Landhäuser, Gärten, Wälder – Farbe, Farbe, Farbe überall, die Luft rein und frisch, der Himmel blau und kein Wölkchen, das das strahlend herabströmende Sonnenlicht verdunkelt hätte. Und schließlich öffnete sich das Tor der Berge, die riesige Ebene lag unten ausgebreitet und dehnte sich auf allen Seiten bis in verschwommene Fernen aus, sanft, zart, liebreizend und schön. Am nahen Rand dieser Ebene ruhte die Stadt.

Wir fuhren hinab und in die Stadt hinein. Nichts erinnerte an die bescheidene Ortschaft aus Hütten und Schuppen in der längst entschwundenen Zeit der Landkonjunktur. Nein, hier stand eine moderne, dicht bebaute Großstadt mit breiten Straßen; mit schönen Wohnstätten überall, die zwischen Laub und Blumen verborgen lagen, und mit einer imponierenden Zahl öffentlicher Gebäude, die wirkungsvoll gruppiert und architektonisch schön waren.

Wohlstand lag in der Luft; denn es herrschte eine neue Konjunktur. In dem Wunsch, der im Westen angrenzenden Kolonie – Westaustralien – besondere Wertschätzung zu erweisen und eine liebende Anteilnahme an ihrem

Wohlergehen zu bekunden, die allen Nationen die Anerkennung der bemerkenswerten Rechtschaffenheit und der hervorragenden Verdienste dieser Kolonie bestätigen sollte, hatte die Vorsehung ihr kürzlich jene fürstliche Schatzkammer goldener Reichtümer, Coolgardie, geschenkt; und nun war Südaustralien um die Ecke gebogen und hatte es sich mit bestem Dank genommen. Dem wird alles gegeben, der geduldig und gut ist − und abwartet.

Aber Südaustralien darf vieles für sich beanspruchen, denn offenbar ist es ein gastliches Land für jeden Fremden, der kommen mag; und auch für seine Religion. Nach der letzten Volkszählung hat es eine Bevölkerung von nur etwas mehr als 320 000 Menschen, und doch deutet die Mannigfaltigkeit seiner Religionen darauf, daß sich innerhalb seiner Grenzen Menschen aus so ziemlich jedem erdenklichen Teil der Erde aufhalten. In eine Tabelle gebracht, geben diese Spielarten der Religion ein bemerkenswertes Bild ab. Man müßte lange suchen, um seinesgleichen zu finden. Ich schiebe hier diese kosmopolitische Merkwürdigkeit ein, sie entstammt dem Ergebnis der Volkszählung:

Anglikanische Kirche	89 271	Kirche Christi	3 367
Katholiken	47 179	Gesellschaft der Freunde	100
Wesleyaner	49 159	Heilsarmee	4 356
Lutheraner	23 328	Neu-Jerusalem-Gemeinde	168
Presbyterianer	18 206	Juden	840
Kongregationalisten	11 882	Protestanten	
Bibelforscher	15 762	(nicht spezifiziert)	5 532
Ältere Methodisten	11 654	Mohammedaner	299
Baptisten	17 547	Konfuzianer usw.	3 884
Brüdergemeine	465	andere Religionen	1 719
Jüngere Methodisten	39	Einwand erhoben	6 940
Unitarier	688	nicht angegeben	8 046
		Gesamtsumme	320 431

Der Posten „andere Religionen" in dieser Liste umfaßt nach den amtlichen Angaben folgende:

Agnostiker	50	Christi Nachfolger	8
Atheisten	22	Bibelgemeinde	11
Christgläubige	4	Griechische Kirche	44
Buddhisten	52	Ungläubige	9
Calvinisten	46	Maroniten	2
Christadelphianer	134	Mennoniten	1
Christengemeinschaft	308	Mährische Brüder	139
Christkapelle	9	Mormonen	4
Christliches Israel	2	Naturalisten	2
Christliche Sozialisten	6	Gotteskirche	6
Freidenker	258	Kosmopoliten	3
Deisten	14	andere (nicht spezifiziert)	17
Evangelisten	60	Heiden	20
Exklusive Brüder	8	Pantheisten	3
Freie Kirche	21	Plymouth-Brüder	111

Freie Methodisten	5	Rationalisten	4
Säkularisten	12	Reformierte	7
Adventisten	203	Innere Mission	16
Zitterer	1	Waliser Kirche	27
Schintoisten	24	Hugenotten	2
Spiritisten	37	Hussiten	1
Theosophen	9	Zoroastriker	2
Orthodoxe	4	Zwinglianer	1

Wohl vierundsechzig Wege in die andere Welt. Sie sehen, wie bekömmlich die religiöse Atmosphäre ist. Alles kann darin leben. Agnostiker, Atheisten, Freidenker, Ungläubige, Mormonen, Heiden, Nichtspezifizierte: sie sind alle da. Und alle großen Sekten der Welt können mehr als bloß hier leben: sie können sich ausbreiten, blühen, gedeihen. Alle, mit Ausnahme der Spiritisten und der Theosophen. Das ist das merkwürdigste an dieser merkwürdigen Tabelle. Was ist mit der Geisterwelt los? Warum pustet man sie dort weg? Überall sonst auf der Erde ist sie eine beliebte Spielerei.

19. KAPITEL

> Mitleid den Lebenden, Neid den Toten.
>
> *Querkopf Wilsons Neuer Kalender*

Die Nachfolgerin des Wellblechdörfchens auf den Mangrovensümpfen besitzt auch die andere australische Spezialität, den Botanischen Garten. Uns sind solche Paradiesgärten unerreichbar. Wir könnten höchstens ein riesiges Gelände mit Glas überdachen und die Dampfheizung in Betrieb setzen. Aber das wäre unzweckmäßig, die Mängel wären immer noch zu groß: das Gefühl, eingesperrt zu sein, das Gefühl, zu ersticken, die dunstige Luft, die klebrige Wärme – das hätten wir alles, statt wie in Australien freien Himmel, Sonnenschein und frische Luft. Was bei uns unter Glas wächst, gedeiht in Australien üppig im Freien.* Als der weiße Mann kam, war der Kontinent fast so arm an Vegetationsformen wie die Wüste Sahara. Jetzt trägt er alles, was überhaupt auf Erden wächst. Tatsächlich hat nicht nur Australien, sondern ganz Australasien von der Flora der übrigen Welt Tribut empfangen; und wohin man kommt, hat man das Ergebnis vor Augen, in privaten und öffentlichen Gärten, in den grünen Mauern zu beiden Seiten der Landstraßen und sogar in den Wäldern. Sieht man merkwürdige oder besonders schöne Bäume oder Sträucher oder Blumen und erkundigt sich danach, nennen die Leute in der Antwort gewöhnlich ein fremdes Land als Ursprung – Indien, Afrika, Japan, China, England, Amerika, Java, Sumatra, Neuguinea, Polynesien und so weiter.

Im Zoologischen Garten von Adelaide habe ich den einzigen Riesenkö-

---

* Die größte Hitze in Victoria, die zuverlässige Chroniken belegen, herrschte in Sandhurst im Januar 1862. Damals zeigte das Thermometer 47° im Schatten an. Im Januar 1880 betrug die Hitze in Adelaide, Südaustralien, 77° in der Sonne.

nigsfischer oder „Lachenden Esel" gesehen, der jemals eine Neigung zeigte, mir gegenüber höflich zu sein. Dieser riß den Kopf weit auf und lachte wie ein Teufel; oder wie ein Irrer, der vor wütender Heiterkeit über einen billigen und gemeinen Witz fast umkommt. Es war ein sehr menschliches Lachen. Wenn er außer Sichtweite gewesen wäre, hätte ich glauben können, das Gelächter rühre von einem Menschen her. Es ist ein wunderlich aussehender Vogel, dessen Kopf und Schnabel für seinen Körper viel zu groß sind. Im Laufe der Zeit wird der Mensch die übrigen wilden Tiere Australiens ausrotten, aber dieses eine wird wahrscheinlich am Leben bleiben, denn der Mensch ist sein Freund und läßt es in Ruhe. Der Mensch hat stets einen guten Grund für seine Barmherzigkeit gegenüber wilden Geschöpfen, Mensch oder Tier – wenn er überhaupt welche aufbringt. In diesem Falle wird der Vogel verschont, weil er Schlangen tötet. Wenn L. E. auf meinen Rat hört, tötet er nicht alle.

In diesem Garten habe ich auch den australischen Wildhund, den Dingo, gesehen. Es war ein schönes Tier – wohlgestaltet, anmutig, in einigen Zügen ein bißchen wölfisch, aber mit außerordentlich freundlichem Blick und von geselliger Veranlagung. Der Dingo ist kein Import; er war in großer Zahl gegenwärtig, als die Weißen zum ersten Mal den Kontinent betraten. Vielleicht ist er der älteste Hund des Universums; sein Ursprung, seine Abstammung, der Ort, an dem seine Vorfahren zuerst erschienen, sind so unbekannt und unerforschlich wie die des Kamels. Er ist der wunderbarste Hund der Welt, denn er bellt nicht. Aber in einer bösen Stunde verfiel er darauf, die Schafweiden heimzusuchen, um seinen Hunger zu stillen, und das hat sein Schicksal besiegelt. Jetzt jagt man ihn, als wäre er ein Wolf. Er ist zur Ausrottung verurteilt, und das Urteil wird vollstreckt werden. Das ist in Ordnung, und nichts ist dagegen einzuwenden. Die Welt ist für den Menschen geschaffen – den weißen Menschen.

Südaustralien ist irreführend benannt. Die Kolonien erstrecken sich alle nach Süden, mit einer Ausnahme – Queensland. Korrekt gesprochen ist Südaustralien *Mittel*australien. Es zieht sich schnurgerade durch die Mitte des Kontinents wie das Mittelbrett in einem Ausziehtisch. Es ist von Süden bis Norden 2000 Meilen hoch und etwa ein Drittel so breit. Ein winzig kleiner Fleck unten in seiner südöstlichen Ecke trägt acht oder neun Zehntel der Bevölkerung; die anderen ein oder zwei Zehntel sind woanders –· so sehr woanders, wie sie es in den Vereinigten Staaten sein könnten, wenn sie das ganze Land zwischen Denver und Chicago, zwischen Kanada und dem Golf von Mexiko hätten, um sich darauf zu verteilen. Es ist reichlich Platz.

Eine Telegrafenleitung zieht sich in genau nördlicher Richtung durch diese 2000 Meilen Wildnis und Wüste hin, von Adelaide bis Port Darwin am Rande des oberen Ozeans. Diese Leitung hat Südaustralien gebaut, und zwar 1871/72, als seine Bevölkerung nur 185 000 Menschen zählte. Es war eine große Aufgabe; denn es waren keine Straßen, keine Wege vorhanden; 1300 Meilen der Strecke hatten Weiße erst ein einziges Mal vorher durchquert; Lebensmittel, Draht und Masten mußte man über riesige Wüstenstrecken befördern; entlang der Strecke mußte man Brunnen graben, um Menschen und Vieh mit Wasser zu versorgen.

Von Port Darwin nach Java und von da aus nach Indien war bereits ein

Kabel gelegt, und von Indien aus bestand telegrafische Verbindung mit England. Wenn also Adelaide die Verbindung mit Port Darwin herstellen konnte, bedeutete das Verbindung mit der ganzen Welt. Das Unternehmen gelang. Nun konnte man den Londoner Markt täglich verfolgen; der Nutzen für die Wollzüchter Australiens war sofort zu spüren und beträchtlich.

Ein Telegramm von Melbourne nach San Francisco legt annähernd 20 000 Meilen zurück – das entspricht fünf Sechsteln des Erdumfangs. Es muß unterwegs ziemlich oft Zwischenhalt machen und wiederholt werden; dennoch entsteht nur geringer Zeitverlust. Diese Zwischenstationen und die Entfernungen zwischen ihnen erscheinen in folgender Tabelle:

	Meilen
Melbourne – Mount Gambier	300
Mount Gambier – Adelaide	270
Adelaide – Port Augusta	200
Port Augusta – Alice Springs	1036
Alice Springs – Port Darwin	898
Port Darwin – Banjuwangi	1150
Banjuwangi – Batavia	480
Batavia – Singapur	553
Singapur – Penang	399
Penang – Madras	1280
Madras – Bombay	650
Bombay – Aden	1662
Aden – Suez	1346
Suez – Alexandria	224
Alexandria – Malta	828
Malta – Gibraltar	1008
Gibraltar – Falmouth	1061
Falmouth – London	350
London – New York	2500
New York – San Francisco	3500

Einige Monate später war ich wieder in Adelaide und sah die Menschenmassen in der benachbarten Stadt Glenelg zusammenströmen, um der „Verlesung der Proklamation" zu gedenken, mit welcher 1836 die Provinz gegründet wurde. Sollte ich es irgendwann einmal Kolonie genannt haben, so nehme ich die Unhöflichkeit zurück. Südaustralien ist keine Kolonie, es ist eine Provinz; und zwar ganz offiziell. Mehr noch, es trägt in ganz Australasien als einzige diese Bezeichnung. Es herrschte große Begeisterung; es war der Nationalfeiertag der Provinz, sozusagen ihr 4. Juli. Es ist der alles überragende Feiertag; und das will in einem Land viel heißen, wo man offenbar eine höchst unenglische Vorliebe für Feiertage hegt. Hauptsächlich sind es Arbeiterfeiertage; denn in Südaustralien ist der arbeitende Mensch König; seine Wahlstimme ist das begehrte Ziel des Politikers – sie ist geradezu der Lebensatem des Politikers; das Parlament existiert, um den Willen des Arbeiters zu verkünden, und die Regierung existiert, um ihn auszuführen.

* Aus „Rund um das Empire" von George R. Parkin, bis auf die letzten zwei.

Überall in Australien ist der Arbeiter eine bedeutende Macht, aber Südaustralien ist sein Paradies. Er hat es schwer gehabt in dieser Welt und ein Paradies verdient. Ich freue mich, daß er es gefunden hat. Die Feiertage sind dort so häufig, daß es den Fremden verwirrt. Ich versuchte das System zu enträtseln, aber es gelang mir nicht.

Sie haben gesehen, daß die Provinz in religiöser Hinsicht tolerant ist. Das ist sie auch in politischer Hinsicht. Einer der Festredner bei dem Gedenktagsbankett, der Minister für öffentliche Arbeiten, war Amerikaner, in Neuengland geboren und aufgewachsen. Der Provinz haftet nichts Enges an, weder politisch noch in irgendeiner anderen Hinsicht, die mir bekannt ist. Vierundsechzig Religionen und einen Yankee als Kabinettsminister. Keine noch so große Zahl von Pferderennen kann dieses Gemeinwesen in die Verdammnis bringen.

Die mittlere Temperatur der Provinz beträgt 17°, die Sterblichkeitsziffer 13 von 1000 – ist etwa halb so hoch wie die der Stadt New York, glaube ich, und New York ist eine gesunde Stadt. 13 lautet die Sterblichkeitsrate für den Durchschnittsbürger der Provinz, aber für alte Leute scheint es keine Sterblichkeitsrate zu geben. An dem Gedenktagsbankett nahmen Leute teil, die sich noch an Cromwell erinnern konnten. Sie waren sechs an der Zahl. Diese alten Siedler waren alle bei der ursprünglichen Verlesung der Proklamation im Jahre 1836 dabeigewesen. Äußerlich ließen sie der Zeit verwelkende und verdorrende Kraft erkennen, aber innerlich waren sie jung; jung und fröhlich, und sie sprachen gern; sie sprachen gern, und zwar so viel man wünschte; wenn sie an der Reihe waren und auch außer der Reihe. Sie sollten sechs Reden halten und hielten zweiundvierzig. Der Gouverneur, das Kabinett und der Bürgermeister sollten zweiundvierzig Reden halten, und sie hielten sechs. Großartigen Mumm haben sie, die alten Siedler, großartige Ausdauer. Aber sie hören schwer, und wenn sie den Bürgermeister Bewegungen machen sehen, die sie als die Einführung eines Redners erkennen, nehmen sie an, sie wären derjenige, stehen alle gleichzeitig auf und fangen höchst angeregt und erfreut an zu erwidern; und je mehr der Bürgermeister gestikuliert und „Hinsetzen! Hinsetzen!" ruft, desto sicherer halten sie es für Beifall, und desto mehr steigert sich ihre Erregung, Erinnerung und Begeisterung; und wenn sie dann den ganzen Saal lachen und weinen sehen, glauben drei der Alten, das wäre wegen der einstigen bitterschweren Mühsal, die sie gerade schildern, und die anderen drei glauben, das Gelächter käme von den Witzen, die sie gerade vom Stapel gelassen haben – Witzen des Jahrgangs 1836 –, und *dann* legen sie erst mal los! Und wenn schließlich Ordner kommen, flehen und bitten und sie sanft und ehrerbietig auf ihre Sitze zurückdrängen, sagen sie: „Oh, ich bin gar nicht müde – ich könnte eine Woche so weitermachen!", und da sitzen sie, so schlicht und kindlich, so freundlich, stolz auf ihre Rednerleistung und völlig nichtsahnend, was am anderen Ende des Saales vor sich geht. Nun hat einer der hohen Würdenträger eine Chance und beginnt mit Nachdruck und feierlichem Ernst seine sorgfältig ausgearbeitete Rede:

„Wenn wir, die wir jetzt groß und wohlhabend und mächtig sind, das Haupt in ehrfürchtigem Staunen neigen vor jener erhabenen Verkörperung der Energie, der Weisheit und der vorausschauenden Klugheit…"

Da stehen diese unverwüstlichen sechs schon wieder auf den Beinen wie ein Mann, und mit einem fröhlichen „He, mir ist noch einer eingefallen!" legen sie wieder los aus Leibeskräften, nehmen nichts von dem Hexenkessel wahr, der ihnen entgegenbrandet, sondern halten wie vorher alle Anzeichen heftiger Bewegung für Beifall und dröhnen fröhlich weiter, bis die flehenden Ordner sie wieder auf ihre Stühle zurückbitten. Und das ist wirklich schade; denn diese reizenden alten Knaben haben es so genossen, ihre heroische Jugend in diesen Tagen ihres gefeierten Alters noch einmal zu durchleben; und ganz gewiß waren die Sachen, die sie zu erzählen hatten, gewöhnlich des Erzählens und des Zuhörens wert.

Es war ein bewegender Anblick; bewegend in verschiedenem Sinne, denn er war wunderbar komisch und gleichzeitig tief ergreifend; sie hatten soviel gesehen, diese verwitterten Veteranen, und soviel gelitten; und sie hatten so fest und so gut gebaut und die Fundamente ihres Gemeinwesens so tief in Freiheit und Toleranz eingebettet; und sie hatten es erleben dürfen, wie der Bau zu solcher Stattlichkeit und Würde emporwuchs und sie selbst um ihres ehrwürdigen Werkes willen so gepriesen wurden.

Einer dieser alten Herren erzählte mir später einiges Interessante; hauptsächlich über die Ureinwohner. Er hielt sie für intelligent – in mancher Hinsicht sogar bemerkenswert intelligent – und sagte, daß sie neben ihren unerfreulichen Eigenschaften einige überaus gute besessen hätten; und er hielt es für sehr bedauerlich, daß die Rasse ausgestorben sei. Als Beispiel für ihre Intelligenz führte er die Erfindung des Bumerangs und des „Wit-wit" an, und zum weiteren Beweis sagte er, niemals habe er einen Weißen gesehen, der geschickt genug gewesen wäre, die Wundertaten zu lernen, welche die Ureinwohner mit diesen zwei Spielsachen vollbrachten. Er sagte, selbst die gewandtesten Weißen hätten schließlich zugeben müssen, daß sie den Dreh mit dem Bumerang nicht bis ins letzte wegbekamen; es steckten Möglichkeiten in ihm, die sie nicht zu meistern verstünden. Der Weiße könne die Bewegungen des Bumerangs nicht beherrschen, könne ihn nicht zum Gehorsam zwingen; aber die Ureinwohner haben dies fertiggebracht. Er erzählte mir einige erstaunliche Sachen, die er Schwarze mit dem Bumerang und dem Wit-wit hatte vollbringen sehen. Inzwischen haben andere frühe Ansiedler und zuverlässige Bücher sie mir bestätigt.

Es wird behauptet – und wohl auch anerkannt –, daß der Bumerang in der Römerzeit gewissen wilden Stämmen Europas bekannt gewesen sei. Zur Bekräftigung zitiert man Vergil und zwei andere römische Dichter. Es wird behauptet, er sei den alten Ägyptern bekannt gewesen.

Dann ist eine von zwei Möglichkeiten offensichtlich: entweder ist in uralter Zeit, bevor die europäische Kenntnis des Bumerangs verlorengegangen war, jemand mit so einem Ding in Australien gelandet, oder der australische Ureinwohner hat sie neu erfunden. Es wird einige Zeit dauern, herauszubekommen, welche dieser zwei Hypothesen den Tatsachen entspricht. Aber es eilt ja nicht.

20. KAPITEL

Der Güte Gottes danken wir es, daß wir in unserem Lande diese drei unsagbar kostbaren
Dinge besitzen: Redefreiheit, Gewissensfrei-
heit und die Klugheit, keine von beiden jemals auszuüben.

Querkopf Wilsons Neuer Kalender

Aus dem Tagebuch:

Mr. G. besuchte mich. Ich hatte ihn mehrere Jahre – seit Nauheim, Deutschland – nicht mehr getroffen; das war damals, als in Hamburg die Cholera ausbrach. Wir unterhielten uns über die Leute, die wir dort kannten oder denen wir flüchtig begegnet waren, und G. sagte:

„Erinnern Sie sich, daß ich Sie einem Grafen, dem Grafen C., vorstellte?"

„Ja. Das war damals, als ich Sie das letzte Mal traf. Sie und er saßen im Wagen und wollten gerade – mit Verspätung – zum Bahnhof fahren. Ich er-innere mich daran."

„Ich erinnere mich auch daran, und zwar, weil damals etwas vorfiel, was ich nicht erwartet hatte. Kurz vorher hatte er mir von einem bemerkenswer-ten und interessanten Kalifornier erzählt, den er kennengelernt habe und der ein Freund von Ihnen sei, und hatte gesagt, wenn er Ihnen jemals begegnen sollte, würde er Sie nach einigen näheren Einzelheiten über diesen Kalifor-nier fragen. Damals in Nauheim kam das nicht zur Sprache, weil wir eilig fortwollten und keine Zeit war; aber mich überraschte folgendes: Als ich Sie vorstellte, sagten Sie: ‚Ich freue mich, Eurer Lordschaft – wieder – zu begeg-nen.' Das ‚wieder' war das Überraschende. Er ist ein bißchen schwerhörig und hat das Wort nicht verstanden. Im Davonfahren konnte ich nur sagen: ‚Nanu, was wissen Sie von ihm?' und hörte Sie sagen: ‚Oh, nichts weiter, nur, daß er den schärfsten Blick für…' – dann waren wir fort, und ich habe den Rest nicht mitbekommen. Ich fragte mich, was das wohl sein könne, wofür er einen so scharfen Blick habe. Seither habe ich oft daran gedacht und mich im-mer wieder gefragt, was das sein mochte. Ich habe mich auch mit ihm dar-über unterhalten, wir konnten es aber nicht herauskriegen. Er nahm an, es müsse sich um Fuchshunde oder Pferde handeln, denn für die hat er einen guten Blick – da ist ihm niemand über. Aber das hätten *Sie* nicht wissen kön-nen, weil Sie *ihn* nicht kannten; Sie hätten ihn für jemand anderen gehal-ten; so müsse es sein, sagte er, denn er wisse, daß Sie ihm noch nie zuvor begegnet seien. Und natürlich waren Sie ihm vorher noch nie begegnet, oder?"

„Doch."

„Tatsächlich? Wo?"

„Bei einer Fuchsjagd in England."

„Wie merkwürdig. Aber er hatte ja nicht die leiseste Erinnerung daran. Haben Sie sich mit ihm unterhalten?"

„Etwas – ja."

„Na, das hat jedenfalls nicht den geringsten Eindruck bei ihm hinterlas-sen. Worüber haben Sie gesprochen?"

„Über den Fuchs. Ich glaube, das war alles."

„Aber *das* interessiert ihn doch; es hätte einen Eindruck hinterlassen müssen. Worüber hat *er* gesprochen?"

„Über den Fuchs."

„Sehr merkwürdig. Ich verstehe das nicht. Hat das, was er gesagt hat, bei Ihnen einen Eindruck hinterlassen?"

„Ja, es zeigte mir, daß er einen scharfen Blick für – aber ich will Ihnen alles erzählen, dann werden Sie begreifen. Es war vor einem Vierteljahrhundert – 1873 oder 74. Ich hatte in London einen amerikanischen Freund namens F., der gern jagte, und seine Freunde, die Blanks, luden ihn und mich ein, zu einer Jagd auf ihren Landsitz hinauszukommen und ihre Gäste zu ein. Am nächsten Morgen verteilte man die Jagdpferde, aber als ich die Tiere sah, überlegte ich es mir und bat darum, zu Fuß gehen zu dürfen. Ich hatte noch nie zuvor ein englisches Jagdpferd gesehen, und mir schien, ich könnte einen Fuchs gefahrloser vom Boden aus jagen. Ich war Pferden gegenüber, selbst solchen von gewöhnlicher Höhe, schon immer zurückhaltend gewesen, und ich fühlte mich der Aufgabe nicht gewachsen, auf einem Pferd zu jagen, das auf Stelzen lief. Da kam mir Mrs. Blank zu Hilfe und sagte, ich könne mit ihr im Jagdwagen fahren, wir würden eine Stelle aufsuchen, die sie kannte, und dort könnten wir die Jagd, wenn sie vorüberkomme, gut beobachten.

Als wir an dieser Stelle anlangten, stieg ich aus, ging ein Stückchen weiter und lehnte mich, die Ellbogen aufgestützt, über eine niedrige Mauer, die ein grasbewachsenes, schönes, großes Feld abgrenzte; es war auf allen Seiten, bis auf die unsere, von dichtem Wald umgeben. Mrs. Blank saß im Jagdwagen, fünfzig Yard von mir entfernt, näher konnte sie mit dem Gefährt nicht herankommen. Ich war sehr gespannt, denn eine Fuchsjagd hatte ich noch nie gesehen. Ich wartete, in Träume und Vorstellungen versunken, in der tiefen Stille und feierlichen Ruhe, die an diesem abgelegenen Flecken herrschten. Nach einiger Zeit wehte von links tief aus dem Wald ein melodisches Hornsignal heraus; dann brach plötzlich eine Meute Hunde aus diesem Wald hervor, fegte vorüber und verschwand in dem Wald rechts; es folgte eine Pause, dann kam eine Schar Reiter in schwarzen Mützen und scharlachroten Röcken aus dem Wald links hervorgebraust und flammte wie ein Präriefeuer über das Feld, ein packender Anblick. Ein Mann war den übrigen voraus, und er sprengte direkt auf mich zu. Er war leidenschaftlich erregt. Es war schön, ihn reiten zu sehen; er war ein glänzender Reiter. Er kam bis auf sieben Fuß an die Stelle herangestürmt, wo ich auf die Mauer gestützt stand, ließ dann sein Pferd auf den hinteren Zehennägeln steil in die Luft steigen und brüllte wie ein Teufel:

,Wo ist der Fuchs hin?'

Mir gefiel dieser Ton nicht sehr, aber ich ließ mir nichts anmerken; denn er war aufgeregt, verstehen Sie. Ich aber war ruhig; und so sagte ich milde und ohne jede Schärfe: ,*Welcher* Fuchs?'

Das brachte ihn anscheinend in Wut. Ich weiß nicht, warum; und er donnerte hervor: ,*Welcher* Fuchs? Na, *der* Fuchs! Wo ist der *Fuchs* hin?'

Ich sagte mit großer Sanftmut, durchaus zu einem klärenden Gespräch bereit: ,Wenn Sie sich noch ein bißchen bestimmter ausdrücken könnten – ein bißchen weniger allgemein –, denn ich bin fremd, und es gibt hier viele

Füchse, wie Sie sogar besser als ich wissen, und wenn ich nicht weiß, welchen Sie eigentlich identifizieren möchten, und…'

,Sie sind ganz bestimmt der verdammteste Idiot, der in den letzten tausend Jahren ausgebrochen ist!' Und er riß sein großes Pferd so mühelos herum, wie ich eine Katze herumreißen würde, und war fort wie ein Hurrikan. Ein sehr erregbarer Mensch.

Ich ging zu Mrs. Blank zurück, und sie war auch aufgeregt – oh, sie sprühte förmlich. Sie sagte:

,Er hat Sie *angesprochen* – nicht wahr?'

,Ja, so war es.'

,Ich habe es doch gewußt! Ich konnte nicht hören, was er sagte, aber ich *wußte*, daß er mit Ihnen sprach! Wissen Sie, wer das war? Es war Lord C. – er ist Oberhofjägermeister! Sagen Sie – wie finden Sie ihn?'

,Ihn? Na, was die Einschätzung eines Fremden betrifft, hat er den raschesten und schärfsten Blick, der mir je vorgekommen ist.'

Das freute sie. Ich hatte mir schon gedacht, daß es sie freuen würde."

G. kam gerade noch rechtzeitig aus Nauheim fort, um nicht von den Quarantäneschranken an den Grenzen zurückgehalten zu werden; wir übrigens auch, denn wir fuhren am nächsten Tag ab. Aber G. hatte sehr viel Mühe, durch den italienischen Zoll zu kommen, und uns wäre es ebenso ergangen, wäre unser Generalkonsul in Frankfurt nicht so umsichtig gewesen. Er stellte mich dem italienischen Generalkonsul vor, und aus diesem Konsulat nahm ich einen Brief mit, der uns alle Hindernisse aus dem Weg räumte. Er enthielt ein Dutzend Zeilen, die mich bloß in allgemeiner Form den Beamten im Dienste Seiner Majestät empfohlen, aber er war mächtiger, als er aussah. Neben einem Berg gewöhnlichen Gepäcks hatten wir noch sechs oder acht Koffer, die ausschließlich mit zollpflichtigem Zeug angefüllt waren – Haushaltartikel, in Frankfurt gekauft und zur Verwendung in Florenz bestimmt, wo wir ein Haus gemietet hatten. Ich wollte diese per Expreß aufgeben; aber im letzten Augenblick erging in ganz Deutschland die Bestimmung, daß die Beförderung von Gepäck mit der Bahn verboten sei, wenn der Besitzer nicht mitfahre. Das waren schlechte Aussichten. Wir mußten diese Sachen mit uns nehmen, und die Verzögerung, die bei der Kontrolle im Zollhaus ganz gewiß entstehen würde, konnte zur Folge haben, daß wir den Zug verpaßten. Ich stellte mir Schrecknisse aller Art vor und bauschte sie immer mehr auf, je näher wir der italienischen Grenze kamen. Wir waren zu sechst, mit all diesem Gepäck belastet, und ich war in der Gruppe der Organisator – der unfähigste, den sie jemals beschäftigten.

Wir kamen an, drängelten uns mit der Menge in das riesige Zollgebäude, und die üblichen Nöte begannen; alle strebten zur Mitte und baten, ihr Gepäck zuerst zu prüfen, und alle Mann plapperten und schnatterten gleichzeitig. Ich hatte den Eindruck, ich könnte da nichts machen; besser alles aufgeben, fortgehen und das Gepäck im Stich lassen. Ich konnte die Sprache nicht; nie würde ich etwas erreichen. Gerade da ging ein hochgewachsener, gutaussehender Mann in einer schönen Uniform vorüber, und ich wußte, das konnte nur der Amtsvorsteher sein – das erinnerte mich an meinen Brief. Ich rannte hin und legte ihm den Brief in die Hände. Er nahm ihn aus dem Umschlag, und sobald sein Blick das königliche Wappen am Kopf des Briefes traf, zog er die Mütze, machte eine bildschöne Verbeugung und sagte auf englisch:

„Welches ist Ihr Gepäck? Bitte zeigen Sie es mir."

Ich zeigte ihm den Berg. Niemand störte dessen Frieden, niemand kümmerte sich um ihn; alle Versuche der Familie, auf ihn aufmerksam zu machen, waren fehlgeschlagen – außer im Falle eines Koffers, der zollpflichtige Waren enthielt. Der wurde gerade geöffnet.

Mein Beamter sagte: „Heda, laß den sein! Schließ ihn zu! Jetzt zeichne ihn ab. Zeichne den ganzen Posten ab. Nun kommen Sie bitte und zeigen Sie mir das Handgepäck."

Er pflügte sich durch die wartende Menge, ich hinterher, zum Abfertigungstisch, und er befahl wieder in seiner knappen, militärischen Art: „Zeichne sie ab. Zeichne sie *alle* ab."

Dann zog er die Mütze, machte wieder die bildschöne Verbeugung und ging davon. Mittlerweile hatten diese Aufmerksamkeiten das Staunen des ganzen Waldes von Passagieren auf sich gelenkt und war das Gerücht kursiert, die königliche Familie sei anwesend und lasse ihr Gepäck abzeichnen; und als wir auf dem Weg zur Tür die Truppen musterten, spürte ich ringsum eine durchdringende Atmosphäre des Neides, was mich tief befriedigte.

Aber bald passierte etwas. Meine Manteltaschen waren vollgestopft mit deutschen Zigarren und Leinensäckchen mit amerikanischem Tabak, und ein Träger folgte uns überallhin und trug über dem Arm diesen Mantel, der allmählich so verrutschte, daß er verkehrt herum hing. Gerade als ich in der Nachhut meiner Familie an den Posten am Ausgang vorüberschritt, fielen etwa drei Hutvoll Tabak heraus auf den Boden. Einer der Soldaten stürzte sich auf ihn, raffte ihn auf, deutete dorthin zurück, woher ich gekommen war, und führte mich vor sich her, wieder an jener langen Mauer von Reisenden entlang – er schnatterte und triumphierte wie ein Teufel, sie schmunzelten in stiller Genugtuung, und ich versuchte so auszusehen, als wäre mein Stolz unverletzt und als machte es mir nichts aus, vor diesen stillvergnügten Leuten blamiert dazustehen, die mich eben noch beneidet hatten. Aber im Herzen fühlte ich mich grausam gedemütigt.

Als ich zwei Drittel der langen Strecke unter Bewachung zurückgelegt hatte und meine Not ihren Höhepunkt erreichte, trat der stattliche Amtsvorsteher irgendwo heraus, der Soldat ließ mich stehen, lief hinter ihm her und holte ihn ein; und ich konnte an den aufgeregten Gesten erkennen, daß er ihm die ganze niederträchtige Geschichte enthüllte. Der Amtsvorsteher war offensichtlich sehr zornig. Er eilte mit langen Schritten auf mich zu, und als er herangekommen war, übergoß er mich augenblicklich mit einem empörten italienischen Redeschwall; dann nahm er plötzlich die Mütze ab, machte jene bildschöne Verbeugung und sagte: „Oh, *Sie* sind es! Ich bitte tausendmal um Entschuldigung! Dieser Idiot hier..." – er wandte sich zu dem frohlockenden Soldaten und spie eine Flut weißglühender italienischer Lava aus, im nächsten Augenblick verneigte er sich, und der Soldat und ich bildeten wieder eine Prozession – diesmal ging *er* voran und schämte sich, und ich trug den Kopf hoch. So marschierten wir an der Menge faszinierter Reisender vorbei, und ich ging mit militärischen Ehren zum Zug. Mit Tabak und allem anderen.

21. KAPITEL

Der Mensch ist zu vielem fähig, um Liebe zu erringen, er ist zu allem fähig, um Neid zu erwecken.

Querkopf Wilsons Neuer Kalender

Bevor ich Australien besuchte, hatte ich überhaupt noch nie von dem Wit-wit gehört. Ich bin nur wenigen Leuten begegnet, die es in Aktion gesehen haben – zumindest bin ich nur wenigen begegnet, die erwähnten, sie hätten gesehen, wie man es warf. Grob gesagt, ist es eine dicke, hölzerne Zigarre, deren Mundstück an einem biegsamen Zweig befestigt ist: Das Ganze ist nur ein paar Fuß lang und wiegt weniger als zwei Unzen. Diese Feder – um sie so zu nennen – wird nicht durch die Luft geworfen, sondern, mit dem Handrücken nach unten, so fortgeschleudert, daß sie ein Stück vor dem Werfer auf den Boden trifft; da prallt sie ab und macht einen langen Satz; prallt wieder ab, springt wieder und immer wieder wie der flache Stein, den ein Junge über das Wasser hüpfen läßt. Das Wasser ist eben, und der Stein findet günstige Bedingungen; deshalb kann ein kräftiger Mann ihn fünfzig oder fünfundsiebzig Yard weit schicken; aber das Wit-wit findet keine so günstigen Bedingungen, denn unterwegs trifft es auf Sand, Gras und Erde. Und doch hat ein gewandter Ureinwohner es eine abgemessene Strecke von *zweihundertzwanzig Yard* weit befördert. Es wäre noch weiter gesprungen, aber es traf unterwegs auf dichtwachsende Farne und Unterholz, und diese bremsten es ab. Zweihundertzwanzig Yard; und ein so leichtes Spielzeug – eigentlich nur eine Maus am Ende eines Stückes Draht; und es segelt nicht durch die schmiegsame Luft, sondern trifft bei jedem Sprung auf Gras und Sand und anderes Zeug. Es klingt völlig unwahrscheinlich; aber Mr. Brough Smyth hat diese Leistung beobachtet, die Messung vorgenommen und den Tatbestand in seinem Buch über das Leben der Ureinwohner niedergelegt, das er im Auftrage der Regierung von Victoria schrieb.

Das Geheimnis dieser Leistung? Niemand erklärt es. Körperkraft kann es nicht sein, denn die könnte ein solches Federgewicht nicht weit bringen. Es muß ein Trick sein. Aber niemand erklärt, wie der Trick aussieht; auch nicht, wie man um das Naturgesetz herumkommt, das besagt, du sollst kein Ding von zwei Unzen Gewicht zweihundertzwanzig Yard weit werfen, weder durch die Luft noch über den Boden schnellend. Ehrwürden J. G. Wood sagt:

„Die Weite, die das Wit-wit oder die Känguruhratte erreichen kann, ist wahrhaft erstaunlich. Ich habe einen Australier auf der einen Seite des Kenningtonovals stehen und die Känguruhratte bis hinüber zur anderen Seite werfen sehen." (Breite des Kenningtonovals nicht angegeben.) „Sie fegt mit dem scharfen und bedrohlichen Pfeifen einer Gewehrkugel durch die Luft, wobei ihre größte Höhe vom Erdboden etwa sieben oder acht Fuß beträgt... Wenn sie richtig geschleudert wird, sieht sie genau wie ein lebendiges, dahinhüpfendes Tier aus... Ihre Bewegungen ähneln verblüffend den weiten Sätzen einer Känguruhratte, die erschreckt flieht und ihren langen Schwanz hinter sich herwehen läßt."

Der alte Siedler sagte, er habe in früheren Zeiten das Wit-wit Strecken zu-

rücklegen sehen, die ihn fast davon überzeugten, daß es ein genauso außerge-
wöhnliches Instrument sei wie der Bumerang.

Diesen nackten, dürren Ureinwohnern muß eine reichliche Portion
Scharfsinn zugefallen sein, sonst wären sie nicht so unerreichte Spurenleser
und Bumeranger und Witwiter gewesen. Nur Rassenhaß kann ihnen ein
Großteil des Rufes einer niedrigen Intelligenzstufe eingebracht haben, in
dem sie seit so langer Zeit vor der Welt standen und noch stehen.

Sie waren faul – schon von jeher. Vielleicht war das der wunde Punkt. Es
ist das ein Mangel mit vernichtenden Folgen. Sicherlich hätten sie ein zweck-
mäßiges Haus erfinden und bauen können, aber sie haben es nicht getan.
Und sie hätten die Kunst des Ackerbaues erfinden und entwickeln können,
aber sie haben es nicht getan. Sie blieben nackt und ohne Behausung, lebten
von Fischen, Raupen, Würmern und wildwachsenden Früchten und waren
einfach Wilde, trotz ihrer ganzen Schlauheit.

Der australische Ureinwohner hatte ein Gebiet von der Größe der Vereinigten Staaten zur Verfügung, um darin zu wohnen und sich zu vermehren,
und kannte keine ansteckenden Krankheiten, bis der Weiße mit diesen und
anderem Zivilisationszubehör daherkam, und doch hat es sehr wahrscheinlich in seiner Geschichte keinen Tag gegeben, an dem er in ganz Australien
100 000 Angehörige seiner Rasse zusammenbringen konnte. Er beschränkte
die Bevölkerungszahl sorgfältig und bewußt, in großem Umfang durch Kin-
destötung; aber hauptsächlich durch gewisse andere Methoden. Nachdem
der Weiße gekommen war, brauchte er diese künstlichen Maßnahmen nicht
mehr anzuwenden. Der Weiße kannte Mittel, die Bevölkerungszahl niedrig
zu halten, die mehrere seiner eigenen wert waren. Der Weiße kannte Mittel,
eine eingeborene Bevölkerung in 20 Jahren um 80 Prozent zu verringern. Die
Eingeborenen hatten so etwas Hervorragendes noch nicht erlebt.

Da ist zum Beispiel der Fall des Landes, das jetzt Victoria heißt – eines
Landes, das achtzigmal größer als Rhode Island ist, wie ich schon gesagt
habe. Nach der zuverlässigsten amtlichen Schätzung lebten dort 4500 Ureinwohner, als die Weißen Mitte der dreißiger Jahre eintrafen. Davon wohnten
1000 in Gippsland, einem Gebiet im Umfang von fünfzehn oder sechzehn
Rhode Islands; diese verminderten sich nicht so schnell wie einige der anderen Stämme; tatsächlich waren nach 40 Jahren immer noch 200 übrig. Der
Geelongstamm nahm viel befriedigender ab; von 173 Personen schwand er
binnen 20 Jahren auf 34 dahin; nach weiteren 20 Jahren zählte der Stamm
insgesamt noch eine Person. Die beiden Melbourner Stämme zählten fast
300 Menschen, als der Weiße kam; 37 Jahre später, 1875, brachten sie bloß
noch 20 auf. Damals waren immer noch allerhand Restchen von Stämmen in
der Kolonie Victoria verstreut, aber ich erfuhr, daß jetzt reinrassige Eingeborene sehr selten seien. Es heißt, in dem riesigen Territorium Queensland lebten die Ureinwohner noch in einiger Zahl weiter.

Die ersten Weißen waren es nicht gewöhnt, mit Wilden umzugehen. Sie
erfaßten nicht das oberste Gesetz des Lebens der Wilden: wenn ein Mann dir
unrecht tut, ist sein ganzer Stamm dafür verantwortlich – jedes einzelne Mitglied –, und du kannst es jedem beliebigen Mitglied heimzahlen, ohne dir
die Mühe zu machen, den Schuldigen zu suchen. Wenn ein Weißer einen
Ureinwohner umbrachte, wandte der Stamm das uralte Gesetz an und

brachte den ersten Weißen um, der ihnen über den Weg lief. Den Weißen schien das eine Ungeheuerlichkeit. Die gegebene Medizin für derartige Kreaturen war offenbar die Ausrottung. Sie brachten die Schwarzen nicht alle um, sondern kurz entschlossen nur so viele, daß ihre eigene Person gesichert war. Von der Morgendämmerung der Zivilisation an bis zum heutigen Tage hat der Weiße stets eben diese Vorsichtsmaßnahme angewandt. Mrs. Campbell Praed wohnte als Kind in dem Queensland jener ersten Zeit, und ihre „Skizzen aus dem australischen Leben" vermitteln uns anschauliche Bilder von dem anfänglichen Ringen der Weißen und der Schwarzen, einander zu reformieren.

Mrs. Praed spricht von den Pioniertagen in der ungeheuren Wildnis Queenslands und sagt:

„Zuerst wichen die Eingeborenen vor den Weißen zurück; und bis auf den Umstand, daß sie sich hin und wieder mit dem Speer ein Tier aus den Herden holten, gaben sie wenig Anlaß zur Unruhe. Aber als die Zahl der Squatter wuchs, jeder viele Meilen Land an sich riß und zwei oder drei Männer mitbrachte, so daß die Schäferhütten und Hirtenlager weit auseinandergezogen und wehrlos inmitten feindlicher Stämme lagen, kamen Plünderungen durch die Schwarzen häufiger vor und war ein Mord kein ungewöhnliches Ereignis.

Die Einsamkeit des australischen Busches läßt sich mit Worten kaum schildern. Hier dehnt sich Meile um Meile ein Urwald aus, den der Fuß des weißen Mannes vielleicht nie betreten hat – endlose Durchblicke, wo die Eukalyptusbäume die hohen Stämme recken und die schlanken Äste ausbreiten, aus denen das rote Harz quillt und phantastische Gehänge wie scharlachrote Stalaktiten bildet; Schluchten, an deren Wänden langblättriges Gras üppig wuchert; flache, baumlose Ebenen im Wechsel mit welligem Weideland, hier und da unterbrochen von einem Felskamm, einer steil abfallenden Gießbachrinne oder einem ausgetrockneten Flußbette. Alles wild, weiträumig, öde; alles im gleichen eintönigen Grau, ausgenommen da, wo die Akazie in der Blütezeit Farbflecken aus flaumigem Gold bildet oder ein Streifen Gebüsch sich grün, glänzend und undurchdringlich wie der indische Dschungel hinzieht.

Die Einsamkeit wird noch vertieft durch die seltsamen Laute der Reptilien, Vögel und Insekten und das Fehlen größerer Tiere; bei Tage sind die einzigen hörbaren Zeichen der letzteren die wilde Flucht einer Känguruhherde, das Rascheln eines Wallabi oder das Rauschen des Grases, wenn ein Dingo zu seinem Lager schleicht. Aber man hört das Zirpen der Heuschrekken, das teuflische Kichern des Lachenden Esels, das Kreischen der Kakadus und Papageien, das Zischen der Eidechse und das Summen unzähliger Insekten, die sich im dichten Unterholz verbergen. Und nachts sind dann das melancholische Klagen der Brachvögel, das schauerliche Heulen der Dingos, das unharmonische Quaken der Baumfrösche wohl imstande, die Nerven des einsamen Beobachters zu zerrütten."

Das ist der Schauplatz des Dramas. Wenn Sie sich noch ein paar weitere Umstände klarmachen, erkennen Sie, wie sehr er für Unruhen geeignet war und wie laut er nach ihnen verlangte. Die Stationen der Viehzüchter lagen im Abstand von vielen, vielen Meilen voneinander in der tiefsten Einöde verstreut – auf jeder Station ein halbes Dutzend Leute. Dort gab es Vieh im Überfluß, und die schwarzen Eingeborenen waren immer unterernährt und hungrig. Das Land gehörte *ihnen*. Die Weißen hatten es nicht gekauft, sie konnten es nicht kaufen; denn die Stämme hatten keine Häuptlinge, niemanden, der Vollmachten besessen hätte, niemanden, der Eigentum zu verkaufen und zu übertragen berechtigt gewesen wäre; und die Stämme selbst besaßen überhaupt kein Verständnis für den Begriff eines übertragbaren Eigentums an Grund und Boden. Die weißen Eindringlinge verachteten die ausgetriebenen Besitzer und machten aus dieser Einstellung kein Hehl. Es hätte sich kaum geeigneterer Rohstoff für eine Tragödie zusammentragen lassen. Hören wir Mrs. Praed:

„Auf der Station Nie Nie lag in einer dunklen Nacht der nichtsahnende Hüttenwächter tief schlafend in seinen Decken, nachdem er sich, wie er glaubte, gegen Überfälle gesichert hatte. Die Schwarzen ließen sich leise durch den Schornstein hinab und schlugen ihm im Schlaf den Schädel ein."

Aus diesem kurzen Text läßt sich schon das ganze Drama vorausahnen. Der Vorhang war aufgegangen. Er würde erst wieder fallen, wenn die Herrschaft der einen oder der anderen Partei gesichert war – und zwar endgültig:

„Auf beiden Seiten gab es Verrat. Die Schwarzen brachten die Weißen um, wenn sie diese wehrlos antrafen, und die Weißen erschlugen die Schwarzen en gros und unterschiedslos, was meinen kindlichen Gerechtigkeitssinn verletzte... Man achtete sie wenig mehr als wilde Tiere, und in manchen Fällen *vernichtete man sie wie Ungeziefer*.

Hier ein Beispiel. Ein Squatter, dessen Station von Schwarzen umgeben war, welchen er feindliche Absichten zuschrieb und von welchen er einen Angriff fürchtete, verhandelte mit ihnen von seiner Haustür aus. Er erzählte ihnen, es sei Weihnachtszeit – eine Zeit, da alle Menschen, schwarz oder weiß, sich gütlich täten; er habe reichlich Mehl, Zuckermandeln und gute Sachen in der Speisekammer, und er wolle einen Pudding für sie machen, wie sie ihn im Traum nicht gesehen hätten – einen großartigen Pudding, von dem sie alle essen und satt werden könnten. Die Schwarzen hörten auf ihn und waren verloren. Der Pudding wurde zubereitet und verteilt. Am nächsten Morgen gab es im Lager großes Geheul, denn man hatte ihn mit Zucker und Arsenik gesüßt!"

Die Einstellung dieses Weißen war richtig, aber seine Methode war falsch. Seine Einstellung war diejenige, die der zivilisierte Weiße dem Wilden gegenüber schon immer offenbart hat, aber die Verwendung von Gift war eine Abweichung von der Sitte. Zwar war es nur eine technische Abweichung, keine echte, aber dennoch war es eine Abweichung und daher meiner Meinung nach ein Fehler. Die Methode war besser, gnädiger, rascher wirksam und sehr viel humaner als eine Anzahl derer, die der Brauch geheiligt hat, aber das rechtfertigt nicht ihre Anwendung. Das heißt, es rechtfertigt sie nicht gänzlich. Durch ihren ungewöhnlichen Charakter hebt sie sich heraus und erregt ein Maß an Aufmerksamkeit, das ihr nicht gebührt. Sie bemächtigt sich krankhaft erhitzter Gemüter, und diese bauschen sie auf, so daß eine Art Muster an Grausamkeit daraus wird, und das befleckt den guten Namen unserer Zivilisation, während eine der alten, härteren Methoden keine solche Wirkung gehabt hätte, weil wir diese Methoden gewöhnt sind und sie daher als vertraut und unschuldig empfinden. In vielen Ländern haben wir den Wilden in Ketten gelegt und verhungern lassen; und das macht uns nichts aus, denn die Gewohnheit hat uns dagegen verhärtet; doch ein rascher Gifttod ist damit verglichen ein Liebesdienst. In vielen Ländern haben wir den Wilden auf dem Scheiterhaufen verbrannt; und das macht uns nichts aus, denn die Gewohnheit hat uns dagegen verhärtet; doch ein rascher Gifttod ist damit verglichen ein Liebesdienst. In mehr als einem Land haben wir als Nachmittagssport den Wilden, seine kleinen Kinder und deren Mutter mit Hunden und Gewehren durch Wälder und Sümpfe gehetzt und angesichts ihrer unbeholfenen und stolpernden Fluchtversuche und ihres wilden Gnadenflehens die ganze Landschaft von herzhaftem Gelächter erschallen lassen; aber diese Methode stört uns nicht, denn die Gewohnheit hat uns dagegen verhärtet; doch ein rascher Gifttod ist damit verglichen ein Liebesdienst. In vielen Ländern haben wir dem Wilden das Land weggenommen, ihn zu unserem Sklaven gemacht, ihn Tag für Tag ausgepeitscht, seinen Stolz gebrochen, bis er den Tod als seinen einzigen Freund erkannte, und ihn überfordert, bis er in den Sielen zusammenbrach; und das macht uns nichts aus, denn die Gewohnheit hat uns dagegen verhärtet; doch ein rascher Gifttod ist damit verglichen ein Liebesdienst. Heute im Matabeleland – ja, da beschränken wir uns auf den geheiligten Brauch, wir Rhodes-Beit-Millionäre in Südafrika und Herzöge in London; und niemand macht sich etwas daraus, denn wir sind an die altgeheiligten Bräuche gewöhnt und verlangen bloß, daß man sich nicht mit neuen, aufsehenerregenden Sitten der Aufmerksamkeit unseres angenehm schlummernden Gewissens aufdrängt. Mrs. Praed sagt von dem Giftmörder: „Dieser Squatter verdient es, daß sein Name der Verachtung der Nachwelt erhalten bleibt."

Es tut mir leid, das zu hören. Ich selbst tadele ihn wegen einer einzigen Sache, und zwar scharf, belasse es aber dabei. Ich tadele ihn wegen des Leichtsinns, eine Neuerung einzuführen, welche die Aufmerksamkeit auf unsere Zivilisation lenken mußte. Das war nicht nötig. Es war seine Pflicht und ist die Pflicht jedes loyalen Mannes, dieses Erbe in jeder nur möglichen Weise zu schützen; und am zweckmäßigsten macht man das, indem man die Aufmerksamkeit woandershin lenkt. Der Squatter hat falsch gehandelt – zugegeben; aber sein Herz saß auf dem rechten Fleck. Er ist fast der einzige Pionier der Zivilisation in der Geschichte, der über die Vorurteile seiner Kaste und seines Herkommens hinausgewachsen ist und versucht hat, in den Umgang der Herrenrasse mit den Wilden das Element der Gnade hineinzutragen. Sein Name ist verlorengegangen, und das ist schade; denn er verdient es, der Huldigung und Ehrerbietung der Nachwelt überliefert zu werden.

Folgender Abschnitt entstammt einer Londoner Zeitung:

„Um zu erfahren, was Frankreich tut, um in seinen fernen Kolonien die Segnungen der Zivilisation zu verbreiten, wenden wir uns am besten Neukaledonien zu. In der Absicht, freie Ansiedler in diese Strafkolonie zu ziehen, hat M. Feillet, der Gouverneur, trotz der Proteste des Generalrates der Insel die Kanakabauern gegen eine lächerliche Abfindung zwangsweise der besten Plantagen enteignet. Einwanderer, die man bewegen konnte, über das Meer zu fahren, fanden sich im Besitz Tausender Kaffee-, Kakao-, Bananen- und Brotfruchtbäume, deren Aufzucht die unglücklichen Eingeborenen Jahre schwerer Arbeit gekostet hatte, während letztere ein paar Fünffrankstücke besaßen, um sie in den Schnapsläden Noumeas auszugeben."

Erkennen Sie die Kombination? Es sind Raub, Demütigung und ganz langsamer Mord durch Armut und den Whisky des Weißen. Der liebe Freund des Wilden, der edle Freund des Wilden, der einzige großmütige und selbstlose Freund, den der Wilde jemals besessen hat, er war nicht dort mit der barmherzig raschen Erlösung durch seinen vergifteten Pudding.

Es gibt viele komische Dinge auf der Welt; eines darunter ist die Einbildung des Weißen, er sei weniger wild als die anderen Wilden.*

22. KAPITEL

> Nichts ist so ahnungslos wie des Menschen
> linke Hand, außer einer Damenuhr.
>
> *Querkopf Wilsons Neuer Kalender*

Man merkt, Mrs. Praed versteht ihr Handwerk. Sie stellt einem etwas so vor Augen, daß man es auch sieht. Darin steht sie nicht allein. Australien ist reich an Schriftstellern, deren Bücher getreue Spiegel des Lebens und der Geschichte des Landes sind. Die Stoffe waren überraschend ergiebig, an Qualität wie an Umfang, und Marcus Clarke, Rolf Boldrewood, Gordon, Kendall und die anderen haben aus ihnen eine glanzvolle und lebenskräftige Literatur geschaffen, eine Literatur, die Bestand haben muß. Stoffe im Überfluß! Man könnte ja allein aus dem Ureinwohner eine ganze Literatur schaffen, so vielgestaltig sind sein Charakter und sein Wesen – eine Vielgestaltigkeit, die für uns nicht durch genaue Bekanntschaft schal geworden, sondern neu ist. Man braucht keine pittoresken Einzelheiten zu erfinden; was man in dieser Hinsicht auch immer braucht, er kann es liefern; und das sind keine zweifelhaften Phantasiebilder, sondern echte Wirklichkeiten. Nach seiner Geschichte, wie sie in den amtlichen Aufzeichnungen des Weißen erhalten ist, stellt er alles mögliche dar – alles mögliche, was ein menschliches Wesen überhaupt sein kann. Er füllt das Bild bis zum Rahmen aus. Er ist ein Feigling · – tausend Vorkommnisse beweisen es. Er ist tapfer – tausend Vorkommnisse beweisen es. Er ist falsch – oh, unvorstellbar falsch! Er ist treu, ergeben, aufrichtig – die Aufzeichnungen des Weißen liefern eine Fülle von Beispielen dafür, die edel, verehrungswürdig und ergreifend schön sind. Er tötet den verhungernden Fremden, der um Nahrung und Obdach bittet – es gibt Beweise dafür. Heute rettet er den verirrten Fremden, speist ihn und führt ihn in Sicherheit, ihn, der gestern erst auf ihn geschossen hat – es gibt Beweise dafür. Er holt sich seine widerstrebende Braut mit Gewalt, er macht ihr mit einer Keule den Hof, dann liebt er sie treu ein ganzes langes Leben hindurch – das ist eine Tatsache. Er verschafft sich nach demselben Verfahren eine weitere Frau, schlägt und prügelt sie zum täglichen Zeitvertreib, und schließlich gibt er sein Leben hin, um sie vor einer Gefahr von anderer Seite

---

* Vgl. das spätere Kapitel über Tasmanien.

zu beschützen – das ist eine Tatsache. Er tritt hundert Feinden entgegen, um eines seiner Kinder zu retten, und bringt ein anderes seiner Kinder um, weil die Familie ohnehin groß genug ist. Es dreht ihm den empfindlichen Magen um, wenn er bestimmte Speisen des Weißen sieht; aber er liebt überreife Fische und geschmorte Hunde, Katzen und Ratten, und er verspeist mit großem Appetit seinen eigenen Onkel. Er ist ein geselliges Wesen, jedoch wendet er sich ab und versteckt sich hinter seinem Schild, wenn seine Schwiegermutter vorübergeht. Er hat kindische Angst vor Geistern und anderen Nichtigkeiten, die seine Seele bedrohen, aber Furcht vor körperlichem Schmerz ist eine Schwäche, die er nicht kennt. Ihm sind alle großen und viele der kleinen Sternbilder bekannt, und er hat Namen für sie; er besitzt eine Zeichenschrift, mit deren Hilfe er an alle Stämme weit und breit Botschaften übermitteln kann; er hat einen guten Blick für Form und Ausdruck und zeichnet treffende Bilder; er kann einen Flüchtling an Hand winziger Spuren verfolgen, die das Auge des Weißen gar nicht erkennt, und zwar nach einer Methode, welche die schärfste weiße Intelligenz nicht beherrschen lernt; er stellt ein Wurfgeschoß her, das ohne Modell nicht einmal die Wissenschaft nachahmen kann – sofern es ihr mit Modell gelingen sollte; ein Wurfgeschoß, dessen Geheimnis siebzig Jahre lang alle Forschungen und Theorien der weißen Mathematiker äffte und vereitelte; und mit einer nur ihm eigenen Geschicklichkeit vollbringt er damit Wunder, denen der Weiße ohne Unterweisung nicht einmal nahekommt und die er nach Unterweisung nicht erreichen kann. Innerhalb gewisser Grenzen hat dieser Wilde die wachste und klarste Intelligenz, die der Geschichte oder Überlieferung bekannt ist; und doch ist das arme Wesen niemals imstande gewesen, ein Zahlensystem zu erfinden, das über fünf hinausgegangen wäre, oder ein Gefäß, in dem er hätte Wasser kochen können. Er ist die größte Merkwürdigkeit unter allen Rassen. Er ist in jeder Hinsicht tot – körperlich; aber er hat Wesenszüge an sich, die in der Literatur fortleben werden.

Mr. Philip Chauncy, ein Beamter der Regierung von Victoria, steuerte ihren Archiven einen Bericht über eigene Beobachtungen an Ureinwohnern bei, und einiges daraus möchte ich, etwas zusammengefaßt, hier einfügen. Er sagt, sie hätten einen ganz ungewöhnlich raschen, scharfen Blick und könnten die Richtung nahender Geschosse höchst genau abschätzen, und die entsprechende Gewandtheit ihrer Glieder und Muskeln, wenn sie dem Geschoß auswichen, sei ebenfalls außergewöhnlich. Er hat gesehen, wie ein Ureinwohner sich als Zielscheibe für Kricketbälle aufstellte, die Berufsspieler auf zehn oder fünfzehn Yard scharf abschossen, und ihnen eine halbe Stunde lang erfolgreich auswich oder sie mit seinem Schild auffing. Einer dieser Bälle hätte ihn, an die richtige Stelle gesetzt, umbringen können; „jedoch er verließ sich mit der äußersten Selbstbeherrschung auf die Schärfe seines Blickes und auf seine Gelenkigkeit".

Der Schild war der gewöhnliche Kriegsschild seines Volkes und böte für Sie oder für mich keinen Schutz. Er ist nicht breiter als ein Ofenrohr und etwa so lang wie ein Männerarm. Die Außenseite ist nicht flach, sondern weicht von der Mitte wie ein Bootsbug zurück. Das Kniffelige an einem Kricketball, den man mit einem fachmännischen Drall geschleudert hat, ist, daß er nahe am Ziel plötzlich die Richtung ändert und direkt ins Schwarze trifft, nachdem er scheinbar darüber hinweg- oder seitlich daran vorbeifliegen wollte. Ich wäre nicht imstande, mich vor solchen Bällen eine halbe Stunde lang, oder auch kürzer, zu schützen.

Mr. Chauncy hat einmal einen „kleinen eingeborenen Mann" einen Krikketball 119 Yard weit schleudern sehen. Das soll den englischen Berufsspielerrekord um 13 Yard übertreffen.

Wir alle haben den Zirkusartisten von einem Trampolin aus in die Höhe federn und einen Überschlag über acht nebeneinanderstehende Pferde machen sehen. Mr. Chauncy hat gesehen, wie ein Ureinwohner es über elf Pferde schaffte; und ihm wurde versichert, er habe es manchmal über vierzehn geschafft. Aber was ist das im Vergleich zu folgendem:

„Ich sah denselben Mann vom *Erdboden* abspringen, und beim Überschlagen steckte er den Kopf ohne Hilfe der Hände in einen Hut, der umgekehrt auf dem Kopfe eines aufrecht zu Pferde sitzenden Mannes lag – Mann wie Pferd waren von Durchschnittsgröße. Der Eingeborene landete mit dem Hut auf dem Kopf auf der anderen Seite des Pferdes. Die unglaubliche Höhe des Sprunges und die Präzision, mit der er ihn ausführte und den Kopf in den Hut steckte, übertraf jede derartige Leistung, die ich gesehen habe."

Das will ich meinen! An Bord eines Schiffes habe ich kürzlich einen jungen Oxforder Sportler *vier Schritte laufen*, in die Höhe springen und die Hüften seitwärts über eine Stange schwingen sehen, die fünfeinhalb Fuß hoch war; aber ohne Anlauf wäre er nicht über eine Stange von vier Fuß Höhe gekommen. Das weiß ich, weil ich es selbst versucht habe.

Jetzt versteht man auch, wo das Känguruh seine Fertigkeit gelernt hat.

Sir George Grey und Mr. Eyre geben an, die Eingeborenen hätten Brunnen von vierzehn oder fünfzehn Fuß Tiefe und einem Durchmesser von zwei Fuß gegraben – in den *Sand* gegraben – Brunnen, „die kreisrund, genau senkrecht und sehr sauber ausgeführt waren".

Ihr Werkzeug waren die eigenen Hände und Füße. Wie haben sie den Sand aus einer solchen Tiefe ausgeworfen? Wie konnten sie sich bücken und ihn aufnehmen, wenn nur zwei Fuß Raum vorhanden waren, um sich zu bücken? Wie haben sie verhindert, daß diese Sandröhre über ihnen einbrach? Ich weiß es nicht. Dennoch haben sie diese scheinbar unmöglichen Sachen geschafft. Haben den Sand vielleicht verschluckt.

Mr. Chauncy spricht sehr anerkennend von der Geduld, der Geschicklichkeit und dem wachen Verstand des eingeborenen Jägers, wenn er den Emu, das Känguruh und anderes Wild verfolgt:

„Wenn er durch den Urwald wandert, ist sein Schritt leicht, elastisch und geräuschlos; jede Spur auf der Erde zieht sein scharfes Auge an; ein umgedrehtes Blatt oder Zweigstückchen oder ein kürzlich vom Schritt eines kleineren Tieres geknickter Grashalm fesseln sofort seine Aufmerksamkeit; tatsächlich entgeht nichts seinem raschen und scharfen Blick, weder auf dem Boden noch auf den Bäumen noch in der Ferne, das ihm eine Mahlzeit liefern oder ihn vor Gefahr warnen könnte. Die kurze Untersuchung eines Baumstammes, der völlig von den Kratzern hinauf- und hinabsteigender Opossums bedeckt sein kann, genügt, um ihm zu sagen, ob eines *am Vorabend hinaufgeklettert ist, ohne wieder herabzukommen*, oder nicht."

Fenimore Cooper hat seine Gelegenheit verpaßt. Er hätte diese Leute zu schätzen gewußt. Den Dümmsten von ihnen hätte er nicht für den schlauesten Mohawk eingetauscht, den er je erfand.

Alle Wilden machen Umrißzeichnungen auf Baumrinde; aber sie sind nicht sehr ähnlich, und gewöhnlich fehlt es an Ausdruck. Doch die Tierbilder des australischen Ureinwohners waren peinlich genau in Form, Stellung, Haltung; er legte Leben und Ausdruck in sie hinein. Und seine Zeichnungen von Weißen und Eingeborenen waren fast so gut wie seine Zeichnungen von anderen Tieren. Er kleidete seine Weißen in die Mode der damaligen Zeit, die Damen und die Herren. Als ungelernter Zeichner findet er unter Wilden wohl schwerlich seinesgleichen.

Er steht in der Kunst – was die Linienführung anbetrifft, nicht die Farbgebung – alles in allem ziemlich weit oben. Seine Kunst kann man überhaupt nicht unter die Kunst der Primitiven einordnen, sondern in eine zwei Stufen höhere Ebene, eine Stufe über der niedrigsten Ebene zivilisierter Kunst. Genau gesagt, steht er in der Kunst zwischen Botticelli und Du Maurier. Das soll heißen, er konnte nicht so gut zeichnen wie Du Maurier, aber besser als Botticelli. In der Stimmung ähnelt er beiden; ebenso in der Anordnung und in den bevorzugten Themen. Sein „Corroboree" der australischen Wildnis taucht in Du Mauriers Ballszenen aus Belgravia wieder auf, dort nur mit Kleidung und dem gezierten Lächeln der Zivilisation, Botticellis „Frühling" ist das noch stärker idealisierte Corroboree, nur mit weniger Kleidung und mehr geziertem Lächeln. Und in der Anlage ganz gut, aber – *mein Wort!*

Der Ureinwohner kann durch Reibung Feuer hervorbringen. Ich habe es versucht.

Alle Wilden können eine ganze Menge körperlichen Schmerzes ertragen. Bei dem australischen Ureinwohner ist diese Eigenschaft stark ausgeprägt. Lesen Sie die folgenden Beispiele nicht, wenn Ihnen Greuel unangenehm sind. Aufgezeichnet hat sie Ehrwürden Henry N. Wolloston aus Melbourne, der Chirurg war, bevor er Geistlicher wurde:

1. „Im Sommer 1852 ritt ich, von einem Eingeborenen zu Fuß begleitet, aus Albany, King George Sund, ab, um Kap Riche zu besuchen. Am ersten Tag legten wir etwa vierzig Meilen zurück, dann lagerten wir zur Nacht an einem Wasserloch. Nachdem wir unser Abendbrot gekocht und gegessen hatten, beobachtete ich, wie der Eingeborene, der mir nichts davon gesagt hatte, die heiße Glut des Feuers zusammenscharrte und den rechten Fuß absichtlich einen Augenblick lang in die glimmende Masse hielt, ihn dann rasch zurückzog, auf den Boden stampfte und einen langgezogenen Kehllaut, aus Schmerz und Befriedigung gemischt, ausstieß. Dieses Verfahren wiederholte er mehrere Male. Auf meine Erkundigung, was sein seltsames Verhalten bedeuten solle, sagte er nur ‚Me carpenter-make 'em' (ich heile meinen Fuß) und zeigte mir dann seine verkohlte große Zehe, deren Nagel der Stumpf eines Teebaumes abgerissen hatte, in dem er unterwegs hängengeblieben war. Den dadurch verursachten Schmerz hatte er mit stoischer Gelassenheit bis zum Abend ausgehalten, als er Gelegenheit hatte, die Wunde in der oben beschriebenen primitiven Art auszubrennen."

Und er setzte die Reise am nächsten Tage fort, „als wäre nichts geschehen" – und legte zu Fuß dreißig Meilen zurück. Eine ausgefallene Idee, da hielt er sich nun einen Chirurgen und besorgte dann seine Chirurgie selbst.

2. „Einmal wandte sich ein etwa fünfundzwanzigjähriger Eingeborener an mich als Arzt, um sich den hölzernen Widerhaken eines Speeres entfernen zu lassen, der ihm vor etwa vier Monaten bei einem Gefecht im Urwald in die Brust gedrungen war, das Herz knapp verfehlt hatte und in beträchtlicher Tiefe steckengeblieben war. Den Speer hatte man abgeschnitten und den Widerhaken zurückgelassen, der sich durch die Muskeltätigkeit allmählich weiter zum Rücken hin verschob; und als ich ihn untersuchte, konnte ich zwischen den Rippen unter dem linken Schulterblatt einen harten Gegenstand tasten. Ich machte einen tiefen Einschnitt und holte mit der Zange den Widerhaken heraus, der wie üblich aus Hartholz bestand, etwa vier Zoll lang und einen halben bis einen ganzen Zoll stark war. Er war sehr glatt und durch die Mazeration, der er auf seiner viermonatigen Reise durch den Körper ausgesetzt war, sozusagen angedaut. Die Wunde, die der Speer verursacht hatte, war schon lange verheilt und hatte nur eine kleine Narbe hinterlassen; und nach der Operation, die der Eingeborene ohne Zucken über sich ergehen ließ, schien er keine Schmerzen zu haben. Wirklich, aus seinem guten Gesundheitszustand zu schließen, hatte ihn die Anwesenheit des Fremdkörpers offenbar nicht wesentlich belästigt. Er war in wenigen Tagen völlig wohlauf."

Aber Nr. 3 ist mein Liebling. Immer, wenn ich das lese, ist mir so, als genösse ich alles, was der Patient genossen hat – was das auch gewesen sein mag:

3. „Einmal kam in King George Sund ein Eingeborener mit nur einem Bein zu mir und bat mich, ihm ein hölzernes Bein zu verschaffen. Zu diesem Zweck war er in seinem verstümmelten Zustand etwa sechsundneunzig Meilen weit gereist. Ich untersuchte das direkt unter dem Knie abgeschnittene Glied und stellte fest, daß es von Feuer verkohlt war, während etwa zwei Zoll des teilweise verbrannten Knochens aus dem Fleisch herausragten. Diesen entfernte ich sogleich mit der Säge; und nachdem ich einen möglichst präsentablen Stumpf daraus gemacht hatte, bedeckte ich das amputierte Ende des Knochens mit dem umgebenden Muskelfleisch und behielt den Patienten ein paar Tage lang unter meiner Obhut, damit die Wunde heilen konnte. Auf Befragen erzählte mir der Eingeborene, bei einem Kampf mit anderen Schwarzen habe ein Speer sein Bein getroffen und sei unter dem Knie in den Knochen gedrungen. Da die Wunde sich als gefährlich herausstellte, hatte er sich mit folgender rohen und barbarischen Operation geholfen, die unter diesen im Naturzustand lebenden Leuten anscheinend nicht ungewöhnlich ist. Er zündete ein Feuer an, grub ein Loch in die Erde, gerade groß genug, um sein Bein aufzunehmen, und tief genug, um die verwundete Stelle auf gleiche Ebene mit der Bodenoberfläche zu bringen. Dann *umgab er das Glied mit glühenden Kohlen*, die nachgelegt wurden, bis es buchstäblich abgebrannt war. Die auf diese Weise durchgeführte Kauterisation stillte die Blutung vollkommen, und einen oder zwei Tage später konnte er mit Hilfe eines langen, derben Stockes zum Sund hinabhumpeln, obwohl er über eine Woche lang unterwegs war."

Aber der Eingeborene war mäkelig. Bald legte er das hölzerne Bein ab, das ihm der Arzt gemacht hatte, weil „es kein Gefühl hatte". Soviel wie das, welches er abgebrannt hat, wird es doch wohl gehabt haben, möchte ich meinen.

Soviel über die Ureinwohner. Es fällt mir schwer, sie in Ruhe zu lassen. Es sind wunderbar interessante Geschöpfe. Seit nunmehr einem Vierteljahrhundert haben die einzelnen Kolonialverwaltungen die Überlebenden in angenehmen Stationen untergebracht, sie gut verpflegt und in jeder Hinsicht wohl behütet. Hätte ich das erfahren, als ich noch in Australien war, hätte ich ein paar von diesen Leuten sehen können – aber ich habe es nicht gewußt. Ich würde dreißig Meilen zu Fuß weit gehen, um nur einen ausgestopften anzusehen.

Australien besitzt seinen eigenen Slang. Das versteht sich von selbst. Die riesengroße Rinder- und Schafindustrie, das fremdartige Aussehen des Landes und die fremdartige einheimische Fauna, tierisch wie menschlich, das sind Umstände, die zwangsläufig einen örtlichen Slang hervorbringen. Irgendwo habe ich Notizen über diesen Slang, aber im Augenblick fallen mir nur ein paar Wörter und Redensarten ein. Sie sind eindrucksvoll. Die weiten, dürren, unbewohnten Wüsten haben vielsagende Redensarten entstehen lassen, wie „Niemandsland" und das „Niemalsland", auch diese geglückte Formulierung: „Sie wohnt im Niemalsland" – das heißt, sie ist eine alte Jungfer. Und folgendes ist nicht übel: „Färsenkoppel" – Pensionat für junge Damen. „Aufbauen" und „aufstecken" entsprechen unserem Straßenräuberausdruck, eine Postkutsche oder einen Zug „aufhalten". „Neuer Kumpel" entspricht unserem „Grünschnabel" – Neuankömmling.

Und dann das unsterbliche „Mein Wort"! Das müssen wir einführen. „Mein *Wort!*" Im seelenlosen Druck entspricht es unserem „Ger-*roßer Cäsar!*", aber mit der rechten australischen Salbung und Inbrunst gesprochen, ist es an Grazie, Scharm und Ausdruckskraft sechs des unseren wert. Unsere Form ist grob und explosiv; sie paßt nicht in den Salon oder in die Färsenkoppel; aber „M-ein Wort!" paßt hinein, ist sogar Musik für das Ohr, wenn der Sprecher es richtig vorzubringen versteht. Auf dem Pazifik hatte ich es mehrmals gedruckt gelesen, aber es ließ mich kalt, es erweckte keine Sympathie. Das kam daher, weil es der tote Leib der Sache war, die Seele war nicht darin – die Akzente fehlten – der belebende Hauch – der Gefühlswert – die Überzeugungskraft. Aber als ich es zum ersten Mal von einem Australier gesprochen hörte, war es einfach packend.

23. KAPITEL

> Kleide dich nachlässig, wenn es sein muß, aber
> bewahre dir eine reinliche Seele.
>
> *Querkopf Wilsons Neuer Kalender*

Zur geplanten Zeit verließen wir Adelaide und fuhren nach Horsham in der Kolonie Victoria; eine ziemlich weite Reise, wenn ich mich recht erinnere, aber angenehm. Horsham liegt in einer Ebene, die flach wie ein Fußboden ist – eine der berühmten absolut flachen Ebenen, die australische Bücher so oft beschreiben; grau, kahl, finster, schwermütig, hartgebrannt, aufgerissen in schweren, langen Trockenzeiten, aber am Tag nach einem Regen ein uferloses Meer von lebhaft grünem Gras. Ein Landstädtchen, friedlich, geruhsam, einladend, voller gemütlicher Heimstätten, mit Gärten und mit Buschwerk und Blumen in Hülle und Fülle.

„Horsham, 17. Oktober. Im Hotel. Wetter herrlich. Gegenüber, vor der Londoner Bank von Australien, steht eine sehr stattliche Pappel. Sie ist reich belaubt, und jedes Blatt fehlerlos gestaltet. Die volle Gewalt des heranbrausenden Frühlings liegt auf ihr, und ich bilde mir ein, sie wachsen zu sehen. An dem Bankgebäude entlang und ein Stückchen tiefer in dem dazugehörigen Garten gischtet eine Reihe von Fontänen aus zartem Laubgefieder empor, in der Brise erschauernd und von Lichtblitzen gesprenkelt, die über das Blattwerk huschen und spielen wie das Schillern in einem Opal – ein wunderschöner Baum und ein atemraubender Kontrast zu der Pappel. Jedes Blatt der Pappel ist genau umrissen – sie ist eine Photographie mit getreuer, scharfer und unsentimentaler Wiedergabe aller Details; der andere Baum ein impressionistisches Gemälde, köstlich anzusehen, von subtilem und verfeinertem Reiz, aber alle Einzelheiten sind verschwommen zu einem Rausch vager und schmelzender Lieblichkeit."

Auf meine Erkundigung stellte er sich als Pfefferbaum heraus – aus China eingeführt. Er besitzt einen seidigen, zarten Glanz. Einige Exemplare trugen lange, rote Büschel johannisbeerähnlicher Früchte im Laub verborgen. Aus der Ferne und in bestimmter Beleuchtung verleihen sie dem Baum eine rosige Tönung und einen neuen Reiz.

Acht Meilen von Horsham entfernt gibt es eine Landwirtschaftsschule. Ihr Leiter fuhr uns hinaus. Das Gefährt war ein offener Frachtwagen; es war Mittagszeit; windstill; der Himmel wolkenlos, der Sonnenschein strahlend – und das Quecksilber auf 33° im Schatten. Eine gemächliche, anderthalbstündige Fahrt ohne Dach über dem Kopf hatte in manchen Ländern unter diesen Bedingungen ein drückend heißes und niederschmetterndes Erlebnis bedeutet; aber nichts davon in diesem Fall. Das Klima ist einfach vollkommen. Es stellt sich kein Hitzegefühl ein; tatsächlich war es gar nicht heiß; die Luft war frisch, rein und aufmunternd; hätte die Fahrt auch einen halben Tag gedauert, wir hätten uns, glaube ich, nicht unbehaglich gefühlt und wären auch nicht still oder matt oder müde geworden. Das Geheimnis war natürlich die überaus hohe Lufttrockenheit. In jener Ebene wirken sich 44° im Schatten bestimmt nicht stärker auf den Menschen aus als in New York 31° oder 32°.

Die Landstraße verlief in der Mitte eines leeren Raumes, der mir von Zaun zu Zaun an die hundert Yard breit zu sein schien. Man gab mir die Breite nicht in Yard an, sondern nur in Chains und Perches – und Furlongs, glaube ich. Ich hätte sehr viel darum gegeben, die Breite zu erfahren, aber ich verfolgte die Sache nicht weiter. Ich finde, es ist am besten, Auskünfte so hinzunehmen, wie man sie bekommt; und zufrieden mit ihnen, überrascht über sie und dankbar für sie zu erscheinen, „mein Wort!" zu sagen und sich niemals zu verraten. Es war ein breiter Raum; ich könnte Ihnen in Chains, Perches, Furlongs und Dingsda sagen, wie breit, aber das würde Ihnen gar nichts nützen. Diese Worte klingen gut, aber sie sind verschwommen und unbestimmt, wie Troygewicht und Avoirdupois; niemand weiß, was sie bedeuten. Wenn Sie von einer Droge ein Pfund kaufen und der Mann Sie fragt, was Sie wünschen, Troygewicht oder Avoirdupois, ist es am besten, ja zu sagen und das Thema zu wechseln.

Wir erfuhren, der breite Raum stamme aus den frühesten Tagen der Schaf- und Rinderzucht. Die Leute mußten ihr Vieh weite Strecken – ungeheure Tagereisen weit – von abgegrasten Flächen zu neuen Stellen treiben, wo es Wasser und frisches Weideland gab; und dieser breite Raum mußte grasbewachsen und uneingezäunt bleiben, sonst wäre das Vieh auf dem Wege verhungert.

Unterwegs sahen wir die üblichen Vögel – die schönen, kleinen, grünen Papageien, die Elster und einige andere; und auch den schlanken einheimischen Vogel mit dem bescheidenen Gefieder und einem ewig dem Gedächtnis entfallenden Namen – den Vogel, der unter den Vögeln der pfiffigste ist, der einem Papageien dreißig zu eins vorgeben und ihn dann noch totreden kann. Mir fällt der Name des Vogels nicht ein. Ich glaube, er fängt mit M an. Ich wollte, er begänne mit G oder etwas anderem, das ein Mensch behalten kann.

Die Elster war in den Feldern und auf den Zäunen zahlreich vertreten. Sie ist ein schönes, großes Tier mit schneeweißem Schmuck, und sie ist eine Sängerin; sie hat eine säuselnde, volle Stimme, die lieblich klingt. Einst war sie bescheiden, sogar schüchtern; aber das hat sie ganz abgelegt, als sie entdeckte, daß sie Australiens einziger musikalischer Vogel ist. Sie ist begabt, schlau und frech; und in gezähmtem Zustand ist sie ein sehr brauchbares Haustier – kommt nie, wenn man sie ruft, kommt immer dann, wenn man sie nicht ruft, und betreibt den Ungehorsam als vorzügliche Fertigkeit. Sie wird nicht eingesperrt, sondern strolcht wie der Lachende Esel durch das ganze Haus und Grundstück. Ich glaube, daß sie sprechen lernt, ich weiß, daß sie Melodien singen lernt, und ihre Freunde sagen, stehlen könne sie, ohne es lernen zu müssen. In Melbourne kannte ich eine zahme Elster. Sie wohnte schon seit einigen Jahren im Hause einer Dame und glaubte, es gehöre ihr. Die Dame hatte sie gezähmt, und sie wiederum hatte die Dame gezähmt. Sie war stets zur Stelle, wenn man sie nicht gebrauchen konnte, setzte stets ihren Kopf durch, tyrannisierte den Hund und machte das Leben der Katze zu einem langen Leidensweg und Martyrium. Sie kannte mehrere Melodien und konnte sie mit vollkommen richtigem Rhythmus und Ton singen; und sie tat es auch, immer dann, wenn Ruhe herrschen sollte; und dann rief sie sich selbst ein Dakapo zu und fing wieder an; aber wenn man sie zum Singen aufforderte, verdrückte sie sich und ging spazieren.

Man glaubte lange Zeit, daß auf der hartgebrannten und wasserlosen Ebene rund um Horsham keine Bäume gedeihen könnten, aber die Landwirtschaftsschule hat mit dieser Vorstellung aufgeräumt. Ihre weitläufigen Baumschulen liefern Apfelsinen, Aprikosen, Zitronen, Mandeln, Pfirsiche, Kirschen, achtundvierzig Sorten Äpfel – kurz, Früchte aller Art im Überfluß. Die Bäume entbehrten das Wasser offenbar nicht; sie wirkten kräftig und üppig.

Man stellt mit den verschiedenen Bodenarten Versuche an, um herauszufinden, was am besten auf ihnen gedeiht und welche klimatischen Bedingungen für sie am günstigsten sind. Ein Mann, der aus Unkenntnis versucht, auf seiner Farm etwas anzubauen, was ihrem Boden und ihren anderen Bedingungen nicht angepaßt ist, kann von überallher in Australien zu dieser Schule fahren und einen geänderten Anbauplan mit nach Hause nehmen, der seine Farm leistungsfähig und einträglich macht.

Vierzig Schüler gab es dort – ein paar Farmer, die in ihrem Fach umlernten, die übrigen waren junge Männer, hauptsächlich aus den großen Städten – Neulinge. Es kam mir seltsam vor, daß eine Landwirtschaftsschule für die Großstadtjugend Anziehungskraft besitzen sollte, aber es ist so. Mehr noch, sie geben ein gutes Schülermaterial ab; sie stehen über dem Durchschnitt der ländlichen Intelligenz und kommen ohne ererbte Voreingenommenheit für uralte, durch lange Überlieferung geheiligte Fehlurteile.

Den ganzen Tag lang arbeiten die Schüler auf den Feldern, in den Baumschulen und den Scherschuppen, wobei sie alle praktischen Arbeiten des Faches lernen und verrichten – an drei Tagen in der Woche. An den anderen drei Tagen lernen sie und hören Vorlesungen. Man lehrt sie die Anfangsgründe jener Wissenschaften, die auf die Landwirtschaft Einfluß haben – wie zum Beispiel Chemie. Wir sahen zu, wie die Schafscherer des zweiten Schuljahres ein Dutzend Schafe schoren. Das machten sie mit der Hand, nicht mit der Maschine. Die Schüler packten das Schaf, warfen es auf die Seite nieder und hielten es so fest; und dann nahmen sie ihm mit fabelhafter Schnelligkeit und Geschicklichkeit den Pelz ab. Manchmal schnippelten sie ein Stückchen Schaf mit ab, aber das ist bei Scherern üblich, und es macht ihnen nichts aus; es macht ihnen nicht einmal soviel aus wie dem Schaf. Sie tupfen einen Klecks Schafbalsam auf die Stelle und machen weiter.

Der Wollpelz ist unglaublich dick. Vor der Schur sah das Schaf wie die dicke Frau im Zirkus aus; danach wirkte es wie eine Bank. Es war bis auf die Haut abgeschoren, glatt und gleichmäßig. Der Pelz wird in einem Stück von ihm abgeschält und ist ausgebreitet so groß wie eine Decke.

Über der Schule wehte die australische Flagge – Englands Bratrost in die nordwestliche Ecke eines großen, roten Feldes hinaufgeschmuggelt, auf dem die verirrten Sterne vom Kreuz des Südens planlos umherschweifen.

Von Horsham aus fuhren wir nach Stawell. Mit der Eisenbahn. Immer noch in der Kolonie Victoria. Stawell liegt im Goldgrubengebiet. Im Banktresor lagerte ein halber Scheffel Freigold – Goldstaub, Goldkörner; gehaltvoll; praktisch rein, und es rieselte so schön durch die Finger; es wäre noch schöner, wenn es klebenbliebe. Ein paar Goldbarren waren auch vorhanden, sehr schwer zu bewegen und jeder 7500 Dollar wert. Sie stammten aus einer höchst wertvollen Quarzgrube; zwei Drittel der Grube gehören einer Dame; sie bezieht daraus 75 000 Dollar monatlich und hat ihr Auskommen.

Die Gegend um Stawell bringt nicht nur Gold hervor; sie besitzt große Weingärten und liefert außergewöhnlich gute Weine. Einer dieser Weingärten – der Groß-West, der Mr. Irving gehört – gilt als Mustergut. Sein Produkt ist weithin berühmt. Er liefert einen auserlesenen Sekt, guten Rotwein, und sein Weißwein hat vor zwei oder drei Jahren in Frankreich einen Preis davongetragen. Der Sekt ist in einem Gewirr unterirdischer, in den Felsen gehauener Gewölbe untergebracht, damit er in den drei Jahren, die er zum Reifen braucht, bei gleichmäßiger Temperatur lagert. In diesen Gewölben habe ich 120 000 Flaschen Sekt gesehen. Die Kolonie Victoria hat eine Bevölkerung von 1 000 000 Menschen, und diese Leute sollen angeblich im Jahr 25 000 000 Flaschen Sekt trinken. Der trockenste Staat der Erde. Kürzlich hat die Regierung den Einfuhrzoll für ausländische Weine gesenkt. Das gehört zu den unfreundlichen Seiten der Schutzzollpolitik. Ein Mann investiert im Vertrauen auf bestehende Gesetze jahrelange Arbeit und eine riesige Summe Geld in eine aussichtsreiche Unternehmung; dann ändert man das Gesetz, und der Mann wird durch seine eigene Regierung geschädigt.

Auf dem Rückweg nach Stawell konnten wir eine Gruppe Felsblöcke, die „Drei Schwestern", besichtigen – eine sonderbar gelegene Sehenswürdigkeit; denn sie stand auf erhöhtem Grund, das Land senkte sich nach allen Seiten, und es lag keine höhere Erhebung in der Nähe, von der die Steinblöcke hätten herstammen können. Vielleicht Überbleibsel eines früheren Gletschers. Es sind prächtige Blöcke. Einer von ihnen zeigt das Format, die Ebenheit und Rundlichkeit eines Ballons größter Ausführung. Die Landstraße führte durch einen Wald von hohen Gummibäumen, mager, dürr und kümmerlich. Die Straße selbst war elfenbeinweiß – offenbar eine tonhaltige Erde.

Gelegentlich plackte sich ein Frachtwagen, von einer langen Doppelreihe Ochsen gezogen, die Straße entlang. Wie ich erfuhr, hatten diese Wagen eine Reise von zweihundert Meilen vor sich und konkurrierten erfolgreich mit der Eisenbahn! Die Eisenbahnen sind im Besitz und in der Regie des Staates.

Diese traurigen Gummibäume wuchsen aus dem trockenen, weißen Ton hervor, Sinnbilder der Geduld und der Resignation. Es ist ein Baum, der ohne Wasser auskommen kann; aber er liebt Wasser – rasend liebt er es. Es ist ein sehr intelligenter Baum, er entdeckt verstecktes Wasser auf eine Entfernung von fünfzig Fuß und schickt dünne, lange Wurzelfasern aus, um danach zu schürfen. Sie finden es; und sie schaffen sich auch einen Zugang – sogar durch ein sechs Zoll starkes Wasserrohr aus Zement. In Stawell verringerte einmal ein unterirdisches Zementrohr allmählich seine Leistung und lieferte schließlich gar kein Wasser mehr. Als der Fall untersucht wurde, fand man es verstopft, dicht zugepfropft mit einer Masse zarter, haarfeiner Wurzelfasern. Wie dieses Zeug in das Rohr hineingekommen war, das war eine Weile allen ein Rätsel; schließlich entdeckte man, daß es durch einen für das Auge beinahe unsichtbaren Riß hineingekrochen war. Ein vierzig Fuß weit abstehender Gummibaum hatte das Rohr angezapft und trank das Wasser.

24. KAPITEL

Ein „Queen's English" gibt es nicht. Der Besitz ist in die Hände einer Aktiengesellschaft übergegangen, und der Hauptanteil der Aktien gehört uns.

Querkopf Wilsons Neuer Kalender

Man kann in Australien häufig ungewohnte Wolkenbildungen beobachten. Auf der ganzen Strecke bis Ballarat erlebten wir ein solches Schauspiel in besonders schöner Inszenierung. Infolgedessen haben wir auf dieser Fahrt mehr Himmel als Land gesehen. Einmal war eine große Fläche des Himmelsgewölbes dicht mit winzigen, ausgefransten Flocken von blendend weißem Wolkenstoff besetzt, alle von einheitlicher Form und Größe und im gleichen Abstand voneinander, und zwischen ihnen schimmerte in schmalen Rissen anbetungswürdiges Blau hindurch. Das Ganze ließ an einen über den Himmel

124

treibenden Schneeflockenwirbel denken. Nach und nach verschmolzen diese Flocken zu unendlichen Reihen, zwischen den Reihen deuteten sich etwas dunklere Rinnen an, und die langen, seidigen Wellen folgten einander in scheinbarer Bewegung und ahmten bezaubernd den majestätischen Fluß eines wogenden Meeres nach. Später erstarrte das Meer; dann brach es allmählich in zahllose, hohe, weiße Säulen von etwa gleicher Größe auf, und diese gruppierten sich gleich einer ungeheuren Kolonnade, perspektivisch zurückweichend und verblassend, über das weite Firmament hin − zweifellos eine Luftspiegelung von den fernen Toren des Jenseits herab.

Die Anfahrt nach Ballarat war wunderschön. Charakteristische Merkmale waren weite grüne Flächen wogenden Weidelandes, unterteilt von erfreulich anzuschauenden Ginsterhecken in vermischten hellgoldenen und altgoldenen Tönen − und ein lieblicher See. Hier muß man eine Pause einlegen, um den Leser mit einem leichten Ruck heranzuholen und zu verhindern, daß er vorübergleitet, ohne den See zu beachten. Man *muß* ihn beachten; denn einen lieblichen See gibt es entlang der Bahnlinien Australiens nicht so häufig wie die trockenen Stellen. Wieder 33° im Schatten, aber lind und angenehm, frisch und anregend. Ein herrliches Klima.

Vor fünfundvierzig Jahren war die Stelle, auf der jetzt die Stadt Ballarat steht, eine Waldeinsamkeit, still wie das Paradies und ebenso schön. Niemand hatte je davon gehört. Am 25. August 1851 geschah hier der erste *große* Goldfund, der in Australien gemacht wurde. Die umherstreifenden Schürfer, denen er gelang, scharrten am ersten Tag zweieinhalb Pfund Gold zusammen − im Werte von 600 Dollar. Ein paar Tage später war der Ort ein Bienenstock − eine Stadt. Die Nachricht von dem Fund verbreitete sich gewissermaßen im Augenblick überall − drang wie ein Blitz bis in die letzten Erdenwinkel. Eine so prompte und allgemeine Berühmtheit hat in der Geschichte wohl kaum ihresgleichen. Es war, als stünde der Name BALLARAT plötzlich am Himmel, wo ihn die ganze Welt gleichzeitig lesen könnte.

Die kleineren Funde, die drei Monate früher in der Kolonie Neusüdwales gemacht wurden, hatten bereits Auswanderer auf den Weg nach Australien gebracht; sie waren wie ein Strom gekommen, aber jetzt wurden sie zu einer Flut. In einem einzigen Monat ergossen sich hunderttausend Menschen aus England und anderen Ländern nach Melbourne und strömten zu den Minen fort. Die Besatzungen der Schiffe, die sie gebracht hatten, strömten mit; die Schreiber aus den Regierungsbüros folgten; ebenso die Köchinnen, Dienstmädchen, Kutscher, Butler und die anderen Dienstboten; ebenso die Zimmerleute, Schmiede, Klempner, Maler, Reporter, Redakteure, Anwälte, Klienten, Büfettiers, Bummler, Spieler, Diebe, Dirnen, Krämer, Fleischer, Bäcker, Ärzte, Apotheker, Krankenschwestern; ebenso die Polizei; sogar Beamte hohen und bis dahin beneideten Ranges warfen ihre Ämter hin und schlossen sich dem Zug an. Diese brüllende Lawine wälzte sich aus Melbourne hinaus und ließ es verödet, gelähmt, sonntagsstill zurück, alles stockte, die Schiffe lagen träge vor Anker, alle Lebenszeichen waren erloschen, kein Laut erklang als nur das Scharren der Wolkenschatten, wenn sie durch die leeren Straßen schabten.

Bald wurde das grasige und laubreiche Paradies von Ballarat bei der fieberhaften Suche nach seinen verborgenen Reichtümern aufgerissen, zer-

fleischt, durchpflügt, geplündert. Nichts ist so sehr dazu geeignet wie der Ta-
gebergbau, einem Paradies Anmut, Schönheit und milden Zauber zu entrei-
ßen und ein häßliches und abstoßendes Zerrbild daraus zu machen.

Was für Vermögen gemacht wurden! Einwanderer wurden reich, während
das Schiff entlud und belud, und fuhren in derselben Kabine für immer in
die Heimat zurück, in der sie herausgekommen waren! Nicht alle. Nur manche. Die anderen habe ich selbst noch in Ballarat gesehen, fünfundvierzig
Jahre später – diejenigen, die Zeit und Tod und der Wandertrieb noch üb-
riggelassen hatten. Seinerzeit waren sie jung und heiter – jetzt sind sie ehrwürdig und ernst; und sie regen sich nicht mehr auf. Sie reden von der Vergangenheit. Sie verweilen in ihr. Ihr Leben ist ein Traum, eine Rückschau.

Ballarat war ein hervorragender Fundplatz für „Nuggets". In Kalifornien
wurden keine solche Goldklumpen gefunden, wie Ballarat sie hervorbrachte.
Tatsächlich hat die Gegend um Ballarat die größten geliefert, die in der Geschichte bekannt sind. Zwei davon wogen je etwa 180 Pfund und waren zusammen 90 000 Dollar wert. Man bot sie jedem beliebigen Armen an, der sie
auf die Schultern nehmen und forttragen könnte. Gold gab es dermaßen
reichlich, daß die Leute so großzügig wurden.

In der ersten Zeit war Ballarat eine von Menschen wimmelnde Zeltstadt.
Eine Zeitlang waren alle glücklich und offensichtlich wohlhabend. Dann kamen Sorgen. Die Regierung schlug mit einer Bergbausteuer zu. Und zwar in
ihrer schlimmsten Form; denn es war keine Steuer darauf, was der Schürfer
herausgeholt hatte, sondern darauf, was er herausholen *würde* – wenn er imstande wäre, es zu finden. Es war eine Lizenzsteuer – für die Lizenz, seinen
Claim zu bearbeiten –, und sie war zahlbar vor Beginn des Schürfens.

Man stelle sich die Lage vor. Kein Geschäft ist so unsicher wie das Schürfen an der Oberfläche. Der Claim kann gut sein, und er kann wertlos sein. Er
kann einen binnen eines Monats reich machen; und dann wieder muß man
vielleicht ein halbes Jahr lang unter schweren Kosten schürfen und schuften,
nur um schließlich festzustellen, daß das vorhandene Gold nicht einmal die
Kosten deckt und daß Zeit und schwere Arbeit vergeudet sind. Vielleicht
wäre es klug, dem Schürfer eine monatliche Summe vorzustrecken, um ihn
zu ermutigen, daß er den Reichtum des Landes erschließt; aber ihn statt dessen monatlich im voraus zu besteuern – nein, in Amerika hat man an so etwas nicht einmal im Traum gedacht. Dort wurde weder der Claim selbst besteuert noch sein Ertrag, wie reich oder armselig er auch sein mochte.

Die Männer von Ballarat protestierten, gaben Gesuche ein, beschwerten
sich – es war umsonst; die Regierung beharrte auf ihrem Standpunkt und
kassierte weiter die Steuer. Und nicht mit freundlichen Methoden, sondern
auf eine Art, die freie Menschen sehr erbittert haben muß. Das Grollen des
heraufziehenden Sturmes begann hörbar zu werden.

Dann erfolgte etwas, und ich glaube, man kann es das Prachtvollste in der
ganzen australasischen Geschichte nennen. Es war eine Revolution – klein
an Umfang, aber politisch bedeutsam; es war ein Handstreich für die Freiheit, ein Kampf um ein Prinzip, ein Aufstand gegen Ungerechtigkeit und Be-
drückung. Es war einmal wieder „Die Barone und Johann"; es war „Hamp-
den und Schiffssteuer"; es war „Concord und Lexington"; alles kleine An-
fänge, aber alle mit großen politischen Folgen, alle epochemachend. Es ist

ein weiteres Beispiel für einen Sieg, der durch eine verlorene Schlacht errungen wurde. Es fügt dem Buch der Geschichte ein ehrenvolles Blatt bei; die Leute wissen das und sind stolz darauf. Sie halten die Erinnerung an die Männer wach, die an der Eureka-Palisade gefallen sind, und Peter Lalor besitzt sein Denkmal.

Die obersten Erdschichten Ballarats steckten voller Gold. Diesen Boden rissen die Schürfer auf, zerfetzten, zerfurchten, beraubten, plünderten ihn und zwangen ihn, seinen überwältigenden Reichtum herauszugeben. Dann stiegen sie in tiefen Schächten unter die Erde auf der Suche nach den sandigen Betten einstiger Bäche und Flüsse − und fanden sie. Sie folgten dem Lauf dieser Bäche und räumten sie aus, indem sie den Sand eimerweise in die obere Welt hinaufschickten und die riesigen Goldschätze herauswuschen. Der nächstgrößte Goldklumpen nach den beiden Wundernuggets, die oben erwähnt wurden, kam aus einem alten Flußbett in 180 Fuß Tiefe.

Schließlich nahm man die Quarzgänge in Angriff. Das ist keine Abbaumethode für arme Leute. Quarzabbau und -aufbereitung erfordern Kapital, Ausdauer und Geduld. Es bildeten sich große Gesellschaften, und jetzt bearbeitet man die Gänge schon seit mehreren Jahrzehnten mit Erfolg und hat große Reichtümer aus ihnen gewonnen. Seit der Entdeckung des Goldes im Jahre 1853 haben die Minen von Ballarat − wenn man die drei Arten des Abbaus zusammenrechnet − dem Weltsäckel etwas über *dreihundert Millionen Dollar* beigesteuert, was bedeutet, daß dieser beinahe unsichtbare Fleck auf der Erdoberfläche in 44 Jahren etwa ein Viertel soviel Gold erbracht hat wie ganz Kalifornien in 47 Jahren. Die Gesamtsumme Kaliforniens von 1848 bis einschließlich 1895 beträgt nach der Angabe der Münze der Vereinigten Staaten 1 265 217 217 Dollar.

Ein Bürger der Stadt erzählte mir von diesen Minen etwas Merkwürdiges. Bei all meiner Erfahrung im Bergbau hatte ich so etwas noch nie gehört. Der Hauptgoldgang verläuft etwa nordsüdlich − natürlich, denn das ist bei reichen Goldgängen Usus. In Ballarat liegt er zwischen Schiefergestein. Dann erzählte mir dieser Bürger, daß diesen Gang zwölf Meilen weit in Abständen ein gerader, schwarzer Strich kohlenstoffhaltigen Gesteins kreuze − ein Strich im Schiefer, ein Strich, nicht dicker als ein Bleistift −, und daß man immer da, wo er den Gang kreuze, am Schnittpunkt ganz bestimmt Gold finde. Er heißt „Indikator". Dreißig Fuß rechts und links vom Indikator (und natürlich im Schiefer) liegt ein noch feinerer Strich − ein Strich, so fein wie mit dem Bleistift gezogen; und so lautet auch sein Name, „Bleistiftstrich". Wenn man den Bleistiftstrich findet, weiß man, daß dreißig Fuß weiter der Indikator ist; man mißt die Entfernung ab, gräbt nach, findet den Indikator, verfolgt ihn in gerader Richtung bis zum Gang und senkt einen Schacht ab; man hat sein Vermögen sicher. Wenn das wahr ist, ist es merkwürdig. Und merkwürdig ist es auf jeden Fall.

Ballarat ist ein Städtchen von nur 40 000 Einwohnern; und doch, da es in Australien liegt, besitzt es alle wesentlichen Merkmale einer fortschrittlichen und aufgeklärten Großstadt. Das ist einfach selbstverständlich. Ich muß endlich aufhören, mich bei diesen Dingen aufzuhalten. Es ist jedoch schwer, sich nicht bei ihnen aufzuhalten; denn es ist nicht leicht, die Überraschung darüber zu verwinden. Die anderen Einzelheiten werde ich diesmal übergehen, aber erwähnen will ich, daß dieses Städtchen einen Park von 326 Acres besitzt; einen Blumengarten von 83 Acres, der eine gepflegte und kostspielige Farnkrautpflanzung und einige teure und ungewöhnlich schöne Statuen enthält; und einen künstlichen See, der 600 Acres bedeckt und mit einer Flotte von 200 Ruderbooten, Segelbooten und kleinen Dampfjachten ausgestattet ist.

An dieser Stelle streiche ich einige weitere Lobreden, die anzufügen ich versucht war. Ich streiche sie nicht, weil sie nicht wahr oder nicht gut formuliert wären, sondern weil ich sie von einem anderen Manne besser formuliert finde – einem Manne, der zur Aussage berufener ist, weil er dort herstammt und Bescheid weiß. Ich entnehme sie einer zwanglosen Rede, die Mr. William Little, der damalige Bürgermeister von Ballarat, vor einigen Jahren gehalten hat:

„Die Sprache unserer Bürger ist in diesem wie in anderen Teilen Australasiens hauptsächlich ein gesundes Angelsächsisch, frei von Amerikanismen, Vulgarismen und den widerstreitenden Dialekten unseres Vaterlandes, und ist rein genug, um einen Trench oder Latham zufriedenzustellen. Gefördert durch klimatische Einflüsse sind Körperbau und Anmut unserer Jugend im sonnigen Süden unübertroffen. Unsere jungen Männer sind wohlgeraten; und unsere jungen Mädchen sind, ‚ohne die Grenzen der Bescheidenheit zu übertreten', reizend wie Psyche und lächeln so bezaubernd wie Novemberblumen."

Der Schlußsatz sieht nach einem ziemlich frostigen Kompliment aus, aber das ist nur scheinbar, nicht wirklich. November ist dort Sommerszeit. Sein Kompliment für die Reinheit der dortigen Sprache ist berechtigt. Sie ist völlig frei von Unreinheiten; das wird weit und breit anerkannt. Wie im Deutschen Reich alle gebildeten Leute Hannoversches Deutsch zu sprechen behaupten, so behaupten in Australasien alle gebildeten Leute, Ballarater Englisch zu sprechen. Selbst in England ist dieser Kult ziemlich weit verbreitet, und jetzt, da ihn die beiden berühmten Universitäten pflegen, ist die Zeit nicht mehr fern, bis Ballarater Englisch bei den gebildeten Schichten Großbritanniens allgemein gebräuchlich wird. Sein großer Vorzug liegt darin, daß es kürzer als gewöhnliches Englisch ist – das heißt, es ist gedrängter. Zuerst hat man gewisse Schwierigkeiten, es zu verstehen, wenn es so schnell gesprochen wird, wie es der zitierte Redner spricht. Ein Beispiel wird zeigen, was ich meine. Als er mich besuchte und ich ihm einen Stuhl anbot, verneigte er sich und sagte: „Kju."

Dann, als wir die Zigarren ansteckten, gab er mir Feuer, ich sagte: „Danke."

Und er sagte: „Km."

Dann verstand ich. „Kju" ist das Ende der Redensart „I thank you" (ich danke Ihnen). „Km" ist das Ende der Redensart „You are welcome" (Sie sind willkommen). Mr. Little betont keine von beiden, sondern bringt sie so verkürzt heraus, daß sie kaum klingen. Das ganze Ballarater Englisch ist so, und die Wirkung ist sehr weich und angenehm; es nimmt unserer Sprache alle Härte und Herbheit und verleiht ihr einen zarten, flüsternden, verschwebenden Tonfall, der das Ohr bezaubert wie das schwache Rascheln der Blätter im Walde.

25. KAPITEL

> „Klassiker" – ein Buch, das die Leute rühmen
> und nicht lesen.
>
> *Querkopf Wilsons Neuer Kalender*

Wieder auf der Bahn – die Fahrt geht nach Bendigo. Aus dem Tagebuch:
23. Oktober. Um 6 aufgestanden, 7.30 abgefahren; bald Castlemaine erreicht, eines der reichen Goldfelder der ersten Zeit; mehrere Stunden auf einen Zug gewartet. Um 3.40 abgefahren und nach einer Stunde in Bendigo angekommen. Als Reisegenossen einen katholischen Priester, der besser als ich war, das aber anscheinend nicht wußte – ein Mensch voller Tugenden des Herzens, des Geistes und der Seele; ein liebenswerter Mensch. Er wird vorwärtskommen. Eines Tages wird er Bischof sein. Dann Erzbischof. Dann Kardinal. Schließlich Erzengel, hoffe ich. Und dann wird er sich auf mich besinnen, wenn ich sage: „Erinnern Sie sich an die Reise, die wir gemeinsam von Ballarat nach Bendigo gemacht haben, als Sie bloß Pater C. waren und ich nichts dagegen war, was ich jetzt bin?" Es hat tatsächlich neun Stunden gedauert, von Ballarat nach Bendigo zu gelangen. Zu Fuß hätten wir sieben einsparen können. Aber es eilte ja nicht.

Bendigo war ein weiterer reicher Fundort der ersten Zeit. Jetzt betreibt es in großem Maßstab den Quarzabbau – die Methode, die mehr als jede andere mir bekannte Geduld lehrt und Zähigkeit und Ausdauer erfordert. Der Ort ist voller hochaufragender Schornsteine und Fördertürme und sieht wie eine Petroleumstadt aus. Weil ich gerade von Geduld spreche: zum Beispiel hat eine der hiesigen Gesellschaften *elf Jahre* lang ihre Tiefbohrungen und Suchaktionen hartnäckig fortgesetzt, ohne auf Gold zu stoßen oder einen Penny Gewinn herauszuholen – dann kam der große Treffer, und sie wurde mit einem Schlag reich. Die elfjährige Arbeit hatte 55 000 Dollar gekostet, und das erste Gold, das man fand, war ein Korn von der Größe eines Stecknadelkopfes. Es wird als Kostbarkeit hinter Schloß und Riegel aufbewahrt und dem Besucher andächtig „mit gezogenem Hut" vorgeführt. Als ich es sah, hatte ich seine Geschichte noch nicht gehört.

„Es ist Gold. Untersuchen Sie es – nehmen Sie die Lupe. Nun, was würden Sie sagen, wieviel ist es wert?"

Ich sagte: „Etwa zwei Cent, würde ich sagen; oder in Ihrem englischen Dialekt, vier Farthing."

„Na, es hat 11 000 Pfund gekostet."

„Hören Sie mal!"

„Doch, doch. Ballarat und Bendigo haben die drei monumentalen Nuggets der Welt hervorgebracht, und dieser hier ist der monumentalste von den dreien. Die anderen zwei stellen jeder neuntausend Pfund vor; dieser hier ein paar tausend mehr. Er ist klein und sieht nicht gerade überwältigend aus, aber er trägt seinen Namen zu Recht – Adam. Es ist der Adamnugget dieser Mine, und Adams Kinder zählen nach Millionen."

Um noch einmal von Geduld zu reden: Eine andere Mine wurde unter hohen Kosten siebzehn Jahre lang bearbeitet, bevor der lohnende Treffer kam, und noch eine ließ gar einundzwanzig Jahre auf sich warten, bis sie den Treffer brachte; dann war in beiden Fällen die Investition binnen ein oder zwei Jahren restlos hereingeholt, mit Zinseszins.

Bendigo hat sogar mehr Gold als Ballarat erbracht. Beide zusammen haben 650 000 000 Dollar ausgeworfen – das ist halb soviel, wie Kalifornien erzielt hat.

Ich habe es Mr. Blank zu verdanken – um seinen Namen nicht näher zu bezeichnen –, ich habe es hauptsächlich Mr. Blank zu verdanken, daß sich mein Aufenthalt in Bendigo unvergeßlich angenehm und interessant gestaltete. Das Folgende erklärte er mir selbst. Er erzählte mir, seinem Einfluß sei es zu verdanken gewesen, daß die Stadtverwaltung mich in das Rathaus einlud, wo ich schmeichelhafte Reden anzuhören und zu erwidern hatte; seinem Einfluß sei es zu verdanken gewesen, daß man eine lange Stadtrundfahrt mit mir machte und mir die Sehenswürdigkeiten zeigte; seinem Einfluß sei es zu verdanken gewesen, daß man mich einlud, die Minen zu besuchen; seinem Einfluß sei es zu verdanken gewesen, daß man mich in das Krankenhaus führte und mir gestattete, den Chinesen zu besuchen, den Räuber acht Wochen zuvor um Mitternacht in seiner einsamen Hütte angegriffen, durch sechsundzwanzig Dolchstiche verletzt und überdies skalpiert hatten; seinem Einfluß sei es zu verdanken gewesen, daß bei meinem Eintreffen dieses entsetzliche Bündel Stück- und Flickwerk und Verbandzeug aufrecht in seinem Bett saß und vorgab, eines meiner Bücher zu lesen; seinem Einfluß sei es zu verdanken gewesen, daß man sich bemüht hatte, den katholischen Erzbischof von Bendigo zu veranlassen, mich zum Mittagessen einzuladen; seinem Einfluß sei es zu verdanken gewesen, daß man sich bemüht hatte, den anglikanischen Bischof von Bendigo zu veranlassen, mich zum Abendbrot einzuladen; seinem Einfluß sei es zu verdanken gewesen, daß der Dekan des Journalistenverbandes mich durch die waldreiche Umgebung spazieren fuhr und mir von der Kuppe des Lone Tree Hill die gewaltigste und lieblichste Aussicht über waldiges Hügelland und Tal zeigte, die ich in ganz Australien erblickt hatte. Und als er mich fragte, was mich in Bendigo am meisten beeindruckt habe, und ich erwiderte, das sei der gute Geschmack und der Gemeinsinn, welche die Straßen mit hundertfünf Meilen schattenspendender Bäume geschmückt hätten, sagte er, seinem Einfluß sei es zu verdanken gewesen, daß das ausgeführt wurde.

Aber ich stelle ihn nicht ganz richtig dar. Er *sagte* nicht, seinem Einfluß sei das alles zu verdanken gewesen – das wäre plump herausgekommen; er *gab* das nur *zu verstehen*; gab es so geschickt zu verstehen, daß ich es eher unbewußt erfaßte, so wie man einen schwebenden, schwachen Dufthauch erfaßt, wenn man im Sommer durch die Wiesen geht; gab es diskret zu verstehen, ohne jede Spur von Egoismus oder Prahlerei – aber immerhin, er *gab es zu verstehen*.

Er war Ire, ein gebildeter Herr, ernst, liebenswürdig und höflich, Junggeselle und etwa fünfundvierzig oder auch fünfzig Jahre alt. Er besuchte mich im Hotel, und dort fand auch diese Unterhaltung statt. Er nahm mich sehr für sich ein, und zwar mühelos. Das machte zum Teil seine sympathische und freundliche Art, aber hauptsächlich die verblüffende Vertrautheit mit meinen Büchern, die sich aus der Unterhaltung ergab. Er war über sie auch absolut auf dem laufenden; wenn er sie zu seiner Lebensaufgabe gemacht hätte, hätte er kaum besser über ihren Inhalt im Bilde sein können. Er erreichte, daß ich mich mit mir selbst zufriedener fühlte als jemals zuvor. Es war zu sehen, daß er sehr viel für Humor übrig hatte, dennoch lachte er nie; er lachte nicht einmal vor sich hin; wirklich, Humor kam in seiner Miene überhaupt nicht zum Ausdruck. Nein, er war immer ernst – von mildem, schwermütigem Ernst; aber *mich* brachte er dauernd zum Lachen; und das war sehr peinlich – und gleichzeitig sehr angenehm –, denn ich lachte über Zitate aus meinen eigenen Büchern.

Als er aufbrach, wandte er sich um und sagte: „Sie erinnern sich nicht an mich?"

„Ich? Aber nein. Sind wir uns schon einmal begegnet?"

„Nein, es war eine briefliche Verbindung."

„Brieflich?"

„Ja, vor vielen Jahren. Zwölf oder fünfzehn. Oh, wohl noch länger. Aber natürlich haben Sie…" – Eine nachdenkliche Pause. Dann sagte er: „Erinnern Sie sich an Schloß Corrigan?"

„N-nein, ich glaube nicht. Mir kommt der Name nicht bekannt vor."

Er überlegte einen Augenblick, die Türklinke in der Hand, dann wandte er sich hinaus; kehrte aber wieder um und sagte, ich sei einmal an Schloß Corrigan interessiert gewesen, und fragte mich, ob ich wohl am Abend mit zu ihm kommen, heißen Whiskygrog trinken und mich mit ihm darüber unterhalten wolle. Ich war Abstinenzler und setzte gern einmal aus, also sagte ich zu.

Gegen halb elf fuhren wir zusammen vom Vortragssaal ab. Sein Wohnzimmer war äußerst behaglich und geschmackvoll eingerichtet, gute Gemälde an den Wänden, indische und japanische Ziergegenstände auf dem Kaminsims und anderswo und überall Bücher – großenteils meine; was mich mit Stolz erfüllte. Helles Licht, gutgepolsterte Sessel, das Zubehör zum Rauchen und Grogbrauen vollzählig vorhanden. Wir brauten Grog und zündeten die Zigarren an; dann reichte er mir ein Blatt Briefpapier und sagte:

„Erinnern Sie sich an das hier?"

„Ach ja, freilich!"

Das Papier war von luxuriöser Qualität. Am Kopf war ein verflochtenes und verschlungenes Monogramm in Gold, Blau und Rot eingeprägt, nach der zierlichen englischen Mode aus der Zeit vor vielen Jahren; und darunter stand in sauberen gotischen Versalien blau gedruckt folgendes:

DER MARK-TWAIN-KLUB
SCHLOSS CORRIGAN
········ 187.

„Nanu!" sagte ich, „wie sind Sie denn dazu gekommen?"

„Ich war Präsident des Klubs."

„Nein! – ist das wahr?"

„Es ist wahr. Ich war der erste Präsident des Klubs. Solange die Sitzungen in meinem Schloß – Corrigan – stattfanden, fünf Jahre lang, wurde ich alljährlich wiedergewählt."

Dann zeigte er mir ein Album, das dreiundzwanzig Photographien von mir enthielt. Fünf waren alt, die anderen stammten aus verschiedenen späteren

Jahrgängen; die Reihe schloß mit einem Bild, das Falk einen Monat vorher in Sydney aufgenommen hatte.

„Die ersten fünf haben Sie uns geschickt; die anderen sind gekauft."

Hier war das Paradies! Wir saßen bis spät und redeten, redeten, redeten – Thema: der Mark-Twain-Klub auf Schloß Corrigan, Irland.

Meine erste Kenntnis von dem Klub liegt lange zurück; mindestens zwanzig Jahre, möchte ich sagen. Sie kam mir in Form eines höflichen Briefes zu, der auf dem geschilderten Papier geschrieben und „im Auftrage des Präsidenten, C. PEMBROKE, Sekretär", unterzeichnet war. Er teilte mit, daß der Klub mir zu Ehren gegründet worden sei, und fügte die Hoffnung hinzu, daß dieses Zeichen der Würdigung meines Werkes meine Billigung fände.

Ich antwortete mit Dank; und tat, was ich nur konnte, um meine freudige Genugtuung nicht übermäßig deutlich werden zu lassen.

Damals begann der lange Briefwechsel. Im Auftrage des Präsidenten kam ein Brief, der mir die Namen der Mitglieder nannte – zweiunddreißig an der Zahl. Beigefügt war ein Exemplar des Statuts und der Satzungen in Form einer kunstvoll ausgeführten Druckschrift. Aufnahmegebühr und Beiträge waren ordnungsmäßig aufgeführt; weiterhin ein Plan der – monatlichen – Vortragsabende über meine Werke mit anschließender Diskussion; auch der vierteljährlichen Geschäftssitzungen und Abendessen ohne Vorträge, aber mit Reden nach Tisch; außerdem enthielt die Schrift eine Liste der Ehrenämter: Präsident, zweiter Vorsitzender, Sekretär, Schatzmeister und so weiter. Der Brief war kurz, las sich aber angenehm, weil er mir von der starken Anteilnahme berichtete, welche die Mitgliedschaft für ihre neue Unternehmung aufbrachte, und so weiter und so fort. Auch bat er mich um eine Photographie – eine persönliche. Ich ging hin, ließ mich aufnehmen und schickte sie ab – natürlich mit einem Brief.

Dann traf das Klubabzeichen ein, und das war sehr zierlich und hübsch; und sehr künstlerisch. Es stellte einen Frosch dar, der aus einem anmutigen Gewirr von Grashalmen und Binsen herauslugte, war auf Gold emailliert und trug auf der Rückseite eine goldene Anstecknadel. Nachdem ich es ein paar Stunden lang gestreichelt, damit gespielt und getändelt und mich daran erfreut hatte, fiel das Licht zufällig in einem neuen Winkel darauf und enthüllte mir eine neue, raffinierte Eigenschaft: im genau richtigen Licht verwoben sich gewisse zarte Schattierungen der Grashalme und Binsenstengel zu einem Monogramm – dem meinen! Sie sehen schon, daß dieses Schmuckstück ein Kunstwerk war. Und wenn man sich schließlich seinen eigentlichen Wert überlegt, müssen Sie zugeben, daß nicht jeder beliebige literarische Klub sich ein solches Abzeichen leisten kann. Nach Ansicht der Firma Marcus & Ward in New York war es mindestens 75 Dollar wert. Sie sagten, sie könnten es für diesen Preis nicht nachmachen, wenn sie etwas dabei verdienen wollten.

Mittlerweile lief der Klub auf vollen Touren; und von dieser Zeit ab versorgte sein Sekretär meine freien Stunden tüchtig mit Arbeit. Er berichtete mit fleißiger Ausführlichkeit über die Diskussionen des Klubs zu meinen Büchern und tat es mit viel Schwung und Begabung. In der Regel gab er Zusammenfassungen; aber wenn eine Rede besonders glänzend war, schrieb er in Kurzschrift mit und reichte die besten Stellen daraus ungekürzt an mich weiter. Fünf der Redner bevorzugte er dabei besonders: Palmer, Forbes, Naylor, Norris und Calder. Palmer und Forbes konnten niemals eine Rede zu Ende bringen, ohne einander anzugreifen, und jeder wirkte auf seine Art ungeheuer treffend – Palmer mit aufrechter und beredter Schmähung, Forbes mit höflicher und eleganter, aber beißender Satire. Ich wußte stets, wer von ihnen sprach, ohne nach dem Namen zu schauen. Naylor hatte einen ausgefeilten Stil und eine glückliche Hand für gelungene Metaphern; Norris' Stil war gänzlich schmucklos, aber beneidenswert knapp, klar und überzeugend. Aber Calder war die Krone des Ganzen. Er sprach niemals, wenn er nüchtern war, er sprach ununterbrochen, wenn er es nicht war. Und es waren unbedingt die betrunkensten Reden, die ein Mensch jemals von sich gab. Sie steckten voller guter Stellen, gingen aber so unglaublich durcheinander und waren so abschweifend, daß es einem schwindelte, wenn man ihm folgte. Sie sollten gar nicht witzig sein, aber sie waren es – witzig gerade wegen des tiefen Ernstes, den der Sprecher in seine dahinströmenden Wunder an Inkongruenz legte. Im Laufe von fünf Jahren lernte ich den Stil der fünf Redner so gut kennen, wie ich den Stil jedes Redners in meinem eigenen Klub zu Hause kannte.

Diese Berichte kamen allmonatlich. Sie standen auf Kanzleipapier, 600 Wörter auf jeder Seite, und gewöhnlich umfaßte ein Bericht etwa 25 Seiten – gute 15 000 Wörter, möchte ich sagen – Arbeit für eine volle Woche. Die Berichte waren immer spannend und unterhaltend, so lang sie auch waren; aber leider kamen sie nicht allein. Gleichzeitig kam stets eine Menge Fragen über Stellen und Absichten in meinen Büchern, auf die der Klub Antwort wünschte; und vierteljährlich kamen noch der Bericht des Schatzmeisters, der Bericht des Revisors, der Bericht des Ausschusses und der Rechenschaftsbericht des Präsidenten dazu, und stets wünschte man meine Meinung zu alledem zu wissen; ebenso Vorschläge zum Besten des Klubs, wenn mir welche einfallen sollten.

Mit der Zeit fing ich an, mich vor diesen Sachen zu fürchten; und diese Furcht wuchs stetig; wuchs, bis ich ihnen schließlich mit kaltem Grauen entgegenblickte. Denn ich war ein träger Mensch und schrieb nicht gern Briefe, und immer, wenn eine dieser Sendungen kam, mußte ich um meines eigenen Seelenfriedens willen alles beiseite legen, mich hinsetzen und immerzu schürfen, bis ich etwas hervorbrachte, das als Antwort taugte. Im ersten Jahr kam ich ziemlich gut zurecht; aber in den nächsten vier Jahren war der Mark-Twain-Klub auf Schloß Corrigan mein Fluch, mein Alpdruck, der Kummer und Jammer meines Lebens. Und ich hatte es so furchtbar satt, mich photographieren zu lassen. Fünf Jahre lang ließ ich mich alljährlich aufnehmen, um jene unersättliche Organisation zu befriedigen. Dann endlich revoltierte ich. Ich konnte die Bedrängnis nicht länger ertragen. Ich raffte alle Kraft zusammen, zerriß meine Ketten und war wieder ein freier und glücklicher Mensch. Von diesem Tage an verbrannte ich die dicken Briefumschläge des Sekretärs, sobald sie eintrafen, und mit der Zeit kamen keine mehr.

Nun, in der gemütlichen Atmosphäre jenes Abends in Bendigo rückte ich in Generalbeichte mit alledem heraus. Darauf packte Mr. Blank mit derselben Offenheit aus und sagte nach einem einleitenden Wort sanfter Ent-

133

schuldigung, *er* sei der Mark-Twain-Klub, und zwar das einzige Mitglied, das er je besessen habe!

Das war ja wohl ein Grund zum Zorn, aber ich verspürte keinen. Er sagte, er habe niemals für seinen Lebensunterhalt arbeiten müssen, und noch ehe er die Dreißig erreicht hatte, sei das Leben für ihn eine einzige Langeweile und Plage geworden. Er besaß keine Interessen mehr; sie waren nacheinander verblaßt und zugrunde gegangen und hatten ihn in Niedergeschlagenheit zurückgelassen. Er hatte schon angefangen, an Selbstmord zu denken. Dann kam ihm ganz plötzlich der glückliche Gedanke, einen imaginären Klub zu gründen, und sogleich machte er sich mit Begeisterung und Liebe an die Arbeit. Er war von dem Klub hingerissen; der Klub gab ihm etwas zu tun. Unter seinen Händen entwickelte er sich; er wurde zwanzigmal komplizierter und umfangreicher als der erste grobe Entwurf. Jeder neue Zusatz zu seinem ursprünglichen Plan, der in ihm aufstieg, schenkte ihm ein frisches Interesse und eine neue Freude. Er selbst entwarf das Klubabzeichen und saß ein paar Tage und Nächte darüber, änderte und verbesserte es; dann schickte er den Entwurf nach London und ließ ihn ausführen. Nur dieses eine Abzeichen wurde angefertigt. Für mich. Der „übrige Klub" ging leer aus.

Er erfand die zweiunddreißig Mitglieder und ihre Namen. Er erfand die fünf Lieblingsredner und ihre fünf verschiedenen Stile. Er erfand ihre Reden und erstattete selbst darüber Bericht. Er hätte diesen Klub bis heute in Gang gehalten, wenn ich nicht desertiert wäre, sagte er. Er habe wie ein Sklave über diesen Berichten geschuftet; jeder habe ihn ein bis zwei Wochen Arbeit gekostet, und die Arbeit habe ihm Freude gemacht, ihn am Leben erhalten und ihm Lebensmut gegeben. Es sei ein schwerer Schlag für ihn gewesen, als der Klub einging.

Und endlich gab es gar kein Schloß Corrigan. Das hatte er auch erfunden.

Wunderbar – das Ganze; und überhaupt der genialste, mühevollste, lustigste und akkurateste Streich, von dem ich je gehört hatte. Und er gefiel mir; ich hörte ihn gern davon erzählen; dabei habe ich, solange ich zurückdenken kann, dumme Streiche gehaßt. Schließlich sagte er:

„Erinnern Sie sich an ein Briefchen aus Melbourne, es ist vierzehn oder fünfzehn Jahre her, das Ihre Vortragsreise in Australien, Ihren Tod und Ihre Bestattung in Melbourne betraf? – ein Briefchen von Henry Bascom aus Bascom Hall, Upper Holywell, Hants?"

„Ja."

„Das habe ich geschrieben."

„M-ein Wort!"

„Ja, ich habe es getan. Ich weiß nicht, warum. Mir kam einfach der Gedanke, und ich führte ihn aus, ohne nachzudenken. Es war falsch. Es hätte Schaden anrichten können. Danach hat es mir immer leid getan. Sie müssen mir verzeihen. Ich war Gast auf Mr. Bascoms Jacht bei seiner Reise um die Welt. Er hat oft von Ihnen gesprochen und von der schönen Zeit, die Sie zusammen bei ihm zu Hause verbracht haben; und dort in Melbourne kam mir die Idee, ich ahmte seine Handschrift nach und schrieb den Brief."

So klärte sich das Geheimnis auf, nach so vielen, vielen Jahren.

26. KAPITEL

Es gibt Menschen, die bringen alle schönen und heroischen Taten fertig, nur eine nicht: sich zu enthalten, den Unglücklichen von ihrem Glück zu erzählen.

Querkopf Wilsons Neuer Kalender

Nach Besuchen in Maryborough und einigen anderen australischen Städten reisten wir in Richtung Neuseeland ab. Wenn es nicht zu sehr nach Protzerei aussähe, würde ich dem Leser erzählen, wo Neuseeland liegt; denn das ist bei ihm so, wie es bei mir war: er glaubt, er wüßte es. Und er glaubt, er wüßte, wo die Herzegowina liegt; und wie man Paria ausspricht; und wie man das Wort Unikum anwendet, ohne sich dem Spott des Wörterbuches auszusetzen. Aber in Wahrheit weiß er nichts von alldem. Es gibt überhaupt nur vier oder fünf Menschen auf der Welt, die über solches Wissen verfügen, und die leben davon. Sie reisen von Ort zu Ort, besuchen literarische Vereine, geographische Gesellschaften und Sitze der Gelehrsamkeit und schließen unvermittelt Wetten ab, daß diese Leute solches Zeug nicht wüßten. Da alle Leute denken, sie wüßten es, sind sie für diese Abenteurer leichte Beute. Oder vielmehr, sie waren leichte Beute, bis vor drei Monaten das Gesetz dazwischen trat und ein Neuyorker Gericht entschied, diese Art des Glücksspiels sei illegal, „da sie Artikel IV, Absatz 9 der Verfassung der Vereinigten Staaten verletze, der das Wetten auf eine sichere Sache verbiete". Diese Entscheidung fällte das Neuyorker Oberste Gericht einstimmig nach einem Test, den die Staatsanwaltschaft überraschend mit dem Gericht vornahm und der ergab, daß keiner der neun Richter imstande war, eine der vier Fragen zu beantworten.

Alle Leute glauben, Neuseeland liege dicht bei Australien oder Asien oder sonstwo, und man komme über eine Brücke hin. Aber so ist es nicht. Es liegt nicht dicht bei irgendwas, sondern ganz für sich allein im Wasser draußen. Es liegt Australien am nächsten, aber doch nicht nahe. Der Zwischenraum ist sehr groß. Es wird für den Leser eine Überraschung sein, die es auch für mich war, zu erfahren, daß die Entfernung von Australien nach Neuseeland tatsächlich zwölf- oder dreizehnhundert Meilen beträgt und daß keine Brücke existiert. Ich erfuhr das von Professor X. von der Universität Yale, den ich auf dem Dampfer auf den Großen Seen kennenlernte, als ich den amerikanischen Kontinent durchquerte, um über den Pazifik zu fahren. Um Konversation zu machen, fragte ich ihn nach Neuseeland. Ich nahm an, er würde ein bißchen allgemein herumreden, ohne sich festzulegen, und dann auf ein Thema übergehen, mit dem er vertraut wäre, und damit wäre mein Zweck erreicht: das Eis wäre gebrochen, und wir könnten glatt weiterkommen, uns kennenlernen und uns nett unterhalten. Aber zu meiner Überraschung brachte ihn meine Frage nicht nur nicht in Verlegenheit, sondern er schien sie willkommen zu heißen und ausgesprochenes Interesse daran zu finden. Er fing an zu sprechen – flüssig, selbstsicher, gelöst; und während er sprach, nahm meine Bewunderung zu; denn wie das Thema sich in seinen Händen entfaltete, erkannte ich, daß er nicht nur wußte, wo Neuseeland lag, sondern daß er mit jedem Zug seiner Geschichte, Politik, Religion und Wirtschaft, seiner Fauna, Flora und Geologie, seinen Erzeugnissen und klimatischen Besonderheiten eingehend vertraut war. Als er geendet hatte, war ich in Staunen und Bewunderung versunken und sagte mir: ‚Er weiß alles; im Reiche menschlichen Wissens ist er König.'

Ich wollte ihn weitere Wunder vollbringen sehen; und deshalb, nur um des Vergnügens willen, ihn antworten zu hören, fragte ich ihn nach der Herzegowina und Paria und Unikum. Aber da glitt er in Allgemeines ab und geriet in die Enge. Ich sah, daß er ohne Neuseeland ein Simson mit abgeschnittenen Locken war; er war ein Mensch wie andere Menschen auch. Das war ein kurioses und interessantes Rätsel, und ich bat ihn offen, es zu erklären.

Zuerst versuchte er auszuweichen; aber dann lachte er und sagte, die Geschichte sei schließlich das Geheimhalten nicht wert, also wolle er mich einweihen. Zusammengefaßt lautet seine Erzählung so:

Im vergangenen Herbst saß ich eines Morgens zu Hause und arbeitete, als eine Karte heraufkam – die Karte eines Fremden. Unter dem Namen verkündete eine gedruckte Zeile, daß dieser Besucher Professor des Theologischen Ingenieurwesens an der Wellington-Universität in Neuseeland war. Ich war beunruhigt – ich meine, beunruhigt wegen der so kurzen Frist. Die Hochschuletikette erforderte es, daß ein Mitglied der Fakultät ihn sofort zum Essen einlud – am *gleichen* Tage –, ihn nicht bis zu einem der nächsten Tage hinhielt. Ich wußte nicht ganz, was ich machen sollte. Die Hochschuletikette verlangt im Falle eines ausländischen Gastes, das Tischgespräch mit schmeichelhaften Bemerkungen über seine Heimat, ihre bedeutenden Männer, ihre Taten für die Zivilisation, ihre Bildungszentren und solche Sachen zu beginnen; und natürlich trägt der Gastgeber die Verantwortung und muß entweder diese Unterhaltung selbst einleiten oder dafür sorgen, daß jemand anders das übernimmt. Ich saß in einer schönen Klemme; und je mehr ich mein Gedächtnis durchforschte, desto größer wurde meine Unruhe. Ich entdeckte, daß ich gar nichts über Neuseeland wußte. Ich glaubte zu wissen, wo es liege, und das war alles. Ich hatte den Eindruck, es liege dicht bei Australien oder Asien oder sonstwo und man komme über eine Brücke hin. Womöglich stellte sich das als unrichtig heraus; und selbst wenn es richtig wäre, lieferte es nicht genug zweckdienlichen Gesprächsstoff für das Essen, und ich würde meine Hochschule vor dem Gast blamieren; er würde erkennen, daß ich, ein Mitglied des Lehrkörpers der ersten Universität Amerikas, von seiner Heimat überhaupt nichts wußte, er würde weiterreisen und das herumerzählen und darüber spotten. Diese Vorstellung ließ mich erröten.

Ich ließ meine Frau rufen, erzählte ihr, in welcher Lage ich mich befand, und bat sie, mir zu helfen; ihr fiel etwas ein, was mir selbst hätte einfallen können, wenn ich nicht so aufgeregt und besorgt gewesen wäre. Sie sagte, sie wolle zu dem Besucher gehen und ihm sagen, ich sei ausgegangen, käme aber in wenigen Minuten zurück; und sie werde sich mit ihm unterhalten und ihn beschäftigen, während ich zur Hintertür hinausginge, zu Professor Lawson hinübereilte und ihn veranlaßte, das Essen zu geben. Denn Lawson wußte alles und konnte sich ehrenvoll mit dem Gast messen und den Ruf der Universität retten. Ich rannte zu Lawson, wurde aber enttäuscht. Er wußte überhaupt nichts über Neuseeland. Er sagte, soweit er sich erinnern könne, liege es nahe bei Australien oder Asien oder sonstwo, und man komme über eine Brücke hin; aber das sei auch alles, was er wisse. Es war zu ärgerlich. Lawson war ein wahres Lexikon abstruser Gelehrsamkeit; aber jetzt, in der Stunde der Not, stellte sich heraus, daß er überhaupt nichts Nützliches wußte.

Wir berieten. Er sah ein, daß der Ruf der Universität sehr ernstlich gefährdet war, schritt besorgt auf und ab, redete dabei und versuchte, sich etwas auszudenken, um der Schwierigkeit zu begegnen. Schließlich meinte er, wir müßten den übrigen Lehrkörper durchprobieren – womöglich wüßten einige doch etwas über Neuseeland. Also gingen wir ans Telefon, riefen den Professor für Astronomie an und fragten ihn, und er sagte, er wisse bloß, daß es nahe bei Australien oder Asien oder sonstwo liege, und man komme über eine...

Wir hängten ab und riefen den Professor für Biologie an, und er sagte, er wisse nur, daß es nahe bei Aus...

Wir hängten ab und setzten uns bekümmert und verzagt, um zu sehen, ob uns nicht noch etwas anderes einfiele. Bald hatten wir einen Plan, der Erfolg versprach; ihn machten wir uns zu eigen und brachten ihn sogleich ins Rollen. Und zwar: Lawson mußte das Essen geben. Der Lehrkörper mußte telefonisch Anweisung bekommen, sich vorzubereiten. Wir mußten uns alle fleißig an die Arbeit machen und nach achteinhalb Stunden mit Kenntnissen über Neuseeland zum Essen gehen; wenigstens jedoch mit genügend Ahnung, um ehrenvoll vor diesem Landeskind zu bestehen. Um gut unterrichtet zu erscheinen, hatten wir über Neuseelands Bevölkerung, politische Verhältnisse, Regierungsform, Wirtschaft, Steuerwesen, Erzeugnisse, alte Geschichte, moderne Geschichte, Religionsformen, Gesetze, deren Kodifikation, Steueraufkommen, dessen Quellen, Art der Erhebung, Verlustanteil, Charakter des Klimas und – na, eine Menge solcher Sachen Bescheid zu wissen; wir mußten Landkarten und Lexika aussaugen. Und während wir solcherart paukten, mußten die Gattinnen des Lehrkörpers eine nach der anderen betont zufällig drüben erscheinen und meiner Frau helfen, den Neuseeländer bei guter Laune zu erhalten und zu verhindern, daß er entwiche und in unsere Studien hineinplatze. Der Plan klappte vortrefflich; aber er brachte den Betrieb zum Stocken, restlos zum Stocken.

Sie steht in dem offiziellen Logbuch Yales verzeichnet, um von künftigen Generationen gelesen und bestaunt zu werden – die Kunde von dem Großen Leeren Tag – dem denkwürdigen Leeren Tag – dem Tag, da das Räderwerk der Bildung stockte, überall Sonntagsruhe herrschte und die ganze Universität stillstand, während der Lehrkörper nachlas und sich qualifizierte, um ohne Blamage mit dem Professor für Theologisches Ingenieurwesen aus Neuseeland beim Braten zu sitzen.

Als wir uns zum Essen versammelten, waren wir jämmerlich müde und abgekämpft – aber wir waren im Bilde. O ja, das kann man mit vollem Recht behaupten. Wirklich, Gelehrsamkeit ist ein matter Ausdruck dafür. Neuseeland war das einzige Thema; und es war einfach ein Genuß, uns darin herumplätschern zu hören. Und mit welcher Miene zwangloser Leichtigkeit, unaufdringlicher Sachkenntnis auch in Einzelheiten und geschliffener Beherrschung des Themas – und ach, wie gefällig, wie flüssig es herauskam!

Nun, schließlich bemerkte jemand zufällig, daß der Gast wie betäubt dreinschaute und überhaupt nichts sagte. Sie rüttelten ihn natürlich auf. Da brachte dieser Mann ein gutes, aufrichtiges, wortreiches Kompliment hervor, das den Lehrkörper erröten ließ. Er sagte, er sei nicht würdig, in der Gesellschaft solcher Männer zu sitzen; er habe vor Bewunderung geschwiegen; er habe noch aus einem weiteren Grunde geschwiegen – vor Scham – vor *Unwissenheit*! „Denn", sagte er, „ich, der ich achtzehn Jahre in Neuseeland verbracht habe, fünf davon einen Lehrstuhl innehatte und viel von diesem Land wissen müßte, erkenne jetzt, daß ich fast nichts davon weiß. Ich sage es zu meiner Schande, daß ich in den zwei Stunden an diesem Tisch fünfzigmal, ja, hundertmal mehr über Neuseeland erfahren habe als in den ganzen achtzehn Jahren zusammengenommen. Ich habe geschwiegen, weil ich nicht anders konnte. Was ich über Steuern, Staatswissenschaften, Gesetze, Zölle, Erzeugnisse, Geschichte und alle diese vielen Gegenstände wußte, war nur allgemein, mittelmäßig und verschwommen – mit einem Wort, unwissenschaftlich –, und es wäre Wahnsinn gewesen, es hier vor dem grellen Scheinwerferlicht Ihrer staunenswert genauen und umfassenden Kenntnis dieser Dinge bloßzustellen, meine Herren. Ich bitte Sie, mich still sitzen zu lassen – wie es mir zukommt. Aber wechseln Sie das Thema nicht; bei diesem kann ich Ihnen wenigstens folgen; während ich verloren bin, wenn sie zu einem übergehen, das die volle Kraft Ihrer gewaltigen Gelehrsamkeit herausfordert. Wenn Sie all das über einen fernen, kleinen, unbedeutenden Flecken wie Neuseeland wissen, ach, was wissen Sie dann erst über irgendein anderes Thema!"

27. KAPITEL

> Der Mensch ist das einzige Tier, das errötet.
> Oder es nötig hat.
>
> *Querkopf Wilsons Neuer Kalender*

> Die allumfassende Brüderlichkeit des Menschen ist unser kostbarster Besitz, soviel eben davon da ist.
> *Querkopf Wilsons Neuer Kalender*

Aus dem Tagebuch:

1. November – mittags. Ein schöner Tag, strahlende Sonne. Warm in der Sonne, kalt im Schatten – aus Süd weht eine eisige Brise. Eine lange Dünung rollt gemessen nach Norden. Sie kommt vom Südpol her, und nichts liegt im Wege, um sich ihrem Lauf entgegenzustemmen und ihre Kraft zu dämpfen. Ich habe irgendwo gelesen, ein scharfer Beobachter unter den ersten Forschern – Cook? oder Tasman? – habe diese majestätische Dünung als zuverlässiges Indiz dafür hingenommen, daß weiter südlich kein größeres Land mehr liege; er habe daher keine Zeit mit einer nutzlosen Suche in jener Richtung verschwendet, sondern seinen Kurs geändert und die Suche woanders fortgesetzt.

Nachmittags. Fahren zwischen Tasmanien (früher Vandiemensland) und benachbarten Inseln durch – Inseln, von denen die armen verbannten tasmanischen Wilden nach der verlorenen Heimat hinüberschauten und weinten; und an gebrochenem Herzen starben. Wie froh ich bin, daß alle diese eingeborenen Völker tot und dahin sind oder doch beinahe. In einigen Teilen Australiens ging das barmherzig schnell und furchtbar vor sich. Im Falle Tasmaniens war die Ausrottung vollständig: kein einziger Eingeborener ist übriggeblieben. Es war ein jahre- und jahrzehntelanger Kampf. Die Weißen und die Schwarzen jagten einander, lauerten einander auf, zerfleischten einander. Die Schwarzen waren nicht zahlreich. Aber sie waren vorsichtig, wachsam, schlau, und sie kannten ihr Land genau. Sie hielten lange Zeit aus, so wenige sie auch waren, und fügten den Weißen viele Verluste zu. Die Regierung wollte die Schwarzen wenn möglich vor der endgültigen Ausrottung bewahren. Einer ihrer Pläne war, sie zu fangen und unter Bewachung auf einer benachbarten Insel zu internieren. Die Weißen meldeten sich in Scharen freiwillig zu der Jagd, denn die Bezahlung war gut – 5 Pfund für jeden gefangenen und abgelieferten Schwarzen; aber der Erfolg war nicht sehr befriedigend. Der Schwarze war nackt, sein Leib eingefettet. Es war schwer, ihn dauerhaft in den Griff zu bekommen. Die Weißen zogen in bewaffneten Gruppen umher, überfielen kleine Eingeborenensippen und machten allerdings Gefangene; aber es tauchte die Vermutung auf, daß bei diesen Handstreichen auf einen gefangenen Eingeborenen ein halbes Dutzend getötete kämen, und das war nicht das, was die Regierung wollte.

Ein anderes System bestand darin, die Eingeborenen in einen Winkel der Insel zu treiben und durch eine Kette von Männern, die nebeneinander quer über das Land aufgestellt waren, abzuriegeln; aber die Eingeborenen konnten immer wieder durchschlüpfen und ihre Morde und Brandschatzungen fortsetzen.

Der Gouverneur ließ diese analphabetischen Wilden *durch gedruckten Aufruf* wissen, daß sie in der wüsten Gegend zu bleiben hätten, die ihnen offiziell zugewiesen war! Der Aufruf kam nicht an; die Schwarzen konnten ihn nicht lesen. Danach wurde ein Aufruf in Bildern erlassen. Man malte sie auf Schilder und nagelte diese an Bäume im Wald. Sinngemäß sollten sie heißen:

1. Der Gouverneur wünscht, daß Weiße und Schwarze einander lieben;
2. er liebt seine schwarzen Untertanen;
3. Schwarze, die Weiße umbringen, kommen an den Galgen;
4. Weiße, die Schwarze umbringen, kommen an den Galgen.

Die Regierung gab bei ihren verschiedenen Plänen 30 000 Pfund aus und bemühte lange Zeit Kräfte und Geist mehrerer tausend Weißer – ohne Erfolg. Dann fand man schließlich, ein Vierteljahrhundert nach Ausbruch der Unruhen zwischen den beiden Rassen, den richtigen Mann. Nein, er fand sich selbst. Das war George Augustus Robinson, in der Geschichte „Der Versöhner" genannt. Er war nicht gebildet und stach in keiner Weise hervor. Er war Maurer in der Stadt Hobart. Aber er muß eine erstaunliche Persönlichkeit gewesen sein; ein Mann, den zu sehen eine weite Reise lohnte. Es kann ja sein, daß die Geschichte einen Ebenbürtigen kennt, aber ich wüßte nicht, wo ich nach ihm suchen sollte.

Er stellte sich folgende unglaubliche Aufgabe: hinauszugehen in die Wildnis, in den Dschungel und zu den Zufluchtsorten im Gebirge, wo die gehetzten, unversöhnlichen Wilden sich verbargen, unbewaffnet bei ihnen zu erscheinen, in der Sprache der Liebe und Güte mit ihnen zu sprechen und sie zu überreden, ihre Heime und das wilde und freie Leben, das ihnen so lieb war, im Stich zu lassen, mit ihm zu gehen, sich den verhaßten Weißen zu ergeben und ihr ganzes Leben lang unter weißer Aufsicht und Bewachung von weißen Almosen zu leben! Ganz offensichtlich war es der Traum eines Verrückten.

Zu Anfang nannte man sein Vorhaben, im guten zu überzeugen, sarkastisch *Unternehmen Zuckerbrot*. War der Plan auch verblüffend und noch keinem Menschen vorgekommen, so war es die Situation nicht weniger. So sah es aus: Im Jahre 1831 zählte die weiße Bevölkerung 40 000 Menschen; die schwarze Bevölkerung *300* Menschen. Nicht etwa 300 Krieger, sondern 300 Männer, Frauen und Kinder. Die Weißen waren mit Gewehren ausgerüstet, die Schwarzen mit Keulen und Speeren. Die Weißen hatten die Schwarzen seit einem Vierteljahrhundert bekämpft und auf jede erdenkliche Weise versucht, sie gefangenzunehmen, umzubringen oder zu unterwerfen – und konnten es nicht erreichen. Wenn es weißen Männern irgendeines Volkes überhaupt möglich gewesen wäre, dann hätten diese es geschafft. Aber jeder Plan war gescheitert, die prächtigen Dreihundert, die unvergleichlichen Dreihundert waren unbesiegt und augenscheinlich unbesiegbar. Sie gaben nicht nach, sie wollten nichts von Verhandlungen hören, sie wollten kämpfen bis zum bitteren Ende. Und doch hatten sie keinen Dichter, ihren Mut aufrechtzuerhalten und das Wunder ihrer erhabenen Vaterlandsliebe zu besingen.

Nach 25 Jahren harten Ringens waren die überlebenden 300 nackten Patrioten immer noch trotzig, immer noch hartnäckig, immer noch waren ihre primitiven Waffen wirkungsvoll, und der Gouverneur samt den 40 000 wußten nicht, wohin sie sich wenden noch was sie tun sollten.

Da schlug der Maurer – dieser wunderbare Mann – vor, in die Wildnis hinauszugehen, als einzige Waffe seine Zunge und als einzigen Schutz seinen ehrlichen Blick und sein menschliches Herz mitzunehmen und diese verbitterten Wilden in ihren Lagern in den dämmerigen Wäldern und im Schnee der Berge aufzuspüren. Man hielt ihn natürlich für einen Narren. Aber das war er nicht ganz. Er war tatsächlich alles andere als das. Er baute auf seine langjährige und vertraute Kenntnis des Charakters der Eingeborenen. Diejenigen, die sein Projekt verhöhnten, hatten recht – von ihrem Standpunkt aus – denn sie hielten die Eingeborenen einfach für wilde Tiere; und Robinson hatte recht, von seinem Standpunkt aus – denn er hielt die Eingeborenen für menschliche Wesen. In Wirklichkeit lag die Wahrheit dazwischen. Das spätere Geschehen bewies, daß Robinsons Urteil das treffendere war; aber vier Jahre lang gab das Geschehen etwa einmal monatlich fast den Spöttern recht, denn ungefähr so häufig entkam Robinson knapp dem Tode durch die Speere der Eingeborenen.

Aber die geschichtlichen Tatsachen zeigen, daß er einen klaren Kopf besaß und nicht einfach von Gefühlsduselei hingerissen war. Zum Beispiel verlangte er, daß man die Kampftruppen zurückrief, bevor er unbewaffnet seine Friedensmission antrat. Er wollte sich die besten Erfolgsaussichten verschaffen – nicht nur eben eine mittelmäßige Aussicht. Und er war durchaus bereit, sich helfen zu lassen; und so stellte man jedem eine hohe Belohnung in Aussicht, der unbewaffnet mit ihm gehen würde. Es meldete sich niemand. Robinson überredete ein paar zahme Eingeborene beiderlei Geschlechts, ihn zu begleiten, ein starker Beweis für seine Überzeugungskraft, denn diese Eingeborenen wußten sehr wohl, daß ihnen der Tod beinahe sicher war. Wie sich herausstellte, gerieten sie auch wirklich unzählige Male in Lebensgefahr.

Robinson und seine kleine Gruppe hatten eine schwierige Aufgabe vor sich. Sie konnten nicht bequem in die Wälder hinausreiten und Leonidas mit seinen 300 zu einem Gespräch zusammenrufen, um am folgenden Tag einen Friedensvertrag abzuschließen; denn die Wilden lebten nicht vereinigt; in ungeheuren Abständen verstreut hausten sie in Gegenden, die so wüst waren, daß selbst die Vögel von dem Gebotenen nicht leben konnten – in Gruppen zu zwanzig, einem Dutzend, einem halben Dutzend, sogar in Dreiergruppen verstreut. Und die Mission mußte zu Fuß marschieren. Mr. Bonwick gibt eine Beschreibung jener entsetzlichen Gegenden, aus der man ersieht, daß selbst flüchtige Banden der verwegensten und ausgesuchtesten menschlichen Teufel, die die Welt je gesehen hat – der Sträflinge, die man ausgesondert hatte, die Stationsbelegung der „Hölle von Macquarie Harbour" zu bilden –, nur ein einziges Mal imstande waren, die Schrecken eines Marsches durch diese Gegenden zu überleben, dann aber durstend und darbend, torkelnd und taumelnd einander auffraßen und umkamen:

„Vorwärts, immer vorwärts war der Befehl des unbezwingbaren Robinson. Wer das westliche Gebiet Tasmaniens nicht kennt, kann sich keine richtige Vorstellung von den Reiseschwierigkeiten machen. Als ich in Hobart wohnte, unternahmen der Gouverneur, Sir John Franklin, und seine Gattin die Reise in den Westen nach Macquarie Harbour und machten Furchtbares durch. Ein Mann, der die Dame durch die Sümpfe tragen half, erzählte mir von seinen bitteren Erfahrungen mit den Schrecknissen dieser Reise. Einige wurden für das ganze Leben invalide. Kein Wunder, daß nur ein einziger Trupp, der aus der Sträflingssiedlung Macquarie Harbour entfloh, die zivilisierte Gegend erreichte. Männer kamen im Busch um, verirrten sich im Schnee oder wurden von ihren Gefährten verschlungen. Dieses Gebiet durchzogen Mr. Robinson und seine schwarzen Führer. Alle Achtung vor seiner Kühnheit und vor ihrer wunderbaren Treue! Wenn sie mitten im Winter tiefe und reißende Flüsse durchqueren, sechstausend Fuß hohe Gebirge überschreiten, sich durch gefährliche Dickichte winden und in einem Lande, das selbst die Vögel verachteten, Nahrung suchen mußten, können wir uns ihre Mühsal vorstellen.

Nach einer schrecklichen Reise am Cradle Mountain vorbei und über die Middlesex-Hochebene erging es den Reisenden ganz besonders schlimm, und die Verhältnisse forderten die besten Eigenschaften der kleinen edlen Gruppe heraus. Mr. Robinson schrieb später dem Sekretär Burnett über einige Begebenheiten dieser entsetzlichen Wanderung. In dem Brief vom 2. Oktober 1834 berichtet er, daß seine Eingeborenen nur sehr widerwillig bereit waren, die schrecklichen Bergpässe zu überqueren; daß ‚wir sieben Tage lang hintereinander über eine zusammenhängende Schneedecke dahinzogen'; daß ‚der Schnee unglaublich tief war'; daß ‚der Schnee den Eingeborenen häufig bis zum Gürtel ging'. Und doch hielt die fröhliche Stimme ihres unbesiegbaren Freundes die schlechtgekleideten, schlechtgenährten, kranken und erschöpften Männer und Frauen aufrecht, folgten sie mit Heldenmut seinem Ruf."

Mr. Bonwick sagt, die Tat Robinsons, den Big-River-Stamm – wohlgemerkt, einen ganzen Stamm – im guten gefangenzunehmen, sei „bei weitem das größte Ereignis dieses Krieges und die glorreiche Krönung seiner Bestrebungen" gewesen. Das Wort „Krieg" war falsch gewählt und ist irreführend. Es herrschte noch Krieg, aber nur die Schwarzen führten ihn – die Weißen hielten sich zurück, bis Robinson mit seinem Plan einen angemessenen Versuch unternommen haben konnte. Ich glaube, er will damit sagen, daß die friedliche Gefangennahme dieses Stammes bei weitem der wichtigste, der bedeutendste Vorgang in den ganzen dreißig Jahren ununterbrochener Feindseligkeiten gewesen war; daß sie etwas Entscheidendes gewesen war, ein friedliches Waterloo, die Kapitulation des eingeborenen Napoleon und seiner gefürchteten Streitkräfte, das glückliche Ende des langen Kampfes. Denn „dieser Stamm war der Schrecken der Kolonie", sein Häuptling „der Schwarze Douglas der Buschmenschen".

Robinson wußte, daß irgendwo diese furchtbaren Leute lauerten, in einem verborgenen Winkel der eben beschriebenen gräßlichen Einöde, und er und sein unbewaffnetes Grüppchen brachen zu einer langwierigen und gefährlichen Suche nach ihnen auf. Endlich, „dort, im Schatten von Frenchman's Cap, dessen finsterer Kegel im menschenleeren westlichen Hinterland 5000 Fuß hoch aufragte", fanden sie den Stamm. Es war ein schwerwiegender Augenblick. Dieses eine Mal glaubte Robinson selbst, daß hier seine Mission, bis jetzt erfolgreich, fehlschlagen würde, und daß seine eigene Todesstunde geschlagen habe.

Der furchtbare Häuptling stand in drohender Haltung da, den achtzehn Fuß langen Speer erhoben; hinter ihm drängten sich seine Krieger, zum Kampf bewaffnet, und aus ihren Mienen sprach der Abscheu vor den Weißen. „Sie rasselten mit den Speeren und ließen ihr Kriegsgeschrei erschallen." Hinter ihnen standen ihre Frauen mit den Ersatzwaffen und hielten ihre 150 ungeduldigen Hunde zurück, bis der Häuptling das Zeichen zum Angriff gäbe.

„Ich glaube, wir sehen uns bald im Jenseits wieder", flüsterte einer aus Robinsons kleiner Gruppe.

„Das glaube ich auch", antwortete Robinson; dann faßte er sich ein Herz und begann seine Überzeugungsarbeit – im Dialekt des Stammes selbst, was den Häuptling überraschte und ihm gefiel. Plötzlich unterbrach der Häuptling:

„Wer seid ihr?"

„Wir sind Gentlemen."

„Wo sind eure Gewehre?"

„Wir haben keine."

Der Krieger war verblüfft. „Wo eure kleinen Gewehre?" (Pistolen.)

„Wir haben keine."

Ein paar Minuten vergingen – Nebenhandlungen – Ungewißheit – Diskussion unter den Stammesangehörigen – Robinsons zahme Squaws wagten es, die Grenze zu übertreten und auf die wilden Squaws einzureden. Dann trat der Häuptling zurück – „um sich mit den alten Frauen zu beraten – den eigentlichen Autoritäten im Krieg der Wilden". Mr. Bonwick fährt fort:

„Wie der gefallene Gladiator in der Arena vom Präsidenten des Amphitheaters das Zeichen für Leben oder Tod erwartet, so harrten unsere Freunde in banger Spannung, solange die Beratung andauerte. Ein paar Minuten später, noch bevor ein Wort fiel, reckten die Frauen des Stammes dreimal die Arme empor. Das war das unverletzliche Friedenszeichen! Die Speere senkten sich. Mit einem tiefen Seufzer der Erleichterung und aufwärtsgewandtem Dankesblick traten die Freunde des Friedens vor. Die impulsiven Eingeborenen stürzten mit Tränen und lauten Rufen aufeinander zu, da jeder in den Reihen der anderen ein ehemals geliebtes Wesen erspähte…

Es war ein Jubelsturm. Ein Freudenfest folgte. Und während bei den Berichten über das durchgemachte Elend noch Tränen flossen, schloß der ereignisreiche Tag mit einem Corroboree lachender Freude.“

Binnen vier Jahren und ohne einen Tropfen Blut zu vergießen, holte Robinson sie alle als freiwillige Gefangene ein, lieferte sie dem weißen Gouverneur aus und beendete den Krieg, den Pulver, Blei und Tausende von Männern seit 1804 erfolglos geführt hatten.

Marsyas, der die wilden Tiere mit seiner Musik bezauberte – das ist eine Sage; aber das Wunder, das Robinson vollbrachte, ist Tatsache. Es ist Geschichte – und verbürgt; und ganz gewiß enthält die Geschichte keines anderen Landes aus Altertum oder Neuzeit etwas Größeres, etwas, das mehr Hochachtung abnötigen könnte.

Und zum Andenken an den größten Mann, den Australasien je hervorgebracht hat oder hervorbringen wird, steht ein stattliches Denkmal für George Augustus Robinson, den Versöhner, in – nein, es gilt einem anderen Mann, ich habe seinen Namen vergessen.

Aber Robinsons eigene Generation hat ihm Ehre erwiesen und damit sich selbst geehrt. Die Regierung schenkte ihm eine Geldprämie und tausend Acres Land; und die Leute hielten Massenversammlungen ab, überhäuften ihn mit Lobreden und unterstrichen ihre Anerkennung durch erhebliche Geldspenden.

Eine schöne dramatische Situation; aber vor einer anderen fiel der Vorhang:

„Nachdem der verzweifelte Stamm solcherart gefangengenommen war, war das Staunen groß, als man entdeckte, daß man die 30 000 Pfund etwas früheren Datums verbraucht und die ganze Kolonie unter Waffen gestellt hatte, um sich mit einer gegnerischen Macht von *sechzehn Männern mit hölzernen Speeren* zu messen! Aber so verhielt es sich. Der berühmte Big-River-Stamm, den die Furcht der Europäer zu einem Heer vergrößert hatte, bestand aus *sechzehn Männern, neun Frauen und einem Kind.* Wenn man von dem Schaden weiß, den diese wenigen angerichtet hatten, von ihren erstaunlichen Märschen und ihren weit auseinandergezogenen Überfällen, können selbst ihre Feinde ihnen Mut und taktische Fähigkeiten nicht absprechen. Ein Wallace konnte wohl mit einer kleinen und entschlossenen Schar eine große Armee in Atem halten; aber die Gegner glichen sich wenigstens an Waffen und Zivilisation. Die Zulus, die uns in Afrika bekämpften, die Maori in Neuseeland, die Araber im Sudan, alle waren viel besser bewaffnet, in der Kriegskunst fortgeschrittener und beträchtlich zahlreicher als die nackten Tasmanier. Gouverneur Arthur hat sie mit Recht eine *edle Rasse* genannt.“

Wirklich wunderbare Leute waren das, diese Eingeborenen. Man hätte sie nicht vernichten dürfen. Man hätte sie mit den Weißen kreuzen sollen. Das hätte die Weißen verbessert und den Eingeborenen nicht geschadet.

Aber die Eingeborenen wurden aufgerieben, die bedauernswerten, heldenhaften, wilden Geschöpfe. Man faßte sie in kleinen Siedlungen auf benachbarten Inseln zusammen, die Regierung sorgte väterlich für sie, man erteilte ihnen Religionsunterricht und entzog ihnen den Tabak, weil der Vorsteher der Sonntagsschule Nichtraucher war und deshalb das Rauchen für unmoralisch hielt.

Die Eingeborenen kannten keine Kleidung, Häuser, regelmäßige Tageseinteilung, Kirche, Schule, Sonntagsschule, Arbeit und die anderen unangebrachten Zivilisationsplagen, und sie sehnten sich nach ihrer verlorenen Heimat und ihrem wilden, freien Leben. Zu spät bereuten sie, jenen Himmel für diese Hölle eingetauscht zu haben. Sie saßen heimwehkrank auf den fremden Felsen und starrten Tag für Tag mit unstillbarer Sehnsucht durch einen Tränenschleier über das Meer zu der dunstverhüllten Masse hinüber, der Geistererscheinung dessen, was ihr Paradies gewesen war; einem nach dem anderen brach das Herz, und sie starben.

In sehr wenigen Jahren lebte nur noch ein kleiner Rest. Eine Handvoll schmachtete dahin, bis sie alle alt waren. Im Jahre 1864 starb der letzte Mann, im Jahre 1876 die letzte Frau, und die Spartaner Australiens waren ausgestorben.

Die Weißen meinen es immer gut, wenn sie menschliche Fische aus dem Ozean herausholen und versuchen, sie in einem Hühnerkorb trocken, warm, glücklich und behaglich unterzubringen; aber selbst der gutherzigste Weiße versagt ganz bestimmt und jedesmal, wenn er mit Wilden zu tun hat. Er vermag die Situation nicht umzukehren und sich vorzustellen, wie es ihm wohl gefiele, wenn ein wohlmeinender Wilder ihn von seinem Haus, seiner Kirche, seinen Kleidern, seinen Büchern und seinem guten Essen weg in eine gräßliche Wildnis von Sand, Fels und Schnee verpflanzen würde, mit Eis, Hagel, Sturm und blasenziehender Sonne, ohne Obdach, ohne Bett, ohne Hülle für seinen und seiner Familie nackte Leiber, und nur Schlangen, Käfer und Abfall zu essen. Das wäre für ihn die Hölle; und wenn er einen Funken Verstand besäße, wüßte er, daß seine eigene Zivilisation für den Wilden die Hölle ist – aber er besitzt keinen und hat nie welchen besessen; und weil ihm der Verstand fehlte, sperrte er diese armen Wilden in die unvorstellbare Verdammnis seiner Zivilisation ein, hatte bei diesem Verbrechen auch noch die allerbesten Absichten und sah diese armen Geschöpfe unter seinen Peinigungen dahinschwinden; schaute dumpf bekümmert und besorgt zu und fragte sich, was wohl mit ihnen los sein könne. Man ist beinahe versucht, diese Verbrecher zu achten, sie waren so aufrichtig gütig, besorgt, menschenfreundlich und wohlmeinend.

Sie wußten nicht, warum diese verbannten Wilden dahinwelkten, und sie bemühten sich redlich nach Kräften, den Grund zu finden. In einem gleichartigen Fall in Neusüdwales hat ein Mann ihn auch wirklich gefunden und ist zu einer Lösung gelangt:

„Das macht Gottes Zorn, den der Himmel gegen alle Gottlosigkeit und Verruchtheit der Menschen offenbart."

Das erledigt diese Frage.

28. KAPITEL

> Wir wollen froh sein, daß es Narren gibt.
> Ohne sie hätten wir anderen keinen Erfolg.
>
> *Querkopf Wilsons Neuer Kalender*

Es scheint etwas Wahres an dem Aphorismus zu sein: „Erfordert es die Lage, wird der richtige Mann schon erscheinen." Aber der Richtige darf nicht vor der Zeit erscheinen, sonst wird alles verdorben. Im Falle Robinsons nahte der Moment ein Vierteljahrhundert lang – und inzwischen saß der zukünftige Versöhner seelenruhig in Hobart und mauerte. Als alle anderen Mittel versagt hatten, war der Moment gekommen, der Maurer legte seine Kelle hin und trat vor. Zu einem früheren Zeitpunkt hätte man ihn voll Hohn zu seiner Kelle zurückgejagt. Das erinnerte mich an eine Geschichte, die mir ein Mann aus Kentucky im Zug erzählte, als wir durch Montana fuhren. Er sagte, die Geschichte sei in Louisville vor Jahren allgemein bekannt gewesen. Ihm war, als sei sie auch gedruckt erschienen, er konnte sich aber nicht erinnern. Jedenfalls lautete sie im wesentlichen wie folgt, soweit ich sie noch zusammenbringe:

Ein paar Jahre vor Ausbruch des Bürgerkrieges begann sich abzuzeichnen, daß Memphis, Tennessee, ein bedeutender Umschlagplatz für Tabak werden würde – die Kenner sahen die Anzeichen. Damals hatte Memphis natürlich einen Leichter. Ein gepflasterter, abfallender Kai zur Aufnahme der Fracht war vorhanden, aber die Dampfer legten an dem Leichter an, und das ganze Beladen und Entladen zwischen Dampfer und Ufer ging über diesen Leichter. Dazu war eine Anzahl Schreiber notwendig, und diese waren jeden Tag zuzeiten sehr eingespannt und zuzeiten völlig unbeschäftigt. Sie schäumten über vor Jugend und Übermut und mußten die Zwischenzeiten der Untätigkeit irgendwie totschlagen; in der Regel besorgten sie das, indem sie auf dumme Streiche sannen, die sie sich gegenseitig spielten.

Die beliebteste Zielscheibe für diese Streiche war Ed Jackson, weil er selbst nie welche verübte und für die anderen Leute leichte Beute war – denn er glaubte alles, was man ihm erzählte.

Eines Tages berichtete er den anderen, was er in seinem Urlaub vorhatte. Diesmal wollte er nicht angeln oder jagen gehen – nein, er habe sich etwas Besseres ausgedacht. Von seinen monatlichen vierzig Dollar habe er für seine Absicht genug auf die hohe Kante gelegt, und er würde sich mal New York ansehen.

Das war eine fabelhafte und verblüffende Idee. Sie bedeutete eine Reise – eine ungeheure Reise –, damals hieß das, die Welt zu sehen; es war das, was in unseren Tagen eine Reise um die Welt ist. Zuerst dachten die anderen Burschen, sein Geist habe gelitten, aber als sie entdeckten, daß er es ernst meinte, war als nächstes zu bedenken, welche Gelegenheit für einen Streich diese Unternehmung bieten könnte.

Die jungen Leute durchdachten den Fall, dann berieten sie heimlich und schmiedeten einen Plan. Es drehte sich darum, daß einer der Verschwörer Ed einen Einführungsbrief für Kommodore Vanderbilt anbieten und ihn beschwatzen sollte, den auch abzugeben. Das dürfte leicht sein. Aber was würde Ed machen, wenn er nach Memphis zurückkehrte? Das war eine schwerwiegende Sache. Er war gutmütig und hatte die Streiche immer geduldig hingenommen; aber es waren Streiche gewesen, die ihn nicht gedemütigt, ihn nicht blamiert hatten; während dieser hier grausam war, und ihn auszuführen hieße, mit dem Feuer spielen; denn bei all seiner Gutmütigkeit war Ed doch ein Südstaatler – und das bedeutete auf englisch, daß er bei seiner Rückkehr so viele Verschwörer umbringen würde, wie er nur konnte, bevor er selbst fiele. Aber das mußte man riskieren – es war unmöglich, einen solchen Streich unausgeführt verrotten zu lassen.

Sie setzten also den Brief mit aller Vorsicht und Sorgfalt auf. Er war „Alfred Fairchild" unterschrieben und in zwanglosem und freundschaftlichem Ton gehalten. Er gab an, der Überbringer sei der Busenfreund vom Sohn des Schreibers und habe einen fähigen Kopf und einen tadellosen Charakter, und bat den Kommodore, dem Schreiber zuliebe zu dem jungen Fremden nett zu sein. Er fuhr fort: „Sie werden mich in dieser langen Zeit wohl vergessen haben, aber im Gedanken an Ihre Kindheit werden Sie leicht auf mich kommen, wenn ich Sie daran erinnere, wie wir damals am Abend Old Stevensons Obstgarten plünderten; und wie wir, als er auf der Straße hinter uns herjagte, querfeldein rannten, zurückkehrten und seiner eigenen Köchin seine eigenen Äpfel gegen einen Hut voll Pfannkuchen abließen; und wie wir damals..." und so weiter und so fort, unter Erwähnung erfundener Kameraden und unter ausführlicher Schilderung aller möglichen tollen, absurden und natürlich völlig frei erfundenen Schuljungenstreiche und -abenteuer, aber lebendig und sprechend gestaltet.

Mit allem Ernst wurde Ed gefragt, ob er einen Brief für Kommodore Vanderbilt, den berühmten Millionär, haben wolle. Sie erwarteten, daß die Frage Ed überraschen würde, und das tat sie auch.

„Was! Kennst *du* diesen ungewöhnlichen Menschen?"

„Nein, mein Vater kennt ihn. Sie waren Schulkameraden. Und wenn du willst, schreibe ich Vater und bitte ihn darum. Er wird dir mir zuliebe gern einen Brief mitgeben."

Ed fand keine Worte, seine Dankbarkeit und sein Entzücken auszudrükken. Drei Tage vergingen, er bekam den Brief ausgehändigt. Er trat seine Reise an und bedankte sich immer noch überschwenglich, während er sich schon reihum verabschiedete. Als er außer Sicht war, platzten seine Kameraden fröhlich und zufrieden mit einem Lachsturm heraus – und dann wurden sie stiller und waren nicht mehr so fröhlich, nicht mehr so zufrieden. Denn die alten Zweifel, ob dieser Betrug so klug gewesen sei, regten sich wieder.

In New York angekommen, fragte sich Ed zur Geschäftsadresse Kommodore Vanderbilts durch und wurde in einen großen Vorraum gewiesen, wo zwanzig Leute geduldig abwarteten, bis sie zu einer Zweiminutenunterredung mit dem Millionär in seinem Privatbüro an die Reihe kämen. Ein Diener bat Ed um seine Karte und bekam statt dessen den Brief. Einen Augenblick später wurde Ed hineingebeten und fand Mr. Vanderbilt allein, mit dem – geöffneten – Brief in der Hand.

„Bitte setzen Sie sich, Mr. ...hm..."

„Jackson."

„Aha – setzen Sie sich, Mr. Jackson. Nach der Einleitung scheint es der Brief eines alten Freundes zu sein. Gestatten Sie – ich will ihn mal überfliegen. Er sagt – er sagt – nanu, wer *ist* es denn?" Er drehte das Blatt um und fand die Unterschrift. „Alfred Fairchild – hm – Fairchild – ich kann mich an den Namen nicht erinnern. Aber das will nichts bedeuten – mir sind tausend Namen entfallen. Er sagt – er sagt – hm – hm – oh, das ist ja gut! Oh, das ist köstlich! Ich kann mich nicht *ganz* daran erinnern, aber es *scheint* – es wird mir sogleich alles wieder einfallen. Er sagt – er sagt – hm – hm – oh, war das eine Sache! Oh, glän-zend! Wie es mich zurückversetzt! Natürlich ist mir alles verschwommen – es ist so lange her – und die Namen – ein *paar* Namen – sind mir sehr undeutlich und verzerrt in Erinnerung! – aber klar, ich weiß, daß es damals so war – ich fühle es! und, lieber Gott, wie es mir das Herz wärmt und die entschwundene Jugend zurückbringt! Schön, schön, schön, ich muß jetzt wieder in diese Alltagswelt zurückkehren – das Geschäft drängt und die Leute warten – ich hebe mir den Rest für heute abend im Bett auf und werde meine Jugend noch einmal durchleben. Danken Sie Fairchild in meinem Namen, wenn Sie ihn sehen – ich glaube, ich habe ihn immer Alf genannt –, und sagen Sie ihm, ich sei ihm sehr verbunden für das, was dieser Brief dem abgespannten Geist eines schwer arbeitenden Menschen gegeben hat; und sagen Sie ihm, was ich für ihn oder einen seiner Freunde tun könne, werde geschehen. Und was Sie anbetrifft, mein lieber Junge, Sie sind mein Gast; Sie dürfen in New York in keinem Hotel absteigen. Bleiben Sie ein Weilchen sitzen, bis ich mit diesen Leuten fertig bin, dann gehen wir nach Hause. Ich werde mich um *Sie* kümmern, mein Junge – da seien Sie nur ganz beruhigt."

Er blieb eine Woche und unterhielt sich fabelhaft – und ahnte gar nicht, daß der Kommodore seinen schlauen Blick auf ihn gerichtet hielt und ihn täglich wog, maß, analysierte, prüfte und erprobte.

Ja, er unterhielt sich fabelhaft; und schrieb kein Wort nach Hause, sondern sparte alles auf, um es zu erzählen, wenn er heimkäme. Zweimal äußerte er mit geziemender Bescheidenheit und Schicklichkeit die Absicht, seinen Besuch zu beenden, aber der Kommodore sagte: „Nein, warten Sie; überlassen Sie das mir; ich sage Ihnen, wann Sie fahren sollen."

Gerade in dieser Zeit führte der Kommodore ein paar seiner großangelegten Zusammenlegungen aus – er vereinigte einander bekämpfende Eisenbahnklitschen zu harmonischen Systemen, faßte die steuerlos treibende Wirtschaft in leistungsfähige Zentren zusammen – und unter anderem hatte sein weitblickendes Auge erspäht, daß jener bereits erwähnte bedeutende Tabakhandel sich immer mehr nach Memphis zog, und er hatte beschlossen, die Hand darauf zu legen und ihn an sich zu reißen.

Die Woche lief ab. Da sagte der Kommodore:

„Jetzt können Sie nach Hause fahren. Aber zuerst werden wir uns noch einmal über diese Tabakgeschichte unterhalten. Ich kenne Sie jetzt. Ich kenne Ihre Fähigkeiten ebensogut, wie Sie selbst sie kennen – vielleicht besser. Sie haben diese Tabakgeschichte erfaßt; Sie haben erfaßt, daß ich sie in die Hand nehmen will, und Sie haben auch die Pläne erfaßt, die ich eingeleitet habe, um das zu erreichen. Was ich brauche, ist ein Mann, der meine Absichten kennt und fähig ist, mich in Memphis zu vertreten und die Oberaufsicht über diesen wichtigen Geschäftszweig zu führen – und ich ernenne Sie dazu."

„Mich!"

„Ja. Sie bekommen ein hohes Gehalt – selbstverständlich –, denn Sie repräsentieren mich. Später werden Sie sich Gehaltserhöhungen verdienen und sie auch erhalten. Sie werden einen kleinen Stab von Mitarbeitern brauchen; wählen Sie diese selbst aus – sorgfältig. Nehmen Sie keinen Mann nur um der Freundschaft willen; aber wenn die Voraussetzungen sonst gleich sind, nehmen Sie den Mann, den Sie kennen, ziehen Sie Ihren Freund dem Fremden vor."

Nachdem sie noch etwas länger über diese Angelegenheit gesprochen hatten, sagte der Kommodore: „Leben Sie wohl, mein Junge, und danken Sie Alf in meinem Namen, daß er Sie mir geschickt hat."

Als Ed in Memphis ankam, stürzte er in fieberhafter Erregung zum Kai hinab, um die große Neuigkeit zu erzählen und den Jungs immer und immer wieder zu danken, daß sie daran gedacht hatten, ihm den Brief an Mr. Vanderbilt mitzugeben. Zufällig war es eine Mußestunde. Glutheißer Mittag, kein Lebenszeichen auf dem Kai. Aber als Ed sich zwischen den Warenstapeln hindurchschlängelte, sah er unter einem Schutzdach eine weiße Leinengestalt schlummernd auf einem Stapel Kornsäcke liegen, sagte sich: ‚Da ist einer', und schritt rascher aus; dann sagte er: „Es ist Charley – Fairchild – fein", und packte im nächsten Moment den Schläfer herzlich an der Schulter. Die Augen klappten langsam auf, blickten einmal hin, das Gesicht erbleichte, die Gestalt trudelte von dem Stapel herab, und im Nu war Ed allein und raste Fairchild wie der Wind nach dem Leichter!

Ed war wie betäubt, verblüfft. War Fairchild verrückt? Was sollte das heißen? Langsam und gedankenversunken schritt er zum Leichter hinab, bog um einen Güterstapel und stand plötzlich vor zweien der Jungs. Sie lachten gerade vergnügt über irgend etwas Drolliges, hörten seinen Schritt und blickten in dem Moment auf, als auch er sie entdeckte; das Lachen brach jäh ab; und bevor Ed sprechen konnte, waren sie fort und setzten über Fässer und Ballen hinweg wie gejagtes Wild. Wieder war Ed starr. Waren die Jungs alle übergeschnappt? Wie war dieses ungewöhnliche Benehmen bloß zu erklären? Und so sinnierte er vor sich hin, gelangte an das Ufer und betrat den Leichter – Stille und Leere, weiter nichts. Er überquerte das Deck, bog um die Ecke, um den äußeren Niedergang hinabzusteigen, hörte ein heftiges: „O Gott!" und sah eine weiße Leinengestalt über Bord springen.

Der junge Mann kam hustend und gurgelnd hoch und rief:

„Hau ab! Mich laß in Ruh. *Ich* hab's nicht gemacht, ich schwör's dir!"

„*Was* nicht gemacht?"

„Dir den…"

„Ist ja egal, was du nicht gemacht hast – komm da heraus! Warum habt ihr euch alle so? Was habe *ich* denn gemacht?"

„Du? *Du* hast doch gar nichts gemacht. Aber…"

„Na, was habt ihr dann gegen mich? Warum behandelt ihr mich alle so?"

„Ich – äh – aber hast du nichts gegen *uns*?"

„Natürlich nicht. Wie kommst du denn auf so was?"

„Auf Ehre – du hast nichts gegen uns?"

„Auf Ehre."

„Schwöre!"

„Ich weiß nicht, *was* du bloß meinst, aber ich schwöre eben."

„Und du gibst mir die Hand?"

„Weiß Gott, das tu ich *gern*! Mann, ich lauere ja direkt darauf, *irgendeinem* die Hand zu schütteln!"

Der Schwimmer murmelte: „Verflixt, er hat Lunte gerochen und den Brief überhaupt nicht abgegeben! – aber mir soll's recht sein, ich fange bestimmt nicht davon an." Und er krabbelte heraus und kam triefend und tropfend an, um ihm die Hand zu schütteln. Einer nach dem anderen erschienen die Verschwörer behutsam auf der Bildfläche – bis an die Zähne bewaffnet –, musterten die friedliche Lage, dann wagten sie sich vorsichtig heran und beteiligten sich an dem Verbrüderungsfest.

Und auf Eds Frage, warum sie sich so benommen hätten, antworteten sie ausweichend und gaben vor, sie hätten das als Spaß verabredet, um zu sehen, was er wohl machen würde. Es war die beste Erklärung, die sie in der Eile erfinden konnten. Und jeder sagte sich: ‚Er hat den Brief überhaupt nicht abgegeben, und der Spaß geht auf *unsere* Kosten, wenn er es nur wüßte oder wenn wir so dusselig wären, es zu erzählen.'

Natürlich wollten sie dann alle von der Reise hören; und er sagte: „Kommt mit auf das Boilerdeck und bestellt euch was zu trinken – ich geb einen aus. Ich will euch alles erzählen. Und heute abend gebe ich wieder einen aus – wir wollen Austern essen und feiern!"

Als die Getränke kamen und die Zigarren angebrannt waren, sagte Ed: „Also, als ich Mr. Vanderbilt den Brief gab…"

„Himmlischer Vater!"

„Je, habt ihr mich erschreckt! Was ist denn los?"

„Oh – äh – nichts. Nichts – eine Reißzwecke im Stuhlsitz", sagte einer.

„Aber ihr habt es *alle* gesagt. Na, ist ja auch egal. Als ich den Brief abgab…"

„*Hast* du ihn abgegeben?" Und sie schauten einander an wie Leute, die zu träumen glauben.

Dann setzten sie sich zurecht und hörten zu; und als die Geschichte voranschritt und die Wunderdinge sich häuften, ließ die Verblüffung sie verstummen, und vor Spannung stockte ihnen der Atem. Zwei Stunden lang wagten sie kaum zu flüstern, sondern saßen wie versteinert da und tranken in vollen Zügen die Romantik des unvergänglichen Abenteuers.

Schließlich war der Bericht zu Ende, und Ed sagte: „Und das danke ich alles *euch*, Jungs, und *mich* werdet ihr nie undankbar finden – Gott segne euch, die besten Freunde, die je ein Mensch hatte! Ihr kriegt alle einen Posten; ich brauche jeden von euch. Ich *kenne* euch, ‚sogar von hinten', wie die Spieler sagen. Ihr seid Witzbolde und all so was, aber ihr seid *richtig*, goldrichtig. Und, Charley Fairchild, du wirst mein erster Assistent und meine rechte Hand, weil du was loshast und weil du mir den Brief verschafft hast und deines Vaters wegen, der ihn für mich geschrieben hat, und um Mr. Vanderbilt gefällig zu sein, der es gleich gesagt hat! Und nun, auf den großen Mann – Prost!"

Ja, erfordert es die Lage, wird der richtige Mann schon erscheinen – selbst wenn er tausend Meilen weit entfernt wohnt und durch einen dummen Streich gefunden werden muß.

29. KAPITEL

> Wenn man uns nicht achtet, sind wir schwer
> gekränkt; doch tief im Herzen hegt niemand
> Achtung vor sich selbst.
>
> *Querkopf Wilsons Neuer Kalender*

Notwendigerweise fesseln einen im Logbuch jedes Landes in erster Linie die menschlichen Dinge. Die Annalen Tasmaniens, in dessen Schatten wir gerade dahinglitten, sind in dieser Hinsicht besonders düster. Tasmanien war früher ein Auffangplatz für Sträflinge; das ist in dem Bericht über den Versöhner angedeutet, wo vergebliche Versuche verzweifelter Sträflinge erwähnt werden, nach der Flucht aus Macquarie Harbour und den „Höllentoren" endgültig die Freiheit zu erreichen. In der ersten Zeit bestand ein hoher Anteil der tasmanischen Bevölkerung aus Sträflingen beiderlei Geschlechts und aller Altersstufen, und ein bitterschweres Leben führten sie. An einer Stelle stand ein Lager für jugendliche Sträflinge – Kinder –, die man aus ihrer Heimat von ihren Familien auf der anderen Seite des Erdballs hierher fortgeschickt hatte, um sie ihre „Verbrechen" abbüßen zu lassen.

Pünktlich glitt unser Schiff in den Mündungstrichter des Derwent hinein, an dessen Kopfende Hobart steht, die Hauptstadt Tasmaniens. Die Ufer des Derwent bieten eine interessante Szenerie. Der Historiker Laurie, dessen „Geschichte von Australasien" gerade erschienen ist, schildert recht treffend und mit leidenschaftlicher Anteilnahme ihre Besonderheiten: „Das wunderbar Malerische jeder Aussicht in Verbindung mit der klaren, balsamischen Luft und der Durchsichtigkeit der Meerestiefen muß" die ersten Forscher „entzückt und tief beeindruckt haben. Wenn auch die felsumgürteten Küsten unfreundlich, drohend und finster, im ganzen wenig einladend wirken, so bricht sich ihre Front doch gelegentlich in bezaubernden und verlockenden kleinen Buchten, ausgestreut mit goldenem Sand, bekleidet mit immergrünem Gebüsch und geschmückt mit jeder Spielart einheimischer Akazien, Buscheichen, wilder Blumen und Farne, von dem zarten, anmutigen ‚Mädchenhaar' bis zum palmenähnlichen ‚Alten Mann'; während der stolze Gummibaum, rank und glatt wie der Mast ‚eines großen Flaggschiffs' bis zur Höhe von 230 Fuß oder mehr in die klare Luft ragt."

So schien es mir auch. „Welch ein Schreck freudigen Staunens muß den frühen Seefahrer, der an Tasmans Halbinsel entlangfuhr, durchzuckt haben, wenn er plötzlich Kap Pillar mit seiner Gruppe schwarzgerippter Basaltsäulen erblickte, die bis 900 Fuß aufsteigen, den Hydrakopf in einen Turban flaumiger Wolken gehüllt, den Fuß von eifersüchtigen, zornige Schaumfontänen speienden Wellen gepeitscht."

Das ist ganz schön, aber ich hätte nicht gedacht, daß diese Stümpfe 900 Fuß hoch seien. Dennoch sahen sie sehr gut aus. Sie standen ganz für sich allein und boten einen fesselnden, merkwürdigen Anblick. Aber nichts an ihnen erinnerte an die Köpfe einer Hydra. Sie sahen wie eine Reihe hoher Steinplatten aus, deren obere Enden sich wie die Spitze eines Vorlegemessers verjüngten. Der frühe Reisende, der ihre bedeutende Höhe nicht kannte, hätte sie durchaus für eine Reihe verrotteter alter Säulen halten können, die nach dieser oder jener Seite aus der Senkrechten weggesackt waren.

Die Halbinsel ist hoch, felsig und dicht mit Buschwerk oder Unterholz oder beidem bekleidet. Eine flache Landenge verbindet sie mit dem Festland. An dieser Stelle stand früher eine Sträflingsstation namens Port Arthur – ein Ort, von dem eine Flucht sehr schwer war. Dahinter lag die Wildnis des Buschlands, in dem ein Flüchtling bald verhungern mußte; davor lag die schmale Landenge, quer darüber zog sich ein Kordon angeketteter Hunde, eine Reihe von Laternen und ein Gatter aus lebendigen, bewaffneten Wächtern. Wir sahen das nur im Vorbeifahren – das heißt, wir erhaschten einen Blick auf etwas, das, wie wir erfuhren, die Einfahrt zu Port Arthur war. Der flüchtige Blick war als Andenken schon etwas wert, aber das war auch alles.

„Die Schiffsreise von dort aus die Mündung des Derwent hinauf enthüllt eine großartige Folge märchenhafter Bilder und steht in ihrer ganzen Länge unerreicht da. Man gleitet über das tiefblaue Meer, das besät ist mit lieblichen, bis an den Rand des Wassers üppig bewachsenen Inselchen, und weiß nicht mehr, welches Bild man zur Betrachtung auswählen und am meisten bewundern soll. Wenn der Huon und der Bruni hinter uns liegen, scheint ein Rivale keine Aussicht mehr zu haben; aber plötzlich hievt sich buchstäblich der Mount Wellington, massig und edel wie sein Bruder Ätna, in das Blickfeld, zu beiden Seiten streng bewacht von Mount Nelson und Mount Rumney; dann fahren wir in die Sullivanbucht ein – Hobart!"

Es ist eine hübsche Stadt. Sie breitet sich über niedrige Hügel aus, die zum Hafen hin abfallen – einem Hafen, der wie ein Fluß aussieht und auch so glatt ist. Seine ruhige Oberfläche bebildern zarte Spiegelungen von Booten, grasigen Ufern und üppigem Laub. Hinter der Stadt steigt, in den Zauber einer Waldlandschaft gehüllt, ein Hochland auf, und gegenüber ragt jener stolze Berg auf, der Wellington, ein stattlicher, ein majestätischer Koloß. Wie schön ist die ganze Gegend durch Gestaltung und Gruppierung, Überfülle und Frische des Laubes, Farbenreichtum, Anmut und Wohlgestalt der Hügel, der Kaps, der Vorgebirge; und dann die Herrlichkeit des Sonnenlichts, die in satten Tönen verschwimmenden Weiten, die zauberhaften Durchblicke auf das Wasser! Und in diesem Paradies setzte man die gelbgekleideten Sträflinge an Land, quartierte man die Korpsbanditen ein, und hier verübte man an jenem Herbsttag im Mai in der brutalen alten Zeit das willkürliche Gemetzel unter den arglosen, känguruhjagenden Schwarzen. Das alles paßte überhaupt nicht zu der Örtlichkeit, es war gewissermaßen, als brächte man Himmel und Hölle zusammen.

In der Erinnerung an dieses Paradies fällt mir ein, daß wir in Hobart auf das erste einer ganzen Prozession von Klein-Englands trafen. Weiteren Gliedern der Folge begegneten wir bald in Neuseeland und anderen später in Natal. Wo immer der verbannte Engländer in seiner neuen Heimat Ähnlichkeiten mit der alten finden kann, erschüttern sie ihn bis ins Mark seines Wesens; die Liebe, die in seinem Herzen lebt, beflügelt seine Phantasie, und diese vereinten Kräfte verwandeln die Ähnlichkeiten in echte Duplikate der verehrten Originale. Schön ist das Gefühl, das diese Verzauberung hervorbringt, und es nötigt Ehrfurcht ab; es nötigt Ehrfurcht und auch Zustimmung ab – immer –, auch wenn man, wie es manchmal geschieht, die Ähnlichkeiten nicht so klar erkennt wie der Verbannte, der auf sie aufmerksam macht.

Die Ähnlichkeiten bestehen, das ist wahr; und oft kommen sie den Originalen raffiniert nahe – und doch, was gewisse natürliche Patentrechte angeht, gibt es nur ein England. Jetzt, da ich das Erdenrund durchgemustert habe, zweifle ich nicht daran. Es gibt eine Schönheit der Schweiz, und die wiederholt sich in den Gletschern und schneeigen Bergketten vieler Teile der Welt; es gibt eine Schönheit der Fjorde, und die wiederholt sich in Neuseeland und Alaska; es gibt eine Schönheit von Hawaii, und die wiederholt sich in zehntausend Südseeinseln; es gibt eine Schönheit der Prärie und der Ebene, und die wiederholt sich hier und da auf der Erde; jede dieser Schönheiten ist verehrungswürdig, jede ist in ihrer Art vollkommen, besitzt jedoch kein Monopol auf ihre Schönheit; aber die Schönheit, die England ausmacht, steht allein – sie hat kein Duplikat. Sie setzt sich nur aus sehr einfachen Details zusammen – bloß Gras, Bäume, Sträucher, Landstraßen, Hekken, Gärten, Häuser, Ranken, Kirchen, Schlösser und hier und da eine Ruine – und darüber ein zarter Traumschleier der Geschichtlichkeit. Aber diese Schönheit ist unvergleichlich und nur ihm zu eigen.

Hobart besitzt eine Eigentümlichkeit – es ist die ordentlichste Stadt unter der Sonne; und ich möchte fast annehmen, daß es auch die sauberste ist. Wie das auch sein mag, seine Überlegenheit in dem Punkte der Ordnungsliebe steht außer Frage. Es kann auf der Welt nicht eine zweite Stadt geben, die kein schäbiges Äußere aufweist; keine wackligen Tore und Zäune, keine vernachlässigten, verfallenden Häuser, keine baufälligen und häßlichen Schuppen, keine unkrautüberwucherten Armeleutevorgärten, keine mit Blechbüchsen, alten Schuhen und leeren Flaschen übersäten Hinterhöfe, kein Unrat in den Rinnsteinen, kein Müll auf den Bürgersteigen, keine Außenbezirke, die in schmutzige Gassen und mit Blech geflickte Hütten auslaufen. Nein, in Hobart ist jeder Anblick reinlich und dem Auge eine Wohltat; das bescheidenste Häuschen sieht gekämmt und gebürstet aus und hat seine Ranken, seine Blumen, seinen ordentlichen Zaun, sein ordentliches Tor, seine hübsche Katze, die auf dem Fensterbrett schläft.

Wir durften rasch einmal in das Museum hineinschauen, dank der Liebenswürdigkeit des amerikanischen Herrn, der dort Kurator ist. Es enthält Exemplare eines halben Dutzends verschiedener Marsupialier* – einer hieß der „Tasmanische Teufel"; will sagen, ich *glaube*, er gehörte dazu. Und einen Fisch mit Lungen gab es auch. Wenn das Wasser eintrocknet, kann er im Schlamm leben. Aber das allermerkwürdigste war ein Papagei, der Schafe tötet. Auf einer einzigen großen Schafweide hat dieser Vogel in einem Jahr tausend Schafe getötet. Er will nicht das ganze Schaf, sondern nur das Nierenfett. Diese beschränkte Vorliebe macht ihn im Unterhalt zu einem kostspieligen Vogel. Um das Fett zu bekommen, stößt er den Schnabel in das Schaf

---

* Ein Marsupialier ist ein zu den Sohlengängern gehöriges Wirbeltier, dessen Spezialität der Beutel ist. In manchen Ländern ist es ausgestorben, in anderen ist es selten. Die ersten amerikanischen Marsupialier waren Stephen Girard, Mr. Astor und das Opossum; die wichtigsten Marsupialier der südlichen Halbkugel sind Mr. Rhodes und das Känguruh. Ich selbst bin der jüngste Marsupialier. Ich könnte mich auch rühmen, den größten Beutel von ihnen allen zu besitzen: Aber es ist nichts drin.

und holt das Fett heraus; die Wunde ist tödlich. Dieser Papagei liefert ein bemerkenswertes Beispiel für die Weiterentwicklung, die veränderte Lebensumstände bewirken. Als die Schafzucht eingeführt wurde, bescherte sie dem Papagei bald eine Hungersnot, indem sie eine Käferart vernichtete, die ihm bis dahin als Nahrung gedient hatte. Die Hungerqualen brachten den Vogel dazu, rohes Fleisch zu fressen, weil er keine andere Nahrung finden konnte, und er fing an, Fleischreste von den Schafhäuten abzupicken, die zum Trocknen auf den Zäunen hingen. Bald zog er das Schaffleisch jeder anderen Nahrung vor, und mit der Zeit zog er das Nierenfett jedem anderen Teil des Schafes vor. Der Schnabel des Papageien hatte nicht die günstigste Form, um das Fett herauszuholen, aber dem hat die Natur abgeholfen; sie hat die Form des Schnabels verändert, und jetzt kann der Papagei Nierenfett besser herausholen als ein Vorsitzender des Obersten Gerichts oder sonst jemand – sogar besser als ein Admiral.

Und noch eine weitere Merkwürdigkeit besaßen sie dort – eine ganz verblüffende, fand ich: Pfeilspitzen und Messer, vollkommen denen gleich, die der Urmensch aus Feuerstein herstellte und mit denen er glaubte, wunder was geschaffen zu haben – ja, und in diesem Aberglauben hat ihn dieses Zeitalter bewunderungsvoller Wissenschaftler bestärkt und ihn verhätschelt, bis mittlerweile in der anderen Welt wahrscheinlich gar kein Auskommen mit ihm sein wird. Und doch finden sich hier seine feinsten und sorgfältigsten Arbeiten in unseren Tagen haargenau wiederholt; und zwar von Leuten die niemals von ihm oder seinen Werken gehört haben: von Ureinwohnern, die noch in unserer Zeit auf den Inseln dieser Meere gelebt haben. Sie haben diese geschickte Arbeit nicht nur wiederholt, sondern sie in dem sprödesten und niederträchtigsten aller Werkstoffe ausgeführt – *Glas*: sie stellten sie aus alten Branntweinflaschen her, die aus den britischen Lagern herausgeflogen kamen, Millionen Tonnen davon. Es wird Zeit, daß der Urmensch ein bißchen weniger Wind macht. Seine Zeit ist abgelaufen. Er ist nicht mehr das, was er war.

Eine Spazierfahrt durch ein blühendes und duftendes Märchenland brachte uns zu dem Armenasyl – einem geräumigen und behaglichen Heim für beide Geschlechter, mit Krankenstation und so weiter. Dort war eine Menge der ältesten Leute versammelt, die ich je gesehen habe. Es war so, als wäre man plötzlich in einer anderen Welt abgesetzt worden – einer unheimlichen Welt, wo nie Jugend herrschte, einer Welt, die dem Alter, gebeugten Gestalten und Runzeln geweiht war. Von den dort wohnenden 359 Menschen waren 223 ehemalige Sträflinge und hätten zweifellos packende Geschichten zu erzählen gehabt, wären sie zum Reden aufgelegt gewesen; 42 dieser 359 waren über die Achtzig hinaus, und mehrere waren nahe an die Neunzig; das durchschnittliche Sterbealter ist dort 76 Jahre. Ich persönlich habe mit diesem Ort nichts im Sinn; er ist allzu gesund. Siebzig ist alt genug – später wird das Risiko zu groß. Jugend und Fröhlichkeit könnten jederzeit entschwinden – und was bliebe dann noch? Der Tod im Leben; der Tod ohne seine Freiheit, der Tod ohne seine Wohltaten. 185 Frauen wohnten in dem Heim, und 81 von ihnen waren ehemalige Sträflinge.

Der Dampfer enttäuschte uns. Statt in Hobart wie sonst lange zu verweilen, blieb er nur kurz. Deshalb konnten wir nur einen flüchtigen Blick auf Tasmanien werfen und fuhren dann weiter.

30. KAPITEL

Die Natur stattet die Heuschrecke mit Appetit
auf Ernten aus; der Mensch hätte sie mit Appetit auf Sand geschaffen.

Querkopf Wilsons Neuer Kalender

Wir fuhren einen Teil des Nachmittags und eine Nacht über das Meer und
kamen frühmorgens in Bluff auf Neuseeland an. Bluff liegt am unteren Rand
der mittleren Insel und weit südlich, beinahe 47° unter dem Äquator. Es liegt
so weit südlich vom Äquator, wie Quebec nördlich davon liegt, und beider
Klima sollte eigentlich gleich sein; aber aus irgendeinem Grunde ist es nicht
so eingerichtet. Quebec ist im Sommer heiß und im Winter kalt, aber Bluffs
Klima ist weniger ausgeprägt; das kalte Wetter ist nicht sehr kalt, das heiße
Wetter ist nicht sehr heiß; und der Unterschied zwischen dem heißesten und
dem kältesten Monat beträgt nur 10°.

In Neuseeland ging die Kaninchenplage von Bluff aus. Der Mann, der das
Kaninchen dort einführte, wurde mit Festessen und Lobreden geehrt; aber
jetzt würden sie ihn hängen, wenn sie ihn erwischen könnten. In England
verabscheut und verfolgt man den natürlichen Feind des Kaninchens; in der
Gegend um Bluff hält man den natürlichen Feind des Kaninchens in Ehren,
und seine Person ist unverletzlich. Der natürliche Feind des Kaninchens ist
in England der Wilddieb; in Bluff sind seine natürlichen Feinde Hermelin,
Wiesel, Frettchen, Katze und Mungo. In England muß jede Person unterhalb des Thronfolgers, die man im Besitz eines Kaninchens erwischt, überzeugend erklären, wie es da hingekommen ist, sonst muß sie eine Geldstrafe,
Haft und obendrein den Verlust der Peerswürde über sich ergehen lassen; in
Bluff braucht die Katze, in deren Besitz man ein Kaninchen findet, nichts zu
erklären – jeder schaut weg; eine Person, die man dabei erwischte, daß sie
davon Notiz nähme, hätte eine Geldstrafe, Haft und obendrein den Verlust
ihrer Peerswürde zu gewärtigen. Auf diese Weise wird unbedingt das moralische Gefüge einer Katze untergraben. In dreißig Jahren dürfte es in Neuseeland keine sittsame Katze mehr geben. Manche glauben, daß es jetzt schon
keine mehr gibt. In England wird der Wilddieb beobachtet, aufgespürt, gejagt – er wagt es nicht, sich sehen zu lassen; in Bluff kommen und gehen
Katze, Wiesel, Hermelin und Mungo ungestört, wo immer sie wollen. Ein
Gesetz, das allen sichtbar ausgehängt ist, verfügt, daß jede Person, die man
im Besitz eines dieser Tiere (tot) erwischt, die Umstände überzeugend darzu-
legen oder eine Geldstrafe nicht unter 5 Pfund und nicht über 20 Pfund zu
entrichten hat. Die Einkünfte aus dieser Quelle sind nicht groß. Leute, die
für eine tote Katze 100 Dollar zahlen wollen, werden von Tag zu Tag selte-
ner. Das ist schlimm, denn die Einkünfte sollten der Stiftung einer Universität zugute kommen. Alle Regierungen sind mehr oder weniger kurzsichtig: in
England muß ein Wilddieb eine Strafe zahlen, während man ihn lieber nach
Neuseeland verbannen sollte. Neuseeland würde für den Schaden aufkom-
men und ihm ein Gehalt zahlen.

Von Bluff aus hätten wir zur Westküste durchfahren und die Neuseeländi-
sche Schweiz besuchen sollen, eine Gegend mit einer wundervollen Land-

schaft von schneeiger Pracht, mächtigen Gletschern und schönen Seen; und dort drüben liegen auch die wundervollen Rivalen der Fjorde Norwegens und Alaskas; und in nächster Nähe ein Wasserfall von 1900 Fuß Höhe; aber wir mußten den Ausflug auf eine spätere und unbestimmte Zeit verschieben.

6. November. Ein lieblicher Sommermorgen; strahlend blauer Himmel. Ein paar Meilen hinter Invercargill begannen unermeßliche flache, grüne Weiten, über und über beschneit mit Schafen. Schön anzusehen. Das Grün manchmal satt und sehr lebhaft; dann wieder eher zart und lieblich. Ein Passagier erinnert mich daran, daß ich mich im „England des Fernen Südens" befinde.

Dunedin, am gleichen Tage. Die Stadt verdient die Lobreden Michael Davitts. Die Leute sind schottischer Abstammung. Auf ihrem Weg von der Heimat in den Himmel haben sie hier haltgemacht – weil sie dachten, sie seien angekommen. Malcolm Ross, Journalist, gibt die Bevölkerung mit 40 000 an; ein Parlamentsmitglied mit 60 000. Ein Journalist kann nicht lügen.

Dr. Hockin aufgesucht. Er besitzt eine schöne Büchersammlung über Neuseeland; und sein Haus ist ein wahres Museum für Kunst und Antiquitäten der Maori. Er verfügt über Gemälde und Farbdrucke vieler ehemaliger Eingeborenenhäuptlinge – einige von historischer Berühmtheit. Nichts in den Mienen verrät den Wilden; nichts könnte vollendeter sein als die Züge dieser Leute, nichts durchgeistigter als die Gesichter, nichts männlicher, nichts edler als ihr Ausdruck. Den Ureinwohnern Australiens und Tasmaniens sah man an, daß sie Wilde waren, diese Häuptlinge aber sahen wie römische Patrizier aus. Eigentlich müßte die Tätowierung auf diesen Porträts den Eindruck des Wilden erwecken, tut es aber nicht. Die Muster sind so fließend, anmutig und schön, daß sie einen höchst erfreulichen Schmuck abgeben. Man braucht nur fünfzehn Minuten, um sich an die Tätowierung zu gewöhnen, und nur fünfzehn weitere, um zu erkennen, daß sie das einzig Wahre ist. Von da an wirkt das schmucklose europäische Gesicht unangenehm und unwürdig.

Dr. Hockin zeigte uns eine gräßliche Kuriosität – eine verholzte Raupe, der eine Pflanze aus dem Nacken herauswuchs – eine Pflanze mit einem dünnen, vier Zoll hohen Stengel. Dieser Vorgang war nicht zufällig, sondern beabsichtigt – von der Natur beabsichtigt. Diese Raupe war dabei gewesen, ein Gesetz, das ihr die Natur auferlegt hatte, getreulich auszuführen – ein Gesetz, das ihr in der Absicht auferlegt worden war, sie ins Unglück zu stürzen, ein Gesetz, das eine Falle war; in Erfüllung dieses Gesetzes traf sie die notwendigen Vorbereitungen, um sich in einen Nachtfalter zu verwandeln; das heißt, sie hob einen kleinen Graben aus, ein kleines Grab, legte sich dann bäuchlings darin lang und deckte sich halb zu – dann war die Natur soweit. Sie blies die Sporen einer eigentümlichen Pilzart durch die Luft – absichtlich. Einige davon fielen in eine Nackenfalte der Raupe und begannen zu sprießen und zu wachsen – denn es war Erde da: sie hatte sich den Hals nicht gewaschen. Die Wurzeln zwängten sich in den Wurm hinein und nach hinten durch den ganzen Leib und saugten die Säfte des Tieres als Nährflüssigkeit auf; der Wurm ging langsam ein und wurde zu Holz. Und hier war sie nun, eine hölzerne Raupe, jede Einzelheit ihres früheren Äußeren fein und genau erhalten und verewigt, und jener Stengel ragte als ihr Denkmal aus ihr heraus – als Denkmal für ihre Gesetzestreue und deren unbillige Vergeltung durch die Natur.

So macht es die Natur immer. Mrs. X sagte (natürlich), die Raupe habe kein Bewußtsein besessen und nicht gelitten. Sie hätte es besser wissen müssen. Keine Raupe kann die Natur täuschen. Wenn diese hier nicht hätte leiden können, hätte die Natur das gewußt und eine andere Raupe aufgestöbert. Nicht etwa, daß sie diese hier hätte laufen lassen, bloß weil sie einen Fehler hatte. Nein. Sie hätte abgewartet und sie zu einem Nachtfalter werden lassen und dann hätte sie ihn im Kerzenlicht geschmort.

Die Natur verklebt einem Fisch die Augen durch Schmarotzer, damit er nicht imstande ist, seinen Feinden zu entkommen oder Nahrung zu finden. Sie läßt in einen Seestern Parasiten eindringen, die seine Zacken verstopfen und anschwellen lassen und ihn so peinigen, daß das arme Tier zur Linderung seiner Not die Zacke opfert; bald muß er sich, um Ruhe zu haben, von einer weiteren Zacke trennen und schließlich von einer dritten. Wenn er die Zacken nachwachsen läßt, kommt der Parasit wieder, und es fängt von vorn an. Und endlich, wenn die Fähigkeit, Zacken nachwachsen zu lassen, im Alter verlorengeht, kommt dieser arme, alte Seestern nicht mehr vom Fleck und verhungert.

In Australien herrscht eine scheußliche Krankheit, die von einem „unvollkommenen Bandwurm" herrührt. Unvollkommen – so nennen sie ihn, ich weiß nicht warum, denn er versteht das Geschäft geradesogut, als wäre er vollendet und bemalt und vergoldet und sonst was.

9. November. Mit dem Vorsitzenden des Vereins Bildender Künstler das Museum und die öffentliche Gemäldegalerie besucht. Einige schöne Bilder vorhanden, Leihgaben des VBK – verschiedene haben sie gekauft, die anderen erhielten sie durch Schenkungen. Dann zur Galerie des VBK – jährliche Ausstellung, gerade eröffnet. Schön. Man stelle sich bloß vor, ein solches Städtchen besitzt zwei solche Sammlungen und einen Verein Bildender Künstler. So ist es in ganz Australasien. Wenn es eine Monarchie wäre, könnte man es noch verstehen. Ich meine eine absolute Monarchie, wo man das Geld nicht durch Mehrheitsbeschluß beschaffen muß, sondern es sich nimmt. Dann blüht die Kunst. Aber diese Kolonien sind Republiken – Republiken mit einem großzügigen Wahlrecht; die Kolonie Neuseeland hat Wähler beiderlei Geschlechts. In Republiken ist weder die Regierung noch der reiche Privatmann sehr geneigt, die Kunst unter die Leute zu bringen. In ganz Australasien kaufen Staat und private Organisationen Gemälde von berühmten europäischen Künstlern für die öffentlichen Galerien. Lebende Bürger – nicht tote. Sie berauben *sich selbst*, um zu schenken, nicht ihre Erben. Das Gebäude, in dem dieser VBK hier seinen Sitz hat, gehört ihm selbst – er hat es aus Spenden errichtet.

31. KAPITEL

Der Geist des Zornes – nicht das Wort –
stellt die Sünde dar; und der Geist des Zornes
ist das Fluchen. Wir fangen an zu fluchen, bevor wir sprechen können.

Querkopf Wilsons Neuer Kalender

11. November. Unterwegs. Dieser Zug – ein Expreß – legt fahrplanmäßig zwanzigeinhalb Meilen in der Stunde zurück; aber das ist schnell genug, der Ausblick auf Meer und Land ist so fesselnd, die Wagen sind so bequem. Sie sind nicht englisch und nicht amerikanisch; sie sind die schweizerische Kombination der beiden. Die eine Seite entlang läuft ein schmaler, geländergeschützter Gang, wo man auf und ab gehen kann. In jedem Wagen ein Waschraum. Das ist der Fortschritt; das ist der Geist des 19. Jahrhunderts. In Neuseeland verkehren diese schnellen Expreßzüge zweimal wöchentlich. Das zu wissen ist nützlich, wenn man ein Vogel sein und im Zwanzigmeilentempo durch das Land fliegen möchte; sonst könnte man womöglich an einem der fünf falschen Tage aufbrechen und bekäme dann einen Zug, der nicht einmal seinen eigenen Schatten überholen kann.

Diese angenehmen Wagen erinnern durch den Gegensatz an die Wagen der Zweiglinie in Maryborough, Australien, und an das Gespräch mit einem Mitreisenden über diese Zweiglinie und das Hotel.

Irgendwo auf der Strecke nach Maryborough war ich auf ein Weilchen in einen Raucherwagen umgestiegen. Zwei Herren befanden sich darin; beide saßen mit dem Rücken in Fahrtrichtung, jeder an einem Ende des Abteils. Sie kannten sich. Ich setzte mich demjenigen gegenüber, der am Steuerbordfenster saß. Er sah gut aus und hatte einen freundlichen Ausdruck, und aus seiner Kleidung schloß ich, daß er Geistlicher einer Sekte war. Er war an die fünfzig Jahre alt. Von sich aus riß er ein Streichholz an und schützte es mit der Hand, damit ich meine Zigarre anzünden konnte. Das übrige entnehme ich meinem Tagebuch:

Um das Gespräch in Gang zu bringen, fragte ich ihn nach Maryborough. Er sagte mit sehr angenehmer – sogar melodischer – Stimme, aber mit ruhiger und höflicher Bestimmtheit:

„Das ist eine reizende Stadt mit einem höllischen Hotel."

Ich war verblüfft. Es kam mir so kurios vor, einen Geistlichen laut herausfluchen zu hören. Er fuhr seelenruhig fort: „Es ist das schlechteste Hotel Australiens. Ja, man könnte noch weitergehen und sagen: Australasiens."

„Schlechte Betten?"

„Nein – überhaupt keine. Bloß Sandsäcke."

„Die Kissen auch?"

„Ja, die Kissen auch. Bloß Sand. Und kein guter Sand. Er backt zusammen und ist völlig ungesiebt. Er enthält zuviel Kies. Man schläft wie auf Nüssen."

„Gibt es keinen guten Sand?"

„Reichlich. Die Gegend hier hat so guten Bettsand, wie es ihn auf der

Welt überhaupt nur gibt. Luftigen Sand – und locker; aber den kaufen sie nicht. Sie wollen etwas, das fest zusammenbackt und zu Stein wird."

„Wie sind die Zimmer?"

„Acht Fuß im Quadrat; und ein Stück eiskaltes Wachstuch, um morgens draufzutreten, wenn man aus der Sandgrube heraussteigt."

„Licht?"

„Petroleumlampe."

„Eine gute?"

„Nein. Die Sorte, die Düsternis verbreitet."

„Ich habe es gern, wenn eine Lampe die ganze Nacht brennt."

„Diese nicht. Sie müssen sie zeitig löschen."

„Unangenehm. Vielleicht braucht man sie nachts wieder. Ich kann sie im Dunkeln nicht finden."

„Das ist kein Problem. Sie finden sie nach dem Gestank."

„Kleiderschrank?"

„Zwei Nägel in der Tür, um sieben Anzüge aufzuhängen – wenn Sie soviel haben."

„Klingel?"

„Gibt es nicht."

„Was macht man, wenn man Bedienung braucht?"

„Man ruft. Aber es kommt niemand."

„Angenommen, man möchte, daß das Stubenmädchen den Schmutzwassereimer leert?"

„Es gibt keinen Schmutzwassereimer. Die Hotels halten keine. Das heißt, außer in Sydney und Melbourne."

„Ja, das wußte ich. Ich meinte nur so. Das ist in Australien das Kurioseste. Noch etwas: ich muß morgen im Dunkeln aufstehen, um den Fünfuhrzug zu bekommen. Wenn der Hausknecht..."

„Gibt es nicht."

„Nun, der Portier."

„Gibt es nicht."

„Aber wer weckt mich?"

„Niemand. Sie wecken sich selbst. Und Sie leuchten sich auch selbst. Weder in den Gängen noch sonstwo brennt Licht. Und wenn Sie kein Licht mitnehmen, brechen Sie sich den Hals."

„Aber wer hilft mir, das Gepäck hinunterzutragen?"

„Niemand. Aber ich will Ihnen sagen, was Sie tun müssen. In Maryborough wohnt ein Amerikaner, schon ein halbes Leben lang; ein feiner Mensch, wohlhabend und beliebt. Er wird schon auf Sie aufpassen; Sie brauchen sich um nichts zu kümmern. Schlafen Sie in Frieden; er wird Sie herausholen, und Sie erreichen Ihren Zug. Wo ist Ihr Manager?"

„Ich habe ihn in Ballarat zurückgelassen, er studiert die Sprache. Außerdem mußte er nach Melbourne fahren und alles für Neuseeland vorbereiten. Bisher habe ich noch nicht versucht, mich allein durchzusteuern, und es sieht nicht leicht aus."

„Leicht! Sie haben sich für Ihren Versuch das allerschwerste Stück Eisenbahn in Australien ausgesucht. Auf dieser Strecke gibt es zwölf Meilen, die ein

Mensch ohne Organisationstalent niemals – sagen Sie, haben Sie Organisationstalent, erstklassiges Organisationstalent?"

„Ich – na, ich glaube schon, aber..."

„Das genügt. Der Ton Ihrer – oh, *Sie* schaffen das nie. Aber dieser Amerikaner wird Sie schon richtig lenken, und Sie kommen hin. Haben Sie Fahrkarten?"

„Ja – Rundreise; die ganze Strecke bis Sydney."

„Aha, da haben wir es schon! Sie fahren mit dem Fünfuhrzug über Castlemaine – zwölf Meilen – statt mit dem Zug 7.15 über Ballarat, um nicht zwei Stunden länger auf der Bahn herumzutrödeln. Nein, unterbrechen Sie mich nicht – lassen Sie mich ausreden. Sie wollen der Regierung eine Menge Transportkosten ersparen, aber es ist nichts damit; Ihre Fahrkarte lautet über Ballarat, und für diese zwölf Meilen gilt sie nicht, und deshalb..."

„Aber was kümmert es die Regierung, welche Strecke ich fahre?"

„Weiß der Himmel! Fragt das den Wind, der weit und breit mit Trümmern besäte das Meer, wie der Junge immer sagte, der auf dem brennenden Deck stand. Die Regierung möchte ihren Bahnbetrieb eben auf ihre eigene Weise abwickeln, und sie versteht weniger davon als die Franzosen. Zu Anfang hat man es mit Idioten versucht; dann importierte man Franzosen – das war ein Schritt zurück, verstehen Sie; jetzt betreibt sie die Bahnlinie selbst – das ist noch ein Schritt zurück. Stellen Sie sich bloß vor, um sich bei den Wählern beliebt zu machen, legt die Regierung eine Bahnstrecke an, wo immer jemand das wünscht – jemand, der zwei Schafe und einen Hund sein eigen nennt; und demzufolge haben wir in der Kolonie Victoria 800 Eisenbahnstationen, und der Umsatz, den 80 davon bringen, macht insgesamt keine 20 Schilling in der Woche aus."

„Fünf Dollar? Hören Sie mal!"

„Es ist wahr. Es ist die reine Wahrheit."

„Aber auf jeder Station gibt es doch drei oder vier Lohnempfänger."

„Das weiß ich. Und der Umsatz der Station kommt nicht einmal für den Schafbalsam auf, mit dem sie ihren Kaffee aufmöbeln. Es ist genau so, wie ich es Ihnen sage. Und entgegenkommend? Wenn Sie bloß einen Fetzen schwenken, hält der Zug mitten in der Wildnis an, um Sie aufzunehmen. Diese ganze Politik kostet, verstehen Sie. Außerdem, jede Stadt, die eine Masse Wahlstimmen hat und ein schönes Stationsgebäude möchte, bekommt es auch. Übersehen Sie nur nicht den Bahnhof in Maryborough, wenn Sie sich für Regierungskuriositäten interessieren. Sie können die ganze Bevölkerung Maryboroughs hineinstecken und jedem ein Sofa geben und haben immer noch Platz übrig. In Amerika haben Sie keine fünfzehn Bahnhofsgebäude, die so groß sind, und wahrscheinlich keine fünf, die halb so schön sind. Nein, es ist ein-fach elegant. Und die Uhr! Alle werden Ihnen die Uhr zeigen. In Europa gibt es keinen Bahnhof, der eine solche Uhr hat. Sie schlägt nicht – und das ist ein Segen. Sie hat keine Glocke; und wie Sie sich mit Recht erinnern werden, wenn Sie sich Ihren Verstand bewahren, sind in ganz Australien die Glocken einfach ein Fluch. Allviertelstündlich, Tag und Nacht, bimmeln sie in zermürbender Folge ihr halbes Dutzend Töne herunter – alle Uhren der Stadt gleichzeitig, alle Uhren Australasiens gleichzeitig, und alle die *genau gleichen* Töne; zuerst die Tonleiter abwärts: e, d, c, g –

dann die Tonleiter aufwärts: g, h, d, c – wieder abwärts: e, d, c, g – wieder aufwärts: g, h, d, c – dann der Stundenschlag – etwa um Mitternacht: Bang – bang – bang – bang – bang – bang – bang – bang – bang – bang – bang! und inzwischen sind Sie – hallo, was soll die ganze Aufregung? Ach so – ein durchgegangenes Pferd, vor dem Zug erschrocken; na, man möchte gar nicht glauben, daß *dieser* Zug überhaupt etwas erschrecken könnte. Nun, wenn sie mit Verlust 80 Stationen bauen und unterhalten und mit weiterem Verlust eine Menge Palastbahnhöfe und Uhren wie in Maryborough, muß ja die Regierung irgendwo Einsparungen vornehmen, nicht? Bitte sehr – sehen Sie sich das rollende Material an! Da sparen sie das Geld ein. Dieser Zug aus Maryborough wird aus achtzehn Güterwagen und zwei Passagierställen bestehen; billig, armselig, schäbig, schlampig; kein Trinkwasser, keine sanitären Einrichtungen, jede vorstellbare Unbequemlichkeit; und langsam? – oh, das Tempo von kaltem Sirup; keine Druckluftbremse, keine Federung, und sie rucken einem jedesmal, wenn sie losfahren oder anhalten, den Kopf ab. Da machen sie ihre kleinen Einsparungen, verstehen Sie. Sie geben tonnenweise Geld aus, um Sie fürstlich unterzubringen, wenn Sie fünfzehn Minuten auf einen Zug warten, dann beleidigt man Sie mit einem sechsstündigen Sträflingstransport, um die blödsinnigen Auslagen wieder hereinzuholen. Was ein vernünftiger Mensch wirklich braucht, ist Unbequemlichkeit beim Warten, dann wäre die Reise in einem netten Zug eine Abwechslung. Aber nein, das wäre ja gesunder Menschenverstand – und der ist bei einer Regierung unangebracht. Und außerdem sparen sie bei jeder anderen Kleinigkeit ein, verstehen Sie – erkennen ihre eigenen Fahrkarten nicht an und nehmen Ihnen einen armseligen, kleinen, ungesetzlichen Extraschilling für diese zwölf Meilen ab, und…"

„Na, auf jeden Fall…"

„Warten Sie, es geht noch weiter. Lassen Sie diesen Amerikaner aus dem Spiel, und was würde geschehen? Dort ist niemand zur Hand, um Ihre Fahrkarte zu prüfen, wenn Sie eintreffen. Aber wenn der Zug abfahrtbereit dasteht, dann kommt der Schaffner und prüft sie. Jetzt ist es zu spät, Ihre Zusatzfahrkarte zu kaufen; der Zug kann nicht warten, und tut es auch nicht. Sie müssen aussteigen."

„Aber kann ich das denn wirklich nicht beim Schaffner bezahlen?"

„Nein, er ist nicht berechtigt, das Geld in Empfang zu nehmen, und er tut es auch nicht. Sie müssen aussteigen. Es gibt keine andere Möglichkeit. Ich sage Ihnen, der Eisenbahnbetrieb ist so ungefähr die einzige durch und durch europäische Sache hier – kontinental-europäisch meine ich, nicht englisch. Es ist der kontinentale Betrieb in Perfektion; bis zum letzten. O ja, sogar bis zu dem Kleckergeschäft, das Gepäck zu wiegen."

Der Zug verlangsamte sein Tempo, sowie er sich seinem Zielort näherte.

Als mein Gegenüber ausstieg, sagte er:

„Ja, Maryborough wird Ihnen gefallen. Viel Intelligenz da. Es ist ein reizender Ort – mit einem höllischen Hotel."

Dann war er fort.

Ich wandte mich an den anderen Herrn: „Ist Ihr Freund im geistlichen Stand?"

„Nein – er studiert erst."

32. KAPITEL

> Der Mann mit einer neuen Idee ist ein komi-
> scher Kauz, bis sich die Idee durchsetzt.
>
> *Querkopf Wilsons Neuer Kalender*

Klein-England auf der ganzen Strecke bis Christchurch – wirklich, ein wahrer Garten. Und Christchurch ist eine englische Stadt mit einem englischen Park und einem gewundenen englischen Flüßchen genau wie der Avon – und es heißt auch Avon; aber nach einem Manne, nicht nach Shakespeares Fluß. Seine grasigen Ufer säumen die stattlichsten und eindrucksvollsten Trauerweiden, die es, glaube ich, in der ganzen Welt gibt. Sie setzen das Geschlecht eines berühmten Vorfahren fort; sie stammen von Ablegern jener Weide, die Napoleons Grab auf St. Helena beschattete. Es ist ein festgegründetes altes Gemeinwesen mit all der Seelenruhe, dem Liebreiz, den Annehmlichkeiten und der Behaglichkeit, die das ideale häusliche Leben in sich schließt. Wenn es noch eine Staatskirche und die gesellschaftlichen Unterschiede besäße, wäre es ein zweites England, dem kaum etwas fehlte.

Im Museum besichtigten wir viele merkwürdige und interessante Sachen; unter anderen ein schönes Eingeborenenhaus aus alter Zeit, bis ins kleinste wirklichkeitsgetreu, die prunkenden Farben genau in den echten Tönen und an den richtigen Stellen aufgesetzt. Alle Details waren vorhanden: die schönen Matten, Teppiche und Gegenstände; die sorgfältig bearbeiteten und wunderbaren Holzschnitzereien – wahrhaftig wunderbar, wenn man bedenkt, wer sie hergestellt hat –, wunderbar im Entwurf, besonders aber in der Ausführung, denn sie waren mit erstaunlicher Schärfe und Exaktheit herausgearbeitet, mit keinem besseren Werkzeug, als Feuerstein, Jade und Muscheln liefern konnten; und die Totempfähle standen auch da, Vorfahr über Vorfahr, die Zungen herausgesteckt und die Hände gemütlich über Bäuchen gefaltet, die anderer Leute Vorfahren enthielten – groteske und häßliche Teufel allesamt, aber liebevoll und vortrefflich geschnitzt; die ausgestopften Eingeborenen standen auf ihren Plätzen und wirkten wie lebendig; die Hausgerätschaften waren auch da, und dicht daneben das geschnitzte und schön verzierte Kriegskanu.

Und wir schauten uns kleine Jadegötter an, die um den Hals getragen wurden – nicht um jedermanns Hals, sondern den Hälsen der Eingeborenen von Rang vorbehalten. Auch Jadewaffen und viele Arten Jadekrimskrams – alles aus diesem überaus harten Stein, ohne irgendwelches eiserne Werkzeug hergestellt. Und in einige dieser Dinge waren kleine runde Löcher gebohrt – niemand weiß, wie; ein Geheimnis, eine verlorengegangene Kunst. Ich glaube, es hieß, wenn man heute ein solches Loch in ein Stück Jade bohren lassen wolle, müsse man es nach London oder Amsterdam schicken, wo die Edelsteinschleifer ansässig sind.

Wir haben auch ein vollständiges Skelett des Riesen-Moa gesehen. Es war zehn Fuß hoch und muß ein erstaunliches Bild geboten haben, als es noch ein lebendiger Vogel war. Er schlug aus, wie der Vogel Strauß; im Kampf benutzte er nicht den Schnabel, sondern den Fuß. Sein Tritt muß sehr überzeugend gewesen sein. Wenn jemand dem Vogel den Rücken zugewandt hatte und nicht sah, wer es war, muß er gedacht haben, eine Windmühle habe ihn gestoßen.

In den alten, vergessenen Tagen, als der Moa auf Erden weilte, muß er in sehr großer Zahl vorgekommen sein. Seine Knochen füllen in Massen riesige Gräber an. Diese Gräber findet man nicht in Höhlen, sondern im Erdboden. Niemand weiß, wie es geschah, daß sie sich gerade da ansammelten. Wohlgemerkt, es sind Knochen, keine Fossilien. Das bedeutet, daß der Moa noch nicht allzulange ausgestorben ist. Und doch ist es das einzige Tier Neuseelands, das in der sonst umfassenden Literaturgattung, den Legenden der Eingeborenen, nicht erwähnt wird. Das ist ein vielsagender Umstand und ein brauchbares Indiz dafür, daß der Moa seit 500 Jahren ausgestorben ist, denn der Maori selbst hält sich – nach der Überlieferung – seit dem Ende des 15. Jahrhunderts in Neuseeland auf. Er kam aus einem unbekannten Land – der erste Maori –, kehrte dann in einem Kanu zurück und brachte seinen Stamm mit; sie räumten die Ureinwohner ins Meer und unter die Erde und nahmen sich das Land. So lautet die Sage. Daß jener erste Maori da hingelangen konnte, ist noch zu verstehen, denn jeder kann einmal irgendwo hingeraten, auch ohne sich darum zu bemühen; aber wie der Entdecker ohne Kompaß nach Hause zurückgefunden hat, ist sein Geheimnis, und er hat es mit ins Grab genommen. Seine Sprache deutet darauf hin, daß er aus Polynesien kam. Er hat gesagt, woher er kam, konnte aber nicht richtig buchstabieren, deshalb findet man den Ort auf der Landkarte nicht, weil Leute, die besser als er buchstabieren konnten, die ganze Ähnlichkeit herausbuchstabierten, als sie die Karte zeichneten. Aber es ist besser, eine Karte zu haben, die richtig geschrieben ist, als eine, die Aufschlüsse gibt.

In Neuseeland haben die Frauen das Recht, die Mitglieder der Legislative mit zu wählen, aber sie dürfen nicht selbst Mitglieder werden. Das Gesetz, das ihnen das Wahlrecht einräumt, trat im Jahre 1893 in Kraft. Christchurch hatte (nach der Zählung vom Jahre 1891) 31 454 Einwohner. Die erste Wahl nach Inkrafttreten des Gesetzes fand im November desselben Jahres statt. Anzahl der Männer, die ihre Stimme abgaben, 6313; Anzahl der Frauen, die ihre Stimme abgaben, 5989. Diese Zahlen dürften uns wohl überzeugen, daß Frauen der Politik gegenüber nicht so gleichgültig sind, wie manche Leute uns weismachen möchten. Die erwachsene weibliche Bevölkerung in ganz Neuseeland wurde auf 139 915 geschätzt; 109 461 davon waren wahlberechtigt und ließen sich registrieren – 78,23 %. Davon gingen 90 290 zur Urne und wählten – 85,18 %. Stehen Männer jemals besser da – in Amerika oder sonstwo? Hier folgte eine Bemerkung, die ebenfalls für das andere Geschlecht spricht – ich entnehme sie dem offiziellen Bericht:

„Die Wahl zeichnete sich durch das geordnete Verhalten und die Nüchternheit der Bevölkerung aus. Frauen wurden in keiner Weise belästigt."

Zu Hause war es von jeher ein ständiges Argument gegen das Frauenwahlrecht, Frauen müßten bei der Wahl unbedingt damit rechnen, angepöbelt zu werden. Die Argumentationen gegen das Frauenwahlrecht haben immer die bequeme Form der Prophezeiung bevorzugt. Die Propheten prophezeien, seit im Jahre 1848 die Frauenrechtsbewegung aufkam – und in 47 Jahren haben sie kein einziges Mal ins Schwarze getroffen.

Mittlerweile sollten die Männer eigentlich eine Art Respekt vor ihren

Müttern, Frauen und Schwestern erworben haben. Die Frauen verdienen eine solche Meinungsänderung, denn sie haben sich bewährt. In 47 Jahren haben sie eine achtunggebietend große Zahl von unbilligen Vorschriften aus den Gesetzbüchern Amerikas hinweggefegt. Innerhalb dieser kurzen Zeit haben sich diese Sklavinnen befreit – im wesentlichen. Männer hätten in der gleichen Zeit ohne Blutvergießen für sich nicht soviel erreichen können – es ist jedenfalls nie geschehen, und das spricht dafür, daß sie nicht gewußt hätten, wie sie es anstellen sollten. Die Frauen haben eine friedliche Revolution, eine sehr segensreiche Revolution zustande gebracht; und doch hat das den Durchschnittsmann nicht davon überzeugt, daß sie intelligent sind und Mut, Energie, Ausdauer und Standhaftigkeit besitzen. Es gehört allerlei dazu, den Durchschnittsmann von irgend etwas zu überzeugen; und vielleicht kann ihn niemals etwas zu der Erkenntnis bringen, daß er der Durchschnittsfrau unterlegen ist – jedoch in verschiedenen wichtigen Punkten scheinen die Tatsachen zu beweisen, daß er das ist. Der Mann hat von Urbeginn an das Menschengeschlecht regiert – aber er sollte sich daran erinnern, daß es bis zur Mitte des gegenwärtigen Jahrhunderts eine trübselige Welt war, eine Welt der Unwissenheit und Stumpfheit; aber jetzt ist es keine ganz so trübselige Welt mehr, und sie wird beständig etwas weniger trübselig. Das ist die Chance der Frau – bisher hat sie keine gehabt. Ich frage mich, wo der Mann in weiteren 47 Jahren stehen wird?

Im neuseeländischen Recht gibt es folgenden Satz: „Wann immer in diesem Gesetz das Wort *Person* Anwendung findet, schließt es die *Frau* mit ein."

Sehen Sie, das nennt man eine Rangerhöhung. Durch diese Begriffserweiterung wird die Matrone mit der angesammelten Weisheit und Erfahrung ihrer fünfzig Jahre mit einem Sprung ihrem unreifen Söhnchen von einundzwanzig politisch ebenbürtig. Die weiße Bevölkerung der Kolonie beträgt 626 000 Menschen, die Maoribevölkerung 42 000. Die Weißen wählen 70 Mitglieder in das Repräsentantenhaus, die Maori 4. Die Maorifrauen geben für die 4 Mitglieder ihre Stimme mit ab.

16. November. Nach vier netten Tagen in Christchurch fahren wir heute um Mitternacht ab. Mr. Kinsey hat mir einen Ornithorhynchus geschenkt, und ich zähme ihn gerade.

Sonntag, 17. Gestern nacht mit der „Flora" von Lyttleton abgefahren.

So war es. Ich erinnere mich noch. Die Leute, die in jener Nacht mit der „Flora" gefahren sind, werden vielleicht, wenn sie recht lange leben, einiges andere vergessen, aber um diese Fahrt zu vergessen, leben sie nicht lange genug. Die „Flora" entspricht etwa einem Viehprahm; aber wenn es den Herren der Union Company nicht paßt, einen Vertrag einzuhalten, und es ihnen lohnend erscheint, ihn zu brechen, schmuggeln sie den Kahn in den Passagierdienst und „behalten das Wechselgeld".

Sie kündigen die geplante Beraubung nicht an; man kauft in aller Arglosigkeit Fahrkarten für den angekündigten Passagierdampfer, und wenn man um Mitternacht in Lyttleton eintrifft, entdeckt man, daß sie an dessen Stelle den Prahm eingesetzt haben. Sie haben viele gute Schiffe, aber keine Konkurrenz – und das ist der Haken. Es ist nun zu spät, sich anders einzurichten, wenn man Verpflichtungen zu erfüllen hat.

Es ist eine mächtige Gesellschaft, sie besitzt ein Monopol, und alle haben

Angst vor ihr – einschließlich des Regierungsbeauftragten, der am Ende der Laufplanke steht, um die Passagiere zu zählen und darauf zu achten, daß kein Schiff mehr aufnimmt, als die Vorschrift zuläßt. Dieser gelegenheitsblinde Beamte sah, daß der Prahm mehr Leute aufnahm, als seine Zulassung erlaubte, zwinkerte verständnisvoll und sagte nichts. Die Passagiere machten demütige Miene zu dem Betrug, dessen Opfer sie waren, und beschwerten sich nicht.

Mir war, als wäre ich zu Hause in Amerika, wo gelackmeierte Reisende sich ganz genauso verhalten. Ein paar Tage vorher hatte die Union Company einen Kapitän entlassen, weil er ein Schiff in Gefahr gebracht habe, und diese Maßnahme lauthals als Beweis ihrer wachen Sorge um die Sicherheit der Passagiere verkündet – denn einen Kapitän abzusägen kostet eine Gesellschaft nichts; aber als sich die Gelegenheit ergab, diesen gefährlich überladenen Kübel auf See zu schicken und dadurch ein bißchen Mühe und ein nettes Sümmchen zu sparen, vergaß sie, sich um die Sicherheit der Passagiere Gedanken zu machen.

Der erste Offizier erzählte mir, die „Flora" sei für 125 Passagiere zugelassen. Sie muß mindestens 200 an Bord gehabt haben. Alle Kabinen waren voll, alle Viehboxen im Hauptstall waren voll, die Absätze oben an den Kajütentreppen waren voll, jeder Zoll Fußboden und Tischfläche in der Kantine war mit schlafenden Männern vollgepackt und blieb es, bis man den Platz zum Frühstück brauchte, alle Stühle und Bänke auf dem Hurrikandeck waren besetzt, und trotzdem mußten noch Leute die ganze Nacht hindurch auf den Beinen bleiben!

Wenn die „Flora" in jener Nacht untergegangen wäre, hätte die Hälfte der Leute an Bord keinerlei Möglichkeit gehabt, sich zu retten.

Die Besitzer dieses Schiffes waren zwar nicht im juristischen Sinne, jedoch im moralischen Sinne der Mordverschwörung schuldig.

Ich hatte eine Viehbox im Hauptstall – einer Höhle, die mit einer langen Doppelreihe zweistöckiger Kojen ausgestattet war, die Reihen durch einen Vorhang voneinander getrennt – zwanzig Männer und Knaben auf der einen Seite, zwanzig Frauen und Mädchen auf der anderen Seite. Der Raum war dunkel wie die Seele der Union Company und roch wie eine Hundehütte. Als das Fahrzeug auf die hohe See hinauskam und anfing zu stampfen und zu schlingern, wurden die Gefangenen dieser Höhle prompt seekrank, und dann stellten die eigentümlichen Folgen alle meine bisherigen einschlägigen Erlebnisse weit in den Schatten. Und die Wehklagen, das Ächzen, das Schreien, das Gekreisch, die sonderbaren Ausstoßungen – es war wunderbar.

Die Frauen und Kinder sowie einige Männer und Knaben verbrachten die Nacht dort, denn sie waren zu krank, um den Raum zu verlassen; aber wir übrigen standen nach und nach auf und verbrachten den Rest der Nacht auf dem Hurrikandeck.

Es war das dreckigste Schiff, auf dem ich je gefahren bin; und der Geruch des Frühstücksraumes, in dem wir uns zwischen den Schichten dünstender Passagiere hindurchwanden, besaß eine unvergleichliche Durchschlagskraft.

Eine ganze Menge von uns gingen im ersten Zwischenhafen an Land, um ein anderes Schiff zu suchen. Nach einer dreistündigen Wartezeit kamen wir gut in der „Mahinapua" unter, einem winzigkleinen Schmuckkästchen von einem Schiff – nur 205 Tonnen Tragkraft; sauber und bequem; gute Bedienung; gute Betten; gutes Essen und kein Gedränge. Die Wellen warfen sie umher wie eine Ente, aber sie war sicher und seetüchtig.

Früh am nächsten Morgen durchfuhr sie den French Pass – ein enges Felsentor zwischen schroffen Vorgebirgen, wahrhaftig so eng, daß es nicht breiter als eine Straße zu sein schien. Die Strömung dort war reißend wie ein Mühlbach, und das Schiff fegte hindurch wie ein Telegramm. Die Durchfahrt hatte eine halbe Minute gedauert; dann fanden wir uns in einem weiten Becken wieder, wo prächtige, gewaltige Strudel machtvoll in flachem Wasser kreisten, und ich fragte mich, was sie wohl mit dem kleinen Schiff anfangen würden. Sie machten mit ihm, was sie wollten. Sie nahmen es auf, schleuderten es herum wie nichts und setzten es sacht auf dem festen, glatten Sandgrund ab – so sacht, daß wir kaum spürten, wie es den Boden berührte, kaum spürten, wie es erzitterte, als es zum Stillstand kam. Das Wasser war glasklar, der Sand auf dem Grund war deutlich zu erkennen, und die Fische schienen im Nichts umherzuschwimmen. Wir holten Angelschnüre heraus, aber bevor wir den Köder an die Haken stecken konnten, war das Schiff schon wieder auf und davon.

33. KAPITEL

> Laßt uns Adam, unserem Wohltäter, dankbar sein. Er entriß uns dem „Segen" des Müßiggangs und gewann uns den „Fluch" der Arbeit.
>
> *Querkopf Wilsons Neuer Kalender*

Bald erreichten wir die Stadt Nelson und verbrachten dort den größten Teil des Tages, besuchten Bekannte und fuhren mit ihnen im Garten spazieren – die ganze Gegend ist ein einziger Garten, mit Ausnahme des Schauplatzes der Maungatapu-Morde, die sich vor dreißig Jahren ereigneten. Das ist eine wilde Gegend – wild und einsam; für einen Mord geradezu ideal. Der Ort liegt am Fuße eines massigen, zerklüfteten, dicht bewaldeten Berges. Im tiefen Dämmerlicht dieser Waldeinsamkeit legten sich vier zu allem entschlossene Halunken – Burgess, Sullivan, Levy und Kelley – neben dem Bergpfad in einen Hinterhalt, um vier Reisende – Kempthorne, Mathieu, Dudley und De Pontius, letzterer aus New York – zu ermorden und auszurauben. Da kam ein argloser, alter Landarbeiter des Weges, und weil seine Anwesenheit sie behinderte, erwürgten sie ihn, verbargen seine Leiche und hielten dann weiter nach den vieren Ausschau. Sie mußten eine Zeitlang warten, aber schließlich kam alles genau so, wie sie es wünschten.

Diese düstere Begebenheit ist das eine große Ereignis in der Geschichte Nelsons. Ihr Ruf drang weit hinaus. Burgess legte ein Geständnis ab. Es ist ein bemerkenswertes Dokument. Was Kürze, Knappheit und Bündigkeit angeht, steht es in der Kriminalliteratur wahrscheinlich einzig da. Es enthält keine überflüssigen Worte; es drängt uns keine Dinge auf, die nicht zur Sache gehören, auch weicht es nicht von dem leidenschaftslosen Ton ab, der einem förmlichen Geschäftsbericht angemessen ist – denn genau das ist es: ein

Geschäftsbericht über einen Mord, abgegeben vom Chefingenieur oder Aufseher oder Vorarbeiter oder wie man ihn nun nennen möchte.

„Wir wurden schon allmählich ungeduldig, als wir vier Männer und ein Packpferd kommen sahen. Ich verließ meine Deckung und sah mir die Leute an, denn Levy hatte mir erzählt, daß Mathieu ein kleiner Mann sei und einen großen Bart habe und daß das Pferd ein Fuchs sei. Ich sagte: ‚Hier kommen sie.‘ Da waren sie noch ein gutes Stück entfernt; ich nahm die Zündhütchen aus meinem Gewehr und setzte neue ein. Ich sagte: ‚Ihr bleibt, wo ihr seid, ich halte sie an, und du gibst mir dein Gewehr, während du sie fesselst.‘ Es wurde so gemacht, wie ich es beschrieben habe. Die Männer kamen. Sie waren etwa noch 15 Yard vor uns, als ich auftauchte und sagte: ‚Halt! Aufbauen!‘ Das heißt, sie sollten sich alle zusammenstellen. Ich ließ sie an den oberen Rand der Straße zurücktreten, mit den Gesichtern zum Berg, Sullivan brachte mir sein Gewehr, und dann band er ihnen die Hände auf den Rücken. Das Pferd war die ganze Zeit über sehr ruhig, es rührte sich nicht. Als sie alle gebunden waren, führte Sullivan das Pferd den Berg hinauf und stellte es in den Busch; er schnitt den Strick durch und ließ die ‚Swags‘* auf den Boden fallen, und dann kam er zu mir. Wir führten dann die Männer den Hang hinab zum Bach; es floß damals kaum Wasser. Diesen Bach entlang führten wir die Männer; wir gingen wohl 500 oder 600 Yard bachaufwärts, wofür wir fast eine halbe Stunde brauchten. Dann wandten wir uns nach rechts den Hang hinauf; wir gingen vom Bach aus wohl 150 Yard, und dort setzten wir uns mit den Männern hin. Ich sagte zu Sullivan: ‚Leg dein Gewehr hin und durchsuche die Männer‘, was er auch tat. Ich fragte sie nach ihren Namen; sie nannten sie. Ich fragte sie, ob sie in Nelson erwartet würden. Sie sagten nein. Wenn das der Fall gewesen wäre, hätten wir ihnen das Leben geschenkt. An Geld nahmen wir etwas über 60 Pfund an uns. Ich sagte: ‚Ist das alles, was ihr habt? Sagt es lieber gleich.‘ Sullivan sagte: ‚Hier ist ein Beutel Gold.‘ Ich sagte: ‚Was ist auf dem Packpferd? Ist Gold dabei?‘, und Kempthorne sagte: ‚Ja, mein Gold ist im Mantelsack, und ich hoffe, ihr werdet nicht alles nehmen.‘ – ‚Na‘, sagte ich, ‚wir müssen euch nacheinander fortführen, weil der Hang hier gerade steil ist, und dann lassen wir euch laufen.‘ Sie sagten ganz fröhlich: ‚In Ordnung.‘ Wir banden ihnen die Füße zusammen und nahmen Dudley mit; wir gingen mit ihm etwa 60 Yard weit, und zwar durch ein Gebüsch. Es war am Abend vorher verabredet worden, daß es am besten wäre, sie zu erwürgen, für den Fall, daß man die Schüsse auf der Landstraße hören könnte, und wenn man sie vermißte, würde man sie nie finden. Also banden wir ihm ein Taschentuch vor die Augen, dann nahm Sullivan seine Schärpe von der Taille ab, legte sie ihm um den Hals und erdrosselte ihn auf diese Weise. Nachdem ich den alten Landarbeiter umgebracht hatte, hatte Sullivan die Art und Weise bemängelt, in der er erdrosselt worden war. Er sagte: ‚Beim *nächsten* zeige ich dir *meine* Methode.‘ Ich sagte: ‚Ich habe so etwas noch nie gemacht, ich habe schon jemand erschossen, aber noch nie erdrosselt.‘ Wir kehrten zu den anderen zurück, als Kempthorne sagte: ‚Was war das für ein Geräusch?‘ Ich sagte, das sei beim Durchbrechen durch das Buschwerk entstanden. Das ganze dauerte zu lange,

* Ein Swag ist ein Kistchen, ein Packen, Kleingepäck.

deshalb einigten wir uns, sie zu erschießen. Somit sagte ich: ‚Wir werden euch nicht weiter mitnehmen, sondern euch trennen und dann einen von euch losbinden, und er kann die anderen befreien.‘ Und so führte Sullivan De Pontius von der Stelle, wo Kempthorne saß, nach links. Ich führte Mathieu nach rechts. Ich band ihm einen Riemen um die Beine und schoß mit einem Revolver auf ihn. Er brüllte, ich lief mit der Pistole in der Hand von ihm fort und sah Kempthorne, der aufgestanden war. Ich legte die Pistole an und schoß ihn hinter das rechte Ohr; das Lebensblut strömte hervor, und er starb auf der Stelle. Sullivan hatte inzwischen De Pontius erschossen und kam dann zu mir. Ich sagte: ‚Schau nach Mathieu‘, und deutete auf die Stelle, wo er lag. Er kehrte zurück und sagte: ‚Ich mußte den Kerl erpumpen, er war nicht tot‘, ein Rotwelschausdruck, der bedeutet, er habe ihn erdolchen müssen. Als wir zur Straße zurückkehrten, kamen wir an der Stelle vorbei, wo De Pontius tot dalag. Sullivan sagte: ‚Das ist der Goldgräber, die anderen waren alle Krämer; das ist der Goldgräber, den verscharren wir, denn wenn die anderen gefunden werden, wird man denken, er hat es getan und ist verduftet‘, soll heißen, er habe sich davongemacht. Also warfen sie alle Steine auf ihn und ließen ihn dann zurück. Dieses blutige Werk hatte von der Zeit an, da wir die Männer anhielten, beinahe anderthalb Stunden gedauert.“

Jeder, der dieses Geständnis liest, wird annehmen, der Mann, der es schrieb, sei jeder Empfindung, jeden Gefühls bar gewesen. Das ist zum Teil richtig. Was andere anbetraf, ging ihm eindeutig jedes Gefühl ab − er war kalt und erbarmungslos; aber was ihn selbst anbetraf, war das anders. Während er sich überhaupt nicht um die Zukunft der ermordeten Männer sorgte, sorgte er sich um seine eigene um so mehr. Man bekommt eine Gänsehaut, wenn man die Einleitung zu seinem Geständnis liest. Der Richter charakterisierte sie in der Verhandlung als „in skandalöser Weise“ gotteslästerlich, und den Eindruck hat man beim Lesen zweifellos, aber Burgess beabsichtigte damit keine Gotteslästerung. Er war bloß eine Bestie, und was er jemals sagte oder schrieb, brachte diese Tatsache unweigerlich ans Licht. Seine Erlösung war für ihn etwas sehr Reales, und er war am Galgen so überströmend verzückt wie nur je ein christlicher Märtyrer auf dem Scheiterhaufen. Wir Erdenbewohner sind sonderbar beschaffen, und rätselhaft ist die Welt um uns. Wir müssen annehmen, daß die ermordeten Männer verdammt sind und daß Burgess erlöst ist; aber wir können unser natürliches Bedauern darüber nicht unterdrücken:

„Geschrieben in einem Elendskerker an diesem 7. August im Jahre des Heils 1866. Gottes ist alle Macht und aller Ruhm, insofern er den aufrührerischen Geist eines zutiefst schuldigen Elendigen gezügelt hat, der durch die Mittlerschaft eines getreuen Gefolgsmannes Christi dahin gebracht worden ist, seine elende und schuldhafte Verfassung zu erkennen, alldieweil er bislang ein furchtbares und elendes Leben geführt hat, und kraft der Versicherung dieses gläubigen Streiters Christi ist er dahin geführt worden und glaubt auch, daß Christus ihn dennoch aufnehmen und von seinen tief eingefressenen und blutigen Sünden reinwaschen wird. Ich unterliege dem Schuldspruch, der da heißt: ‚So kommt denn und laßt uns miteinander rechten, spricht der Herr. Wenn eure Sünde gleich blutrot ist, soll sie doch schneeweiß werden; und wenn sie gleich ist wie Scharlach, soll sie doch wie Wolle werden.' Auf diese Verheißung baue ich."

Wir stachen spät am Nachmittag in See, verbrachten ein paar Stunden in Plymouth, fuhren dann weiter, kamen am nächsten Tag, dem 20. November, in Auckland an und blieben mehrere Tage in dieser schönen Stadt. Sie liegt an beherrschender Stelle, und man hat eine einzigartige Aussicht auf das Meer. Ringsumher kann man bezaubernde Spazierfahrten machen, und nette Freunde verschafften uns die Möglichkeit, sie zu genießen. Von dem grasbewachsenen Kratergipfel des Mount Eden aus schweift der Blick über einen großartigen Umkreis mannigfaltiger Landschaftsbilder – Wälder, in üppiges Laub gekleidet, wogende, grüne Felder, wahre Feuersbrünste an Blumen, sich im Hintergrund verlierende und verschwimmende grüne Ebenen, unterbrochen von hochaufragenden, ebenmäßigen alten Kratern, dann die blauen Buchten, die in immer weiteren und traumhafteren Fernen aufblinken und glitzern, wo die Berge in ihren Dunstschleiern so unkörperlich über dem Wasser schweben.

Von Auckland aus fährt man nach Rotorua, der Gegend der berühmten heißen Seen und Geysire – einem der Hauptwunder Neuseelands; aber ich fühlte mich nicht wohl genug, um den Ausflug zu machen. Die Regierung hat dort ein Sanatorium eingerichtet, und alles ist auf den Touristen und den Kranken zugeschnitten. Der von der Regierung eingesetzte Arzt drückt sich hinsichtlich der Wirksamkeit der Bäder beinahe übervorsichtig aus, wenn er über Rheumatismus, Gicht, Paralyse und so etwas spricht; aber wenn er auf die Wirksamkeit des Wassers hinsichtlich der Ausmerzung des Whiskylasters kommt, hat er offenbar keine Vorbehalte zu machen. Die Bäder heilen die Trunksucht, ganz gleich, wie chronisch sie sei – und heilen sie so gründlich, daß selbst die Begierde nach Spirituosen nicht wiederkehrt. Eigentlich müßte dieser Ort von Europa und Amerika aus gestürmt werden; und wenn die Opfer des Alkoholismus entdecken, was sie durch die Reise hierher gewinnen könnten, wird der Ansturm einsetzen.

Das Gebiet der heißen Quellen in Neuseeland umfaßt eine Fläche von mehr als 600 000 Acres oder beinahe 1000 Quadratmeilen. Rotorua steht in der höchsten Gunst. Es ist Mittelpunkt einer vielfältigen Seen- und Berglandschaft; der Vergnügungsreisende wählt Rotorua als Ausgangspunkt für seine Ausflüge. Die Anzahl der Kranken ist groß und wächst ständig. Rotorua ist das Karlsbad Australasiens.

Auckland ist der Verschiffungshafen des Kauriharzes. Schon seit langem kommen in der Stadt alljährlich etwa 8000 Tonnen zusammen. Es ist etwa 300 Dollar pro Tonne wert, unausgelesen, und ausgelesen bringen die feinsten Qualitäten etwa 1000 Dollar. Es geht größtenteils nach Amerika. Es wird in Klumpen gewonnen, die hart und glatt sind und wie Bernstein aussehen – die hellen wie junger Bernstein, und die dunkelbraunen wie köstlicher alter Bernstein. Und es fühlt sich auch so angenehm wie Bernstein an. Einige der hellen Exemplare stellten eine ziemlich gute Nachahmung ungeschliffener südafrikanischer Diamanten dar, so vollkommen glatt, glänzend und durchsichtig waren sie. Das Harz wird zu Lack verarbeitet, einem Lack, der dem Kopallack ähnlich, aber billiger ist.

Man gräbt das Harz aus dem Boden aus, es ruht dort seit Jahrhunderten.

Es ist der Saft des Kauribaumes. Dr. Campbell aus Auckland erzählte mir, er habe vor fünfzig Jahren eine Schiffsladung davon nach England geschickt, aber die Spekulation sei fehlgeschlagen. Niemand wußte etwas damit anzufangen; und so verkaufte man es zu 5 Pfund die Tonne als Feueranzünder.

26. November. Um 3 Uhr nachmittags abgefahren. Geräumiger und schöner Hafen. Stundenlang Land ringsumher. Tangariwa, der Berg, der „von *jedem* Standpunkt aus die gleiche Gestalt hat". Das glaubt man in Auckland allgemein. Und tatsächlich hat er von jedem Standpunkt aus die gleiche Gestalt, mit dreizehn Ausnahmen ...Vollendetes Sommerwetter. In der Ferne große Rudel Wale. Nichts könnte hübscher sein als die Dampfwolken, die sie emporspeien, vor der rosigen Pracht der sinkenden Sonne gesehen oder vor der dunklen Masse einer Insel, die im tiefblauen Schatten einer Gewitterwolke ruht ...Der Great-Barrier-Felsen steigt weit links aus dem Meer empor. Vor einiger Zeit ist ein Schiff im Nebel mit voller Kraft auf ihn aufgefahren – 20 Meilen vom Kurs: 140 Menschenleben zu beklagen; der Kapitän beging ohne Zögern Selbstmord; er wußte, die Gesellschaft, der das Schiff gehörte, würde ihn entlassen, ob er nun schuld war oder nicht, um Reklamegewinn hinsichtlich selbstloser Sorge um die Sicherheit des Passagiers für sich herauszuschlagen, und seine Aussichten auf einen Lebensunterhalt wären auf immer dahin.

34. KAPITEL

Wir wollen nicht allzu heikel sein. Es ist besser, alte Diamanten aus zweiter Hand zu besitzen, als überhaupt keine.

Querkopf Wilsons Neuer Kalender

27. November. Heute haben wir Gisborne erreicht und sind in einer großen Bucht vor Anker gegangen; die See ging hoch, deshalb blieben wir an Bord.

Wir waren eine Meile von der Küste entfernt; eine kleine Barkasse stieß vom Land ab; sie war Gegenstand erregter Anteilnahme; sie stieg zum Kamm einer Woge empor, schwankte dort einen Augenblick lang wie betrunken, undeutlich und grau im tosenden Sturm dahinfegenden Gischtes, sprang dann in die Tiefe wie ein Taucher und blieb außer Sicht, bis man sie aufgegeben hatte, preschte dann auf steiler Schräge plötzlich wieder himmelwärts und verströmte dabei vom Vorderdeck ganze Niagaras an Wasser – und so ging es weiter, den ganzen Weg bis zu uns heraus. Sie brachte in ihrem Bauch fünfundzwanzig Passagiere mit – Männer und Frauen, hauptsächlich Angehörige einer reisenden Schauspielertruppe. Auf Deck sah man die Besatzung in Südwestern, gelben wasserdichten Segeltuchanzügen und Stiefeln bis an die Hüften. Das Deck stand keinen Augenblick still und war selten weniger steil als eine Leiter, und gewaltig waren die Seen, die sich an Bord wälzten und nach achtern fluteten. Wir zogen ein langes Tau über die Rahnock, hängten einen überaus primitiven Korbsitz daran, schwangen ihn hinaus in den weiten Himmelsraum, und dort pendelte er hin und her und wartete auf eine günstige Gelegenheit – dann schoß er, geschickt gezielt, hinab, und die zwei Leute auf dem Vorderdeck der Barkasse packten ihn.

Ein junger Bursche aus unserer Besatzung saß in dem Korb, um die umsteigenden Damen zu behüten. Sogleich erschienen von unten ein paar Damen, nahmen auf seinem Schoß Platz, wir hievten sie in den Himmel, warteten einen Augenblick, bis das Schlingern des Schiffes sie über uns brachte, dann ließen wir den Sitz rasch nach und packten ihn, als er auf das Deck auftraf. Wir nahmen die fünfundzwanzig an Bord und beförderten fünfundzwanzig auf den Schlepper hinüber – darunter mehrere bejahrte Damen und eine blinde –, und alles ohne Unfall. Es war ein sauberes Stück Arbeit.

Unser Schiff ist hübsch, geräumig, bequem, gut im Stande und zufriedenstellend. In einem Hotel treten wir gelegentlich auf eine Ratte, aber auf Schiffen haben wir in letzter Zeit keine Ratten erlebt; höchstens vielleicht auf der „Flora"; dort hatten wir an wichtigere Dinge zu denken und das nicht bemerkt. Ich habe beobachtet, daß man Ratten nur in Schiffen und Hotels findet, die immer noch den gräßlichen chinesischen Gong benutzen. Der Grund dafür scheint zu sein, daß eine Ratte, da sie die Tageszeit nicht nach der Uhr feststellen kann, sich nirgends einnistet, wo sie nicht herauskriegen kann, wann das Essen fertig ist.

29. November. Der Arzt erzählt mir von mehreren alten Säufern, einem trägen Müßiggänger und mehreren verkommenen moralischen Wracks, die von der Heilsarmee bekehrt wurden und seit zwei Jahren tüchtige Leute und fleißige Arbeiter sind. Wo immer man auch hinkommt, überall begegnet man diesen Zeugnissen für die Durchschlagskraft der Heilsarmee ... Heute morgen hatten wir eine der schwirrenden grünen Ballaratfliegen im Zimmer, mit ihrem ohrenbetäubenden Kreissägengeräusch – das schnellste Geschöpf der Erde mit Ausnahme des Blitzstrahls. Eine erstaunliche Kraft steckt in diesem kleinen Körper. Wenn wir sie im gleichen Verhältnis in einem Schiff hätten, könnten wir in einer Stunde von Liverpool nach New York flitzen – in der Zeit, die man für einen Imbiß braucht. Der Neuseeland-Expreß heißt „Ballaratfliege" ... Schlechte Zähne in den Kolonien. Ein Ansässiger erzählte mir, sie ließen die Zähne nicht plombieren, sondern rissen sie aus und setzten falsche ein, und gelegentlich sehe man eine junge Dame mit einer vollständigen Prothese. Sie ist glücklich zu schätzen. Ich wollte, ich wäre schon mit falschen Zähnen und einer falschen Leber und falschen Karbunkeln zur Welt gekommen. Mir wäre wohler.

2. Dezember, Montag. Mit der Ballaratfliege aus Napier abgefahren – mit der, die zweimal wöchentlich fährt. Von Napier nach Hastings zwölf Meilen; Fahrzeit 55 Minuten – knapp dreizehn Meilen die Stunde ... Ein wunderschöner Sommertag; kühle Brise, strahlender Himmel, üppige Vegetation. Zwei- oder dreimal im Laufe des Nachmittags sahen wir wundervoll dichte und schöne Wälder, auf dem zerklüfteten Hochland verworren gen Himmel getürmt – nicht die gewohnte Dachschräge von Berghang, wo die Bäume alle gleich hoch sind. Die stattlichsten dieser Bäume gehörten der Kauriart an, sagte man uns – die Holzart, die jetzt das Pflasterholz für Europa liefert und für diesen Zweck die allerbeste ist. Manchmal trugen diese schroffen Walderhebungen Girlanden und Gewinde aus Ranken, und manchmal umspann eine andere Art Kletterpflanze von zarter, spinnwebartiger Beschaffenheit die Massen des Unterholzes – sie wird, glaube ich, Liane genannt. Baumfarne überall – ein fünfzehn Fuß hoher Stamm, und oben sprießt ein graziöser Kelch aus Farnwedeln hervor, ein lieblicher Waldzierat. Und ein zehn Fuß hohes Rohr, von dessen oberem Ende ein wallendes Gewand aus einem Zeug herabhing, das wie gelbes Haar aussah. Ich kenne seinen Namen nicht, aber wenn es so etwas wie eine Skalppflanze gibt, dann ist es diese. Kurz vor Palmerston-Nord eine romantische Schlucht, auf deren Grund ein Bach fließt.

Waitukurau. Zwanzig Minuten zum Mittagessen. Bei mir saßen meine Frau und Tochter und mein Manager, Mr. Carlyle Smythe. Ich saß oben an der Tafel und konnte die Wand rechts sehen; die anderen kehrten ihr den Rücken zu. An dieser Wand hingen, ein ganzes Stück weit fort, ein paar eingerahmte Bilder. Ich konnte sie nicht deutlich sehen, aber nach der Anordnung der Figuren bildete ich mir ein, sie stellten die Ermordung des Sohnes Napoleons III. durch die Zulus in Südafrika vor. Ich brach in die Unterhaltung ein, die sich um Dichtung und Kohl und Kunst drehte, und sagte zu meiner Frau:

„Erinnerst du dich, wie die Nachricht in Paris eintraf..."

„Von der Ermordung des Prinzen?"

(Genau diese Worte hatte ich im Sinn gehabt.)

„Ja, aber *welches* Prinzen?"

„Napoleon. Lulu."

„Wie bist du darauf gekommen?"

„Ich weiß nicht."

Es lag keine heimliche Absprache vor. Sie hatte die Bilder nicht gesehen, und sie waren nicht erwähnt worden. Sie hätte eigentlich an irgendeine *jüngere* Nachricht denken müssen, die in Paris eingetroffen war, denn wir waren erst sieben Monate von dort fort und hatten ein paar Jahre lang dort gewohnt, ehe wir diese Reise antraten; aber statt dessen dachte sie an eine Begebenheit aus unserem kurzen Aufenthalt in Paris vor sechzehn Jahren.

Hier lag ein klarer Fall von geistiger Telegrafie, von Gedankenübertragung vor; mein Geist hatte in den ihren einen Gedanken hineintelegrafiert. Woher ich das weiß? Weil ich einen *Irrtum* telegrafiert hatte. Denn es stellte sich heraus, daß die Bilder überhaupt nicht die Ermordung Lulus darstellten, auch nichts anderes, was mit Lulu zu tun gehabt hätte. Sie konnte den Irrtum nur aus meinem Kopfe haben – er bestand nirgendwo anders.

35. KAPITEL

> Der Selbstherrscher Rußlands besitzt mehr
> Macht als jeder andere Mensch auf Erden;
> aber er kann das Niesen nicht unterdrücken.
>
> *Querkopf Wilsons Neuer Kalender*

Wanganui, 3. Dezember. Gestern eine angenehme Reise per Ballaratfliege. Vier Stunden. Ich weiß die Entfernung nicht, aber sie muß wohl an die fünfzig Meilen betragen haben. Die Fliege hätte die Fahrt auf acht Stunden ausdehnen können und mich nicht verärgert; denn wo Bequemlichkeit und kein

Grund zur Eile vorhanden sind, ist die Geschwindigkeit bedeutungslos – wenigstens für mich; und nichts, was auf Rädern läuft, kann bequemer, kann erfreulicher sein als die neuseeländischen Eisenbahnen. Außerhalb Amerikas gibt es sonst keine Wagen, die so vernünftig konstruiert sind. Wenn man noch die immer anwesende bezaubernde Landschaft und die nahezu ständige Abwesenheit von Staub hinzunimmt – nun, wer dann noch nicht zufrieden ist, sollte aussteigen und zu Fuß gehen. Das dürfte vielleicht seine Einstellung ändern; ich glaube es bestimmt. Nach einer Stunde würde man ihn demütig neben den Schienen wartend antreffen, froh, wieder an Bord genommen zu werden.

Innerhalb und außerhalb dieser Stadt wird viel geritten; viele hübsche Mädchen in luftigen und netten Sommerkleidern; viel Heilsarmee; massenhaft Maori; Gesichter und Leiber von einigen Alten sehr geschmackvoll mit Fresken verziert. Rathaus der Maori über dem Fluß drüben – weiträumig, fest, ganz mit Matten ausgelegt und mit reichen, künstlerisch ausgeführten Holzschnitzereien geschmückt. Die Maori waren sehr höflich.

Ein Mitglied des Repräsentantenhauses versicherte mir, die eingeborene Bevölkerung nehme nicht ab, sondern wachse sogar leicht an. Das ist ein weiterer Beweis dafür, daß sie eine höhere Rasse von Wilden sind. Ich kann mich an keinen anderen wilden Stamm erinnern, der so gute Häuser und so starke, geschickt und zweckentsprechend angelegte Festungen gebaut oder der Landwirtschaft so viel Aufmerksamkeit gewidmet oder über eine Kriegskunst und Kriegstechnik verfügt hätte, die der des Weißen so nahekam. Diese Eigenschaften, zusammen mit ihren großen Fähigkeiten im Bootsbau und ihrem Geschmack und Können in der Ornamentik, werten ihre Wildheit in eine Halbzivilisation um – oder mindestens in eine Viertelzivilisation.

Es ist eine Empfehlung für sie, daß die Briten sie nicht ausgerottet haben, wie sie es mit den Australiern und den Tasmaniern machten, sondern sich damit zufriedengaben, sie zu unterjochen, und nicht den Wunsch zeigten, weiterzugehen. Und es ist eine weitere Empfehlung für sie, daß die Briten ihnen die besten Ländereien nicht ganz nahmen, sondern ihnen einen beträchtlichen Teil ließen, ja, noch weitergingen und sie vor der Raubgier der Landhaie beschützten – ein Schutz, den ihnen die Regierung Neuseelands noch immer angedeihen läßt. Und es ist noch eine weitere Empfehlung für die Maori, daß die Regierung eine Vertretung der Eingeborenen sowohl in der Legislative wie im Kabinett zuläßt und beiden Geschlechtern das Wahlrecht einräumt. Und indem die Regierung all das macht, stellt sie sich selbst eine Empfehlung aus. Es ist bei den Eroberern nicht allgemeiner Brauch gewesen, den Unterworfenen so großzügig entgegenzukommen.

Die hervorragendsten Weißen, die in der allerersten Zeit unter den Maori lebten, hatten eine hohe Meinung von ihnen und hegten starke Zuneigung für sie. Unter diesen Weißen befand sich der Autor des Buches „Altes Neuseeland", und Dr. Campbell aus Auckland war ein weiterer. Dr. Campbell war mit mehreren Häuptlingen gut befreundet und hat viel Erfreuliches von ihrer Treue, ihrer Großherzigkeit und ihrem Edelmut zu berichten. Auch von ihren wunderlichen Vorstellungen über die sonderbare Zivilisation der Weißen und von ihren ebenso wunderlichen Kommentaren darüber. Einer von ihnen dachte, der Missionar hätte alles durcheinandergebracht und verdreht. „Er verlangt ja, daß wir damit aufhören, die bösen Götter anzubeten und anzuflehen, und dazu übergehen, den einen guten Gott anzubeten und anzuflehen. Das ist doch sinnlos. Ein *guter* Gott fügt uns keinen Schaden zu."

Die Maori besaßen das Tabu; und zwar so umfassend und bis ins letzte durchgefeilt wie in Polynesien. Einige Regeln hätten aus Indien und Judäa importiert sein können. Weder der Maori noch der Hindu gewöhnlicher Kaste durfte an einem Feuer kochen, das eine Person höherer Kaste benutzt hatte, noch durften der hochstehende Maori oder der hochstehende Hindu Feuer benutzen, das einem Manne niederer Kaste gedient hatte; wenn ein Maori oder Hindu niederer Kaste aus einem Gefäß trank, das einem Manne hoher Kaste gehörte, war das Gefäß verunreinigt und mußte vernichtet werden. Es bestanden noch mehr Ähnlichkeiten zwischen dem Tabu der Maori und dem Kastenwesen der Hindus.

Gestern platzte ein Verrückter in mein Quartier und warnte mich, die Jesuiten wollten mich durch mein Essen „kochen" (vergiften) oder mich abends auf der Bühne umbringen. Er sagte, auf meinen Plakaten sei ein geheimnisvolles Zeichen ☐ zu sehen, und das bedeute meinen Tod. Er sagte, er habe Ehrwürden Mr. Haweis das Leben gerettet, indem er ihn warnte, daß sich auf seinem Podium drei Männer befänden, die ihn umbrächten, wenn er während des Vortrages die Augen auch nur für einen Augenblick von ihnen abwendete. Dieselben Männer hätten sich am Abend zuvor unter meinem Publikum befunden, aber sie hätten gesehen, daß *er* da war. „Werden sie heute abend wieder da sein?" Er zögerte; dann sagte er nein, *er glaube, sie würden sich lieber etwas ausruhen* und es mit dem Gift probieren. Dieser Verrückte besitzt kein Zartgefühl. Aber er war nicht uninteressant. Er erzählte mir eine Menge. Er sagte, er habe „in zwanzig Jahren so viele Vortragsredner gerettet, daß *man ihn in die Irrenanstalt gesteckt habe*". Ich glaube, er hat weniger Taktgefühl als jeder andere Verrückte, dem ich je begegnet bin.

8. Dezember. Ein paar merkwürdige Kriegsdenkmäler hier in Wanganui. Eines zu Ehren Weißer, „die bei der Verteidigung von Gesetz und Ordnung gegen Fanatismus und Barbarei fielen". Fanatismus. Wir Amerikaner sind englisch nach dem Blut, englisch nach der Sprache, englisch nach der Religion, englisch nach den Grundzügen unseres Regierungssystems, englisch nach den Grundzügen unserer Kultur; und darum laßt uns zu Ehren unseres Volksschlages, zu Ehren unseres Blutes und zu Ehren unseres Geschlechtes hoffen, daß dieses Wort sich durch Unachtsamkeit eingeschlichen hat und nicht länger geduldet wird. Wenn man es an den Thermopylen einmeißelt oder, wo Winkelried starb, oder auf dem Bunker-Hill-Monument und es dann noch einmal liest – „die bei der Verteidigung von Gesetz und Ordnung gegen Fanatismus fielen" –, wird man erkennen, was das Wort bedeutet und wie falsch es gewählt ist. Patriotismus ist Patriotismus. Daß man ihn Fanatismus nennt, kann ihn nicht herabsetzen; nichts kann ihn herabsetzen. Selbst wenn er ein politischer Fehler und tausendmal ein politischer Fehler sein sollte, hat das keinen Einfluß darauf; er ist ehrenhaft – immer ehrenhaft, immer edel – und darf das Haupt hoch tragen und den Völkern ins Gesicht blicken. Es ist recht, die tapferen Weißen zu rühmen, die im Maorikrieg fielen – sie verdienen es; aber die Gegenwart dieses Wortes ist der Würde ihrer

173

Sache und ihrer Heldentaten abträglich und stellt sie so dar, als hätten sie ihr Blut im Kampf gegen unehrenhafte Männer vergossen, gegen Männer, die dieses teuren Opfers nicht würdig gewesen wären. Aber die Männer *waren* seiner würdig. Es war keine Schande, gegen sie zu kämpfen. Sie kämpften für ihre Heimstätten, sie kämpften für ihr Land; sie kämpften tapfer und fielen tapfer; und es würde der Ehre der tapferen Engländer, die unter jenem Denkmal liegen, nichts nehmen, sondern sie *mehren*, wenn es hieße, sie starben bei der Verteidigung englischer Gesetze und englischer Heimstätten gegen Männer, die des Opfers würdig waren – die Maoripatrioten.

Das andere Denkmal läßt sich nicht berichtigen. Höchstens mit Dynamit. Es ist durch und durch ein Mißgriff, und zwar ein merkwürdig gedankenloser Mißgriff. Es ist ein Denkmal, das Weiße den Maori gewidmet haben, die im Maorikrieg auf seiten der Weißen *gegen ihr eigenes Volk* kämpfend fielen. „Geweiht dem Gedenken der tapferen Männer, die am 14. Mai 1864 fielen", und so weiter. Auf einer Seite stehen die Namen von etwa zwanzig Maori. Das ist nicht etwa meine Einbildung; das Denkmal gibt es. Ich habe es gesehen. Es bietet einen Anschauungsunterricht für die heranwachsende Generation. Es fordert zu Falschheit, Treulosigkeit, Vaterlandsverrat auf. Seine Lehre sagt in klaren Worten: „Verlasse deine Fahne, töte dein Volk, brenne seine Heimstätten nieder und schände deine Volkszugehörigkeit – wir ehren solche Leute."

9. Dezember. Wellington. Zehn Stunden von Wanganui mit der Fliege.

12. Dezember. Es ist eine schöne Stadt und prächtig gelegen. Ein geschäftiger Ort, voller Leben und Bewegung. Habe die drei Tage teils mit Umherspazieren verbracht, teils damit, gesellschaftliche Vorrechte auszukosten, und hauptsächlich damit, in dem prachtvollen Garten in Hutt, ein kurzes Stück weiter die Küste entlang, umherzubummeln. Ich nehme an, daß wir nicht so bald wieder etwas Ähnliches zu sehen bekommen.

Heute abend packen wir für die Rückreise nach Australien. Unser Aufenthalt in Neuseeland war kurz; dennoch sind wir nicht undankbar für den flüchtigen Einblick, der uns vergönnt war.

Die standhaften Maori haben den Weißen die Besiedelung des Landes sehr schwer gemacht. Nicht im Anfang – aber später. Zuerst hießen sie die Weißen willkommen und waren begierig, mit ihnen Handel zu treiben – besonders um Musketen; denn ihr Zeitvertreib war der Krieg mit gegenseitiger Vernichtung, und die Waffen der Weißen zogen sie unbedingt ihren eigenen vor. Krieg war wirklich ihr Zeitvertreib – ich verwende das Wort mit Bedacht. Oft trafen sie aufeinander und schlachteten einander ab, nur zum Schabernack und obwohl gar kein Streit herrschte. Der Autor des Buches „Altes Neuseeland" erwähnt den Fall, wo eine siegreiche Armee ihren Vorteil hätte ausnutzen und die gegnerische Armee hätte vernichten können, aber ablehnte, das zu tun; und naiv erklärte: „Wenn wir das täten, gäbe es keinen Kampf mehr." In einer anderen Schlacht ließ die eine Armee mitteilen, ihr sei die Munition ausgegangen und sie sei gezwungen aufzuhören, wenn die gegnerische Armee nicht welche schicke. Sie schickte welche, und der Kampf ging weiter.

In der ersten Zeit ging alles recht gut. Die Eingeborenen verkauften Land, ohne die Tauschbedingungen klar zu verstehen, und die Weißen kauften es, ohne sich durch die Begriffsverwirrung der Eingeborenen viel stören zu lassen. Aber mit der Zeit begann der Maori zu begreifen, daß man ihm unrecht tat; da gab es Ärger, denn er war nicht der Mann dazu, ein Unrecht hinunterzuschlucken, beiseite zu gehen und darüber zu weinen. Er besaß den Mut und die Ausdauer des Tasmaniers und verfügte außerdem über eine bemerkenswert weit entwickelte Kriegskunst; und so erhob er sich gegen den Unterdrücker, dieser heldenhafte „Fanatiker", und begann einen Krieg, der erst endgültig seinen Abschluß fand, nachdem mehr als ein Menschenalter vorübergeeilt war.

36. KAPITEL

> Es gibt mehrerlei geeigneten Schutz gegen Versuchungen, aber der sicherste ist die Feigheit.
>
> *Querkopf Wilsons Neuer Kalender*

> Namen sind nicht immer, was sie scheinen. Der häufige walisische Name Bzjxxllwcp wird Jackson ausgesprochen.
>
> *Querkopf Wilsons Neuer Kalender*

Freitag, 13. Dezember. Um drei Uhr nachmittags mit der „Mararoa" abgefahren. Südliche Meere und ein gutes Schiff – das Leben hat nichts Besseres zu bieten.

Montag. Drei Tage im Paradies. Warm und sonnig und glatt; die See ein leuchtendes Mittelmeerblau …Man rekelt sich den ganzen Tag unter Sonnensegeln im Liegestuhl und liest und raucht in grenzenloser Zufriedenheit. Zu solchen Zeiten liest man nicht Prosa, sondern Verse. Ich habe die Gedichte von Mrs. Julia A. Moore wiedergelesen und finde darin die gleiche Grazie und Melodie, die mich fesselten, als sie vor zwanzig Jahren veröffentlicht wurden, und die mich seither in ihrem beglückenden Bann halten. „Das empfindsame Liederbuch" ist schon lange vergriffen, und die Allgemeinheit hat es vergessen, aber ich nicht. Ich trage es immer bei mir – dieses Buch und Goldsmiths unsterbliche Geschichte …Wirklich, es birgt für mich den gleichen tiefen Zauber wie der „Landprediger von Wakefield", und ich entdecke in beiden den gleichen feinsinnigen Zug, der eine humoristisch gedachte Episode ergreifend macht und eine ergreifend gedachte Episode drollig. Zu ihrer Zeit nannte man Mrs. Moore „Die Nachtigall von Michigan", und unter diesem Namen war sie am bekanntesten. Ich habe heute ihr Buch zweimal durchgelesen, weil ich ermitteln wollte, welcher ihrer Schöpfungen der Vorzug gebührt, und bin davon überzeugt, daß hinsichtlich Weite der Konzeption und verhaltener Kraft „William Upson" den ersten Platz beanspruchen darf:

WILLIAM UPSON

Melodie: „Des Majors einziger Sohn"

Ihr lieben Leute, eilt herbei
Und seht, was hier zu hören sei!
Von einem Jüngling brav und gut,
Der jetzt in seinem Grabe ruht.

Nun, William Upson war sein Name –
Wenn nicht, so wär' das auch kein Schade –
Dem blut'gen Kampf er sich verschrieb,
Weshalb er nicht am Leben blieb.

Er war Perry Upsons ält'ster Sohn,
Der Vater liebt' den edlen Sohn.
Nur neunzehn Jahre zählte er,
So jung stieß einstmals er zum Aufstandsheer.

Der Vater sagt', er möge gehn,
Die Mutter sein begann zu flehn:
„Oh, lieber Billy, bleib zu Haus!"
Doch nichts trieb seinen Plan ihm aus.

Er zog nach Nashville in Tennessee,
Dort sah er liebe Freunde nie.
Er starb unter Fremden, in fernem Land,
Und wo er liegt, blieb unbekannt.

Er wurde krank, als er fort vier Wochen,
Wie viele Tränen die Eltern vergossen!
Und welche Trauer sie nun beschwert,
Da Billy zum Himmel ist heimgekehrt.

Oh, wenn die Mutter nur gesehn hätt' den Sohn,
Denn sie liebt' ihn, den Lieblingssohn.
Hätt' sie gehört sein Sterbewort,
Sie wartete leichter aufs Wiedersehn dort!

Wie linderte es der Mutter Leiden,
Hätt' sie ihn gesehn von hinnen scheiden,
Gehört liebe Worte von seinem Mund,
Da er enteilt dem Erdengrund.

Doch findet Lind'rung der Mutter Not,
Denn ihr Sohn wird gebettet auf unsern Friedhof.
Darf sie nun nah sein seinem Grab,
Stürzen bald ihr keine Tränen mehr herab.

Obwohl sie nicht weiß, ist's wirklich ihr Sohn.
Denn der Sarg wurde niemals geöffnet –
Ein andrer könnt' liegen an seiner Statt,
Da sein Antlitz sie nicht mehr gesehen hat.

17. Dezember. In Sydney angekommen.

19. Dezember. Im Zug. Dreißigjähriger Kerl mit vier Handkoffern; ein schmächtiger junger Mensch, dessen Zähne seinen Mund wie einen vernachlässigten Friedhof aussehen ließen. Er hatte versteiftes Haar – mit Pomade versteift; es war eine Schale aus einem Stück. Er rauchte die ungewöhnlichsten Zigaretten – offenbar aus irgendeiner Sorte Dung hergestellt. Diese und sein Haar machten, daß er roch wie die Hölle selbst. Er trug eine weit ausgeschnittene Weste, die ein Stück zerfranster, brüchiger und unsauberer Hemdbrust bloßlegte. Protzige Talmiknöpfe am Hemd – sie hatten auf dem Stoff schwarze Kreise hinterlassen. Übergroße Talmimanschettenknöpfe – die Kupferbasis schien durch. Mächtige Talmiuhrkette. Ich nehme an, daß er die Tageszeit nicht davon ablesen konnte, denn einmal fragte er Smythe, wie spät es sei. Er trug einen Rock, der in besseren Jugendtagen einmal farbenfroh gewesen war; helle Fünfuhrteehosen, unglaublich schmuddelig; einen gelben Schnurrbart, an den Spitzen flott aufwärtsgezwirbelt; stockfleckige Schuhe aus imitiertem Lackleder. Er war etwas Neuartiges – eine Stutzerimitation. Er wäre ein echter Stutzer gewesen, wenn er es sich hätte leisten können. Aber er war mit sich selbst zufrieden. Man sah das seiner Miene und allen seinen Posen und Gebärden an. Er lebte in einem Stutzertraumland, wo all sein läppisches Blendwerk und auch er selbst echt waren. Es entwaffnete die Kritik, es besänftigte den Zorn, wenn man sah, wie sehr er seine imitierte Lässigkeit und Künstelei und Vornehmtuerei, seine betont gezierten Gesten und scheußlichen Affektationen genoß. Es war mir klar, daß er sich wie der Prinz von Wales vorkam und sich in allem so benahm, wie er sich das beim Prinzen von Wales vorstellte. Als der Gepäckträger seine vier Handkoffer in den Zug gebracht und in den Gepäcknetzen verstaut hatte, gab er ihm vier Cents und entschuldigte sich leichthin für die Geringfügigkeit des Trinkgelds – mit dem niedlichsten, allerherablassendsten fürstlichen Gebaren der Welt. Er streckte sich auf dem Vordersitz aus, legte seinen Pomadenkeks auf die mittlere Armlehne, steckte die Füße aus dem Fenster und begann als Prinz zu posieren und seine Träumerei und seine vornehme Lässigkeit zur Schau zu stellen; und er blickte schlaff den blauen Wölkchen nach, die aus seiner Zigarette emporkräuselten, inhalierte den Gestank mit so genießerischer Miene; und er schnippte geziert die Asche ab, wobei er absichtslos seinen Messingring in der absichtsvollsten Weise blitzen ließ; ach, es war geradesogut, als befände man sich im Marlborough House selbst, wenn man sah, wie genau er es nachmachte.

Auf der Reise war noch mehr Landschaft zu bewundern. Die des Flusses Hawksbury im Gebiet des Nationalparks, schön – außerordentlich schön, mit weiten Ausblicken auf Strom und See, eindrucksvoll von bewaldeten Hügeln eingerahmt; und gelegentlich prachtvolle Berge und die zauberhaftesten Neugruppierungen im Wasserspiegel. Später grüne, flache Ebenen, spärlich mit Gummibaumwäldern bedeckt, und hier und da die Hütten und Häuser kleiner Farmer, die sich mit der Rinderaufzucht befassen. Noch später dürre Strecken, leblos und schwermütig. Dann Newcastle, eine betriebsame Stadt, Zentrum der reichen Kohlegebiete. Vor Scone weite Feld- und Weideflächen, auf denen ziemlich häufig eine lästige Pflanze zu sehen ist – eine besonders teuflische kleine Distel, die der Ackersmann täglich in seinen Gebeten verflucht; von einer gefühlvollen Dame ins Land gebracht und gratis der Kolonie überlassen ... Den ganzen Tag über Gluthitze.

20. Dezember. Zurück nach Sydney. Wieder Gluthitze. Aus der Zeitung und aus der Karte habe ich mir eine Sammlung kurioser Namen australasischer Städte zusammengestellt, mit der Absicht, aus ihnen ein Gedicht zu machen:

Tumut	Waitpinga	Wollongong
Takee	Goelwa	Woolloomooloo
Murriwillumba	Munno Para	Bombola
Bowral	Nangkita	Coolgardie
Ballarat	Myponga	Bendigo
Mullengudgery	Kapunda	Coonamble
Murrurundi	Kooringa	Cootamundra
Wagga-Wagga	Penola	Woolgoolga
Wyalong	Nangwarry	Mittagong
Murrumbidgee	Kongorong	Jamberoo
Goomeroo	Comaum	Kondoparinga
Wolloway	Koolywurtie	Kuitpo
Wangary	Killanoola	Tungkillo
Wanilla	Naracoorte	Oukaparinga
Worrow	Muloowurtie	Talunga
Koppio	Binnum	Yatala
Yankalilla	Wallaroo	Parawirra
Yaranyacka	Wirrega	Moorooroo
Yackamoorundie	Mundoora	Whangarei
Kaiwaka	Hauraki	Woolundunga
Goomooroo	Rangiriri	Booleroo
Tauranga	Teawamute	Pernatty
Geelong	Taranaki	Parramatta
Tongariro	Toowoomba	Taroom
Kaikoura	Goondiwindi	Narrandera
Wakatipu	Jerrilderie	Deniliquin
Oohipara	Whangaroa	Kawakawa

Es wird am besten sein, das Gedicht jetzt gleich zusammenzuzimmern und das Wetter dabei helfen zu lassen:

EIN GLUTHEISSER TAG IN AUSTRALIEN
(Verhalten und leise bei gedämpftem Licht zu lesen)

In Bowral vor Hitze wankt Bombolas Knie,
Erstickend heiß sengt Mullengudgerys Feuer
Fern von den Brisen von Coolgardie
Mit Flammen so bläulich und ungeheuer.

Und klagend fragt Murriwillumbas Gesang
Nach den Blumengirlanden von Woolloomooloo,
Und die Ballaratfliege und auch Wollongong,
Sie träumen vom Garten von Jamberoo;

Der Wallabi seufzt nach dem Murrumbidgee,
Nach dem samtigen Rasen von Munno Parah,
Wo das heilende Wasser aus Muloowurtie
Im Dämmer vorbeifließt an Yaranyackah;

Der Koppio betrauert sein Lieb' Wolloway,
Und seufzt im geheimen nach Murrurundi,
Der Whangaroa Wombat beklaget von je,
Daß man ihn verbannte aus Jerrilderie;

Den Teawamute Tumut von Wirregas Matten,
Die Nangkitaschwalbe, den Wallarooschwan
Lockt alle der Friede in Timarus Schatten
Und dein würz'ger Odem, o mein Mittaggong!

Der Kooringabüffel vor Sonnenglut keucht,
Der Kondoparinga schnappt lechzend nach Luft,
Der Kongorong Comaum zum Schatten entfleucht,
Doch Goomeroo riß es hinab in die Gruft!

In der Hölle der Moorooroo-Eb'ne verirrt,
Dörrt Yatala Wangarys Lebensgeist aus,
Und das Worrow Wanilla, vor Schmerzen verwirrt,
Verzweifelt zu Woolgoolgas Wald flieht hinaus;

Bekümmert ist Nangwarry, Coonamble krank,
Und Tunkillo Kuitpo in Schwarz ihr nur seht,
Denn der Whangareiwind längst in Schlummer versank,
Und die Booleroobrise von West nicht mehr weht.

Myponga, Kapunda, dem Schlaf euch entreißt!
Yankalilla, Parawirra, wacht auf und habt acht!
Es lauert der Tod! Killanoola, beweist,
Daß ihr nicht Penolas Gebete verlacht!

Cootamundra und Takee und Wakatipu,
Toowoomba, Kaikoura verbrannt!
Auch Oukaparinga, dazu Oamaru
Ins Feuer der Hölle verbannt!

Paramatta und Binnum, sie gingen zur Ruh
Im Tale Tapanni Taroom,
Kawakawa, Deniliquin – dort findest auch du
Nur Gräber und Gräber weitum!

Narrandera schweigt, Cameroo gibt nicht Wort,
Geht der Ruf nach den Lebenden um:
Tongariro, Goondiwindi, Woolundunga, der Ort
Wo ihr ruht, liegt verlassen und stumm.

Für Poesie sind das brauchbare Worte. Gehören zu den besten, die mir je
vorgekommen sind. Die Liste enhält 81 Stück. Ich habe sie nicht alle ge-

braucht, aber 66 habe ich abgeschossen; was für einen Menschen, der nicht im Geschäft ist, eine gute Ausbeute darstellt, finde ich. Vielleicht könnte ein Poeta laureatus Besseres leisten, aber ein Poeta laureatus bekommt Gehalt, und das ist ein Unterschied. Wenn ich Verse schreibe, bekomme ich kein Gehalt; oft verliere ich Geld dadurch. Das beste Wort in der Liste, das musikalischste und gurgligste ist Woolloomooloo. Es ist ein Ort bei Sydney und ein beliebter Erholungsaufenthalt. Er enthält acht O.

37. KAPITEL

> In anderen Geschäftszweigen muß man Fähig-
> keiten aufweisen, um Erfolg zu haben; im
> Rechtswesen genügt es, sie zu verhehlen.
>
> *Querkopf Wilsons Neuer Kalender*

Montag, 23. Dezember 1895. Von Sydney auf dem P. & O. Dampfer „Oceana" nach Ceylon abgefahren. Dieses Schiff hat als Besatzung Laskaren – die ersten, die ich gesehen habe. Frauenrock und Hosen aus weißem Baumwollstoff; barfuß; rote Schärpe als Gürtel; randlose Strohmütze auf dem Kopf, einen roten Schal darum gewunden; Hautfarbe ein sattes Dunkelbraun; kurzes, glattes, schwarzes Haar, schöner, seidiger Backenbart, glänzend und tiefschwarz. Sanfte, gute Gesichter; willige und gehorsame Leute; auch tüchtig; aber bei Gefahr sollen sie in hoffnungslose Panik geraten. Sie stammen aus Bombay und der Küstengegend daherum... Ließ einiges große Reisegepäck in Sydney zurück, es soll mit einem Schiff, das drei Monate später abfahren wird, nach Südafrika gehen. Das Sprichwort sagt: „Trenne dich nicht von deinem Gepäck." ...Diese „Oceana" ist ein stattliches, geräumiges Schiff, großzügig eingerichtet. Sie hat breite Promenadendecks. Große Räume; ein überaus bequemes Schiff. Die Offiziersbibliothek ist gut ausgewählt; das ist bei Schiffsbibliotheken nicht die Regel... Zu den Mahlzeiten ein Hornsignal wie auf Kriegsschiffen; eine angenehme Abwechslung nach dem scheußlichen Gong... Drei große Katzen – sehr zutrauliche Müßiggänger; sie durchstreifen das ganze Schiff; die weiße folgt dem Obersteward wie ein Hund. Ein Korb mit jungen Katzen ist auch da. Der Kater geht in England, Australien und Indien an Land, um nachzusehen, wie es seinen verschiedenen Familien geht, und läßt sich erst wieder sehen, wenn das Schiff abfahrtbereit ist. Niemand weiß, wie er das Abfahrtdatum erfährt, aber zweifellos geht er täglich zum Dock hinab und schaut nach, und wenn er Gepäck und Passagiere scharenweise kommen sieht, erkennt er, daß es Zeit ist, an Bord zu gehen. So stellen es sich die Matrosen vor... Der Chefingenieur fährt schon dreiunddreißig Jahre auf der China- und Indienroute und hat in dieser ganzen Zeit nur drei Weihnachten zu Hause verlebt... Gesprächsthemen beim Essen: „Mokka – in die ganze Welt verkauft! Das stimmt nicht. In Wirklichkeit haben sehr wenige Ausländer mit Ausnahme des Zaren von Rußland jemals eine Mokkabohne gesehen und werden sie auch in ihrem ganzen Leben nicht zu sehen bekommen." Ein anderer Mann sagte: „In Australien findet australischer Wein keinen Absatz. Er geht aber nach Frankreich, kommt mit einem französischen Etikett zurück, und dann kaufen sie ihn." Ich habe gehört, daß der meiste französisch etikettierte Weißwein in New York aus Kalifornien stammt. Und ich erinnere mich daran, was mir Professor S. einmal über den Veuve Clicquot erzählte – wenn es sich um diesen Wein handelte, was ich aber glaube. Er war Gast eines großen Weinhändlers, der ganz in der Nähe jenes Weinberges wohnte, und dieser Händler fragte ihn, ob in Amerika sehr viel V. C. getrunken werde.

„O ja", sagte S., „in großen Mengen."

„Ist er leicht zu bekommen?"

„O ja – so leicht wie Wasser. Alle Hotels erster und zweiter Klasse führen ihn."

„Was zahlen Sie dafür?"

„Das hängt vom Stil des Hotels ab – 15 bis 25 Frank die Flasche."

„Oh, glückliches Land! Ich bitte Sie, hier an Ort und Stelle ist er 100 Frank wert!"

„Nein."

„Ja."

„Wollen Sie damit sagen, daß wir dort drüben einen unechten Veuve Clicquot trinken?"

„Ja – und seit Kolumbus hat es in Amerika noch nie eine Flasche echten gegeben. Dieser Wein stammt ausschließlich von einem ganz kleinen Flecken Land, der so klein ist, daß er nur wenige Flaschen hervorbringt; und die gesamte Produktion geht alljährlich an einen einzigen Menschen – den Zaren von Rußland. Er kauft den gesamten Ertrag im voraus, sei er hoch oder gering."

4. Januar 1896. Weihnachten in Melbourne, Neujahr in Adelaide, und die meisten Freunde an beiden Orten wiedergetroffen… Liegen hier den ganzen Tag vor Anker – Albany (King George Sund), Westaustralien. Es ist ein völlig von Land eingeschlossener Hafen oder auch eine Reede – sieht weiträumig aus, ist aber nicht tief. Schwermütig wirkende Felsen und zerklüftete Berge. Jetzt treffen viele Schiffe ein, die zu den neuen Goldfeldern eilen. Die Zeitungen sind voller wunderbarer Berichte, wie sie immer in Verbindung mit neuen Goldfunden zu hören sind. Ein Muster: Ein junger Mann steckte einen Claim ab und versuchte, die Hälfte für 5 Pfund zu verkaufen; keine Abnehmer; vierzehn Tage lang wühlte er hartnäckig weiter, hungerte, dann machte er einen reichen Fund und verkaufte für 10 000 Pfund… Gegen Sonnenuntergang, es blies eine steife Brise, Anker gelichtet. Wir befanden uns in einer kleinen, tiefen Pfütze, vor der ein schmaler Kanal, mit Bojen genau gekennzeichnet, zum Meer hinausführte. Ich blieb an Deck, um zu sehen, wie wir das mit einem so großen Schiff und bei so heftigem Wind schaffen würden. Auf der Brücke unser riesenhafter Kapitän in Uniform; zu seiner Seite ein kleiner Lotse in einer Uniform mit reichem Goldbesatz; auf dem Vorderdeck ein oder zwei weiße Offiziere und ein Steuermannsmaat oder zwei, daneben eine farbenprächtige Schar Laskaren in Bereitschaft. Unser Heck stand genau in Richtung Kanalausfahrt; also mußten wir uns in der Pfütze völlig herumdrehen – und der Wind wehte wie bereits beschrieben. Es gelang, und zwar bildschön. Es gelang mit Hilfe eines Klüvers. Wir rührten viel Schlamm auf, stießen aber nicht auf Grund. Wir wendeten auf der

Stelle – scheinbar eine Unmöglichkeit. Wir loteten mehrmals vierdreiviertel und einmal dreieinhalb – 27 Fuß; achtern hatten wir 26 Tiefgang. Als wir vollständig gewendet hatten und ausgerichtet waren, lag die erste Boje höchstens hundert Yard vor uns. Es war ein sauberes Stück Arbeit, und ich war der einzige Passagier, der es sah. Aber die anderen bekamen ihr Essen; meines bekam die P. & O. Company... Es tauchten noch mehr Katzen auf. Smythe sagt, es sei ein britisches Gesetz, daß man welche mitführen müsse; und er führte dazu den Fall an, daß einmal ein Schiff erst auslaufen durfte, nachdem wir ein paar hatte kommen lassen. Eine Rechnung kam auch noch: „Debet für 2 Katzen, 20 Schilling."... Es trifft die Nachricht ein, Siam habe in dieser Woche de facto anerkannt, eine französische Provinz zu sein. Es ist doch wohl klar, daß alle wilden und halbzivilisierten Länder noch von jemand unter den Nagel gerissen werden... Ein Geier an Bord; kahler, roter, sonderbar geformter Kopf, hier und da an seinem Körper unbefiederte Stellen; spähende, große schwarze Augen in unbefiederten Rändern aus entzündetem Fleisch; sieht verkommen aus; ein geschäftsmäßig nüchternes Auftreten, selbstsüchtige, gewissenlose, mörderische Erscheinung – genauso sieht ein berufsmäßiger Mörder aus, und dabei ist es ein Vogel, der nicht mordet. Was hatte es für einen Sinn, ihn für ein so harmloses Gewerbe wie das seine so unheildrohend aufzumachen? Denn dieser Vogel gehört nicht zu denen, die alles Lebendige befehden, seine Nahrung ist Aas – je älter, desto besser. Die Natur sollte ihm ein Gewand von verschossenem Schwarz schenken; dann wäre er goldrichtig, denn er würde wie ein Bestattungsunternehmer aussehen und mit seinem Gewerbe harmonieren; während er so, wie er jetzt ist, schrecklich falsch wirkt.

5. Januar. Heute morgen um neun passierten wir Kap Leeuwin (Löwin), und damit endete unser langer Westkurs entlang der Südküste Australiens. Nachdem wir um diese äußerste südwestliche Ecke gebogen sind, fahren wir jetzt auf einer langen, geraden, beinahe nordwestlich gerichteten Diagonalen ohne Unterbrechung bis Ceylon. Bei unserer raschen Fahrt nach Norden wird es sehr schnell heißer werden – aber es ist jetzt schon nicht kühl... Der Geier stammt aus dem Tiergarten in Adelaide – einer großartigen und interessanten Sammlung. Dort sahen wir auch, wie das Tigerbaby würdevoll das Maul aufriß und versuchte, wie seine majestätische Mutter zu brüllen. Es stolzierte finsterblickend auf seinen kurzen Beinchen hin und her, genau wie es das die Mutter auf ihren langen hatte tun sehen, fauchte ab und zu bösartig und zeigte die Zähne mit drohend zurückgezogener Oberlippe und gesträubtem Schnurrbart; und wenn es dachte, es mache auf die Besucher Eindruck, riß es das Maul weit auf und gab den schrillen Laut von sich, den es für Gebrüll hielt, der aber niemanden täuschte. Es nahm sich selbst völlig ernst und war zum Verlieben drollig. Und dort gab es auch eine Hyäne – ein scheußliches Tier; so scheußlich, wie das Tigerbaby niedlich war. Wiederholt krümmte sie den Rücken und stieß einen ungemein menschlichen Schrei aus; eine erschreckende Ähnlichkeit; genau der Schrei eines schwer verletzten erwachsenen Menschen. Im Dunkeln würde man ganz sicher zu Hilfe eilen – und enttäuscht werden... Viele Anhänger des Australasischen Staatenbundes an Bord! Sie sind überzeugt, daß der gute Tag nun nicht mehr fern liege. Aber offenbar existiert eine Gruppe, die noch weiter gehen möchte –

Australasien solle sich vom Britischen Empire lösen und auf eigene Faust zu wirtschaften beginnen. Diese Idee finde ich unklug. Sie weisen auf die Vereinigten Staaten hin, aber mir scheint, die Fälle gleichen sich nicht im entferntesten. Australasien regiert sich gänzlich selbst – es gibt keine Einmischung von außen; sein Handel und seine Produktion unterliegen keinerlei Beschränkungen. Hätte unser Fall genau so gelegen, hätten wir uns damals nicht losgelöst.

13. Januar. Unsagbar heiß. Der Äquator nähert sich wieder. Wir sind acht Breitengrade von ihm entfernt. Hier ist Ceylon. Lieber Himmel, es ist wunderschön! und überwältigend tropisch, besonders hinsichtlich des Charakters und der Üppigkeit des Laubes. „Da doch die würz'gen Brisen umfächeln Ceylons Eiland" – eine ausdrucksvolle Zeile, eine unvergleichliche Zeile; sie sagt wenig aus, vermittelt aber ganze Büchereien an Empfindung, orientalischem Zauber und Geheimnis und tropischer Köstlichkeit – eine Zeile, in der Tausende unausgesprochener und unaussprechlicher Dinge schweben und schwingen, Dinge, die einen geisterhaft verfolgen und nicht in Worte zu fassen sind... Colombo, die Hauptstadt. Ganz offensichtlich eine orientalische Stadt; faszinierend... In diesem palastähnlichen Schiff legen die Passagiere zum Dinner Abendkleidung an. Die Toiletten der Damen geben ein schönes Farbenspiel ab, und das harmoniert mit der Eleganz der Einrichtung und den strahlenden Fluten des elektrischen Lichtes. Auf dem stürmischen Atlantik sieht man einen Mann im Abendanzug nur in ganz, ganz seltenen Fällen; und dann ist es immer nur einer, niemals zwei; und er stellt sich auf einer Fahrt nur ein einziges Mal zur Schau – an dem Abend, bevor das Schiff den Hafen anläuft – an dem Abend, wenn das „Konzert" stattfindet und man üblicherweise die laienhaften Jammertöne und Rezitationen von sich gibt. In der Regel ist er der Tenor... An Bord ist viel Kricket gespielt worden; das Spiel scheint für ein Schiff recht ausgefallen zu sein, aber sie spannen Netze um das Promenadendeck und verhindern dadurch, daß der Ball über Bord fliegt, und das Spiel läuft sehr gut und ist heftig und aufregend, wie es sich gehört... Wir müssen uns hier von diesem Schiff trennen.

14. Januar. Hotel Bristol. Diener Brompy. Flink, sanft, lächelnd, ein überaus einnehmendes junges, braunes Geschöpf. Schönes, glänzendes, schwarzes Haar, wie bei einer Frau zurückgekämmt und am Hinterkopf zu einem Knoten geschlungen – Schildpattkamm darin, ein Zeichen, daß er Singhalese ist; schlanke, wohlgebildete Gestalt; Jacke; darunter ein ungegürtetes und fließendes weißes Baumwollgewand – vom Hals bis zum Fuß; er und seine Aufmachung ganz unmännlich. Es war direkt peinlich, sich vor ihm zu entkleiden.

Wir fuhren zum Markt und benutzten dazu die japanische Jinriksha – unsere erste Bekanntschaft mit ihr. Es ist ein leichtes Wägelchen, das ein Eingeborener zieht. Eine halbe Stunde lang schafft er ein gutes Tempo, aber es ist Schwerarbeit für ihn; er ist zu schmächtig. Nach der halben Stunde macht es einem keinen Spaß mehr; man hat nur noch Augen für den erschöpften Mann, gerade wie man sie für ein erschöpftes Pferd hätte, und natürlich gilt ihm auch unser Mitgefühl. Es gibt eine Menge solcher Jinrikschas, und der Tarif ist unglaublich niedrig.

Vor Jahren war ich in Kairo. Es war orientalisch, aber irgend etwas fehlte. Wenn man in Florida oder New Orleans ist, dann ist man im Süden – zugegeben; aber man ist nicht in *dem* Süden; man ist in einem gemäßigten Süden, einem temperierten Süden. Kairo war ein temperierter Orient – ein Orient, dem ein unbestimmtes Etwas mangelte. Diese Empfindung kam in Ceylon nicht auf. Ceylon war orientalisch bis zum äußersten Grad der Vollkommenheit – absolut orientalisch; auch absolut tropisch; und wirklich sagt einem das spontane Gefühl, daß diese beiden Dinge zusammengehören. Alles Erforderliche war vorhanden. Die Trachten stimmten; die schwarzen und braunen Blößen, jeder Unschicklichkeit unbewußt, stimmten; der Gaukler war da mit seinem Korb, seinen Schlangen, seinem Mungo und seinen Vorkehrungen, um vor den Augen des Publikums einen Baum aus dem Samen emporwachsen, sich belauben und Früchte tragen zu lassen; zu sehen waren Pflanzen und Blumen, die einem aus Büchern, aber auf keine andere Weise vertraut waren – berühmt, begehrenswert, fremdartig, aber im Wachstum auf den heißen Gürtel des Äquators beschränkt; und ein kleines Stück landeinwärts gab es die dazugehörigen tödlichen Schlangen, die blutdürstigen Raubtiere, den wilden Elefanten und den Affen. Und in der Luft lag jene Schlaffheit, die man mit den Tropen verbindet, und jene beklemmende Hitze, schwer von Düften unbekannter Blüten, dann folgte ein Einbruch purpurner, blitzdurchzuckter Dunkelheit, der Tumult krachenden Donners und der Wolkenbruch – und plötzlich alles wieder sonnig und heiter; es war alles da; alle Bedingungen waren erfüllt, nichts fehlte. Und weit in den Tiefen des Dschungels und fern in den Bergen lagen die Ruinenstädte und die verwitternden Tempel, rätselhafte Überbleibsel des Gepränges einer vergessenen Zeit und eines entschwundenen Volkes – und auch das war, wie es sein mußte, denn nichts ist ganz befriedigend orientalisch, dem die düsteren und eindrucksvollen Eigenschaften des Geheimnisvollen und der Altehrwürdigkeit fehlen.

Die Fahrt durch die Stadt und hinaus zur Gallé Face am Meeresufer, welch ein Traum von tropischer Blütenpracht und Feuersbrünsten orientalischer Kostüme! Die dahinschreitenden Gruppen von Männern, Frauen, Knaben, Mädchen, Babys – jeder für sich eine Flamme, jede Gruppe ein brennendes Haus, so glühten die Farben. Und diese atemberaubenden Farben, diese intensiv leuchtenden Farben, diese satten und köstlichen Kombinationen und Verschmelzungen von Regenbogen und Blitzen! Und alles harmonierte, alles zeigte auserlesenen Geschmack; nie gab es einen Mißklang; nie trug jemand eine Farbe, die sich mit einer anderen Farbe an ihm gebissen oder nicht fehlerlos mit den Farben jeder beliebigen Gruppe harmoniert hätte, der sich der Träger etwa anschloß. Die Stoffe waren aus Seide; dünn, weich, zart, anschmiegsam; und in der Regel war jedes Stück einfarbig: ein herrliches Grün, ein herrliches Blau, ein herrliches Gelb, ein herrliches Purpurrot, ein herrliches Rubinrot, tief und satt wie Feuersglut – sie glitten ständig in Gruppen und Scharen und Massen vorüber, leuchtend, blitzend, brennend, strahlend; und alle fünf Sekunden barst ein blendendes Rot auf, daß einem der Atem stockte und das Herz lachte. Und dann die unvorstellbare Anmut dieser Trachten! Manchmal bestand die ganze Kleidung einer Frau aus einem Tuch, das sie um Leib und Kopf gewunden trug, manchmal bestand die eines Mannes nur aus einem Turban und einem oder zwei nachlässig umgeschlungenen Tuchfetzen – wobei in beiden Fällen großzügig weite Flächen glatter, dunkler Haut zu sehen waren –, aber stets erzwang

184

sich das Gesamtbild die Bewunderung des Auges und ließ das Herz vor Freude jauchzen.

Ich sehe es heute noch, jenes strahlende Panorama, das Gewirr satter Farben, das unvergleichliche Kaleidoskop harmonischer Tönungen, geschmeidiger, halbbedeckter Körperformen, schöner, brauner Gesichter und anmutiger Gesten, Haltungen und Bewegungen, frei, ungekünstelt, ohne Steifheit und Zwang, und...

Gerade da brach in dieses Traumbild vom Märchenland und vom Paradies eine schrille Dissonanz ein. Aus einer Missionsschule kamen sechzehn steife, fromme, christliche kleine Negermädchen zu zweien herausmarschiert, europäisch gekleidet – bis in die geringste Einzelheit so angezogen, wie sie an einem Sommersonntag in einem englischen oder amerikanischen Dorf angezogen wären. Diese Kleider – oh, sie waren unsagbar häßlich! Häßlich, barbarisch, geschmacklos, reizlos, abstoßend wie ein Sterbehemd. Ich sah mir die Kleidung meiner Frauensleute an – einfach große Ebenbilder der Scheußlichkeiten, die jene armen, kleinen, mißbrauchten Geschöpfe entstellten – und schämte mich, mit ihnen auf der Straße gesehen zu werden. Dann sah ich mir meine eigene Kleidung an und schämte mich, mit mir selbst gesehen zu werden.

Jedoch müssen wir uns mit unserer Kleidung abfinden, wie sie nun einmal ist – es gibt einen Grund für ihre Existenz. Sie bedeckt uns, um uns bloßzustellen – um zu verkünden, was wir verbergen wollen, wenn wir sie tragen. Sie ist ein Symbol; ein Zeichen der Unaufrichtigkeit; ein Zeichen unterdrückter Eitelkeit; sie gibt vor, wir verachteten prächtige Farben und den Reiz der Harmonie und Form; und wir legen sie an, um diese Lüge zu verbreiten und zu bekräftigen. Aber wir können unseren Nächsten nicht täuschen; und wenn wir Ceylon betreten, wird uns klar, daß wir nicht einmal uns selbst getäuscht haben. Wir lieben nun einmal leuchtende Farben und anmutige Trachten; und zu Hause gehen wir sogar in einem Gewitter hinaus, um sie zu sehen, wenn der Festzug vorüberzieht – und beneiden die, die sie tragen dürfen. Wir gehen ins Theater, um sie zu betrachten, und grämen uns, daß wir uns nicht so anziehen können. Wir gehen zum Hofball, wenn sich die Gelegenheit bietet, und freuen uns an dem Anblick der prächtigen Uniformen und der glitzernden Orden. Wenn uns die Erlaubnis zuteil wird, einen kaiserlichen Salon zu besuchen, schließen wir uns ein, paradieren stundenlang in der theatralischen Hoftracht herum, bewundern uns im Spiegel und sind restlos glücklich; und jedes Mitglied des Stabes jeden Gouverneurs in Amerika macht mit seiner fabelhaften neuen Uniform dasselbe – und wenn man nicht auf ihn aufpaßt, läßt er sich sogar darin photographieren. Wenn ich den Lakaien des Lord Mayor sehe, bin ich mit meinem Los unzufrieden. Ja, unsere Kleidung ist eine Lüge und ist seit hundert Jahren nichts anderes gewesen. Sie ist unaufrichtig, sie ist das häßliche, aber angemessene äußere Abbild innerer Unwahrhaftigkeit und moralischen Verfalls.

Der letzte kleine, braune Junge, den ich zufällig in der Menschenmenge Colombos bemerkte, hatte nichts weiter an als eine Schnur um den Bauch, aber in meiner Erinnerung sticht die offene Aufrichtigkeit seines Aufzugs immer noch angenehm ab von dem widerwärtig heuchlerischen Zeug, mit dem sich die kleinen Sonntagsschulvogelscheuchen verkleidet hatten.

38. KAPITEL

> Für Grundsätze ist Wohlstand der beste
> Schutz.
>
> *Querkopf Wilsons Neuer Kalender*

14. abends. Mit der „Rosetta" abgefahren. Das ist ein armseliges altes Schiff und sollte versichert und versenkt werden. Wie auf der „Oceana", so auch hier: alle kleiden sich zum Dinner um; sie machen eine Art frommer Pflicht daraus. Diese feinen und formellen Kleider stellen einen ziemlich auffälligen Kontrast zur Armseligkeit und Schäbigkeit der Umgebung dar... Wenn man zum Fünfuhrtee eine Scheibe Zitrone haben möchte, muß man an der Bar eine Bestellung unterschreiben. Zitronen kosten 14 Cent das Faß.

18. Januar. Wir sind zuletzt durch das Arabische Meer gefahren. Nähern uns jetzt Bombay und sollen heute abend ankommen.

20. Januar. Bombay! Ein berückender Ort, ein verwirrender Ort, ein bezaubernder Ort – Tausendundeine Nacht sind wieder auferstanden! Es ist eine riesige Stadt – etwa eine Million Einwohner. Einheimische mit einem ganz geringen Anteil von Weißen – nicht genug, um auch nur im geringsten das Bild einer einheitlich dunkelhäutigen Bevölkerung zu verändern. Es ist Winter hier, aber das Wetter ist wundervolles Juniwetter, und das Laub ist das frische und köstliche Laub des Juni. Gegenüber dem Hotel steht eine Reihe stattlicher, schattenspendender Bäume, und unter diesen sitzen Gruppen von malerischen Indern beiderlei Geschlechts; und der Gaukler im Turban ist da mit seinen Schlangen und seiner Magie; und den ganzen Tag lang strömen die Wagen und Trachten in unermeßlicher Mannigfaltigkeit vorüber. Es ist kaum wahrscheinlich, daß man jemals müde werden könnte, dieses bewegte Schauspiel, dieses glanzvolle und ewig veränderliche malerische Treiben zu betrachten... Das Gedränge und Geschiebe der Einheimischen im großen Bazar war einfach erstaunlich, das Meer vielfältig bunter Turbane und Gewänder bot einen begeisternden Anblick, und die eigenartige und prunkvolle indische Architektur war genau der richtige Hintergrund dafür. Gegen Sonnenuntergang ein anderes Schauspiel, und zwar die Fahrt am Meeresufer entlang nach Malabar Point, wo Lord Sandhurst wohnt, der Gouverneur des Bezirks Bombay. Parsenpaläste entlang des ganzen ersten Abschnitts der Strecke; und alle Welt fährt an ihnen vorüber; die Privatwagen reicher Engländer und Einheimischer von hohem Rang sind mit einem Kutscher und drei Lakaien in verblüffenden orientalischen Livreen bemannt – zwei dieser beturbanten Statuen stehen aufrecht hinten, schön wie Monumente. Manchmal haben sogar die Mietwagen diese mehr als reichliche Besatzung, mit kleinen Abweichungen – einer kutschiert, einer sitzt daneben und sieht zu, und einer steht hinten und ruft – ruft, wenn jemand im Wege ist, und zur Übung, wenn niemand da ist. Das alles trägt dazu bei, die Lebhaftigkeit der Szene zu unterstreichen und den allgemeinen Eindruck der Schnelligkeit und Energie und eines Durcheinanders und Tohuwabohus zu verstärken.

In der Gegend um Scandal Point – glücklich getroffener Name –, wo man auf der einen Seite zum Niedersitzen geeignete Felsen und eine wunderbare

Aussicht auf das Meer findet und auf der anderen Seite einen hin und her flutenden Wirbel und Taumel prächtiger Kutschen beobachtet, trifft man auf größere Gruppen wohlhabender Parsenfrauen – wahre Blumenbeete strahlender Farben, ein faszinierender Anblick. Einzeln, paarweise, in Gruppen und Grüppchen trotten die Männer und Frauen der arbeitenden Klassen die Straßen entlang, aber nicht wie die unseren gekleidet. Gewöhnlich ist der Mann ein prachtvoll gebauter großer Athlet, er trägt keinen Fetzen an sich mit Ausnahme des Lendentuches; seine Farbe ist ein tiefes Dunkelbraun, seine Haut Seide, seine runden Muskeln springen vor, als lägen Eier darunter. Gewöhnlich ist die Frau ein schlankes und anmutig gestaltetes Wesen, so aufrecht wie ein Blitzableiter, und sie hat ein einziges Kleidungsstück an – ein leuchtend buntes Stück Stoff, das sie um Kopf und Leib gewunden hat bis halbwegs hinab zu den Knien und das ihr hauteng anliegt. Ihre Beine und Füße sind bloß, ebenso ihre Arme, ausgenommen die phantastischen Bündel loser Silberreifen um Knöchel und Arme. Sie trägt auch Schmuck an den Nasenflügeln und auffallende Ringe an den Zehen. Wenn sie sich zum Schlafen auszieht, legt sie ihren Schmuck ab, nehme ich an. Wenn sie mehr ablegen wollte, würde sie sich erkälten. In der Regel hat sie einen großen, glänzenden, schöngeformten Bronzekrug auf dem Kopf, einer ihrer bloßen Arme schwingt sich hinauf, und die Hand hält den Krug. Sie ist so gerade gewachsen, so gertengleich, und sie schreitet so stilvoll und so ungezwungen graziös und würdevoll dahin, und ihr gebogener Arm und der Kupferkrug heben das Bild in solchem Maße – wirklich, unsere arbeitenden Frauen können als Straßenschmuck mit ihr nicht konkurrieren.

Alles ist Farbe, berückende Farbe, bezaubernde Farbe, überall ringsumher, den ganzen Weg die geschwungene, große, in opalisierendem Licht schimmernde Bucht entlang bis hin zum Regierungsgebäude, wo die Turban tragenden, hochgewachsenen einheimischen Amtsdiener, Tschaprasis, in Gala an der Tür gruppiert sind, in Gewändern aus feurigem Rot, und in der angemessensten und atemberaubendsten Weise das glänzende Schauspiel abschließen und ihm den letzten theatralischen Schliff verleihen. Ich wünschte, ich wäre ein Tschaprasi.

Das ist wirklich Indien; das Land der Träume und Sagen, des märchenhaften Reichtums und der märchenhaften Armut, der Pracht und der Lumpen, der Paläste und der Elendsquartiere, der Hungersnöte und Seuchen, der Geister und Riesen und Aladinslampen, der Tiger und Elefanten, der Kobra und des Dschungels, das Land der hundert Völker und hundert Sprachen, der tausend Religionen und der zwei Millionen Götter, Wiege der menschlichen Rasse, Geburtsplatz der menschlichen Sprache, Mutter der Geschichte, Großmutter der Legende, Urgroßmutter der Überlieferung, deren Gestern das gleiche Datum trägt wie die verrottenden Altertümer der übrigen Völker – das eine, einzige Land unter der Sonne, das eine unvergängliche Anziehungskraft für jeden Fremden besitzt, sei er Fürst oder Bauer, gebildet oder ungebildet, Weiser oder Narr, reich oder arm, hörig oder frei, das ein Land, das alle Menschen zu sehen sich erträumen, und wenn sie es einmal gesehen haben, selbst nur einen Augenblick lang, würden sie diesen Augenblick um die Sehenswürdigkeiten des ganzen übrigen Erdballs zusammen nicht mehr hergeben.

Selbst jetzt, da ein Jahr vergangen ist, hat mich der Rausch jener Tage in Bombay nicht verlassen, und ich hoffe, es wird auch nie geschehen. Es war alles neu, nicht eine Kleinigkeit war abgedroschen. Und Indien wartete nicht auf den nächsten Morgen, es begann schon im Hotel – an Ort und Stelle. Die Hallen und Gänge wimmelten von dunklen Landeskindern, mit Turbanen oder Fezen oder bestickten Mützen bedeckt, barfuß und in Baumwolle gehüllt, einige flitzten umher, einige rasteten, indem sie auf dem Boden hockten oder saßen; einige schwatzten eifrig, andere träumten still vor sich hin; im Speisesaal stand hinter dem Stuhl jedes Gastes dessen persönlicher einheimischer Diener, gekleidet wie für eine Rolle in Tausendundeiner Nacht.

Unsere Zimmer lagen hoch oben nach vorn. Ein Weißer – es war ein dikker Deutscher – ging mit uns hinauf und brachte drei Inder mit, die alles zurechtzumachen hatten. Etwa vierzehn weitere folgten in Prozession mit dem Handgepäck; jeder trug einen Gegenstand – einen einzigen; in manchen Fällen eine Reisetasche, in anderen Fällen noch weniger. Ein kräftiger Inder trug meinen Mantel, ein anderer einen Sonnenschirm, ein anderer eine Kiste Zigarren, ein anderer einen Roman, und der letzte Mann im Zuge trug als einzige Last einen Fächer. Es geschah alles in vollem Ernst und in aller Aufrichtigkeit, vom Kopf bis zum Schwanz der Prozession war kein Lächeln zu bemerken. Jeder Mann wartete geduldig, ruhig, ohne jede Eile, bis einer von uns Zeit fand, ihm eine Kupfermünze zu geben, dann neigte er ehrfürchtig den Kopf, berührte mit den Fingern die Stirn und ging davon. Es schien ein sanfter und freundlicher Menschenschlag zu sein, und es lag etwas Einnehmendes und Rührendes in ihrem Benehmen.

Eine riesige Glastür ging auf den Balkon hinaus. Sie mußte geschlossen oder gesäubert oder sonstwie bearbeitet werden, und ein Inder kniete hin und ging ans Werk. Er schien es ganz gut zu machen, aber vielleicht auch nicht, denn der dicke Deutsche nahm eine Miene an, die Unzufriedenheit verriet, dann gab er, *ohne zu erklären*, was nicht in Ordnung war, dem Einheimischen eine kräftige Ohrfeige und sagte ihm *dann*, wo der Fehler lag. Es war eine solche Gemeinheit, das vor uns allen zu tun. Der Eingeborene nahm es in Demut hin, ohne etwas zu sagen und ohne in Miene oder Haltung Groll zu verraten. Ich hatte so etwas seit fünfzig Jahren nicht mehr gesehen. Es führte mich zurück in meine Kindheit und ließ die vergessene Tatsache blitzartig in mir aufleuchten, daß dies die *übliche* Methode war, einem Sklaven seine Wünsche zu erläutern. Ich konnte mich erinnern, daß mir diese Methode damals recht und natürlich erschienen war, da ich in diesen Stand der Dinge hineingeboren war und nicht wußte, daß es woanders andere Methoden gab, aber ich konnte mich auch erinnern, daß mir nach diesen selbstverständlich hingenommenen Ohrfeigen das Opfer leid tat und ich mich für den Täter schämte. Mein Vater war ein gebildeter und gutherziger Herr, sehr ernst, ziemlich herb, von strenger Rechtschaffenheit, ein gerechter und aufrechter Mann, obgleich er keine Kirche besuchte und niemals von religiösen Dingen sprach und keinen Anteil an den frommen Verzückungen seiner presbyterianischen Familie nahm, noch jemals unter dieser Entbehrung zu leiden schien. Er legte nur zweimal in seinem Leben strafend Hand an mich, und auch nicht schlimm; einmal, weil ich ihn belogen hatte – was mich überraschte und mir zeigte, wie wenig mißtrauisch er war, denn das war nicht mein Erstlingswerk gewesen. Er züchtigte mich nur diese zwei Male und überhaupt niemals ein anderes Mitglied der Familie; aber immer wieder einmal ohrfeigte er unseren unschuldigen Sklavenjungen Lewis für unbedeutende kleine Fehler oder Ungeschicklichkeiten. Mein Vater hatte sein Leben von der Wiege an zwischen Sklaven verbracht, und seine Ohrfeigen entsprangen den Gepflogenheiten jener Zeit, nicht seinem Wesen. Als ich zehn Jahre alt war, sah ich einen Mann im Zorn einen Klumpen Eisenerz nach einem Sklaven werfen, nur weil der etwas ungeschickt gemacht hatte – als wäre das ein Verbrechen. Der Brocken prallte vom Schädel des Mannes ab, und der Mann fiel um und konnte nicht mehr sprechen. Binnen einer Stunde war er tot. Ich wußte, daß der Herr das Recht hatte, seinen Sklaven umzubringen, wenn er wollte, und doch schien es eine schlimme Sache und irgendwie falsch zu sein, obwohl ich, wenn man mich dazu aufgefordert hätte, nicht hätte erklären können, was daran falsch war. Niemand im Ort billigte diesen Mord, aber natürlich sprach niemand weiter darüber.

Seltsam – die raumüberbrückende Macht des Gedankens. Eine einzige Sekunde lang befand sich alles, was das Ich in mir ausmacht, in einem Dorf in Missouri, auf der anderen Seite des Erdballs, und sah deutlich diese vergessenen Bilder aus der Zeit vor fünfzig Jahren wieder vor sich, völlig unbewußt aller anderen Dinge; und in der nächsten Sekunde war ich zurück in Bombay, und die geschlagene Wange des Inders hatte noch nicht zu brennen aufgehört! Zurück in die Kindheit – fünfzig Jahre; wieder zurück in das Alter, weitere fünfzig; und ein Flug, dem Umfang der Erde gleich – alles in zwei Sekunden nach der Uhr!

Einige Inder – ich weiß nicht mehr, wie viele – traten nun in mein Schlafzimmer und brachten alles in Ordnung und bauten das Moskitonetz auf, und ich ging zu Bett, um meinen Husten zu kurieren. Es war etwa neun Uhr abends. Unter welchen Verhältnissen! Drei Stunden lang hielt das Schreien und Rufen der Eingeborenen an, zugleich mit dem samtenen Getrappel ihrer hurtigen, nackten Füße – was war das für ein Lärm! Sie brüllten Befehle und Aufträge drei Treppen weit hinunter. Ja, nach dem Lärm zu urteilen, lief es auf einen Aufruhr, einen Aufstand, eine Revolution hinaus. Und dann waren da andere Geräusche, die sich mit den genannten mischten und ihnen zuzeiten gewaltige Akzente aufsetzten – Decken stürzten ein, so schien es mir, Fenster barsten, Menschen wurden umgebracht, Krähen krächzten und lästerten und fluchten, Kanarienvögel kreischten, Affen schnatterten, Papageien lästerten, und hin und wieder teuflisches Gelächter und Dynamitexplosionen. Bis Mitternacht hatte ich all die verschiedenen Formen des Schocks durchgestanden, die es gibt, und wußte, daß sie nie wieder in der Lage sein würden, mich aus der Fassung zu bringen, kämen sie nun einzeln oder kombiniert. Dann trat Frieden ein – tiefe und feierliche Stille – und hielt an bis fünf.

Dann brach alles wieder los. Und wer machte den Anfang? Der Vogel aller Vögel – die indische Krähe. Mit der Zeit lernte ich sie noch gut kennen und wurde ganz vernarrt in sie. Ich nehme an, das ist der härteste Bursche, der Federn trägt. Ja, und der fröhlichste und selbstzufriedenste. Niemals ist sie durch einen zufälligen Vorgang zu dem geworden, was sie ist, oder auch nur durch einen schnellen Vorgang; sie ist ein Kunstwerk, und „lange währt die Kunst"; sie ist das Produkt unermeßlicher Zeitalter und tiefsinniger Berechnungen; einen solchen Vogel kann man nicht an einem Tag hervorbringen. Sie hat mehr Wiedergeburten als Schiwa durchgemacht, und sie hat von jeder Wiedergeburt ein Muster behalten und in ihrem Wesen aufgehen lassen. Im Verlaufe ihrer Aufwärtsentwicklung, ihrer achtunggebietenden Fortschritte auf dem Wege zur letzten Vollendung war sie Spieler, Schmierenschauspieler, liederlicher Priester, hysterische Frau, Erpresser, Spötter, Lügner, Dieb, Spion, Spitzel, käuflicher Politiker, Schwindler, berufsmäßiger Heuchler, Patriot gegen Kasse, Reformator, Vortragskünstler, Rechtsanwalt, Verschwörer, Rebell, Königstreuer, Demokrat, Lehrer und Praktiker der Respektlosigkeit, Naseweis, Zudringling, Unruhestifter, Ungläubiger und Sünder um der Sünde willen. Das seltsame Ergebnis, das unglaubliche Ergebnis dieses geduldigen Aufsammelns aller verdammenswerten Charakterzüge ist, daß sie nicht weiß, was Sorge ist, nicht weiß, was Kummer ist, nicht weiß, was Reue ist; ihr Leben ist eine lange, rauschende Ekstase des Glücks, und sie geht unbesorgt in den Tod, in dem Bewußtsein, daß sie bald als Schriftsteller oder so etwas wieder auftauchen und sogar noch unerträglich tüchtiger und zufriedener sein wird als je zuvor.

Mit ihren breitbeinigen Schritten nach vorn und ihrer Folge elastischer Sprünge zur Seite, ihrem unverschämten Gebaren und ihrer schlauen Art, bei passender Gelegenheit den Kopf auf die Seite zu legen, erinnert sie an die amerikanische Amsel. Aber hier hört die schlagende Ähnlichkeit auf. Die indische Krähe ist viel größer als die Amsel, und sie hat nicht die schmucke, schlanke und schöne Gestalt der Amsel, auch nicht ihren wohlgeformten Schnabel; und natürlich ist ihr nüchternes Kleid aus Grau und verschossenem Schwarz ein armselig und bescheiden Ding, verglichen mit dem strahlenden Glanz der metallisch schwarzen und wiederum schillernd und blitzend bronzefarbigen Pracht der Amsel. Die Amsel ist der vollkommene Gentleman in Haltung und Kleidung und ist, glaube ich, nicht laut, außer wenn sie in einem Baum Gottesdienst oder eine politische Versammlung abhält; aber diese indische Quäker-Nachahmung ist bloß ein Rowdy und macht immerzu Krach, wenn sie wach ist – immerzu höhnt, schimpft, spottet, lacht, lästert und flucht sie und zieht über irgend etwas her. Kein Vogel kann so gut seine Meinung zu verstehen geben. Nichts entgeht ihr; sie bemerkt alles, was geschieht, und äußert ihre Ansicht darüber, besonders wenn es etwas ist, das sie nichts angeht. Und nie ist es eine nachsichtige Meinung, sondern immer ist sie heftig; heftig und profan – die Gegenwart von Damen bekümmert sie nicht. Ihre Ansichten sind nicht das Ergebnis einer Überlegung, denn sie denkt niemals über etwas nach, sondern hievt einfach die Meinung heraus, die in ihrem Kopfe gerade obenauf liegt und die manchmal eine Meinung über etwas ganz anderes ist und zu dem vorliegenden Fall überhaupt nicht paßt. Aber das ist ihre Art; ihr wichtigstes Anliegen ist es, eine Meinung loszuwerden, und wenn sie innehielte, um nachzudenken, würde sie die Gelegenheit verpassen.

Ich nehme an, daß die Krähe unter den Menschen keine Feinde hat. Die Weißen und die Mohammedaner scheinen sie nie zu behelligen; und die Hindus nehmen ihrer Religion wegen niemals einem Geschöpf das Leben, sondern verschonen sogar Schlangen, Tiger, Flöhe und Ratten. Wenn ich an einem Ende des Balkons saß, versammelten sich die Krähen auf dem Geländer am anderen Ende und sprachen über mich; und sie rückten näher, Stückchen für Stückchen, bis ich sie fast erreichen konnte; und da saßen sie dann in völlig ungenierter Weise und redeten über meine Kleidung und mein Haar und meine Haut und meine vermutlichen Charaktereigenschaften samt Beruf und politischen Ansichten, und wieso ich in Indien sei, und was ich gemacht habe, und wie viele Tage ich dafür zur Verfügung gehabt habe, und wie es wohl komme, daß ich so lange ungehenkt davongekommen sei; und wann es wahrscheinlich doch passieren würde, und ob es dort, wo ich herkomme, noch mehr von der Sorte gebe, und ob man *die* wohl aufhängte – und so weiter und so fort, bis ich die peinliche Situation nicht länger ertragen konnte; dann scheuchte ich sie fort, und sie kreisten ein Weilchen in der Luft, lachend und schimpfend und spottend, und setzten sich sogleich wieder auf das Geländer, um alles von vorn anzufangen.

Wenn es etwas zu essen gab, waren sie sehr zutraulich – geradezu überwältigend zutraulich. Sie brauchten bloß ein bißchen Ermutigung, dann kamen sie herein und landeten auf dem Tisch und halfen mir, mein Frühstück zu essen; und einmal, als ich mich in einem anderen Zimmer befand und sie sahen, daß sie allein waren, trugen sie alles fort, was sie nur stemmen konnten; und sie achteten besonders darauf, Sachen auszuwählen, für die sie keine Verwendung hatten, wenn sie sie erst einmal besaßen. Ihre Zahl ist in Indien gar nicht abzuschätzen, und ihr Lärm entspricht dem. Ich nehme an, sie kosten das Land mehr als die Regierung; und das ist kein Pappenstiel. Aber sie machen sich bezahlt; ihre Gesellschaft macht sich bezahlt; es wäre ein trauriges Land, wenn man ihre fröhlichen Stimmen daraus entfernte.

39. KAPITEL

> Wenn wir es nur versuchen, können wir leicht lernen, Unglück zu ertragen. Das Unglück anderer, meine ich.
>
> *Querkopf Wilsons Neuer Kalender*

Bald erlebt man, wie langvergessene Traumvorstellungen von Indien in einer Art unbestimmten und romantischen Mondlichts über den Horizont des trüben Bewußtseins aufsteigen und mit sanftem Schein tausend vergessene Einzelheiten beleuchten, die Teil eines lebendigen Märchenbildes gewesen waren, als man sich, noch ein Knabe, mit ganzer Seele in die Erzählungen des Ostens versenkte. Die barbarische Prachtentfaltung zum Beispiel; und die fürstlichen Titel, die üppigen Titel, die klangvollen Titel – wie gut sie schmecken! Der Nizam von Haidarabad; der Maharadscha von Travankur; der Nabob von Dschabalpur; die Begam von Bhopal; der Nawab von Maisur; die Rani von Gulnar; der Akund von Swat; der Rao von Rohilkund; der Gaikwar von Baroda; wahrhaftig, es ist ein Land, das mit Namen in die vollen geht. Der große Gott Wischnu hat 108 – 108 besondere – 108 ausnehmend heilige Namen – Namen, nur für den Sonntagsgebrauch. Ich habe einmal sämtliche 108 Namen Wischnus auswendig gelernt, aber sie blieben nicht haften; ich kann mich jetzt an keinen weiteren als John W. erinnern.

Und die abenteuerlichen Geschichten, die mit diesen einheimischen Fürstenhäusern verknüpft sind – bis zum heutigen Tage tauchen sie immer wieder auf, gerade wie in alter, alter Zeit. Kurz bevor wir hinkamen, hatte man in einem englischen Gerichtshof in Bombay eine neue Abenteuergeschichte ausgebrütet. In diesem Fall wird ein indischer Fürst, sechzehneinhalb Jahre alt, der vierzehn Jahre lang unangefochten seine Titel und Würden und Güter genossen hat, plötzlich mit der Beschuldigung vor Gericht gestellt, er sei von Rechts wegen gar kein Fürst, sondern ein bettelarmer Bauer; der echte Prinz sei gestorben, als er zweieinhalb Jahre alt war; man habe den Tod verheimlicht und ein Bauernkind in die fürstliche Wiege geschmuggelt, und der anwesende Inhaber des Titels sei das eingeschmuggelte und untergeschobene Kind gewesen. Das ist genau das Material, dem so viele orientalische Geschichten ihren Ursprung verdanken.

Der Fall jenes großen Fürsten, des Gaikwar von Baroda, ist die Umkehrung des Themas. Als dieser Thron frei wurde, konnte man eine Zeitlang keinen Erben finden, aber schließlich fand man einen in Gestalt eines Bauernkindes, das sich in einer Dorfstraße unschuldig vergnügte, indem es Lehmkuchen buk. Aber sein Stammbaum stimmte; er war der wahre Fürst, und er hat seither regiert, ohne daß ihm jemand sein Recht bestritten hätte.

Kürzlich fand wieder eine Suche nach dem Erben für ein anderes Fürstenhaus statt, und man entdeckte einen, der ungefähr in denselben Umständen lebte wie der Gaikwar. Man verfolgte die Reihe seiner Vorfahren, die ein einfaches Leben geführt hatten, den Ast des Stammbaumes entlang bis an die Stelle, wo er sich vierzehn Generationen zurück dem Stamm anschloß, und dadurch wurde sein Erbanspruch einwandfrei klargestellt. Die Fährtensuche geschah mit Hilfe der Aufzeichnungen eines der großen Hinduschreine, wo pilgernde Fürsten ihre Namen und das Datum ihres Besuches eintragen. Das dient dazu, das religiöse Konto des Fürsten auf dem laufenden zu halten und die Sicherheit seiner Seele zu gewährleisten; aber die Aufzeichnung hat zusätzlich noch den Wert, die Abstammung authentisch festzuhalten.

Wenn ich jetzt, mit diesem zeitlichen Abstand, an Bombay denke, habe ich das Gefühl, in ein Kaleidoskop zu schauen; und ich höre das Klappern der Glasstückchen, wenn die herrlichen Bilder sich ablösen und auseinanderfallen und zu neuen Formen zusammenschließen, Muster auf Muster, und sobald eine neue Figur entsteht, spüre ich eine Gänsehaut und vibrieren meine Nerven von einem neuen Schauer des Staunens und Entzückens. Die in der Erinnerung auftauchenden Bilder schweben als eine Folge von Gegensätzlichkeiten an mir vorüber; sie folgen einander immer in der gleichen Ordnung, und immer wirbeln sie vorüber und entschwinden mit der Schnelligkeit eines Traumes und hinterlassen in mir das Gefühl, als wäre die Wirklichkeit ein Erlebnis von höchstens einer Stunde gewesen, während sie, glaube ich, tatsächlich Tage umfaßte.

Die Bilderfolge beginnt mit dem Anheuern eines „Trägers" – eines einheimischen Dieners –, eines Menschen, den man mit einiger Sorgfalt auswählen sollte, denn solange man ihn in Diensten hat, pflegt er einem ungefähr so nahe zu sein wie die eigenen Kleider.

Man kann sagen, der Tag beginnt in Indien mit dem Klopfen des Trägers an der Schlafzimmertür, begleitet von einer festgefügten Wortfolge – einer

Wortfolge, die bedeuten soll, daß das Bad bereit sei. Sie scheint eigentlich überhaupt nichts zu bedeuten. Aber das kommt daher, daß man das Träger-Englisch nicht gewöhnt ist. Bald wird man es verstehen.

Wo er sein Englisch herhat, ist sein eigenes Geheimnis. Auf der ganzen Welt gibt es nichts Ähnliches; vielleicht sogar im Paradies nicht, aber der andere Ort ist wahrscheinlich voll davon. Man heuert ihn an, sobald man indischen Boden betritt; denn gleichgültig, welches Geschlechts man ist, man kann ohne ihn nicht auskommen. Er ist Bote, Kammerdiener, Kammerzofe, Kellner, Dienstmädchen, Reiseführer – er ist alles. Er trägt einen Kleidersack aus grobem Leinen und eine wattierte Schlafdecke; er schläft auf dem Steinboden vor deiner Zimmertür und ißt seine Mahlzeiten, man weiß nicht, wo und wann; man weiß nur, daß er nicht im Hause verpflegt wird, weder, wenn man sich im Hotel befindet, noch, wenn man in einem Privathaus zu Gast ist. Sein Lohn ist hoch – vom indischen Standpunkt aus gesehen –, und er verpflegt und kleidet sich von ihm. Wir hatten in zweieinhalb Monaten drei Träger. Der Satz des ersten war 30 Rupien im Monat – das heißt 27 Cent pro Tag; der Satz der anderen war 40 Rupien im Monat. Eine fürstliche Summe; denn der einheimische Weichensteller bei der Eisenbahn und der einheimische Dienstbote in einer Privatfamilie bekommen nur 7 Rupien im Monat und der Landarbeiter nur 4. Erstere ernähren und kleiden sich und ihre Familien von ihren 1,90 Dollar im Monat; aber ich kann nicht glauben, daß der Landarbeiter sich von seinen 1,08 Dollar selbst verpflegen muß. Ich nehme an, daß ihn der Bauer verpflegt und daß sein ganzer Lohn, mit Ausnahme einer Kleinigkeit für den Priester, dem Unterhalt seiner Familie dient. Das heißt, der Verpflegung seiner Familie; denn sie wohnen in einer selbsterrichteten Lehmhütte, die zweifellos mietfrei ist, und sie tragen keine Kleidung; wenigstens nichts weiter als einen Fetzen. Und zumal im Falle der Männer keinen besonders großen Fetzen. Jedoch herrschen jetzt für den Landarbeiter gute Zeiten; er war nicht immer so ein Luxusgeschöpf wie jetzt. Der Hohe Kommissar für die Zentralprovinzen hat kürzlich in einer amtlichen Verlautbarung eine einheimische Abordnung gerügt, die sich über die schweren Zeiten beklagte, und sie darauf hingewiesen, daß sie sich wohl mühelos an die Zeit erinnern, da der Lohn eines Landarbeiters nur eine halbe Rupie (alter Wert) im Monat betragen hatte – das heißt, weniger als ein Cent am Tage; knapp 2,90 Dollar im Jahr. Wenn ein solcher Lohnempfänger eine Menge Familie besaß – und die besitzen sie alle, denn Gott ist in mancher Beziehung sehr gut zu diesen armen Landeskindern –, konnte er einen Nettogewinn von 15 Cent, durch die schwere Arbeit eines Jahres herauswirtschaften; ich meine, das gelänge einer genügsamen, sparsamen Person, nicht jemandem mit einem Hang zu Aufwand und Gepränge. Und wenn er 13,50 Dollar schuldete und gut auf seine Gesundheit achtgab, konnte er sie in neunzig Jahren abzahlen. Dann konnte er wieder den Kopf hoch tragen und seinen Gläubigern ins Gesicht sehen.

Man halte sich diese Tatsachen vor Augen, und was sie bedeuten. Indien besteht nicht aus großen Städten. In Indien gibt es keine Großstädte – sozusagen. Seine ungeheure Bevölkerung besteht aus Landarbeitern. Indien ist eine einzige riesige Farm – eine nahezu unendliche Aneinanderreihung von Feldern, durch Lehmwälle voneinander getrennt. Man mache sich die obenerwähnten Tatsachen klar und bedenke, welche unglaubliche Anhäufung von Armut sie einem vor Augen führen.

Der erste Träger, der sich bewarb, wartete unten und schickte seine Zeugnisse herauf. Das war am ersten Morgen in Bombay. Wir lasen sie durch; sorgsam, vorsichtig, nachdenklich. Es war an ihnen nichts auszusetzen – mit Ausnahme eines Punktes: sie stammten alle von Amerikanern. Ist das ein Vorwurf? Wenn ja, ist es ein verdienter. Nach meiner Erfahrung ist das Zeugnis eines Amerikaners über einen Dienstboten gewöhnlich nicht viel wert. Wir sind ein zu gutmütiges Volk; wir hassen es, das Unangenehme auszusprechen; wir schrecken davor zurück, die unfreundliche Wahrheit über einen armen Kerl auszusagen, dessen Brot von unserem Spruch abhängt; also erwähnen wir nur seine guten Seiten und haben keine Skrupel, damit eine Lüge zu äußern – eine *stillschweigende* Lüge –, denn indem wir die schlechten Seiten eines Menschen nicht erwähnen, besagen wir gewissermaßen, daß er keine besitze. Der einzige Unterschied, den ich zwischen einer schweigenden Lüge und einer ausgesprochenen zu nennen wüßte, wäre der, daß die schweigende Lüge weniger anständig ist. Und sie kann jemanden täuschen, während die andere das in der Regel nicht vermag. Wir äußern nicht nur eine schweigende Lüge hinsichtlich der Fehler eines Dienstboten, sondern wir sündigen noch in anderer Hinsicht: wir übertreiben seine Vorzüge; denn sowie es an das Schreiben von Dienstzeugnissen geht, werden wir überschwenglich. Und wir haben nicht die Entschuldigung, die der Franzose hat. In Frankreich *muß* man dem scheidenden Diener ein gutes Zeugnis geben; und man *muß* seine Fehler verheimlichen; man hat keine Wahl. Wenn man zum Schutze des Nächsten, der seine Dienste in Anspruch nehmen möchte, seine Fehler erwähnt, kann er einen auf Schadenersatz verklagen; und das Gericht wird dem stattgeben; und zu alledem wird der Richter einen von der Richterbank aus scharf herunterputzen, weil man versucht hat, den Ruf eines armen Mannes zu vernichten und ihn seines Brotes zu berauben. Ich behaupte das nicht auf eigene Verantwortung, ich habe es von einem französischen Arzt von gutem Ruf und Ansehen erfahren – einem Manne, der in Paris geboren ist und dort sein ganzes Leben lang praktiziert hat. Und er sagte, er spreche nicht nur aus allgemeiner Kenntnis, sondern aus bitterer Erfahrung am eigenen Leib.

Wie ich sagte, stammten die Zeugnisse des Trägers alle von amerikanischen Touristen; und Petrus selbst hätte ihn daraufhin in die Gefilde der Seligen eingelassen – ich meine, wenn er mit unserem Volk und seinen Sitten so wenig vertraut ist, wie ich annehme. Nach diesen Zeugnissen war Manuel X wahrhaftig vollendet in allen Künsten, die mit seinem vielseitigen Beruf zusammenhängen; und diese mannigfaltigen Künste wurden einzeln aufgezählt – und gepriesen. Von seinem Englisch wurde in Ausdrücken warmer Bewunderung gesprochen – Bewunderung, die an Begeisterung grenzte. Ich nahm das erfreut zur Kenntnis und hoffte, daß etwas davon wahr wäre.

Wir mußten unbedingt sogleich jemanden haben; also ging die Familie hinab und heuerte ihn zur Probe für eine Woche an; dann schickte sie ihn zu mir hinauf und ging ihrer Wege. Ich war mit einem Bronchialkatarrh ans Zimmer gefesselt und freute mich, etwas Neues zum Anschauen, zum Spielen zu haben. Manuel kam mir gerade recht; Manuel war mir sehr willkommen. Er war an die fünfzig Jahre alt, hochgewachsen, schlank, mit einer leichten Beugung nach vorn – einer künstlichen Beugung, einer ehrerbietigen Beugung, einer durch lange Gewohnheit verfestigten Beugung; ein Gesicht von europäischem Schnitt, kurzes Haar, tiefschwarz, sanfte schwarze Augen, wahrlich schüchterne schwarze Augen, sehr dunkle Haut, tatsächlich beinahe schwarz, glattrasiertes Gesicht. Er war barhäuptig und barfuß und ging niemals anders, solange seine Woche bei uns währte; seine Kleidung war europäisch, billig, dürftig, sehr abgetragen.

Er stand vor mir und neigte den Kopf (und Körper) auf die rührende indische Weise, wobei er zum Gruß die Stirn mit den Fingerspitzen der rechten Hand berührte. Ich sagte:

„Manuel, du bist doch offensichtlich Inder, und du scheinst, wenn man es sich überlegt, einen spanischen Namen zu haben. Wie kommt das?"

Sein Gesicht verzog sich zu einem Ausdruck der Verblüffung; es war klar, daß er nicht verstanden hatte, aber er gab nicht klein bei. Er antwortete gelassen: „Name Manuel. Ja, Herr."

„Ich weiß; aber wie bist du zu dem Namen *gekommen?*"

„O ja, ich nehme an. Denke war so. Vater gleicher Name, nicht Mutter."

Ich sah ein, daß ich meine Sprache vereinfachen und meine Worte auseinanderziehen müßte, wenn ich von diesem Englischspezialisten verstanden werden wollte. „Nun – also – wie – hat – dein – Vater – seinen – Namen – gekriegt?"

„Oh, er" – ein bißchen aufheiternd –, „er Christ – Portygies; in Goa wohnen; ich Goa geboren; Mutter nicht Portygies; Mutter Inderin – Brahman hohe Kaste – Coolin Brahman; höchste Kaste; keine andere so hohe Kaste; ich auch Brahman hohe Kaste. Christ auch, genau wie Vater; Christbrahmane hohe Kaste, Herr – Heilsarmee."

Das alles stockend und mühsam. Dann hatte er eine Eingebung und verströmte eine Flut Worte, mit denen ich nichts anfangen konnte; deshalb sagte ich: „Halt, tu das nicht. Ich kann Hindostani nicht verstehen."

„Nicht Hindostani, Herr – Englisch. Immer ich sprechen Englisch manchmal wenn ich jeden Tag ganze Zeit zu Euch."

„Sehr schön, halte dich daran; das ist verständlich. Es trifft nicht meine Erwartungen, es kommt nicht an die Verheißungen in den Zeugnissen heran, dennoch ist es Englisch, und ich verstehe es. Versuche nicht, es zu sehr zu verfeinern; ich mag Verfeinerungen nicht, wenn sie durch unsichere Handhabung verstümmelt werden."

„Herr?"

„Oh, laß gut sein; es war nur ein Gedanke nebenbei; ich hatte gar nicht erwartet, daß du es verstehen würdest. Wie bist du zu deinem Englisch gekommen; hast du es dir angeeignet, oder ist es einfach eine Gabe Gottes?"

Nach einigem Zögern – mit frommem Ausdruck: „Ja, er sehr gut. Christengott sehr gut; Hindugott auch sehr gut. Zwei Million Hindugott, ein Christengott – macht zwei Million und eins. Alle meine; zwei Million und eins Gott. Habe ein Menge. Manchmal ich bete immerzu an diese, ganze Zeit, gehe immerzu jeden Tag; gebe etwas an Schrein, alles gut für mich, macht mich besser Mensch; gut für mich, gut für meine Familie, verdammt gut."

Dann hatte er wieder eine Eingebung und verlor sich bald in überschäumender Verwirrung und Zusammenhanglosigkeit, und ich mußte ihn wieder unterbrechen. Ich dachte, wir hätten genug geplaudert, deshalb sagte ich ihm, er solle ins Bad gehen, es aufräumen und die Pfützen aufwischen – um ihn loszuwerden. Er ging und schien zu verstehen, holte einige meiner Kleider heraus und fing an, sie auszubürsten. Ich wiederholte meinen Wunsch mehrmals, indem ich ihn immer einfacher formulierte, und schließlich begriff er. Dann ging er, stellte einen Kuli dazu an und erklärte, daß es seine Kaste verletzte, wenn er es selbst täte; es wäre nach der Vorschrift seiner Kaste eine Verunreinigung und es würde ihn eine Menge Umstände und Mühe kosten, sich zu reinigen und seine ursprüngliche Verfassung wiederherzustellen. Er sagte, diese Art Arbeit sei Personen von Kaste streng verboten und ebenso streng auf die allerniedrigste Schicht der Hindugesellschaft beschränkt – den verachteten Schudra (den Arbeiter). Er hatte recht; und offenbar hat sich der arme Schudra seit vielen Jahrhunderten mit seinem seltsamen Los, seiner schimpflichen Sonderstellung zufriedengegeben – vom Anbeginn aller Dinge an, sozusagen. Buckle sagt, seine Bezeichnung – Arbeiter – sei ein Ausdruck der Verachtung; es sei durch die Gesetzessammlung des Manu (900 v. Chr.) festgelegt, „wenn ein Sudra auf gleicher Ebene mit einem Höheren sitze, solle er verbannt oder gebrandmarkt werden"*; wenn er verächtlich von einem Höheren spreche oder ihn beleidige, „solle er den Tod erleiden"; – „wenn er beim Vorlesen der heiligen Bücher zuhöre, solle ihm brennendes Öl in die Ohren gegossen werden"; wenn er Stellen aus ihnen auswendig lerne, „solle er mit dem Tode bestraft werden"; wenn er seine Tochter mit einem Brahmanen verheirate, „solle der Ehemann in die Hölle kommen, weil er sich durch die Berührung mit einer so unendlich unter ihm stehenden Frau verunreinigt habe"; und es sei „einem Sudra verboten, Besitz zu erwerben". – „Den allergrößten Teil der Bevölkerung Indiens**", sagt Buckle, „stellen die Sudras dar – *die Arbeiter, die Bauern, die Schöpfer des Reichtums.*"

Manuel war ein Versager, der arme, alte Kerl. Sein Alter war gegen ihn. Er war verzweifelt langsam und phänomenal vergeßlich. Wenn er zu einem Botengang drei Straßen weit fortging, war er zwei Stunden weg und vergaß dann, weshalb er eigentlich gegangen war. Wenn er einen Koffer packte, brauchte er dazu ewig, und wenn er fertig war, stellte der Kofferinhalt ein unvorstellbares Chaos dar. Bei Tisch konnte er nicht zufriedenstellend aufwarten – ein Fehler erster Ordnung, denn wenn man in einem indischen Hotel nicht den eigenen Diener mitbringt, hat man alle Aussicht, eine sich lange hinschleppende Mahlzeit zu erleben und hungrig aufzustehen. Wir konnten sein Englisch nicht verstehen; er konnte unseres nicht verstehen; und als wir entdeckten, daß er sein eigenes nicht verstand, schien es uns an der Zeit, uns von ihm zu trennen. Ich mußte ihn entlassen; das war nicht zu ändern. Aber ich machte es, so freundlich und so sanft ich konnte. Wir müßten uns trennen, sagte ich, aber ich hoffte, wir würden uns in einer besseren Welt wiedersehen. Das stimmte nicht, aber es war das wenigste, was man sagen konnte, schonte sein Gefühle und kostete mich nichts.

* Ohne mich in Einzelheiten zu verlieren, möchte ich bemerken, daß sie in der Regel keine Kleidung tragen, die das Brandmal verdecken würde.

** Bevölkerung heute 300 000 000.

Aber nun, da er fort war und mich Geist und Gemüt nicht mehr bedrückte, begann meine Stimmung sofort zu steigen, und ich fühlte mich bald frisch und in der Lage, auszugehen und Abenteuer zu erleben. Da flitzte sein neu angeheuerter Nachfolger herein, griff zum Gruß an die Stirn und fing an, auf seinen Samtfüßen hierhin, dahin und überallhin umherzuflitzen, und binnen fünf Minuten hatte er alles „tipptopp und klar Schiff", wie die Seeleute sagen, stand salutierend da und wartete auf Befehle. Lieber Himmel, was war er doch für ein Irrwisch nach dem schlafmützigen Manuel, dieser armen alten Trantute! Mein ganzes Herz, meine ganze Zuneigung, meine ganze Bewunderung schlugen spontan diesem flinken, kleinen, blitzschnellen Wesen entgegen, dieser kompakten und komprimierten Verkörperung von Energie, Kraft, Pünktlichkeit, Schnelligkeit und Selbstvertrauen, diesem gewandten, lächelnden, gewinnenden kleinen Teufel mit den glänzenden Augen, dessen oberes Ende eine glimmende Feuerkohle von Fez mit einer rotglühenden Quaste daran zierte. Ich sagte mit tiefer Befriedigung:

„Du kommst mir recht. Wie heißt du?"

Er spulte seinen Namen fließend ab.

„Mal sehen, ob ich eine Auswahl daraus treffen kann – zum Dienstgebrauch, meine ich; den Rest werden wir für Sonntag aufheben. Sag ihn mir noch einmal ratenweise an."

Er tat es. Aber es schienen keine kurzen Namen dabei zu sein, außer Mousa – was an Maus denken ließ. Es paßte nicht zu ihm, das war zu sanft, zu ruhig, zu konservativ; es entsprach nicht seiner prachtvollen Erscheinung.

Ich überlegte und sagte: „Mousa ist zwar kurz, aber ich mag es nicht so richtig. Es ist mir zu farblos – entspricht dir zu wenig – ist unzureichend; und ich bin in solchen Dingen empfindlich. Wie, meinst du, würde ‚Satan' gehen?"

„Ja, Herr. Satan geht sähr gut."

Das war seine Art, „sehr gut" zu sagen.

Es klopft an der Tür. Satan legte die Strecke in einem einzigen Satz zurück; es fielen ein oder zwei Worte in Hindostani, dann verschwand er. Drei Minuten später stand er wieder vor mir, militärisch aufgerichtet, und wartete darauf, daß ich zuerst spreche.

„Was ist, Satan?"

„Gott will Euch sprechen."

„Wer?"

„Gott. Ich ihn heraufführen, Herr?"

„Ja, aber, das ist so ungewöhnlich, daß – daß – tja, weißt du – ich bin wirklich so unvorbereitet – ich weiß nicht ganz, was ich überhaupt meine. Lieber Himmel, kannst du das nicht erklären? Siehst du nicht, daß das eine höchst unge…"

„Hier seine Karte, Herr."

War das nicht merkwürdig – und verblüffend, ungeheuerlich und all so etwas? Eine solche Persönlichkeit geht herum und macht bei so etwas wie mir Besuch und schickt seine Karte herauf, wie ein Sterblicher – schickt sie durch Satan herauf. Es war ein betäubendes Zusammentreffen von Unmöglichkeiten. Aber hier war das Land von Tausendundeiner Nacht, hier war Indien! und was kann in Indien nicht alles geschehen?

197

Die Unterredung fand statt. Satan hatte recht – der Besucher war nach der Überzeugung seiner sehr zahlreichen Anhänger wirklich ein Gott und wurde von ihnen in aufrichtiger und demütiger Anbetung verehrt. Sie werden hinsichtlich seines göttlichen Ursprungs und seiner göttlichen Eigenschaften von keinerlei Zweifeln geplagt. Sie glauben an ihn, sie beten ihn an, sie bringen ihm Opfer dar, sie erbitten von ihm Vergebung ihrer Sünden, seine Person ist ihnen heilig, ebenso alles, was mit ihr in Verbindung steht; von seinem Barbier kaufen sie die abgeschnittenen Fingernägel, fassen sie in Gold und tragen sie als kostbare Amulette.

Ich versuchte, gelassen, unterhaltend und seelenruhig zu wirken, war es aber nicht. Wären Sie es gewesen? Ich befand mich in einem unterdrückten Sturm der Erregung, Neugier und freudigen Staunens. Ich konnte die Augen nicht von ihm wenden. Ich hatte einen *Gott* vor mir, einen richtigen Gott, einen anerkannten und beglaubigten Gott; und jede Einzelheit seiner Person und seiner Kleidung war für mich brennend interessant. Und der Gedanke strich mir durch den Kopf: „Er wird angebetet, stell dir das vor – er nimmt nicht mit diesen farblosen Huldigungen vorlieb, die man Komplimente nennt und mit denen sich das erlesenste menschliche Material notgedrungen zufriedengeben muß, sondern bezieht eine unendlich kräftigere Seelennahrung: kniefällige Verehrung, Anbetung! – Männer und Frauen legen ihm ihre Sorgen und Nöte und gebrochenen Herzen zu Füßen; und er gibt ihnen seinen Frieden, und sie gehen geheilt von dannen."

Und gerade da sagte der hehre Besucher ganz schlicht: „Da gibt es einen Zug in der Philosophie Huck Finns, der…" und fuhr in erleuchteter Weise mit der Formulierung eines gedrängten und säuberlich abgewogenen literarischen Urteils fort.

Es ist wirklich ein Land der Überraschungen – Indien! Ich hatte meinen kleinen Ehrgeiz gehegt – ich hatte gehofft und fast erwartet, von Königen und Präsidenten und Kaisern gelesen zu werden, aber ich hatte niemals *so* hoch hinaufgegriffen. Es wäre falsche Bescheidenheit, vorzugeben, ich hätte mich nicht ungeheuer geschmeichelt gefühlt. Es war der Fall. Es befriedigte mich viel mehr, als es das Kompliment eines Menschen getan hätte.

Er blieb eine halbe Stunde, und ich fand, daß er ein überaus höflicher und charmanter Herr war. Die Gottschaft liegt schon seit langem in der Familie, aber ich weiß nicht, wie lange. Er ist eine mohammedanische Gottheit; nach irdischem Rang ist er ein Fürst; nicht ein indischer, sondern ein persischer Fürst. Er stammt in direkter Linie vom Propheten ab. Er sieht nett aus; er ist auch jung – für einen Gott; keine vierzig, vielleicht nicht mehr als fünfunddreißig Jahre alt. Er trägt seine ungeheure Ehre mit gelassener Anmut und mit einer Würde, die seiner erhabenen Berufung angemessen ist. Er spricht Englisch fließend und rein wie jemand, der damit geboren ist. Ich glaube, ich übertreibe nicht. Er war der einzige Gott, den ich je gesehen hatte, und ich hatte einen sehr guten Eindruck von ihm. Als er sich erhob, um sich zu verabschieden, schwang die Tür auf, ich sah flüchtig einen roten Fez aufblitzen und hörte, in ehrfürchtigem Ton gesprochen, folgende Worte:

„Satan Gott hinausbringen?"

„Ja." Und dieses Paar gegensätzlicher Wesen verschwand aus dem Blickfeld, Satan voraus, der andere hinterher.

40. KAPITEL

Wenige von uns können Wohlstand ertragen.
Den eines anderen, meine ich.

Querkopf Wilsons Neuer Kalender

Das nächste Bild in meinem Geist ist das Regierungsgebäude auf Malabar Point, das von seinen Fenstern und breiten Balkonen aus eine weite Aussicht auf das Meer eröffnet, Residenz Seiner Exzellenz des Gouverneurs der Provinz Bombay – ein Gebäude, das in allem europäisch anmutet, mit Ausnahme der einheimischen Wächter und Diener, und die harmonische Verbindung einer Privatwohnung und eines Regierungspalastes darstellt.

Das war England, die englische Macht, die englische Zivilisation, die moderne Zivilisation – mit der verhaltenen Vornehmheit, den verhaltenen Farben, dem verhaltenen Geschmack und der verhaltenen Würde, die das Produkt moderner Kultur sind. Und gleich danach kam ein Bild der uralten Zivilisation Indiens – eine Stunde im Wohnsitz eines indischen Fürsten: Kumar Shri Samatsinhdschi Bahadur aus dem Staate Palitana.

Der junge Bursche, sein Erbe, war gerade beim Fürsten; auch die Schwester des jungen Burschen, ein winziger brauner Kobold, sehr hübsch, sehr ernst, sehr sympathisch, zierlich gebaut, gekleidet wie der niedlichste Schmetterling; eine liebe, kleine Prinzessin aus dem Märchenland, und sie hegte offenbar den ernsthaften Vorsatz, zu den Fremden freundlich zu sein, zog es aber anfangs vor, ihren Vater bei der Hand zu halten, um sie erst einmal abschätzen und entscheiden zu können, wie weit man ihnen trauen dürfe. Sie muß acht Jahre alt gewesen sein; also würde sie nach dem natürlichen (indischen) Lauf der Dinge drei oder vier Jahre später Braut sein, und dann würde diese ungezwungene Berührung mit Sonne, Luft und dem anderen Zubehör der freien Natur und der Umgang mit zu Besuch kommenden Mannsleuten enden, sie würde sich lebenslang in der Zenana einschließen, wie ihre Mutter, und würde doch durch vererbte Gedankengewohnheit in dieser Zurückgezogenheit glücklich sein und würde sie nicht als lästige Einschränkung und langweilige Gefangenschaft betrachten.

Das Spiel, mit dem sich der Fürst während seiner Mußestunden unterhält – aber schon gut, ich wäre niemals fähig, es in verständlicher Form zu beschreiben. Ich versuchte, mir eine Vorstellung davon zu bilden, während meine Frau und meine Tochter in der Zenana die Fürstin besuchten, eine Dame von bezaubernden Gaben, die fließend Englisch sprach, aber ich bekam es nicht heraus. Es ist ein verzwicktes Spiel, und ich glaube, man sagt, außer einem Inder gelinge es niemanden, es gut spielen zu lernen. Und ich war auch nicht imstande zu erlernen, wie man einen Turban windet. Es schien eine leichte und einfache Kunst zu sein, aber das war eine Täuschung. Es ist ein Stück dünnen, zarten Gewebes, reichlich ein Fuß breit und vierzig oder fünfzig Fuß lag; und der Vorführer dieser Kunst nimmt ein Ende davon in beide Hände und windet es in verwickelter Weise um seinen Kopf hierhin und dahin, wobei er es noch zusammendreht, und in einer oder zwei Minuten ist das Ding fertig, ist ordentlich und symmetrisch und sitzt wie angegossen.

Uns interessierten die Garderobe, die Juwelen und das Silbergeschirr mit seiner anmutigen Form, Schönheit und Eleganz der Verzierung. Das Silber ist unter Verschluß, ausgenommen zu den Mahlzeiten, und nur der Oberhofmeister und der Fürst besitzen Schlüssel zu dem Panzerschrank. Ich verstand nicht genau, warum, aber es war nicht, um das Silber zu schützen. Es war entweder, um den Fürsten vor der Verunreinigung zu bewahren, die seine Kaste erlitte, wenn die Geräte von Händen niederer Kaste berührt würden, oder es geschah, um Seine Hoheit gegen Gift zu sichern. Möglicherweise war es beides. Ich glaube, ein bezahlter Vorkoster muß alles abschmecken, bevor der Fürst sich daranwagt – ein alter und kluger Brauch im Osten, der die Zahl der Vorkoster stark gelichtet hat, denn natürlich ist es der Koch, der das Gift hineintut. Wenn ich indischer Fürst wäre, würde ich mir die Ausgabe sparen, einen Vorkoster zu halten, ich würde mit dem Koch zusammen essen.

Zeremonien sind immer interessant; und ich bemerkte, daß der indische Morgengruß eine Zeremonie ist, während der unsere diese Bezeichnung nicht verdient. Zur Begrüßung berührt der Sohn ehrfürchtig die Stirn des Vaters mit einem kleinen silbernen Gerät, das an der Spitze Zinnoberpaste trägt und dort einen roten Fleck hinterläßt, und umgekehrt erhält der Sohn den Segen des Vaters. Unser Morgengruß mag für den rauhen Westen ganz gut sein, wäre aber für den sanften, zeremoniellen Osten zu schroff.

Nachdem man uns, der Sitte entsprechend, große Girlanden aus gelben Blumen ordnungsgemäß um den Hals gehängt und uns mit Betelnuß zum Kauen versehen hatte, ging dieser erfreuliche Besuch zu Ende, und wir wechselten von dort aus zu einer Szene völlig anderer Art hinüber: von Farbenglut und sonnenfrohem Dasein zu den düsteren Ruhestätten der toten Parsen, den „Türmen des Schweigens". In diesem Namen liegt etwas Erhabenes und eine Nachdrücklichkeit, die in die Tiefe dringt; die Stille des Todes schwingt darin. Wir haben das Grab, die Gruft, das Mausoleum, den Gottesacker, den Friedhof; und die Gedankenverbindung hat ihnen beredten Ausdruck und feierliche Bedeutung verliehen; aber wir haben keinen Namen, der so vielsagend wäre wie jener oder mit solchem tiefen und unvergänglichen Pathos im Ohr haftenbliebe.

Auf erhöhtem Grund, inmitten eines Paradieses tropischer Laub- und Blütenpracht, fern der Welt und ihrem Gewirr und Lärm standen sie – die Türme des Schweigens; und weit unterhalb breiteten sich weitläufige Kokospalmenhaine aus, dann die Stadt Meile um Meile, dann der Ozean mit seinen Flotten langsam dahinkriechender Schiffe – alles in eine so tiefe Stille gehüllt wie das Schweigen, das diese erhabene Stätte der Toten heiligte. Da waren die Geier. Sie standen dicht nebeneinander in einem großen Kreis auf dem Rand eines niedrigen, massiven Turmes – und warteten; standen so bewegungslos wie in Stein gehauene Ornamente und versetzten einen tatsächlich beinahe in den Gedanken, sie wären das. Bald machte sich unter den etwa zwanzig anwesenden Personen eine leichte Unruhe bemerkbar, alle gingen ehrfürchtig aus dem Weg und hörten auf zu sprechen. Ein Leichenzug kam in Zweierreihe durch das große Tor herein und zog still vorüber, auf den Turm zu. Der Leichnam lag in einer flachen Mulde und war von einem weißen Tuch bedeckt, sonst aber nackt. Die Leichenträger waren durch einen Abstand von dreißig Fuß vom Trauergefolge getrennt. Sie, ebenso wie das Gefolge, waren alle in reines Weiß gehüllt, und jedes Paar der Leidtragenden war symbolisch durch ein Stück weiße Schnur oder ein Tuch zusammengebunden – obwohl sie nur deren Enden in der Hand hielten. Hinter dem Zug folgte ein Hund, der an einer Leine geführt wurde. Als die Trauernden in die Nähe des Turmes gelangt waren – weder sie noch irgendein anderes menschliches Wesen mit Ausnahme der Träger dürfen sich ihm auf weniger als dreißig Fuß nähern –, wandten sie sich um und schritten zu einem der Gebetshäuser zurück, um für die Seele ihres Toten zu beten. Die Träger schlossen die einzige Tür des Turmes auf und verschwanden darin. Nach kurzer Zeit kamen sie heraus, brachten die Bahre und das weiße Tuch mit zurück und verschlossen wieder die Tür. Dann erhob sich der Kranz der Geier, sie schlugen mit den Flügeln und stießen in den Turm hinab, um den Leichnam zu verschlingen. Nichts war von ihm übrig als ein sauber abgenagtes Skelett, als der Schwarm wenige Minuten später wieder zum Vorschein kam.

Das Prinzip, das allem zugrunde liegt und alles bestimmt, was mit einem Parsenbegräbnis zusammenhängt, ist die Reinheit. Nach den Lehrsätzen der Religion des Zoroaster sind die Elemente Erde, Feuer und Wasser geheiligt und dürfen nicht durch die Berührung mit einem Leichnam verunreinigt werden. Deshalb dürfen Leichen weder verbrannt noch beerdigt werden. Niemand darf die Toten berühren oder die Türme betreten, wo sie ruhen, ausgenommen gewisse Männer, die offiziell zu diesem Dienst ernannt werden. Sie bekommen ein hohes Entgelt, führen aber ein trauriges Leben, denn sie müssen sich von ihren Artgenossen abseits halten, weil ihr Verkehr mit den Toten sie verunreinigt und jeder, der mit ihnen Umgang pflegt, ihre Verunreinigung teilt. Wenn sie aus dem Turm herauskommen, wechseln sie in einem Gebäude des Bereichs die Kleider, und die, welche sie ausziehen, lassen sie zurück, denn sie sind verunreinigt und dürfen nicht wieder benutzt und auch nicht aus der Stätte der Toten entfernt werden. Diese Träger kommen zu jeder Bestattung mit neuen Kleidern. Soweit bekannt ist, hat kein menschliches Wesen außer den offiziellen Leichenträgern jemals einen Turm des Schweigens nach seiner Einweihung betreten – mit einer Ausnahme. Gerade vor hundert Jahren stürzte ein Europäer hinter den Trägern her und befriedigte seine brutale Neugier durch einen Blick auf die verbotenen Geheimnisse dieser Stätte. Der Name dieses niederträchtigen Wilden wird nicht genannt; sein Rang wird ebenfalls geheimgehalten. Diese beiden Einzelheiten, im Zusammenhang damit, daß die einzige Strafe, die ihm die Leitung der Ostindischen Kompanie auferlegte, ein feierlicher offizieller „Verweis" war, erregen den Verdacht, daß es sich um einen einflußreichen Europäer handelte. Die gleiche Bekanntmachung, die den Verweis enthielt, kündigte an, künftig würden Missetäter dieser Art entlassen, falls sie im Dienste der Kompanie stünden; und falls es sich um Kaufleute handelte, hätten sie den Entzug der Lizenz und die Verbannung nach England zu gewärtigen.

Die Türme sind nicht hoch, sondern im Verhältnis zu ihrem Umfang sogar sehr niedrig, wie ein Gasometer. Wenn man einen Gasometer bis zur halben Höhe fest mit Granitsteinen ausmauern und dann im Mittelpunkt dieser Steinmasse einen breiten und tiefen Schacht ausheben würde, hätte man eine Vorstellung von einem Turm des Schweigens. Auf dem Mauerwerk, das den

Schacht umgibt, liegen die Leichen in flachen Rinnen, die wie Radspeichen von dem Schacht ausstrahlen. Die Rinnen neigen sich zum Schacht hin und leiten den Regen dort hinein. Unterirdische Abflüsse mit Holzkohlefiltern führen dieses Wasser vom Grund des Schachtes ab.

Wenn ein Skelett einen Monat lang im Turm dem Regen und der flammenden Sonne ausgesetzt gelegen hat, ist es vollkommen trocken und sauber. Dann kommen dieselben Träger, die es gebracht haben, mit Handschuhen, packen es mit Zangen und werfen es in den Schacht. Dort zerfällt es zu Staub. Es wird nie wieder gesehen, nie wieder berührt. Andere Völker trennen ihre Toten, erhalten soziale Unterschiede noch im Grabe aufrecht und setzen sie nach dem Tode fort – die Skelette von Königen und Staatsmännern und Generälen ruhen in Tempeln und Pantheons, die Skeletten ihres Ranges angemessen sind, und die Skelette der Gewöhnlichen und Armen an Orten, die ihrem geringeren Stand entsprechen; aber die Parsen meinen, daß alle Menschen im Tode gleichen Ranges sind – alle sind demütig, alle armselig, alle hilflos. Zum Zeichen ihrer Armut werden sie nackt ins Grab gebracht, zum Zeichen ihrer Gleichheit werden die Gebeine der Reichen, der Armen, der Berühmten und der Unbekannten zusammen in den gemeinsamen Schacht geworfen. Bei einem Parsenbegräbnis gibt es keine Fahrzeuge; alle Beteiligten müssen zu Fuß gehen, reich oder arm, wie groß immer die Entfernung auch sein mag, die zurückzulegen ist. In den Schächten der fünf Türme des Schweigens liegt vermischt der Staub aller parsischen Männer und Frauen und Kinder, die in Bombay und seiner Umgebung während der zwei Jahrhunderte gestorben sind, seit die mohammedanischen Eroberer die Parsen aus Persien in diese Gegend Indiens vertrieben. Der erste der fünf Türme wurde vor etwas mehr als zweihundert Jahren von der Familie Modi erbaut und ist jetzt den Nachkommen dieses Hauses vorbehalten; nur die Toten aus diesem Geschlecht werden dorthin getragen.

Der Ursprung mindestens einer Einzelheit des Parsenbegräbnisses ist jetzt unbekannt – die Anwesenheit des Hundes. Bevor ein Leichnam aus dem Trauerhaus herausgetragen wird, muß er enthüllt und dem Blick des Hundes ausgesetzt werden; ein Hund muß auch in der Nachhut des Leichenzuges mitgeführt werden. Mr. Nusserwandschi Byramdschi, Sekretär der parsischen Pantschajat, sagte, diese Formalitäten hätten einst eine Bedeutung besessen und man habe einen Grund dafür gehabt, sie einzuführen, aber sie seien Überreste, deren Ursprung jetzt niemand mehr erklären könne. Brauch und Überlieferung belassen sie in Kraft, ihr hohes Alter heiligt sie. Man nimmt an, daß der Hund in alter Zeit in Persien als heiliges Tier galt, das die Seelen in den Himmel zu geleiten vermochte, dessen Auge die Kraft besaß, Gegenstände zu reinigen, die durch die Berührung mit dem Toten verunreinigt worden waren, und daß deshalb seine Anwesenheit beim Leichenzuge eine im Bedarfsfall jederzeit greifbare Abhilfe biete.

Die Parsen behaupten. ihre Methode, sich ihrer Toten zu entledigen, gewähre einen wirksamen Schutz für die Lebenden; sie verbreite keine Fäulnis, keinerlei Verunreinigungen, keine Krankheitskeime; keine Hülle, kein Kleidungsstück, das mit einem Toten in Berührung gekommen ist, dürfe danach noch einen Lebenden berühren; von den Türmen des Schweigens gehe nichts aus, was der Außenwelt Schaden bringen könne. Ich denke, das sind berechtigte Behauptungen. Als sanitäre Maßnahme scheint ihr System etwa der Verbrennung gleichwertig und ebenso sicher zu sein. Wir treiben neuerdings langsam, aber hoffnungsvoll, auf die Leichenverbrennung zu. Es war nicht zu erwarten, daß dieser Fortschritt schnell vonstatten ginge, aber wenn er nur stetig und fortlaufend erfolgt, wenn auch immer langsam, genügt das schon. Wenn die Verbrennung zur Regel wird, werden wir aufhören, davor zu schaudern; wir würden bei einer Beerdigung schaudern, wenn wir uns gestatteten, darüber nachzudenken, was im Grab vor sich geht.

Der Hund war für mich eine eindrucksvolle Erscheinung, da er ja ein Geheimnis verkörperte, dessen Schlüssel verlorengegangen ist. Er war demütig und offenbar deprimiert; und er ließ den Kopf nachdenklich hängen und sah aus, als versuchte er sich womöglich ins Gedächtnis zurückzurufen, was das gewesen war, das er vor langer, langer Zeit, als er sein Amt antrat, symbolisiert hatte.

Dicht in der Nähe befand sich noch etwas Eindrucksvolles, aber ich genoß das Vorrecht nicht, es zu sehen. Das war das heilige Feuer – ein Feuer, das seit mehr als zweihundert Jahren ohne Unterbrechung gebrannt haben soll und also von derselben Hitze lebt, die ihm vor so langer Zeit zugeführt wurde.

Die Parsen sind eine bemerkenswerte Gemeinschaft. In Bombay gibt es nur etwa 60 000 und im übrigen Indien nur etwa die Hälfte mehr; aber sie ersetzen durch Bedeutung, was ihnen an Zahl fehlt. Sie sind hochgebildet, tatkräftig, unternehmend, fortschrittlich, reich, und der Jude selbst ist nicht großzügiger oder frommer in seinen guten Werken und seiner Mildtätigkeit. Die Parsen bauen und unterstützen Hospitäler für Menschen und für Tiere; und sie und ihre Frauen haben für alle großen und guten Zwecke stets eine offene Börse. Sie stellen eine politische Macht und für die Regierung einen geschätzten Rückhalt dar. Sie besitzen eine reine und hehre Religion, und sie erhalten sie in ihrer Lauterkeit und richten ihr Leben nach ihr ein.

Wir umfaßten mit einem letzten Blick die wundervolle Aussicht auf Ebene und Stadt und Ozean, und so endete unser Besuch zum Garten und zu den Türmen des Schweigens; und das letzte, was ich bemerkte, war wieder ein Symbol – diesmal ein freiwilliges; es war der Geier, der auf der abgesägten Spitze einer hohen, schlanken und zweiglosen Palme inmitten einer freien Fläche dieser Stätte saß; er hockte da vollkommen bewegungslos und sah aus wie ein Bildwerk auf einem Pfeiler. Und er hatte einen Ausdruck wie beim Begräbnis, was ganz mit der Örtlichkeit übereinstimmte.

41. KAPITEL

Es gibt einen Trinkspruch aus alter Zeit, der
köstlich ist vor Schönheit: „Mögest du keinem
Freund begegnen, wenn du den Berg des
Wohlstandes erklimmst.“

Querkopf Wilsons Neuer Kalender

Das nächste Bild, das über die Bühne meiner Erinnerung gleitet, ist mit religiösen Dingen verknüpft. Freunde nahmen uns zum Besuch eines Dschaintempels mit. Er war klein, und von Masten herab, die über seinem Dach emporragten, wehten viele Flaggen oder Wimpel, und seine Zinnen trugen eine
große Anzahl kleiner Idole oder Götzenbilder. Drinnen betete oder rezitierte
oben mitten im Raum ein einsamer Dschaina. Unsere Anwesenheit unterbrach ihn nicht, weder belästigte sie ihn auch bloß, noch mäßigte sie seine
Inbrunst. Zehn oder zwölf Fuß vor ihm stand der Götze, eine kleine Gestalt
in sitzender Haltung. Er hatte das rosige Aussehen einer Wachspuppe, aber
ihm fehlten die rundlichen Glieder, die annähernd wirklichkeitsgetreue Gestalt und die richtigen Proportionen, die eine Puppe besitzt. Mr. Gandhi erklärte uns alles. Er war Delegierter des Religionsparlaments in Chicago gewesen. Er tat es in klarer Form und in meisterhaftem Englisch, aber mit der
Zeit entschwand es mir, und jetzt habe ich von der Episode nichts weiter behalten als einen allgemeinen Eindruck, die verschwommene Vorstellung eines religiösen Glaubens, der in feinsinnige gedankliche Formen gekleidet ist,
erhaben und rein, frei von fleischlichen Vergröberungen, und gleichzeitig
eine andere verschwommene Vorstellung, die dieses Gedankensystem irgendwie mit jenem rohen Bildwerk, jenem unzulänglichen Götzen in Verbindung
bringt – wie, weiß ich nicht. Eigentlich scheinen sie nicht zusammenzugehören. Offenbar symbolisierte der Götze einen Menschen, der Heiliger oder
Gott geworden war, und zwar durch stufenweises Wachstum seiner sich stetig mehrenden Heiligkeit infolge einer Kette von Wiedergeburten und Rangerhöhungen, die sich über viele Menschenalter erstreckten; und nun war er
schließlich heilig geworden und berechtigt, stellvertretend Anbetung zu empfangen und sie an die himmlische Kanzlei weiterzuleiten. War es so?

Und von dort aus fuhren wir zum Bungalow Mr. Premtschand Roytschands in Lovelane, Byculla, wo ein indischer Fürst eine Abordnung der
Dschaingemeinschaft empfangen sollte. Sie wollten ihn zu einer hohen Ehrung beglückwünschen, die ihm kürzlich von seiner Herrscherin, Viktoria,
Kaiserin von Indien, zuteil geworden war. Sie hatte ihn zum Ritter vom Orden des Sterns von Indien ernannt. Es scheint, daß sich sogar der großartigste indische Fürst glücklich schätzt, seinen alten, angestammten Würden den
bescheidenen Titel „Sir“ hinzufügen zu können, und bereit ist, wertvolle
Dienste dafür zu leisten. Er pflegt in großzügiger Weise Steuern nachzulassen und freigebig Geld zur Verbesserung der Lage seiner Untertanen auszugeben, wenn dadurch eine Ritterwürde zu gewinnen ist. Und ebenso leistet er
in großem Umfange gute Arbeit, um dem Salut, den ihm die britische Regierung bewilligt, einen Schuß hinzufügen zu können. Alljährlich verteilt die
Kaiserin für Dienste an der Öffentlichkeit, die einheimische Fürsten geleistet

haben, Ritterwürden und zusätzliche Salutschüsse. Der Salut für einen kleinen Fürsten zählt drei oder vier Schuß; Fürsten von größerer Bedeutung haben Salute, die immer höher liegen, Schuß um Schuß – oh, bis hinauf zu elf Schuß, möglicherweise mehr, aber ich habe nur von Elfschußfürsten gehört. Man erzählte mir, daß ein Vierschußfürst, dem ein Schuß mehr zugeteilt wird, eine Zeitlang ziemlich lästig fällt, bis der Reiz der Neuheit abstumpft, denn er liebt den Klang und stöbert immerzu neue Vorwände auf, um sich Salut schießen zu lassen. Es mag sein, daß ganz besonders hochstehende Leute, wie der Nizam von Haidarabad und der Gaikwar von Baroda, mehr als elf Schuß haben, aber ich weiß es nicht.

Als wir in dem Bungalow eintrafen, war der große Saal im Erdgeschoß bereits fast voll, und noch immer strömten Wagen in das Grundstück. Die anwesende Gesellschaft sah wunderbar aus, bot sozusagen das Schauspiel eines menschlichen Feuerwerks, wenn man die Trachten und die bunte Mischung leuchtender Farben ins Auge faßte. Die Formenvielfalt, die man in diesem Aufgebot von Turbanen beobachten konnte, war bemerkenswert. Man sagte uns, die Erklärung dafür sei, daß diese Dschainabordnung aus vielen Teilen Indiens zusammengekommen sei und jeder Mann den Turban trage, der in seiner Gegend gebräuchlich sei. Die Mannigfaltigkeit der Turbane ergab eine schöne Wirkung.

Ich hätte mir gewünscht, dort eine Konkurrenzausstellung christlicher Hüte und christlicher Kleidung veranstalten zu können. Ich hätte eine Seite des Raumes seiner indischen Farbenpracht entblößt und den freien Raum wieder aufgefüllt mit Christen aus Amerika, England und den Kolonien, und zwar gekleidet in die Hüte und Trachten der Gegenwart und aus der Zeit vor zwanzig, vierzig und fünfzig Jahren. Es wäre ein gräßlicher Anblick geworden, ein durch und durch teuflisches Schauspiel. Dann wäre noch der Nachteil der weißen Haut hinzugekommen. Es ist keine unerträglich unangenehme Haut, wenn sie unter sich bleibt, aber wenn sie mit Ansammlungen brauner und schwarzer in Konkurrenz tritt, wird offenbar, daß sie nur deshalb erträglich ist, weil wir an sie gewöhnt sind. Fast alle schwarzen und braunen Häute sind schön, aber eine schöne weiße Haut ist selten. Wie selten, kann man erfahren, wenn man an einem Wochentag eine Straße in Paris, New York oder London entlanggeht – besonders eine weniger vornehme Straße – und zählt, wie oft man über eine Meile Weges auf einen befriedigenden Teint trifft. Wo dunkler Teint gehäuft vorkommt, läßt er die Weißen wie ausgebleicht, ungesund und manchmal einfach gespensterhaft erscheinen. Ich konnte das schon als Junge unten im Süden in den Zeiten der Sklaverei vor dem Kriege beobachten. Die prachtvolle seidenschwarze Haut der südafrikanischen Zulus aus Durban schien mir der Vollkommenheit sehr nahezukommen. Ich kann diese Zulus immer noch vor mir sehen – Jinriksha-Athleten, die vor dem Hotel auf Kundschaft warteten; gutaussehende und tiefschwarze Geschöpfe, spärlich in lose Sommerstoffe gekleidet, deren kontrastierendes Schneeweiß das Schwarz nur noch schwärzer machte. Wenn ich diese Gruppe im Geiste festhalte, kann ich diese Teints mit den weißen vergleichen, die eben jetzt an diesem Londoner Fenster vorübereilen:
Eine Dame. Teint: neues Pergament.
Noch eine Dame. Teint: altes Pergament.

Noch eine. Rosig und weiß, sehr hübsch.

Mann. Gräuliche Haut mit purpurnen Stellen.

Mann. Ungesunde Fischbauchhaut.

Mädchen. Blaßgelbes Gesicht, mit Sommersprossen gesprenkelt.

Alte Frau. Gesicht weißlichgrau.

Junger Fleischer. Gesicht im ganzen rot angelaufen.

Gelbsüchtiger Mann. Senfgelb.

Ältere Dame. Farblose Haut, mit zwei auffallenden Muttermalen.

Älterer Mann. Trinker. Nase wie gekochter Blumenkohl in einem welken Gesicht, mit purpurnen Adern gemustert.

Gesunder junger Herr. Schöner, frischer Teint.

Kranker junger Mann. Sein Gesicht ein geisterhaftes Weiß.

Kein Ende der Leute, deren Haut reizlose und charakterlose Abwandlungen des Farbtones sind, den wir fälschlich „weiß" nennen. Einige dieser Gesichter sind pickelig; einige zeigen andere Merkmale kranken Blutes; einige stellen Narben in einem Farbton zur Schau, der nicht mit den umgebenden Farbschattierungen harmoniert. Die Haut des Weißen verbirgt nichts. Sie kann es nicht. Sie scheint als Tummelplatz für alles geplant worden zu sein, was ihr schaden kann. Die Damen müssen sie anmalen und bepudern und kosmetisch behandeln und mit Arsenik füttern und emaillieren und immerzu locken, überreden, in Unruhe halten und befummeln, um sie schön zu machen; und es gelingt ihnen nicht. Aber diese Anstrengungen zeigen, was sie von dem natürlichen Teint halten, so wie er zugeteilt ist. So, wie er zugeteilt ist, benötigt er diese Hilfen. Den Teint, den sie nachzuahmen versuchen, hat die Natur wenigen vorbehalten – sehr wenigen. Neunundneunzig Menschen gibt sie einen schlechten Teint, dem hundertsten einen guten. Und wie lange kann ihn sich dieser Hundertste erhalten? Zehn Jahre vielleicht.

Der Vorteil liegt beim Zulu, meine ich. Er fängt mit einem schönen Teint an, und der bleibt ihm erhalten. Und was das indische Braun angeht: unveränderlich, glatt, makellos, angenehm und erholsam für das Auge, keiner anderen Farbe feindlich, mit allen Farben harmonierend und ihnen zusätzlichen Reiz vermittelnd – ich glaube, die durchschnittliche weiße Haut hat keinerlei Aussichten, gegen diesen satten und vollendeten Farbton anzukommen.

Um zu dem Bungalow zurückzukehren. Die prachtvollsten der vorhandenen Trachten beobachtete ich an einigen Kindern. Sie schienen zu flammen, so leuchteten die Farben und so strahlten die Juwelen, die in Ketten über die kostbaren Stoffe geschlungen waren. Diese Kinder waren berufliche Nautschtänzer und sahen wie Mädchen aus, aber es waren Knaben. Sie standen einzeln, zu zweien und zu vieren auf und tanzten und sangen zur Begleitung einer sehr fremdartig anmutenden Musik. Ihre Haltungen und Stellungen waren bis ins letzte ausgefeilt und graziös, aber ihre Stimmen schrillten durchdringend und unangenehm, und die Melodie war ziemlich monoton.

Nach einiger Zeit vernahm man draußen einen Sturm von Beifallskundgebungen und Hochrufen, und der Fürst trat mit seinem Gefolge in wundervoll dramatischem Stil herein. Er war ein stattlicher Mann, er war vollendet gekleidet und völlig behangen mit Ketten von Edelsteinen; einige der Ketten bestanden aus Perlen, andere aus ungeschliffenen, wundervollen Smaragden

– Smaragden, deren Qualität und Wert in Bombay berühmt waren. Ihre Größe war erstaunlich, und sie bezauberten das Auge, diese wahren Brocken. Ein Knabe – ein Prinzchen – begleitete den Fürsten, und auch er bot ein strahlendes Bild.

Die Zeremonien waren nicht weitschweifig. Der Fürst schritt zu seinem Thron mit der Haltung und Majestät – und der Strenge – eines Julius Cäsar, der gekommen war, ein hinterwäldlerisches Königreich gegen Quittung in Empfang zu nehmen und das alles ohne viel Federlesens möglichst schnell hinter sich zu bringen und wieder zu verschwinden. Für den jungen Prinzen stand auch ein Thron bereit, und die zwei saßen da nebeneinander, ihre Beamten zu beiden Seiten gruppiert, und gaben sehr genau und glaubwürdig die Bilder wieder, die man in den Büchern sieht – Bilder, die Leute aus der Branche des Fürsten immer wieder geliefert haben, seit Salomo die Königin von Saba empfing und ihr seine Sachen zeigte. Der Führer der Dschainabordnung verlas seine Glückwunschadresse, dann schob er sie in eine wunderschön gravierte Silberröhre, die unter Zeremonien dem Fürsten übergeben wurde. Ich werde die Adresse hier wiedergeben. Sie ist interessant, weil sie zeigt, wofür der Untertan seinem indischen Fürsten in diesen Tagen der englischen Herrschaft zu danken haben kann, verglichen mit dem, wofür sein Vorfahr ihm vor anderthalb Jahrhunderten womöglich zu danken gehabt hätte – in den Tagen einer nicht durch britische Einmischung beengten Freiheit. Vor anderthalb Jahrhunderten hätte eine Dankadresse auf kleinem Raum untergebracht werden können. Sie hätte dem Fürsten dafür gedankt:

1. daß er nicht zu viele seines Volkes aus bloßer Laune umgebracht habe;

2. daß er sie nicht durch plötzlich und willkürlich auferlegte Steuern aller Habe entblößt und dem Hungertode überantwortet habe;

3. daß er nicht unter leeren Vorwänden die Reichen ruiniert und ihren Besitz an sich gebracht habe;

4. daß er die Verwandten des fürstlichen Hauses nicht getötet, geblendet, eingekerkert oder verbannt habe, um den Thron vor möglichen Anschlägen zu schützen;

5. daß er seine Untertanen nicht heimlich, gegen eine Bestechungssumme, den Banden professioneller Thags in die Hände gespielt habe, die sie im Hinterhof des Fürsten ermordet und ausgeraubt hätten.

Das waren in den alten Zeiten recht übliche fürstliche Bemühungen, aber diese und einige andere ähnlich rauher Natur haben unter britischer Herrschaft seit langem ihr Ende erlebt. Bessere Bemühungen haben ihren Platz eingenommen, wie diese Adresse der Dschaingemeinschaft zeigt:

Allergnädigster Fürst!

Wir, die unterzeichneten Mitglieder der Dschaingemeinschaft zu Bombay, haben die große Freude, uns Eurer Hoheit zu nähern, um unsere tiefempfundenen Glückwünsche zur kürzlich erfolgten Ernennung Eurer Hoheit zum Ritter des erhabenen Ordens des Sterns von Indien darzubringen. Vor zehn Jahren wurde uns die Freude und Ehre zuteil, Eure Hoheit unter Umständen in dieser Stadt willkommen zu heißen, die eine denkwürdige Epoche in der Geschichte Eures Staates eingeleitet haben, denn ohne die großherzige und der Vernunft aufgeschlossene Gesinnung, die Eure Hoheit bei den Verhandlungen zwischen dem Palitana Durbar und der Dschaingemeinschaft offenbarten, hätte der versöhnliche Geist, der unsere Leute erfüllte, nicht Frucht tragen können. Das war der erste Schritt der Regierungstätigkeit Eurer Hoheit, und er rief mit Recht die Anerkennung der Dschaingemeinde und der Regierung in Bombay hervor. Ein Jahrzehnt der Regierungstätigkeit Eurer Hoheit, verbunden mit den Fähigkeiten, der Bildung und den Erfahrungen, die Eurer Hoheit dabei zur Geltung brachten, haben Eurer Hoheit verdientermaßen diese einzigartige und ehrenvolle Auszeichnung eingetragen – die Ritterwürde des erhabenen Ordens des Sterns von Indien, den kein anderer Fürst vom Range Eurer Hoheit bisher erhalten hat. Und wir versichern Eure Hoheit untertänigst, daß wir nicht weniger stolz auf dieses Ehrenzeichen sind, daß Ihre Majestät, unsere gnädigste Kaiserin und Königin, Euch verliehen hat, als Eure Hoheit selbst. Die Errichtung von Produktionsstätten, Schulen, Hospitälern und dergleichen durch Eure Hoheit haben Eure Regierungslaufbahn während der vergangenen zehn Jahre ausgezeichnet, und wir vertrauen darauf, daß Eure Hoheit uns noch lange erhalten bleibe, um mit Weisheit und vorausschauender Klugheit über Euer Volk zu herrschen und die vielen Reformen zu fördern, die Eure Hoheit die Gnade hatten, im Staate einzuführen. Wir bringen Eurer Hoheit zu der Ehre, die Euch zuteil geworden ist, nochmals unsere wärmsten Glückwünsche dar und verbleiben

Eurer Hoheit untertänigste Diener

Fabriken, Schulen, Krankenhäuser, Reformen. Solche Dinge fördert der Fürst in moderner Zeit und erhält dafür Ritterwürde und Salutschüsse.

Nach der Grußadresse erwiderte der Fürst kurz und knapp; sprach einen Augenblick lang mit einem halben Dutzend Gäste auf englisch und mit einem oder zwei Beamten in einem einheimischen Dialekt; dann wurden wie üblich die Girlanden verteilt, und der Staatsakt war zu Ende.

42. KAPITEL

> Jeder Mensch wird mit einem Besitztum geboren, das alle anderen an Wert übertrifft – seinem letzten Atemzug.
>
> *Querkopf Wilsons Neuer Kalender*

An jenem Abend gegen Mitternacht fand noch ein anderer Festakt statt. Das war eine Hinduhochzeit – nein, ich glaube, es war eine Verlobungsfeier. Bis dahin waren wir stets durch Straßen gefahren, die vom malerischen Treiben der Einheimischen wimmelten und brodelten, aber jetzt gab es nichts davon. Wir schienen uns durch eine Stadt der Toten zu bewegen. Kaum eine Andeutung von Leben gab es in diesen stillen und leeren Straßen. Selbst die Krähen schwiegen. Aber überall auf dem Boden schliefen Inder – Hunderte und aber Hunderte. Sie lagen lang ausgestreckt und von Kopf bis Fuß in Decken gewickelt. Ihre Stellung und Reglosigkeit erinnerten an das Bild des Todes. Damals hauste die Pest noch nicht in Bombay, aber augenblicklich verheert sie die Stadt. Jetzt sind die Läden verlassen, die Hälfte der Menschen ist geflohen, und unter den Zurückgebliebenen kommen täglich Scharen von Angesteckten um. Zweifellos sieht die Stadt jetzt bei Tage so aus wie damals bei Nacht. Als wir tief in das Inderviertel eingedrungen waren und uns durch seine engen, dunklen Gäßchen wanden, mußten wir uns vorsichtig bewegen, denn überall lagen Menschen schlafend ausgestreckt, und es gab kaum genug Platz, um zwischen ihnen hindurchzufahren. Und hin und wieder huschte vor den Füßen der Pferde im ungewissen Licht ein Schwarm Ratten über die Straße – die Vorläufer der Ratten, die jetzt in Bombay die Pest von Haus zu Haus tragen. Die Geschäfte waren bloße Schuppen, kleine Buden, nach der Straße zu offen, die Waren hatte man fortgeräumt, und auf den Ladentischen schliefen ganze Familien, gewöhnlich im Scheine einer Öllampe. Wie eine Totenwache sah das immer wieder aus.

Aber schließlich bogen wir um eine Ecke und sahen vor uns strahlend helles Licht. Es war das Haus der Braut, in eine wahre Feuersbrunst festlicher Beleuchtung getaucht – hauptsächlich Gaslichtillumination, die extra für diese Gelegenheit installiert worden war. Drinnen herrschte überwältigender Glanz – Flammen, Trachten, Farben, Dekorationen, Spiegel – es war eine reine Aladinsschau.

Die Braut war ein hübsches, anmutiges kleines Ding von zwölf Jahren, gekleidet, wie wir einen Knaben kleiden würden, jedoch natürlich kostbarer, als wir es täten. Sie bewegte sich sehr ungezwungen, blieb stehen und unterhielt sich mit den Gästen und ließ ihren Hochzeitsschmuck besehen. Er war sehr schön, besonders eine Kette aus prachtvollen Brillanten, und es war eine Freude, sie zu betrachten und zu betasten. Ein großer Smaragd hing daran.

Der Bräutigam war nicht anwesend. Er hatte seine eigene Verlobungsfeier im Hause seines Vaters. Wie ich es verstanden habe, sollten er und die Braut eine Woche oder länger allabendlich und fast die ganze Nacht hindurch Gäste bewirten und dann heiraten, sofern sie noch am Leben wären. Beide Kinder waren als Braut und Bräutigam für indische Verhältnisse etwas ältlich – zwölf; sie hätten schon ein oder zwei Jahre früher heiraten sollen; dennoch erscheint einem Fremden zwölf durchaus jung genug.

Eine Weile nach Mitternacht erschienen ein paar der berühmten und hochgeschätzten Nautschmädchen in jenem prunkvollen Haus, tanzten und sangen. Männer begleiteten sie auf merkwürdigen Instrumenten, die derart unheimliche Geräusche von sich gaben, daß man eine Gänsehaut bekam. Eines dieser Instrumente war eine Flöte, und zu ihren Klängen führten die Mädchen einen Tanz auf, der eine Schlangenbeschwörung darstellen sollte. Es erschien mir zweifelhaft, ob diese Art Musik geeignet wäre, überhaupt irgend etwas zu beschwören, aber ein einheimischer Herr versicherte mir, Schlangen liebten sie und kämen aus ihren Löchern hervor und lauschten ihr mit allen Anzeichen der Erbauung und Dankbarkeit. Er erzählte, daß einmal bei einer Gesellschaft auf seinem Grundstück die Flöte ein halbes Dutzend Schlangen hervorgelockt habe, und die Musik habe unterbrochen werden müssen, bevor man sie dazu überreden konnte, sich zu entfernen. Niemand wollte etwas von ihrer Gesellschaft wissen, denn sie waren zu aufdringlich, plumpvertraulich und gefährlich; aber natürlich würde niemand sie töten, denn es ist für einen Hindu eine Sünde, Geschöpfe irgendwelcher Art zu töten.

Um zwei Uhr früh zogen wir uns von den Festlichkeiten zurück. Danach ein anderes Bild – aber es hat sich in meiner Erinnerung mehr wie ein Bühnenbild denn als Wirklichkeit eingenistet. Das ist eine Veranda und eine Treppe mit wenigen Stufen, auf der sich dunkle Gesichter und geisterhafte weiße Gewänder drängen, übergossen vom grellen Licht einer blendenden Flut festlicher Beleuchtung; und mitten auf der Treppe als Blickfang eine einzelne auffällige Gestalt – ein turbanbedeckter Riese mit einem Namen, der seiner Größe entspricht: Rao Bahadur Baskirao Balinkandschi Pitale, Vakil Seiner Hoheit des Gaikwar von Baroda. Ohne ihn wäre das Bild nicht vollkommen; und wenn sein Name einfach Smith gelautet hätte, hätte er nicht dazu getaugt. Dicht in der Nähe, an den Häuserfronten zu beiden Seiten der engen Straße, sah man Illuminationen einer von den Indern gern verwendeten Art – viele Dutzende Glasbecher (mit Wachslichtern darin), die in Abständen von wenigen Zoll auf großen Lattenrahmen befestigt waren und Sternfiguren bildeten, die lebhaft vom schwarzen Hintergrund abstachen. Als wir uns durch die dunklen Gäßchen entfernten, verschmolzen die Festlichter zu einer einzigen Masse und glühten inmitten der umgebenden Dunkelheit wie eine Sonne.

Dann wieder die tiefe Stille, die huschenden Ratten, die undeutlichen Gestalten, die überall auf dem Boden ausgestreckt lagen; und zu beiden Seiten diese offenen Buden, die wie Grabgewölbe wirkten, mit scheinbaren Leichen, die bewegungslos im flackernden Licht scheinbarer Totenlämpchen schliefen. Und nun, ein Jahr später, wenn ich die Kabelgramme lese, scheint es mir, als läse ich beschrieben, was ich zum Teil selbst sah – sah, bevor es geschah, sozusagen in einem prophetischen Traum. Das eine Kabelgramm besagt: „Das geschäftige Treiben im Inderviertel ist nahezu lahmgelegt. Ausgenommen das Gejammer und das Getrappel der Leichenzüge. Man sieht nur wenig Leben oder Bewegung. Die geschlossenen Läden übertreffen an Zahl die noch geöffneten." Ein anderes besagt, daß 325 000 Menschen aus der Stadt geflohen seien und die Pest in das Land hinaustrügen. Drei Tage später kommt die Nachricht: „Die Bevölkerung ist auf die *Hälfte* zusammengeschmolzen." Die Flüchtlinge haben die Seuche nach Karatschi verschleppt, „220 Erkrankungen, 214 Todesfälle". Einen oder zwei Tage später: „52 Neuerkrankungen, *alle* mit tödlichem Ausgang."

Die Pest verbreitet ein Grauen, das keine andere Seuche erregen kann; denn von allen Seuchen, die dem Menschen bekannt sind, ist sie die tödlichste – bei weitem die tödlichste. „52 Neuerkrankungen – *alle* mit tödlichem Ausgang." Nur der Schwarze Tod schlägt so zu. Wir können uns alle in gewissem Grade die Trostlosigkeit einer von der Pest heimgesuchten Stadt vorstellen, und die bleierne Stille, die in Abständen von Ausbrüchen fernen Klagegeheuls unterbrochen wird, Kennzeichen der Leichenzüge, die sich hier und da und dort bewegen; aber ich glaube, es ist uns nicht möglich, den Alpdruck von Angst und Grauen wirklich nachzuempfinden, der die Lebenden befällt, die sich an einem solchen Ort befinden und nicht fortkommen können. Die halbe Million, die in wilder Panik aus Bombay floh, deutet uns etwas davon an, was diese Menschen empfinden, aber vielleicht konnten nicht einmal sie selbst wahrhaft ermessen, was jene halbe Million Menschen fühlten, die sie hilflos zurückgelassen hatten und die dem unaufhaltsam heranschleichenden Entsetzen ohne Aussicht auf Entkommen ins Angesicht blicken mußten. Kinglake weilte vor vielen Jahren während einer Epidemie des Schwarzen Todes in Kairo, und er hat die Todesangst nachempfunden, die den Menschen in einer solchen Zeit in das Herz sickert und sie verfolgt, bis sie selbst das todbringende Zeichen in der Achselhöhle ausbrüten, und dann das Delirium mit den verworrenen Bildern und Träumen von der Heimat und schwankenden Billardtischen, und dann das plötzliche Nichts des Todes:

„Für einen der Ansteckung ausgesetzten Menschen, der erfüllt ist von Angst vor allen Ursachen, die das Ende herbeiführen könnten, der kein Vertrauen in das Schicksal oder den unabänderlichen Ratschluß Gottes besitzt und nichts von der Wurstigkeit, die ihm an Glaubens Stelle Halt geben könnte – für einen solchen Menschen gewinnt jeder Tuchfetzen, der in der Brise einer pestverseuchten Stadt flattert, diese Art überragender Bedeutung. Wenn ein unausweichliches Gebot ihn doch einmal zwingen sollte, sich hinauszuwagen, sieht er den Tod an jedem Ärmel baumeln; und während er seines Weges schleicht, hält er seine schlotternden Glieder gleichermaßen der drohenden Jacke fern, die nach seinem rechten Ellbogen stößt, wie dem mörderischen Umhang, der ihn einfach niederzumähen droht, während er zu seiner Linken vorbeifegt. Aber am allermeisten fürchtet er das, was er am höchsten lieben müßte – die Berührung eines Frauenkleides; denn die Ehefrauen und Mütter, die von dem Lager der Sterbenden hinwegeilen, um als Liebesdienst irgendeinen letzten Auftrag auszuführen, schlappen eher vorsätzlich und weniger förmlich durch die Straßen als die Männer. Vielleicht ermöglicht die Vorsicht dem armen Levantiner, eine Zeitlang eine Berührung zu vermeiden, aber früher oder später tritt womöglich der gefürchtete Fall ein; jenes Leinenbündel mit den dunklen, tränenschwimmenden Augen darüber, das sich mit der üppigen Schwerfälligkeit Grisis voranarbeitet – sie hat den armen Levantiner mit ihrem Ärmelsaum gestreift! Von diesem furchtbaren Augenblick an ist sein Friede dahin; sein Sinn hängt immerzu der tödlichen Berührung nach und fordert damit den Schicksalsschlag heraus, den er fürchtet; er achtet so sorgfältig auf die Symptome der Pest, daß sie früher oder später wirklich auftreten. Der ausgedörrte Mund ist ein Merkmal – sein Mund *ist* ausgedörrt; das pochende Hirn – sein Hirn pocht tatsächlich; der schnelle Puls – er tastet nach seinem eigenen Handgelenk (denn er wagt niemanden anders um Rat zu fragen, um nicht alleingelassen zu werden), er tastet nach seinem Handgelenk und spürt, wie sein entsetztes Blut in rasender Flucht dem Herzen entweicht. Nichts als die tödliche Schwellung fehlt, um seine traurige Überzeugung endgültig zu bestätigen; sogleich hat er eine seltsame Empfindung unterm Arm – keinen Schmerz, sondern ein gewisses Spannen der Haut; wollte Gott, es wäre nur seine Einbildungskraft so stark, ihm diese Empfindung vorzugaukeln; das ist das allerschlimmste. Jetzt scheint ihm, daß er mit seinem ausgedörrten Mund, seinem klopfenden Hirn und seinem schnellen Puls glücklich und zufrieden sein könnte, wenn er nur wüßte, daß da unter dem linken Arm keine Schwellung sei; aber wagt er es, das zu prüfen? In einem Augenblick der Gelassenheit und Überlegung wagt er es nicht; aber nachdem er sich eine Zeitlang unter den Qualen der Ungewißheit gewunden hat, treibt ihn ein plötzlicher Impuls, seinem Schicksal entgegenzutreten und ins Auge zu blicken; er berührt die Drüse und findet die Haut glatt und gesund, aber darunter liegt ein kleiner Knoten wie eine Pistolenkugel, der sich bewegt, wie man ihn schiebt. Oh! aber ist das die Gewißheit, ist es das Todesurteil? Betaste die Drüse unter dem anderen Arm! Dort findet sich nicht genau der gleiche Knoten, aber etwas einigermaßen Ähnliches. Haben nicht manche Leute von Natur aus etwas vergrößerte Drüsen? – wollte Gott, er gehörte dazu! So vollbringt er selbst das Werk der Pest, und wenn der solchermaßen angelockte Todesengel wirklich und wahrhaftig kommt, braucht er nur zu vollenden, was bereits so gut begonnen ist; er berührt mit glühender Hand das Hirn des Opfers und läßt es eine Zeitlang phantasieren, völlig regellos, von einst geliebten Menschen und Dingen oder von gleichgültigen Leuten und Sachen. Noch einmal befindet sich der arme Kerl wieder zu Hause in der schönen Provence und sieht die Sonnenuhr, die im Garten seiner Kindheit stand – sieht seine Mutter und das Gesicht jener lieben kleinen Schwester, das er schon lange aus der Erinnerung verloren hatte – er sieht sie, meint er, an einem Sonntagmorgen, denn alle Kirchenglocken läuten; er mustert das Universum aufwärts und abwärts, und es ist sein Eigentum, vollgepackt wie es ist mit Baumwolle, Ballen auf Ballen – Baumwolle in Ewigkeit – so viel davon – daß er fühlt – er weiß – er schwört, er könnte den großen Coup wagen, wenn der Billardtisch nicht so schräg aufwärts stünde und wenn das Queue ein anständiges Queue wäre; aber das ist es nicht – es ist ein Queue, das sich nicht rührt – sein eigener Arm rührt sich nicht – kurz, im Hirn des armen Levantiners ist die Hölle los; und vielleicht wird er in der übernächsten Nacht ,Leib und Seele' einer heulenden Schakalfamilie, die ihn am Fuß aus seinem flachen sandigen Grab hervorangelt."

43. KAPITEL

Hunger ist der Handlanger des Genies.

Querkopf Wilsons Neuer Kalender

Während unseres Aufenthaltes in Bombay fand eines Tages ein sehr interessanter Kriminalprozeß statt, ein furchtbar realistisches Kapitel aus Tausendundeiner Nacht, eine seltsame Mischung von Einfältigkeit, Frömmigkeit und mörderischer Geschäftstüchtigkeit, welche die vergessenen Tage des Thagunwesens in die Gegenwart zurückbrachte und sie wieder aufleben ließ; tatsächlich machte sie es erst glaubhaft. Es war ein Fall, wo ein junges Mädchen um wertloser Schmucksachen willen ermordet worden war, Sachen, die in Amerika nicht einmal den Tageslohn eines Arbeiters wert wären. So etwas hätte sich auch in vielen anderen Ländern zutragen können, aber wohl kaum mit der kalten, geschäftsmäßigen Verworfenheit, Furchtlosigkeit und Unvorsichtigkeit, dem Mangel von Entsetzen, Reue und Gewissen, wie sie in diesem Fall zutage traten. Anderswo hätte der Mörder sein Verbrechen heimlich, bei Nacht und ohne Zeugen ausgeführt; seine Furcht hätte ihm keine Ruhe gelassen, solange die Leiche in seiner Nähe gewesen wäre; er hätte nicht gerastet, bis er sie sicher aus dem Wege geräumt und so gründlich wie nur möglich versteckt hätte. Aber dieser indische Mörder begeht seine Tat bei hellichtem Tage, schert sich nicht um die Gegenwart von Zeugen, läßt sich überhaupt nicht durch die Anwesenheit der Leiche stören, nimmt sich Zeit, sie beiseite zu schaffen, und alle Beteiligten verhalten sich so gleichgültig, so phlegmatisch, daß sie wie üblich ihren Schlaf genießen, als wäre nichts geschehen und als hinge nicht schon der Strick über ihnen; und diese fünf sanftmütigen Leute schließen das Ereignis mit einer religiösen Handlung ab. Die Sache liest sich wie eine Thagerzählung von Meadows Taylor aus der Zeit vor einem halben Jahrhundert, wie man aus dem Protokoll der Verhandlung ersehen kann:

Vor dem Mazagoner Polizeigericht unter dem Vorsitz von Richter Phiroze Hoshang Dastur beschuldigte gestern Kriminalsuperintendent Nolan erneut Tukaram Suntu, Savat Baya (Frau), ihre Tochter Krishni und Gopal Vithu Bhanayker, unter Verstoß gegen §§ 302 und 109 des Gesetzbuches in der Nacht zum 30. Dezember vorigen Jahres ein Hindumädchen namens Cassi, zwölf Jahre alt, im Zimmer eines Mietshauses in Jakaria Bunder, Sjuri-Straße, durch Erdrosselung ermordet sowie einander bei der Tat Beistand geleistet und zu der Tat angestiftet zu haben.

Mr. F. A. Little, Staatsanwalt, vertrat in diesem Verfahren die Krone, die Angeklagten waren ohne Verteidiger.

Mr. Little beantragte, gemäß den Vorschriften der Strafprozeßordnung, eine der Angeklagten, Krishni (Frau), 22 Jahre alt, zu begnadigen, und zwar auf Grund ihres feierlichen Versprechens, eine wahre und vollständige Aussage über die Umstände zu machen, unter denen das verstorbene Mädchen Cassi ermordet wurde.

Nachdem der Richter dem Antrag des Staatsanwaltes stattgegeben hatte, begab sich die Angeklagte Krishni in den Zeugenstand und legte auf Befragen durch Mr. Little folgendes Geständnis ab:

„Ich bin Fabrikarbeiterin und arbeite in der Fabrik Jubilee. Ich erinnere mich an den Tag (Dienstag), an dem die Leiche der verstorbenen Cassi aufgefunden wurde. Davor war ich für einen halben Tag in der Fabrik und kehrte um drei Uhr nachmittags nach Hause zurück, als ich fünf Personen im Hause sah, nämlich: den Hauptangeklagten Tukaram, der mein Liebhaber ist, meine Mutter, die zweite Angeklagte Baya, den Angeklagten Gopal und zwei Besucher namens Ramdschi Dadschi und Annadschi Gungaram. Tukaram mietete das Zimmer des Mietshauses, das an der Jakaria-Bunder-Straße liegt, von dem Eigentümer, Girdharilal Radhakishan, und in diesem Zimmer wohnen ich, mein Liebhaber Tukaram und sein jüngerer Bruder Yesso Mahadhu. Yesso wohnte bei uns, seit er aus seiner Heimat nach Bombay kam. Als ich am Nachmittag jenes Tages aus der Fabrik heimkehrte, sah ich die zwei Besucher auf einer Pritsche auf der Veranda sitzen, und ein paar Minuten später kam der Angeklagte Gopal und nahm neben ihnen Platz, während ich und meine Mutter im Zimmer drin saßen. Tukaram, der fortgegangen war, um etwas Pan und Betelnüsse zu besorgen, hatte bei seiner Rückkehr nach Hause die beiden Besucher mitgebracht. Nach der Rückkehr bot er ihnen Pan supari an. Während sie es aßen, kam meine Mutter aus dem Zimmer heraus und fragte einen der Besucher, Ramdschi, was mit seinem Fuß passiert sei, worauf er antwortete, daß er viele Mittel versucht habe, sie hätten ihm aber nicht geholfen. Darauf nahm meine Mutter etwas Reis in die Hand und weissagte, daß die Krankheit, an der Ramdschi leide, erst wieder geheilt würde, wenn er in sein Heimatland zurückkehrte. Inzwischen kam die verstorbene Cassi von einem Nebengebäude her und stand mit einer Lota in der Hand vor der Schwelle unseres Zimmers. Darauf forderte Tukaram seine zwei Gäste auf, das Zimmer zu verlassen, und sie stiegen die Stufen zum Steinbruch hinauf. Nachdem die Gäste fortgegangen waren, packte Tukaram die Verstorbene, die in das Zimmer gekommen war, und danach schlang er einen Gurt um sie und band sie an einen Pfosten, der einen Dachboden trägt. Nachdem er das getan hatte, drückte er dem Mädchen die Kehle zusammen, und nachdem er ihr den Mund mit dem Dhotar (liegt jetzt dem Gericht vor) zugebunden hatte, befestigte er es am Pfosten. Nachdem Tukaram das Mädchen getötet hatte, nahm er ihr den goldenen Kopfschmuck und ein goldenes Putli ab und nahm auch ihre Lota an sich. Außer diesen beiden Schmuckstücken trug Cassi Ohrklipps, einen Nasenring, einige silberne Zehenringe, zwei Halsketten, ein Paar silberner Fußringe und Armringe. Danach versuchte Tukaram, die silbernen Amulette, die Ohrklipps und den Nasenring abzunehmen; aber sein Versuch mißlang. Während er dies tat, waren ich, meine Mutter und Gopal anwesend. Nachdem er die beiden goldenen Schmuckstücke an sich genommen hatte, übergab er sie Gopal, der gerade in meiner Nähe stand. Als Tukaram Cassi tötete, drohte er, auch mich zu erwürgen, wenn ich jemandem etwas davon erzählte. Gopal und ich standen gerade an der Tür des Zimmers, und wir wurden beide von Tukaram bedroht. Baya, meine Mutter, hatte die Beine der Verstorbenen gehalten, während sie getötet und während sie an den Pfosten gebunden wurde. Da hatte Cassi ein Geräusch verursacht. Tukaram und meine Mutter waren an dem Mord des Mädchens beteiligt. Nach dem Mord wurde ihr Leichnam in eine Matte gehüllt und auf dem Boden über unserer Zimmertür untergebracht. Als Cassi erwürgt wurde, hatte Tukaram die Tür von innen verschlossen. Diese Tat geschah kurz nach meiner Rückkehr von der Arbeit in der Fabrik. Tukaram legte die Leiche der Verstorbenen in die Matte, und nachdem sie auf dem Dachboden untergebracht war, ging er zu einem Barbier namens Sambhu Ragho, der nur eine Tür von mir entfernt wohnt, um sich den Kopf rasieren zu lassen. Da blieben meine Mutter und ich allein mit unserem Wissen zurück. Ich wurde von meinem Liebhaber, Tukaram, geohrfeigt und bedroht, und das war der einzige Grund, weshalb ich zu diesem Zeitpunkt niemandem etwas mitteilte. Als ich Tukaram sagte, daß ich den Vorfall melden würde, ohrfeigte er mich. Der Angeklagte Gopal wurde von Tukaram aufgefordert, in sein Zimmer zurückzugehen, und das tat er, wobei er die zwei goldenen Schmuckstücke und die Lota mitnahm. Yesso Mahadhu, ein Schwager Tukarams, kam in unser Haus und fragte Tukaram, warum er sich wasche, denn die Wasserzapfstelle war gleich gegenüber. Tukaram erwiderte, daß er seinen Dhotur wasche, da ein Huhn ihn beschmutzt habe. Gegen sechs Uhr am Abend jenes Tages gab mir meine Mutter drei Kupfermünzen und forderte mich auf, eine Kokosnuß zu kaufen, und ich gab Yesso das Geld, der losging und eine Kokosnuß sowie einige Betelblätter besorgte. Als Yesso und die anderen im Zimmer waren, badete ich, und nachdem ich mein Bad beendet hatte, nahm meine Mutter Yesso die Kokosnuß und die Betelblätter ab, und wir fünf gingen an den Strand. Die Gesellschaft bestand aus Tukaram, meiner Mutter, Yesso, Tukarams jüngerem Bruder, und mir. Als wir das Ufer erreicht hatten, opferte meine Mutter dem Meer und bat um Verzeihung für das, was wir getan hatten. Bevor wir zur Küste gingen, war jemand gekommen, um nach dem Mädchen Cassi zu fragen. Die Polizei und andere Leute kamen, um diese Erkundigungen einzuholen, bevor und nachdem wir das Haus verlassen hatten, um zur Küste zu gehen. Die Polizei befragte meine Mutter nach dem Mädchen, und sie erwiderte, daß Cassi an ihre Tür gekommen, aber fortgegangen sei. Am nächsten Tag befragte die Polizei Tukaram, und er gab eine ähnliche Antwort. Das geschah an demselben Abend, als nach dem Mädchen gesucht wurde. Nachdem wir dem Meere geopfert hatten, verzehrten wir die Kokosnuß und kehrten nach Hause zurück, wo meine Mutter mir etwas zu essen gab; aber Tukaram nahm an jenem Abend keinerlei Essen zu sich. Nach dem Essen schliefen meine Mutter und ich im Zimmer, und Tukaram schlief auf einer Pritsche in der Nähe seines Schwagers Yesso, unmittelbar vor der Tür. Das war nicht der übliche Ort, wo Tukaram schlief. Er schlief gewöhnlich im Zimmer. Die Leiche der Verstorbenen lag noch auf dem Dachboden, als ich schlafen ging. Das Zimmer, in dem wir schliefen, war verschlossen, und ich hörte, daß mein Liebhaber, Tukaram, sich draußen rührte. Etwa um drei Uhr am nächsten Morgen klopfte Tukaram an die Tür, darauf schlossen meine Mutter und ich auf. Dann befahl er mir, zu den Stufen zu gehen, die zum Steinbruch führen, um nachzusehen, ob jemand in der Nähe wäre. Diese Stufen führen zu einem Stall, durch den wir zu dem Steinbruch hinter dem eingezäunten Gelände gehen. Als ich zu den Stufen kam, sah ich dort niemanden. Tukaram fragte mich, ob jemand dort wäre, und ich erwiderte, daß ich niemanden in der Nähe sehen könne. Dann nahm er die Leiche der Verstorbenen vom Dachboden, und nachdem er sie in seinen Sari gewickelt hatte, forderte er mich auf, ihn zu den Stufen des Steinbruchs zu begleiten, und das tat ich. Der jetzt hier vorliegende Sari war derjenige. Außer dem Sari trug die Leiche auch einen Tscholi. Dann nahm er die Leiche in die Arme und stieg die Stufen empor, durch den Stall, und dann nach rechts auf den Bungalow eines Sahib zu, wo Tukaram die Leiche dicht neben einer Mauer niederließ. Die ganze Zeit über waren meine Mutter und ich bei ihm. Als die Leiche herabgeholt worden war, hatte Yesso auf der Pritsche gelegen. Nachdem wir die Leiche am Fuß der Mauer abgesetzt hatten, kehrten wir alle nach Hause zurück, und bald nach fünf Uhr kam die Polizei wieder und nahm Tukaram mit. Etwa eine Stunde später kehrten sie zurück und nahmen mich und meine Mutter mit. Wir wurden darüber verhört, und ich machte eine Aussage. Zwei Stunden später wurde ich in das Zimmer geführt und zeigte im Beisein meiner Mutter und Tukarams dem Kriminalsuperintendenten Nolan und den Inspektoren Roberts und Rashanali diesen Gurt, den Dhotur, die Matte und den Holzpfahl. Tukaram brachte das Mädchen Cassi wegen ihres Schmuckes um, den er für das Mädchen haben wollte, das er in Kürze heiraten wollte. Die Leiche wurde an derselben Stelle gefunden, wo sie von Tukaram niedergelegt worden war."

Die Kriminalgeschichte der Einheimischen war immer buntbewegt, war immer fesselnde Lektüre. Das Thagunwesen und eine oder zwei andere besonders empörende Erscheinungen sind von den Engländern unterdrückt worden, aber es ist noch genug davon übrig, um weiterhin ein düsteres Interesse zu erzwingen. In den Zeitungen findet man Beweise dieses Überlebens. Macaulay bringt eine Stelle, die Licht auf diese Dinge wirft, in seinem großartigen historischen Abriß über Warren Hastings, nämlich wo er einige Auswirkungen schildert, die der durch Sir Philip Francis und seine Gruppe herbeigeführten zeitweiligen Ohnmacht der kraftvollen Regierungstätigkeit Hastings' folgten:

„Die Einheimischen hielten Hastings für einen erledigten Mann; und sie handelten ihrem Wesen entsprechend. Einige unserer Leser mögen einmal in Indien gesehen haben, wie eine Wolke von Krähen einen kranken Geier tothackt – kein schlechtes Bild dessen, was in jenem Lande geschieht, wann immer das Glück einen verläßt, der vorher groß und gefürchtet war. Im Nu beeilen sich alle Speichellecker, die kurz vorher bereit gewesen wären, für ihn zu lügen, für ihn zu betrügen, für ihn zu morden, sich jetzt das Wohlwollen seiner siegreichen Gegner zu erkaufen, indem sie ihn anklagen. Eine indische Regierung braucht nur zu erkennen zu geben, daß sie einen bestimmten Mann ruiniert sehen möchte, und binnen vierundzwanzig Stunden wird sie schwere Beschuldigungen in den Händen haben, bekräftigt durch so vollständige und umfassende Aussagen, daß jeder, der asiatischer Verlogenheit ungewohnt ist, sie als beweisend betrachten müßte. Es ist schon viel, wenn man nicht die Unterschrift des ausersehenen Opfers am Fuße irgendeiner illegalen Übereinkunft nachbildet und wenn man nicht irgendein verräterisches Schriftstück an einen versteckten Ort in seinem Haus einschmuggelt."

Das war vor beinahe 125 Jahren. Ein Artikel in einer der führenden Zeitungen Indiens (dem „Pionier") zeigt, daß in mancher Hinsicht der Einheimische von heute genau derselbe ist wie einst sein Vorfahr. Hier kennt man Finessen von so raffinierter und heikler Natur, daß sie dieser Sorte Spitzbüberei einen Platz unter den schönen Künsten erobern und nahezu Respekt abnötigen.

„Man kann sich gewiß auf die Protokolle der indischen Gerichte verlassen, welche beweisen, daß die Schwindler im Osten hinsichtlich Brillanz der Ausführung und Originalität der Idee insgesamt den erfahrensten ihrer Zunft in Europa und Amerika sehr nahekommen, wenn sie diese nicht sogar übertreffen. Indien ist insbesondere die Hochburg der Fälscher. Es gibt da einige bestimmte Bezirke, die als Märkte der erlesensten Schöpfungen der Fälscherkunst berühmt sind. Das Geschäft wird von Firmen betrieben, die *ganze Lager gestempelter Blätter besitzen, um jedem Bedarfsfall gewachsen zu sein.* Sie legen sich regelmäßig in jedem Jahr einen Vorrat frisch gestempelter Blätter zu, und einige der älteren und erfolgreicheren Firmen können *für die ganzen letzten vierzig Jahre Dokumente liefern, die das richtige Wasserzeichen aufweisen und das Aussehen wahrhaftigen Alters besitzen.* Andere Bezirke sind für geschickte Meineide berüchtigt, eine Berühmtheit, die respektvolle Bewunderung erregt, wenn man die *allgemeine Verbreitung dieser Kunst* bedenkt, und Leute, die in betrügerischen Prozessen gewinnen möchten, sind bereit, großzügig zu zahlen, um sich die Zeugendienste dieser örtlichen Experten zu sichern."

Es werden mehrere Beispiele wiedergegeben, welche die Methoden dieser Schwindler illustrieren. Sie zeigen die ungeheure Durchtriebenheit und bodenlose Schamlosigkeit des Schwindlers und seiner Kumpane und seitens des Opfers mehr Dummheit, als man in einem Lande zu finden erwartet, wo Mißtrauen dem Nächsten gegenüber sicherlich eines der Dinge ist, die man am frühesten lernt. Das beliebteste Objekt ist der junge Tor, der gerade ein Vermögen ererbt hat und herauszubekommen versucht, wie er es am unzweckmäßigsten anlegen könnte. Ich zitiere ein Beispiel:

„Manchmal wird eine Abart des Vertrauenstricks angewandt, die stets erfolgreich ist. Man nimmt sich den betreffenden Gimpel aufs Korn, und sobald man seine Bekanntschaft gemacht hat, wird er zu jeder Form der Ausschweifung ermutigt. Wenn die Freundschaft gut gefestigt ist, erzählt der Schwindler dem jungen Mann beiläufig, er habe einen Bruder, der ihn gebeten habe, ihm 10 000 Rupien zu leihen. Der Schwindler sagt, er besitze das Geld und würde es auch ausleihen, aber da der Kreditnehmer sein Bruder sei, könne er keine Zinsen verlangen. Also schlägt er vor, er wolle dem Gimpel das Geld aushändigen, und dieser solle es dem Bruder des Schwindlers leihen und eine hohe Zinsvorauszahlung fordern, die man, was herausgestrichen wird, zum gemeinsamen Vergnügen verjubeln könne. Der Gimpel hat keine Einwände und empfängt am festgelegten Tag von dem Schwindler 7000 Rupien, die er an dessen Bundesgenossen weiterreicht. Letzterer fließt über vor Danksagungen und stellt ein Zahlungsversprechen über 10 000 Rupien aus, zahlbar an den Überbringer. Der Schwindler läßt den Plan eine Weile ruhen und schlägt dann vor, da das Geld nicht zurückerstattet worden sei und es unangenehm wäre, seinen Bruder zu verklagen, wäre es besser, das Dokument im Bazar zu verkaufen. Der Gimpel händigt das Dokument aus, denn das verauslagte Geld war nicht seines, und wenn man ihm mitteilt, daß es notwendig sei, seine Unterschrift auf die Rückseite zu setzen, um das Papier bankfähig zu machen, unterschreibt er ohne Zögern. Der Schwindler gibt es an Verbündete weiter, und letztere beauftragen eine angesehene Anwaltsfirma, den Gimpel zu fragen, ob seine Unterschrift echt ist. Er bestätigt das sofort, und sein Schicksal ist besiegelt. Einer der Bundesgenossen verklagt den Gimpel, zwei Komplicen werden zu Mitbeklagten gemacht. Sie bestätigen ihre Unterschriften als Indossanten, und der eine schwört, er habe das Papier zum Nennwert vom Gimpel gekauft. Dieser hat nichts zur Verteidigung vorzubringen, denn kein Gericht würde die offenbar müßige Erklärung abnehmen, auf welche Art und Weise er dazu gekommen sei."

Es gibt nur ein Indien! Es ist das einzige Land, das über ein Monopol an großartigen und überwältigenden Eigenheiten verfügt. Wenn ein anderes Land etwas Bemerkenswertes besitzt, hat es dies nicht für sich allein – irgendein anderes Land besitzt ein Duplikat. Aber Indien – das ist etwas anderes. Seine Wunderdinge sind sein Eigentum; die Patente sind unantastbar; Nachahmungen sind nicht möglich. Und man stelle sich ihr Format vor, ihre majestätische Größe, den unheimlichen und fremdartigen Charakter der meisten!

Da ist die Pest, der Schwarze Tod; Indien hat sie erfunden; Indien ist die Wiege dieser gewaltigen Brut.

Der Wagen des Dschagannath war Indiens Erfindung.

Ebenso die Sati; zu Lebzeiten noch heute unter uns weilender Menschen haben sich in einem einzigen Jahr achthundert Witwen bereitwillig und sogar freudig mit dem Leichnam ihres verstorbenen Gatten zusammen lebendig verbrennen lassen. Achthundert würden es auch in diesem Jahr tun, wenn die britische Regierung das zuließe.

Hungersnot ist Indiens Spezialität. Woanders sind Hungersnöte unbedeutende Zwischenfälle – in Indien sind sie verheerende Katastrophen; in dem einen Falle rotten sie Hunderte, im anderen Millionen Menschen aus.

Indien besitzt zwei Millionen Götter und verehrt sie alle. In religiöser Hinsicht sind alle anderen Länder Bettler. Indien ist der einzige Millionär.

Hier trägt alles gigantischen Maßstab – sogar die Armut; kein anderes Land kann etwas vorweisen, das sich damit vergleichen ließe. Und Indien ist Reichtum in so ungeheurem Maße gewöhnt, daß es die Ausdrücke, die riesige Summen bezeichnen, zu einzelnen Wörtern verkürzen muß. Es bezeichnet „einhunderttausend" mit einem Wort – lakh; es bezeichnet „zehn Millionen" mit einem Wort – crore.

Aus den Eingeweiden der Granitberge hat es geduldig Dutzende ungeheurer Tempel herausgehauen und eine Herrlichkeit gemeißelter Kolonnaden und ganzer Reihen stattlicher Bildwerke daraus gemacht; und überdies die unvergänglichen Mauern mit edlen Gemälden geschmückt. Es hat Festungen von solcher Massigkeit errichtet, daß die Paradebollwerke der übrigen Welt, damit verglichen, nur bescheidene kleine Dinger sind; Paläste, die wahre Wunder an Erlesenheit des Materials, Feinheit und Schönheit der Ausführung und an Kosten darstellen; und ein Grabmal, zu dessen Besuch die Menschen den ganzen Erdball umrunden. Es braucht achtzig Nationen, die achtzig Sprachen sprechen, um das Land zu bevölkern, und sie zählen dreihundert Millionen.

Zu alledem ist Indien Mutter und Heimstatt jenes Wunders aller Wunder – der *Kaste* – und jenes Geheimnisses aller Geheimnisse, der satanischen Bruderschaft der Thags.

Indien machte in allen Dingen, welche die Menschheit in Angriff nahm, den Anfang. Es besaß die erste Zivilisation; es besaß die erste Anhäufung materiellen Reichtums; es war mit tiefgründigen Denkern und feinsinnigen Geistern bevölkert; es besaß Bergwerke und Wälder und fruchtbaren Boden. Es will scheinen, Indien hätte die Führung behalten müssen und heute nicht der zahme Vasall eines fremden Herrn sein dürfen, sondern Beherrscher der Welt, der jedem Stamm und Volk der Erde seine Vorschriften auferlegt. Aber in Wirklichkeit hat nie die Möglichkeit einer solchen Vorherrschaft bestanden. Wenn es nur ein Indien und nur eine Sprache gegeben hätte – aber es gab achtzig! Wo es achtzig Nationen und mehrere hundert Regierungen gibt, müssen Kampf und Streit das übliche Lebenselement bilden; Einheit des Ziels und der Politik sind unmöglich; von solchen Voraussetzungen kann eine Vorrangstellung in der Welt nicht ausgehen. Schon das Kastenwesen allein hätte zweifellos die gleiche lähmende Wirkung wie eine Vielfalt von Sprachen gehabt; denn es trennt ein Volk in Schichten und Schichten und immer weitere Schichten, die keine Gemeinsamkeit des Empfindens verbindet; und bei einem solchen Stand der Dinge kann die Vaterlandsliebe nicht gedeihen.

Die Teilung des Landes in so viele Staaten und Völker war es, die das Thagwesen ermöglichte und zur Blüte brachte. Es ist schwierig, sich die Situation klarzumachen. Aber vielleicht gelingt dies annähernd, wenn man sich die Staaten unserer Union von verschiedenen Nationen mit unterschiedlichen Sprachen bevölkert denkt; Wachen und Zollhäuser wären längs all ihrer Grenzen aufgereiht und nötigten Reisenden und Geschäftsleuten reichliche Unterbrechungen auf. Dolmetscher, die alle Sprachen beherrschten, gäbe es sehr selten oder überhaupt nicht, hier und da und dort rollten immer gerade ein paar kriegerische Auseinandersetzungen ab, eine weitere Fessel für Handel und Wandel. Das würde ein wechselseitiges Zusammenwirken im allgemeinen nicht gestatten. Indien hatte achtzig Sprachen und mehr Zollhäuser als Katzen. Ein durchtriebener Mensch mit Straßenräuberinstinkten konnte nicht versäumen, zu bemerken, welch eine Gelegenheit für Geschäfte sich da bot. Indien war voller durchtriebener Männer mit Straßenräuberinstinkten, und so entstand auf ganz natürliche Art die Bruderschaft der Thags und half dem langempfundenen Mangel ab.

Wie lange das schon her ist, weiß niemand – Jahrhunderte, nimmt man an. Eines der größten damit zusammenhängenden Wunder war der Erfolg, mit dem das Geheimnis gewahrt blieb. Der englische Geschäftsmann trieb zweihundert Jahre lang in Indien Handel, bevor er überhaupt davon hörte; und doch ermordete man rings um ihn her die ganze Zeit über jährlich Tausende.

44. KAPITEL

> Das alte Sprichwort heißt: „Jedes Schiff muß
> ab und zu kohlen." Richtig. Jedoch, wenn viel
> davon abhängt, ist es besser, eine Zeitung das
> tun zu lassen.
>
> *Querkopf Wilsons Neuer Kalender*

Aus dem Tagebuch:

28. Januar. Ich habe neulich von einem amtlichen Thagbuch gehört. Ich hatte gar nicht gewußt, daß es so etwas gibt. Man hat es mir zur vorübergehenden Verwendung überlassen. Wir treffen Reisevorbereitungen. Hauptsächlich bestehen die Vorbereitungen im Kauf von Bettzeug. Das soll auf den Liegeplätzen in den Zügen benutzt werden, manchmal auch in Privathäusern; und in neun Zehnteln der Hotels. Das ist unvorstellbar, und doch ist es wahr. Es ist ein Überbleibsel, ein offensichtlich unnötiger Brauch, der auf irgendeine merkwürdige Weise die Umstände überlebt hat, die ihn einst notwendig machten. Er stammt aus einer Zeit, als es keine Eisenbahn und keine Hotels gab, als nur gelegentlich einmal ein Weißer reiste und sich dann zu Pferde oder mit einem Ochsengespann fortbewegte und in den kleinen Postbungalows übernachtete, welche die Regierung in geeigneten Abständen über das Land verteilt hatte – gerade ein Dach über dem Kopf und weiter nichts. Der Reisende mußte Bettzeug mit sich führen oder darauf verzichten. Die Wohnstätten der englischen Einwohner sind geräumig, bequem und komfortabel eingerichtet, und es ist bestimmt ein merkwürdiger Anblick, ein halbes Dutzend Gäste in ein solches Haus hereinströmen und hier und da und überall Decken und Kissen abladen zu sehen. Aber die Sitte macht unschickliche Dinge schicklich.

Man bekommt das Bettzeug mit einem wasserdichten Beutel dafür in fast jedem Geschäft – das ist kein Problem.

30. Januar. Welch ein Schauspiel bot der Bahnhof zur Zeit der Abfahrt des Zuges! Es war ein sehr geräumiger Bahnhof, aber als wir eintrafen, schien es, als wäre die ganze Welt gegenwärtig – die Hälfte drin, die Hälfte draußen, und beide Hälften versuchten mit ungeheuren Kopflasten von Bettzeug und anderer Fracht gleichzeitig in zwei entgegengesetzten Strömen innerhalb einer schmalen Türöffnung aneinander vorbeizukommen. Diese entgegengesetzten Strömungen bestanden aus geduldigen, freundlichen, langmütigen Einheimischen, in weiten Abständen waren Weiße zwischen ihnen eingestreut; und immer, wenn der einheimische Diener eines Weißen auftauchte, schien *dieser* Einheimische seine natürliche Freundlichkeit für den Augenblick beiseite gelegt und sich das Vorrecht des Weißen angeeignet zu haben, sich einen Weg zu bahnen, indem er in die Quere kommende dunkle Gestalten prompt beiseite schob. Bei diesen Machtdemonstrationen benahm sich Satan immer skandalös. Vermutlich war er in einer seiner früheren Wiedergeburten einmal Thag gewesen.

Drinnen in dem gewaltigen Bahnhof fluteten Massen von Einheimischen in regenbogenfarbigen Trachten in großen Wellen hierhin und dorthin, ein einziges bedrückendes und bestürzendes Durcheinander, alle eifrig, ängstlich, in Eile, besorgt; und die Wogen trugen sie hinauf zu den langen Zügen und spülten sie mit ihren Ballen und Bündeln hinein, und wie sie verschwanden, folgte ihnen sogleich die nächste Woge, die nächste Welle. Und hier und da inmitten dieses Tohuwabohus, und anscheinend unberührt davon, hockten große Gruppen von Einheimischen auf dem blanken Steinfußboden – junge, schlanke, braune Frauen, alte, graue, runzlige Frauen, kleine, zarte, braune Babys, alte Männer, junge Männer, Knaben; alles arme Leute, aber alle weiblichen Wesen unter ihnen, groß oder klein, geschmückt mit billigen bunten Nasenringen, Zehenringen, Fuß- und Armringen, wobei diese Sachen zweifellos ihren ganzen Reichtum darstellten. Diese stillen Grüppchen saßen da mit ihren bescheidenen Bündeln, Körben und ihrem kleinen Hausgerät um sich herum und warteten geduldig – worauf? Auf einen Zug, der irgendwann im Laufe des Tages oder der Nacht abfahren sollte! Sie hatten die Zeit nicht richtig getroffen, aber das war nicht so schlimm – das war so von oben her bestimmt gewesen, warum sich also aufregen? Es war genug Zeit, viele, viele Stunden, und was geschehen sollte, würde geschehen – es gab kein Mittel, es zu beschleunigen.

Die Einheimischen reisten dritter Klasse und zu unglaublich niedrigem Fahrpreis. Sie preßten und drückten sich in Wagen hinein, deren jeder etwa fünfzig Personen faßte; und man sagte uns, daß oftmals ein Brahmane der höchsten Kaste auf diese Weise in persönliche Berührung mit Personen der niedrigsten Kaste komme und sich infolgedessen verunreinige – zweifellos eine sehr anstößige Sache, wenn man das verstehen und richtig abschätzen könne. Ja, ein Brahmane, der keine Rupie besaß und keine borgen konnte, müßte womöglich mit dem Ellbogen einen reichen adligen Herrn niederer Kaste berühren, den Erben eines uralten, ein paar Yard langen Titels, und hätte es eben zu ertragen; denn wenn es einem von beiden gestattet würde, in den Wagen zu reisen, wo sich die geheiligten Weißen befinden, wäre das wahrscheinlich nicht der ehrwürdige arme Brahmane. Da stand eine ungeheure Reihe dieser Wagen dritter Klasse, denn die Einheimischen reisen herdenweise, und zweifellos hatten die Insassen eine lange, qualvolle Nacht vor sich.

Als wir unseren Wagen erreichten, waren Satan und Barney mit ihrer Trägerkolonne, die Bettzeug und Sonnenschirme und Zigarrenkisten schleppten, dort bereits eingetroffen und bei der Arbeit. Wir nannten ihn kurz Barney; denn seinen richtigen Namen konnten wir nicht verwenden, wir hatten nicht genug Zeit dazu.

Es war ein Wagen, der Bequemlichkeit, sogar Luxus versprach. Jedoch der Preis dafür – nun, die Sparsamkeit ließe sich nicht überbieten, sogar nicht in Frankreich, nicht einmal in Italien. Er war aus den einfachsten und billigsten halbgeglätteten Brettern gebaut, sie trugen eine Schicht stumpfer Farbe, und nirgends fand sich auch nur die Andeutung einer Dekoration. Der Boden war blank, sollte es aber nicht lange bleiben, wenn nämlich der Staub zu fliegen anfing. An einem Ende des Abteils verlief quer ein Netz zur Unterbringung von Handgepäck; am anderen Ende befand sich eine Tür, die sich unter Gewaltanwendung schloß, aber nicht geschlossen blieb; sie ging auf einen schmalen, kleinen Raum, der an einer Wand ein Waschbecken besaß, außerdem einen Platz, wo man ein Handtuch unterbringen konnte, wenn man eines mit sich führte – und man hatte bestimmt Handtücher mit, denn man kauft sie mit dem Bettzeug, da man weiß, daß die Eisenbahn keine zur Verfügung stellt. An jeder Seite des Wagens stand in Fahrtrichtung ein breites, mit Leder bezogenes Sofa – um tagsüber darauf zu sitzen und nachts darauf zu schlafen. Über jedem Sofa hing an Riemen ein breites, flaches, lederbezogenes Brett – ebenfalls zum Schlafen. Tagsüber kann man es an die Wand klappen, damit es aus dem Weg ist – und dann verfügt man über einen großen, nirgends verstellten, sehr bequemen Raum, in dem man sich ausbreiten kann. Kein Wagen in irgendeinem anderen Land bietet wirklich soviel Bequemlichkeit (und Zurückgezogenheit), glaube ich. Denn gewöhnlich befinden sich nur zwei Personen darin; und selbst wenn es vier sind, wird das Gefühl der Zurückgezogenheit nur wenig beeinträchtigt. Unsere eigenen Wagen zu Hause übertreffen die Eisenbahnen der ganzen Welt in allem, nur in einem können sie das nicht: es gibt da keine Gemütlichkeit; es sitzen zu viele Leute beieinander.

Am Fuße jedes Sofas befand sich eine Seitentür zum Ein- und Aussteigen.

So lang wie das Sofa reichte, reihten sich auf jeder Seite des Wagens große, einteilige Fenster von blauer Tönung – blau, um das schmerzhaft grelle Sonnenlicht zu dämpfen und die Augen vor Folterqualen zu bewahren. Man konnte die Fenster herunterlassen, wenn man den Luftzug hereinleiten wollte. An der Decke befanden sich zwei Öllampen, deren Licht stark genug war, um dabei zu lesen; an jeder gab es eine Vorrichtung aus grünem Tuch, mit der man sie abdecken konnte, sobald das Licht nicht mehr benötigt wurde.

Während wir uns draußen mit Freunden unterhielten, brachten Barney und Satan das Handgepäck, einige Bücher, Obst und Seltersflaschen in den Gepäcknetzen unter, die Reisesäcke und das schwere Gepäck in dem kleinen Raum, hängten Mäntel, Tropenhelme und Handtücher an die Haken, klappten die beiden Hängebretter hoch, daß sie aus dem Wege waren, dann schulterten sie ihr eigenes Bettzeug und zogen sich in die dritte Klasse zurück.

Sie sehen also, was das für ein hübscher, geräumiger, heller, luftiger, heimeliger Ort war, in dem man auf und ab gehen oder sitzen und schreiben oder sich lang ausstrecken und lesen oder rauchen konnte. Eine Mitteltür am vorderen Ende des Abteils führte in ein ähnliches Abteil. Das hatten meine Frau und meine Tochter belegt. Gegen neun Uhr abends, als wir eine Weile an einer Station hielten, kamen Barney und Satan und packten die großen, unhandlichen Reisesäcke aus und machten auf den Sofas in beiden Abteilen die Betten zurecht – Matten, Laken, bunte Decken, Kissen, alles komplett; in Indien gibt es keine Zimmermädchen – offenbar war das eine Tätigkeit, von der man noch nie gehört hatte. Dann schlossen sie die Verbindungstür, räumten säuberlich alles auf, legten die Nachtbekleidung auf die Betten und stellten die Hausschuhe darunter, dann kehrten sie in ihr eigenes Quartier zurück.

31. Januar. Es war alles neuartig und erfreulich, und ich blieb wach, solange ich konnte, um es zu genießen und von diesen seltsamen Menschen, den Thags, zu lesen. Im Schlaf blieben sie bei mir und versuchten, mich zu erdrosseln. Der Anführer der Bande war jener riesenhafte Hindu, der im hellen Licht ein solches Bild abgegeben hatte, als wir um zwei Uhr morgens jene Hinduverlobungsfeier verließen – Rao Bahadur Baskirao Balinkandschi Pitale, Vakil des Gaikwar von Baroda. Er war es, der mir die Einladung seines Herrn überbracht hatte, nach Baroda zu kommen und vor diesem Fürsten einen Vortrag zu halten, und nun benahm er sich in meinen Träumen so übel. Aber in Träumen ist alles möglich. Es ist wirklich so, wie es die Nachtigall von Michigan sagt – natürlich in einem Zusammenhang, wo es belanglos ist; denn der eine, nie enttäuschende große Vorzug, der ihre Poesie von der Shakespeares unterscheidet und sie uns so kostbar macht, ist ihre ernstgemeinte und naive Belanglosigkeit:

> Mein Herz war froh und glücklich,
> Und das lag mir stets im Sinn:
> Bess're Zeiten werden kommen,
> Wo ich selbst imstande bin,
> Wie ich hoff', zum Dichterwerke.
> Es wär mir eine Herzensfreud,
> Ein gefühlvolles Thema zu bedichten,
> So es sich meinem Geist nur beut.*

Baroda. Heute früh um sieben angekommen. Der Morgen begann gerade zu grauen. Es war schlimm, zu einer solchen Zeit an einem fremden Ort aussteigen zu müssen, und die blinzelnden Lichter im Bahnhof ließen es noch wie Nacht erscheinen. Aber die Herren, die zu unserem Empfang erschienen waren, hatten ihre Diener mit, und die leisteten rasche Arbeit; es wurde keine Zeit vertrödelt. Bald waren wir draußen und fuhren flott durch das sanfte graue Licht und waren binnen kurzem behaglich untergebracht – mit mehr Dienstpersonal, als wir es gewöhnt waren, und mit nahezu ehrfurchtge-

* „Das empfindsame Liederbuch", S. 49, Thema „Die Kindheit der Autorin", 19. Strophe.

bietend wichtigen Beamten, die es zu dirigieren hatten. Aber so war es Sitte; sie sprachen Ballarater Englisch, ihr Verhalten war gewinnend und gastfreundlich, und so ging alles gut ab.

Das Frühstück war ein Genuß. Durch das offene Fenster sah man jenseits der Rasenflächen in der Ferne einen indischen Brunnen, wo zwei Ochsen gemächlich langgestreckte Hänge hinauf und hinab trampelten und dabei Wasser zogen, und durch die Stille tönte das Kreischen des strapazierten Getriebes, nicht ganz melodisch, und doch auf beruhigende Weise melancholisch, träumerisch und friedvoll – die Wehklage verlorener Seelen, könnte man sich vorstellen. Und womöglich erinnerungsschwer und voller Anklänge an Vergangenes, denn natürlich pflegten die Thags Leute in diesen Brunnen hinabzustürzen, wenn sie mit ihnen fertig waren.

Nach dem Frühstück begann der Tag, ein recht geschäftiger Tag. Man fuhr uns auf gewundenen Straßen durch einen ungeheuren Park mit stattlichen Wäldern hoher Bäume, mit Gestrüppen und Dickichten lieblicher Gewächse bescheidenerer Art; und an einer Stelle kamen drei große graue Affen heraus und stolzierten über die Straße – eine ziemlich große Überraschung, und dazu eine unangenehme, denn solche Geschöpfe gehören in eine Menagerie, in der Wildnis wirken sie unnatürlich und fehl am Platze.

Wir kamen schließlich zur Stadt und durchfuhren sie ganz. Sie war ungeheuer indisch, verfallen, verrottet und unermeßlich alt, wie es aussah. Und die Häuser – oh, die waren unbeschreiblich wunderlich und merkwürdig: die Vorderfront nahm ein ausgefeiltes Spitzenmuster verwickelter und wunderschöner Holzschnitzereien ein, hier und da zusätzlich mit groben Abbildern von Elefanten, Fürsten und Göttern geschmückt, ausgeführt in schreienden Farben; und das Erdgeschoß wurde diese krummen und engen Straßen entlang als Laden benutzt – unglaublich kleine Läden, unwahrscheinlich vollgepfropft mit Trödelkram, und hier hockten zu neun Zehnteln nackte Inder über ihrer Arbeit, hämmerten, klopften, löteten, schweißten, nähten, zeichneten, kochten, wogen Getreide aus, mahlten Getreide, reparierten Götzen – und dazu der Schwarm zerlumpter und lärmender Menschenscharen zwischen den Pferdefüßen und überall umher, und der penetrante Gestank und Dunst und Geruch! Es war alles wundervoll und hinreißend.

Stellen Sie sich eine Reihe Elefanten vor, wie sie durch eine solche Schlucht von Straße marschieren und mit ihrer Haut zu beiden Seiten den Anstrich abschaben. Wie gewaltig müssen sie aussehen, und wie klein müssen die Häuser dagegen wirken, und wenn die Elefanten in ihrer glitzernden Hoftracht daherkommen, welch einen Kontrast müssen sie zu der armseligen und schmutzigen Umgebung bilden. Und wenn ein wildgewordener Elefant wütend hier hindurchrast und mit dem Rüssel nach links und rechts peitscht, wie gehen ihm diese Menschenschwärme aus dem Wege? Ich nehme an, daß das in der Brunstzeit hin und wieder vorkommt (denn Elefanten haben eine Brunstzeit).

Ich frage mich, wie alt die Stadt ist. Es gibt da einzelne Bauteile – massive Baugefüge, anscheinend Denkmäler –, die so verwittert und abgerissen sind und anscheinend so müde und so überladen von der Last des Alters, so ratlos und betäubt von dem Versuch, sich an Dinge zu erinnern, die sie schon in vorgeschichtlicher Zeit vergessen hatten, daß sie das Gefühl erwecken, sie müßten ein Teil der ursprünglichen Schöpfung gewesen sein. Dies ist wirklich eines der ältesten Fürstentümer Indiens und ist immer für seine barbarische Prunk- und Prachtentfaltung berühmt gewesen und für den Reichtum seiner Fürsten.

45. KAPITEL

Es braucht das Zusammenwirken deines Feindes und deines Freundes, um dich ins Herz zu treffen; des einen, der dich verleumdet, und des anderen, der dir die Nachricht zuträgt.

Querkopf Wilsons Neuer Kalender

Wieder aus der Stadt hinaus; eine lange Fahrt auf gewundenen Straßen durch offenes Land, durch abgelegene Dörfer, die sich in den einladenden Schatten tropischer Vegetation schmiegen. Sabbatstille überall, manchmal ein alles durchdringendes Gefühl der Einsamkeit, aber immer wieder barfüßige Landeskinder, die wie Geister vorübergleiten, ohne das Geräusch eines Schrittes, und andere wieder verschwimmen und verschwinden in der Ferne wie die Gestalten eines Traumes. Dann und wann zog eine Reihe stattlicher Kamele vorüber – immer interessant anzuschauen; sie waren von Natur aus mit Samtschuhen versehen und machten kein Geräusch. Tatsächlich, keinerlei Geräusch gab es in diesem Paradies. Doch, einmal gab es vorübergehend eines: Eine Reihe einheimischer Sträflinge kam unter der Aufsicht eines Beamten vorbei, und wir nahmen das leise Klirren ihrer Ketten wahr. An abseits gelegener Stelle ruhte unter einem Baum eine heilige Persönlichkeit – ein nackter schwarzer Fakir, dünn und mager, und über und über weißlichgrau von Asche.

. Dann ging es einmal zu den Elefantenställen, und ich wagte einen Ritt; aber das geschah auf Ermunterung anderer hin – ich hatte nicht darum gebeten, und ich verspürte keinen Wunsch danach; aber ich ritt, weil sie sonst gedacht hätten, ich hätte Angst, was auch der Fall war. Der Elefant kniet auf Befehl nieder – erst mit dem einen, dann mit dem anderen Ende –, und man steigt die Leiter hinauf und in die Hauda hinein; dann steht er auf, erst mit dem einen, dann mit dem anderen Ende, gerade wie ein Schiff über eine Woge gleitet; und auch danach, wenn er mit ungeheuren Schritten umherschaukelt, gleicht seine Bewegung sehr der Bewegung eines Schiffes. Der Treiber bohrt ihm einen großen Eisenstachel in den Hinterkopf, und man staunt über diesen Wagemut und die Geduld des Elefanten, und man denkt, daß ihm die Geduld womöglich reißen werde; aber sie reißt nicht, und es passiert nichts. Der Treiber spricht immerzu leise auf den Elefanten ein, und der Elefant scheint alles zu verstehen und es gern zu hören, und er gehorcht jedem Befehl überaus zufrieden und fügsam. Unter diesen fünfundzwanzig Elefanten waren zwei, die größer waren als alle, die ich bisher gesehen hatte, und wenn ich geglaubt hätte, das Fürchten verlernen zu können, hätte ich einen von ihnen mitgenommen, wenn die Polizei gerade nicht hingeschaut hätte.

Im Haudahaus gab es viele Haudas aus Silber, eine aus Gold, eine aus al tem Elfenbein, und alle ausgestattet mit Kissen und Baldachinen aus reichen und kostbaren Stoffen. Die Ausstattung der Elefanten befand sich auch dort; ungeheure Samtdecken, steif und schwer von Goldstickerei; Glocken aus Silber und Gold; Seile aus diesen Metallen, um diese Sachen zu befestigen – das Zaumzeug, sozusagen; und riesengroße Ringe aus massivem Gold, die der Elefant an den Knöcheln trägt, wenn er in Staatsangelegenheiten in Prozession dahinschreitet.

Aber wir haben den Kronschatz nicht gesehen, und das war eine Enttäuschung, denn an Größe und Kostbarkeit steht er in ganz Indien nur an zweiter Stelle. Aus Versehen nahm man uns statt dessen mit, den neuen Palast zu besichtigen, und wir verbrauchten dort den letzten Rest unserer freien Zeit. Das war schade; denn der neue Palast stellt eine Mischung modernen amerikanischen und europäischen Stils dar und zeichnet sich durch nichts aus als Kostspieligkeit. Er ist Indien völlig wesensfremd, anstößig und fehl am Platze. Der Architekt konnte entweichen. Das kommt davon, daß man die Unterdrückung der Thags zu weit getrieben hat; sie hatten ihre Meriten. Der alte Palast ist orientalisch und bezaubernd und steht im Einklang mit dem Land. Der alte Palast wäre immer noch großartig, wenn es weiter nichts gäbe als den geräumigen und hohen Saal, wo die Galaempfänge abgehalten werden. Es ist für Vorträge wegen des Echos nicht der geeignete Ort, aber er ist gut geeignet, um hier Galaempfänge abzuhalten und die Geschäfte eines Königreiches zu leiten, und dafür ist er ja da. Wenn ich der Besitzer wäre, würde ich täglich einen Galaempfang geben statt nur ein- oder zweimal im Jahr.

Der Fürst ist ein gebildeter Herr. Seine Bildung ist europäisch. Er war fünfmal in Europa. Die Leute sagen, das sei für ihn ein kostspieliger Zeitvertreib, da er während der Seereise manchmal nicht umhin könne, Wasser aus Gefäßen zu trinken, die mehr oder weniger öffentlich sind, und dadurch seine Kaste verletze. Um sie wieder zu reinigen, muß er zu einigen berühmten Hindutempeln wallfahren und ihnen ein Vermögen spenden oder auch zwei. Sein Volk ist wie die anderen Hindus tief religiös, und es wäre nicht mit einem Herrn zufrieden, der unrein ist.

Wir hatten keine Gelegenheit, uns die Kronjuwelen anzusehen, aber wir sahen die Kanone aus Gold und die andere aus Silber – es schienen Sechspfünder zu sein. Sie waren nicht für das Kriegsgeschäft bestimmt, sondern für Salutschüsse bei seltenen und besonders wichtigen offiziellen Anlässen. Ein Vorfahr des gegenwärtigen Gaikwar hatte die silberne machen lassen und ein späterer Vorfahr die goldene, um ihn zu übertrumpfen.

Diese Art Artillerie paßt zu den Traditionen Barodas, das von jeher für Pomp und Gepränge berühmt war. Man pflegte hier zu Besuch weilende Radschas und Vizekönige mit Tigerkämpfen, Elefantenkämpfen, Illuminationen und Elefantenaufzügen der prächtigsten und üppigsten Art zu unterhalten.

Ein Zirkus ist eine farblose, armselige Angelegenheit dagegen.

Im Zuge genossen wir während eines Teiles unserer Rückfahrt von Baroda die Gesellschaft eines Herrn, der einen bemerkenswert aussehenden Hund bei sich hatte. Ich hatte vorher keinen seiner Art gesehen, soweit ich mich erinnern konnte; obwohl ich natürlich möglicherweise einen gesehen und nur nicht bemerkt hatte, denn ich bin mit Hunden nicht vertraut, sondern nur mit Katzen. Das Fell dieses Hundes war glatt, glänzend und schwarz, und ich glaube, es hatte an den Enden des Hundes und vielleicht auch an der Unterseite einen gelbbraunen Besatz. Es war ein langgestreckter, niedriger Hund, mit sehr kurzen, sonderbaren Beinen – Beinen, die sich nach innen durchbogen etwa wie umgekehrte Klammern)(. Wirklich, er war nach dem Muster einer Bank geschaffen, so lang war er, und so niedrig lag er über dem Boden. Er schien damit zufrieden zu sein, aber mir kam das Modell armselig und wenig stabil vor, besonders wegen der Entfernung zwischen den Stützen vorn und denen achtern. Mit zunehmendem Alter mußte der Rücken des Hundes wahrscheinlich immer mehr durchhängen; und mir schien, er wäre kräftiger und praktischer gewesen, wenn er einige Beine mehr besessen hätte. Der Rücken hatte noch nicht angefangen durchzuhängen, aber die Form der Beine bewies, daß das übermäßige Gewicht, das auf ihnen lastete, sich bereits auszuwirken begann. Er hatte eine lange Nase, Schlappohren und einen gottergebenen Gesichtsausdruck. Ich mochte nicht fragen, welcher Rasse der Hund angehöre oder wie es zu der Entstellung gekommen sei, denn es war deutlich, daß der Herr sehr an ihm hing, und er hätte ja seinethalben empfindlich sein können. Aus Zartgefühl hielt ich es für richtig, ihn nicht allzusehr anzustarren. Zweifellos empfindet ein Mann mit einem derartigen Hund gerade wie jemand, der ein mißratenes Kind hat. Der Herr hing nicht nur an seinem Hunde, er war sogar stolz auf ihn – wiederum gerade wie eine Mutter auf ihr Kind, wenn es beschränkt ist. Ich konnte erkennen, daß er stolz auf ihn war, obwohl der Hund so lang war und so gottergeben und fromm dreinschaute. Er war mit seinem Herrn in der ganzen Welt herumgekommen und Jahr um Jahr so mit ihm gewallfahrt. Er war 50 000 Meilen weit auf See und mit der Bahn gereist und hatte 8000 Meilen weit vor ihm auf dem Pferd gelegen. In Anerkennung seiner Reisen besaß er eine Silbermedaille der Geographischen Gesellschaft Großbritanniens, und ich habe sie gesehen. Er hatte auf Hundeausstellungen in Indien und in England Preise gewonnen – und ich sah auch diese.

Der Herr bemerkte, die Abstammung seines Hundes sei im Kennel Club registriert, und er sei sehr bekannt. Er fügte hinzu, eine ganze Anzahl von Leuten in London könnten ihn wiedererkennen, sobald sie ihn sähen. Ich sagte nichts dazu, aber mir schien das überhaupt nicht merkwürdig; ich selbst würde diesen Hund wiedererkennen, und ich achte doch nicht gerade besonders auf Hunde. Mein Nachbar sagte, wenn er in London spazierengehe, blieben oft Leute stehen und betrachteten den Hund. Natürlich sagte ich nichts dazu, denn ich wollte ihn nicht verletzen, aber ich hätte ihm erklären können, wenn man einen großen, langen, niedrigen Hund wie den da nehme und ihn irgendwo in der Welt die Straße langwackeln lasse und nichts dafür kassiere, blieben die Leute nun einmal stehen und schauten. Es beglückte ihn, daß der Hund Preise gewann. Aber das ist nichts Besonderes; wenn ich so gebaut wäre, würde ich auch Preise gewinnen. Ich hätte gern gewußt, welcher Rasse der Hund angehörte und wozu er taugte, aber ich konnte nicht gut fragen, denn das hätte offenbar werden lassen, daß ich es nicht wußte. Nicht, daß ich einen solchen Hund gern besäße, sondern nur, um hinter das Geheimnis seiner Geburt zu kommen.

Ich nehme an, daß er mit dem Hund auf Elefantenjagd gehen wollte, denn ich entnahm einigen Bemerkungen, die er fallen ließ, daß er in Indien und Afrika Großwild gejagt hatte und Gefallen daran fand. Aber ich glaube, wenn er versucht, mit dem Hund Elefanten zu jagen, wird er enttäuscht werden. Ich glaube nicht, daß der Hund für Elefanten geeignet ist. Es fehlt ihm an Energie, es fehlt ihm an Charakterstärke, es fehlt ihm an Verbissenheit. Das alles zeigt sich in der Sanftmut und Ergebenheit seines Ausdrucks. Er würde keinen Elefanten angreifen, da bin ich ganz sicher. Er würde vielleicht nicht ausreißen, wenn er einen ankommen sähe, aber er machte mir den Eindruck eines Hundes, der sich hinsetzen und beten würde.

Ich wünschte, er hätte mir gesagt, welche Rasse das war, wenn es noch mehr von seiner Art geben sollte; aber das nächste Mal erkenne ich den Hund wieder, und wenn ich mich dann dazu durchringen kann, werde ich das Zartgefühl beiseite lassen und fragen. Wenn ich ein auffälliges Interesse an Hunden zu haben scheine, so gibt es einen Grund dafür; denn ein Hund hat mich einmal aus einer peinlichen Situation errettet, und das hat mich diesen Tieren gegenüber dankbar gemacht; und wenn ich durch fleißiges Studium lernen könnte, ein paar Rassen auseinanderzuhalten, würde mich das sehr freuen. Ich kann bisher nur eine Rasse heraushalten, und das ist die Rasse, die mich damals gerettet hat. Ich erkenne diese Rasse immer wieder, wenn ich einem ihrer Vertreter begegne, und wenn er hungrig ist oder sich verlaufen hat, nehme ich mich seiner an. Die Sache geschah so:

Es war vor vielen, vielen Jahren. Ich hatte von Mr. Augustin Daly vom Fifth Avenue Theatre einen Brief bekommen, in dem er mich aufforderte, ihn zu besuchen, sobald ich wieder in New York wäre. Ich schrieb damals Schauspiele, und er schätzte sie und versuchte, mir dazu zu verhelfen, daß sie in Sibirien aufgeführt würden. Ich nahm den ersten Zug – den Frühzug, der in Hartford um 8.29 Uhr morgens abfährt. In New Haven kaufte ich eine Zeitung und fand sie voll schreiender Schlagzeilen über eine dort stattfindende „Bench-show". Ich hatte oft von solchen „Bench-shows" gehört, hatte mich aber nie dafür interessiert, weil ich annahm, das wären nicht besonders gut besuchte Vortragsveranstaltungen. Jetzt stellte es sich heraus, daß es nicht so etwas war, sondern eine Hundeausstellung. Es stand da ein zweispaltiger Artikel über das Prunkstück dieser Ausstellung, das Bernhardiner genannt wurde und 10 000 Dollar wert war und als das größte und schönste Exemplar seiner Rasse in der ganzen Welt galt. Ich las das alles mit Anteilnahme, denn von der Lektüre meiner Schulzeit her erinnerte ich mich undeutlich, daß die Priester und Pilger von St. Bernhard immer in den Sturm hinauszogen und diese Hunde aus den Schneewehen ausgruben, wenn sich diese verirrt hatten und erschöpft waren, daß sie ihnen Branntwein einflößten und ihnen das Leben retteten, sie in das Kloster schleiften und mit Haferschleim wieder zu Kräften brachten.

In der Zeitung fand sich auch ein Bild dieses Preishundes, ein edles, großes Tier mit wohlwollender Miene, das neben einem Tisch stand. Er war so aufgebaut, damit man sich einen rechten Begriff von seinen gewaltigen Proportionen machen konnte. Man sah, daß er gerade eine Idee höher war als der Tisch – wirklich, für einen Hund ein gewaltiger Brocken. Dann stand da noch eine Beschreibung, die Näheres mitteilte. Sie gab sein enormes Gewicht

an – 150 1/2 Pfund, seine Länge 4 Fuß 2 Zoll vom Vorder- bis zum Achter-
steven und seine Höhe 3 Fuß 1 Zoll bis zum höchsten Punkt seines Rückens.
Die Bilder und die Zahlen beeindruckten mich so, daß ich den schönen Koloß vor mir sehen konnte, und die nächsten zwei Stunden lang dachte ich immerzu an ihn; dann kam ich in New York an und verlor ihn aus dem Sinn.

Im Wirbel und Gewühl der Hotelhalle lief mir Mr. Dalys Komiker, der
verstorbene James Lewis verehrten Angedenkens, über den Weg, und ich erwähnte beiläufig, daß ich Mr. Daly abends um acht Uhr aufsuchen wolle. Er
machte ein überraschtes Gesicht und sagte, das glaube er nicht. Zur Antwort
zeigte ich ihm Mr. Dalys Brief. Sein wesentlicher Inhalt war: „Kommen Sie
in meine private Kammer über dem Theater, wo man uns nicht stören kann.
Und kommen Sie durch die Hintertür, nicht von vorn. Sechste Avenue
Nr. 642 ist ein Zigarrenladen; gehen Sie da hindurch, und Sie befinden sich
in einem gepflasterten Hof, der rings von hohen Gebäuden umgeben ist;
nehmen Sie die zweite Tür links und kommen Sie herauf."

„Ist das alles?"

„Ja", sagte ich.

„Na, da kommen Sie nie hinein."

„Warum?"

„Weil Sie eben nie hineinkommen. Oder wenn es Ihnen doch gelingt, können Sie hundert Dollar von mir haben; denn Sie wären der erste Mensch, der
das in den letzten fünfundzwanzig Jahren geschafft hätte. Ich kann mir nicht
denken, wie Mr. Daly so zerstreut sein konnte. Er hat eine höchst wichtige
Einzelheit vergessen, und er wird sich morgen früh ärgern, wenn er merkt,
daß Sie versucht haben hineinzukommen und nicht hinein konnten."

„Nanu, was ist los dort?"

„Ich werde es Ihnen sagen. Wissen Sie…"

An dieser Stelle wurden wir von der Menge auseinandergerissen, jemand
hielt mich mit einem kurzen Gespräch auf, und wir kamen nicht mehr zusammen. Aber das machte nichts; ich dachte ohnehin, er mache sich nur einen Spaß.

Um acht Uhr abends schritt ich durch den Zigarrenladen in den Hof und
klopfte an der zweiten Tür.

„Herein!"

Ich trat ein. Es war ein kleines Zimmer, ohne Teppich, staubig, mit einem
kahlen Tisch aus Kiefernholz und zwei billigen Holzstühlen eingerichtet. Ein
riesenhafter Ire stand da, mit offenem Hemdkragen und offener Weste ohne
Rock. Ich legte meinen Hut auf den Tisch und wollte gerade etwas fragen,
als der Ire selbst anfing. Und nicht gerade in höflichem Tone:

„Na, Sir, was wolln *Sie* denn hier?"

Ich geriet ein bißchen aus der Fassung, und mein schönes Selbstvertrauen
schrumpfte zusammen. Der Mann stand so bewegungslos wie Gibraltar und
hielt den Blick starr auf mich geheftet. Es war ausgesprochen scheußlich, es
war ausgesprochen demütigend. Ich setzte ein-, zweimal an zu stammeln,
dann: „Ich bin gerade aus…"

„Wenn's recht is, hier rauchense nich, verstehnse."

Ich legte meine Zigarre auf das Fensterbrett; jagte einen Augenblick hinter meinen flüchtigen Gedanken her, dann sagte ich in besänftigendem Ton:

„Ich – ich bin gekommen, um Mr. Daly zu besuchen."

„So, ach nee."

„Ja."

„Na, Sie werdn ihn nich zu sehn kriegen."

„Aber er hat mich *gebeten* zu kommen."

„So, ach nee."

„Ja, er hat mir diesen Brief geschrieben, und…"

„Zeigense mal."

Einen Augenblick lang bildete ich mir ein, jetzt würde sich die Atmosphäre sogleich verändern, aber dieser Gedanke war verfrüht. Der große Mann prüfte den Brief eingehend unter der Gaslampe. Ein Blick verriet mir, daß er ihn verkehrt herum hielt – ein entmutigender Beweis dafür, daß er nicht lesen konnte.

„Is das seine eigne Schrift?"

„Ja, er hat es selbst geschrieben."

„Ach nee."

„Ja."

„Hm. Na, wieso hat er's dann so geschrieben?"

„Wie?"

„Ich meine, warum hat er sein Namen nich draufgesetzt?"

„Sein Name *steht* darauf. *Das* ist er nicht – Sie schauen da auf *meinen* Namen."

Ich dachte, das wäre ein Volltreffer, aber er gab nicht zu erkennen, daß er getroffen war.

Er sagte: „Is nich leicht zu buchstabieren; wie spricht sich das?"

„Mark Twain."

„Hm. Hm. Mike Train, hm. Ich kann mich nich an den Namen erinnern. Was wollnse von ihm?"

„Nicht ich will etwas von *ihm*, er will etwas von *mir*."

„So, ach nee."

„Ja."

„Was will er von Ihn'?"

„Ich weiß es nicht."

„Sie *wissen's* nich! Und geben's auch noch zu, Herrgott noch mal! Na, das eine kann ich Ihn' sagen – Sie werdn ihn nich zu sehn kriegen. Sind Sie aus der Branche?"

„Was für einer Branche?"

„Theaterbranche."

Eine verhängnisvolle Frage. Ich erkannte, daß ich besiegt war. Wenn ich verneinte, würde er kurz abbrechen und mich zur Tür weisen, ohne mich eines Wortes zu würdigen – ich sah es an seinem unnachgiebigen Blick; wenn ich sagte, ich sei Vortragskünstler, würde er mich verächtlich behandeln und mit Schmähreden fortschicken; wenn ich sagte, ich sei Dramatiker, würde er mich aus dem Fenster werfen. Ich sah ein, daß mein Fall hoffnungslos war, deshalb wählte ich den Weg, der mir am wenigsten demütigend erschien: ich wollte meine Beschämung verbergen und ohne Antwort hinausgleiten. Die Pause zog sich hin.

„Ich frag Sie wieder. Sind Sie selbst aus der Branche?"

„Ja!"

Ich sprach das mit glänzendem Selbstvertrauen; denn in jenem Augenblick strolchte buchstäblich der Zwilling jenes großartigen Hundes aus New Haven in das Zimmer, und ich sah in des Iren Auge Stolz und Liebe aufleuchten.

„So? Und was machense?"

„Ich habe eine Hundeausstellung in New Haven."

Das allerdings brachte einen Wetterumsturz.

„Was Sie nich sagen, Sir! Und das is *Ihre* Ausstellung, Sir! Oh, es is eine großartige Ausstellung, eine wundervolle Ausstellung, Sir, und ich bin sehr stolz, Euer Gnaden heute zu sehn. Und Sie sind doch Kenner, Sir, und wissen alles über Hunde – mehr, als Sie jemals von sich selbst wissen, darauf möcht ich schwören."

Ich sagte bescheiden: „Ich glaube, ich habe in dieser Richtung einen gewissen Ruf. Immerhin, mein Geschäft verlangt das."

„Sie haben einen *gewissen* Ruf, Euer Gnaden! Verdammt, das glaube ich! Es gibt keinen Herrn auf der Welt, der Sie in der Beurteilung von 'nem Hund über is, Sir. Na, ich möchte sagen, daß Euer Gnaden die Maße von dem Hund da besser kennen als der selber, und bloß dadurch, daß Sie Ihr erfahrenes Auge auf ihn werfen. Würde es Sie was ausmachen, eine Schätzung abzugeben, wenn Sie und Sie wolln so gut sein?"

Ich wußte, daß von meiner Antwort mein Schicksal abhängen würde. Wenn ich diesen Hund größer als den Siegerhund machte, wäre das schlechte Diplomatie und verdächtig, wenn ich zu weit unter dem Siegerhund bliebe, wäre das ebenso schädlich. Der Hund stand neben dem Tisch, und ich glaubte, ich überblickte bis aufs Tüpfelchen den Unterschied zwischen ihm und dem, dessen Bild ich in der Zeitung gesehen hatte.

Ich nahm prompt das Wort und sagte: „Es macht keine Mühe, die Maße dieses edlen Tieres zu schätzen. Höhe 3 Fuß; Länge 4 Fuß 3/4 Zoll; Gewicht 148 1/4."

Der Mann riß seinen Hut vom Haken, trampelte vor Freude auf ihm herum und rief dabei: „Sie haben kaum um ein Haar danebengetroffen, kaum die Idee einer Idee, Euer Gnaden! Oh, ein wunderbares Auge habense für die Beurteil-ig-ung von 'nem Hund!"

Und während er noch immer vor Bewunderung über meine Fähigkeiten überströmte, riß er sich seine Weste herunter und wischte einen der Holzstühle damit ab und schrubbte und polierte ihn, dann sagte er: „Da, setzense sich, Euer Gnaden, ich schäme mich, daß ich vergessen habe, daß Sie die ganze Zeit standen; und setzense den Hut auf, Sie dürfen sich nich erkälten, es zieht hier; und hier is Ihre Zigarre, Sir, sie is aus, ich geb Sie Feuer. So. Das is Ihr Zimmer, Sir, und wenn Sie bitte de Füße aufn Tisch legen und es sich gemütlich machen wolln, ich will nur mal eben 'ne Kerze auftreiben und Sie die alten wackligen Treppen raufhelfen und aufpassen, daß Sie nichts passiert, denn nu wird Mr. Daly schon so ungeduldig sein, Euer Gnaden zu sehn, daß er das Dach abhebt."

Er geleitete mich vorsichtig und behutsam die Treppen hinauf, leuchtete mir und umhegte mich mit freundlichsten Warnungen, stieß dann die Tür auf, ließ mich mit einer Verbeugung hinein und ging seiner Wege, wobei er tiefempfundene Dinge über meinen wunderbaren Blick für die Merkmale eines Hundes vor sich hin murmelte. Mr. Daly schrieb und saß mit dem Rükken zu mir gewandt. Bald blickte er über seine Schulter, sprang auf und sagte:

„Oje, ich hatte ganz vergessen, Ihnen ein paar Hinweise zu geben. Ich war gerade dabei, Ihnen zu schreiben und Sie tausendmal um Entschuldigung zu bitten. Aber wie kommt es, daß Sie da sind? Wie sind Sie an diesem Iren vorbeigekommen? Sie sind der erste Mensch seit fünfundzwanzig Jahren, der das geschafft hat. Sie haben ihn nicht bestochen, das weiß ich; in ganz New York gibt es nicht genug Geld, um das fertigzubringen. Und Sie haben ihn nicht überredet; er besteht ganz aus Eis und Stahl. Es gibt an ihm nicht eine warmempfindende und empfängliche Stelle. Was ist Ihr Geheimnis? Hören Sie, Sie schulden mir hundert Dollar, weil ich Ihnen ungewollt eine Gelegenheit gegeben habe, ein Wunder zu vollbringen. Denn es ist wirklich ein Wunder, was Sie da geschafft haben."

„Ist schon gut", sagte ich, „kassieren Sie es bei Jimmy Lewis ein."

Jener gute Hund hat mir nicht nur in der Stunde meiner Not diesen guten Dienst geleistet, sondern darüber hinaus verschaffte er mir unter allen Theaterleuten vom Atlantik bis zum Pazifik den neiderfüllten Ruf, der einzige Mensch in der Geschichte zu sein, der jemals die Blockade vor Augustin Dalys Hintertür durchbrochen hat.

46. KAPITEL

> Wenn der Wunsch zu töten und die Gelegenheit zu töten immer zusammenträfen, wer würde dem Henker entrinnen?
>
> *Querkopf Wilsons Neuer Kalender*

Im Zug. Vor fünfzig Jahren, als ich noch ein Junge in dem damals abgelegenen und dünn bevölkerten Mississippital war, drangen immer wieder unbestimmte Berichte und Gerüchte über eine geheimnisvolle Organisation von Berufsmördern bis zu uns, und zwar aus einem Lande, das praktisch gesehen so weit von uns entfernt lag wie die Sternbilder, die im Weltraum über uns blinkten – aus Indien; unbestimmte Berichte und Gerüchte über eine Sekte, die sogenannten Thags, die Reisenden an einsamem Orte auflauerten und sie zur Befriedigung eines von ihnen verehrten Gottes töteten; Berichte, denen jeder gern lauschte und denen niemand Glauben schenkte – außer mit Vorbehalten. Man nahm an, daß die Geschichten sich unterwegs aufgebauscht hätten. Die ganze Angelegenheit versank in Schlaf, es folgte eine Pause. Dann erschien Eugène Sues „Ewiger Jude" und fand eine Zeitlang starkes Echo. Eine Gestalt darin war ein Thaganführer – Feringhea –, ein geheimnisvoller und furchtbarer Inder, aalglatt und listig wie eine Schlange und auch so todbringend wie sie; und er rührte das Interesse an den Thags wieder auf. Aber es hielt nicht vor. Bald erstarb es wieder – und diesmal blieb es tot.

Auf den ersten Blick erscheint es merkwürdig, daß das geschehen konnte;

aber in Wirklichkeit ist das nicht merkwürdig – im Gegenteil, es war natürlich; ich meine, auf unserer Seite des Wassers. Denn die Quelle, aus der die Thaggeschichten hauptsächlich flossen, war ein amtlicher Bericht, und zweifellos ist er in Amerika nicht nachgedruckt worden; wahrscheinlich hat man ihn da überhaupt nicht zu Gesicht bekommen. Amtliche Berichte sind nicht allgemein in Umlauf. Sie werden an wenige verteilt und von diesen wenigen nicht immer gelesen. Ich habe vor einem oder zwei Tagen zum erstenmal von diesem Bericht gehört und ihn mir ausgeliehen. Er ist voller Zauber, und er verwandelt jene verschwommenen, geheimnisvollen Märchen meiner Kindertage in Wirklichkeiten.

Der Bericht wurde im Jahre 1839 von Major Sleeman vom britischen Heer in Indien verfaßt und 1840 in Kalkutta gedruckt. Es ist ein plumpes, großes, dickes, recht schlechtes Exemplar der Buchdruckerkunst, aber womöglich noch recht gut für eine Regierungsdruckerei in jener alten Zeit und jener entlegenen Gegend. Major Sleeman war die Leitung des gigantischen Vorhabens übertragen worden, Indien vom Thagunwesen zu befreien, und er und seine siebzehn Mitarbeiter schafften es. Es war eine Neuauflage des Augiasstalls. Kapitän Vallancey, der damals in einer Madraser Zeitung schrieb, macht folgende Bemerkung:

„Der Tag, da dieses weitverbreitete Übel in Indien ausgerottet und nur noch dem Namen nach bekannt sein wird, dürfte in großem Maße dazu beitragen, die britische Herrschaft im Osten unsterblich zu machen."

Er hat die Größe und Schwierigkeit des Unternehmens nicht überschätzt, auch nicht die unermeßliche Anerkennung, die man der britischen Herrschaft gerechterweise zollen mußte, falls das Vorhaben verwirklicht werden sollte.

Das Thagunwesen wurde den britischen Behörden in Indien um das Jahr 1810 bekannt, aber man ahnte nichts von seiner weiten Verbreitung, man betrachtete es nicht als ernste Angelegenheit, und erst 1830 wurden systematisch Maßnahmen zu seiner Unterdrückung ergriffen. Etwa um diese Zeit nahm Major Sleeman dem Thaganführer Eugène Sues, Feringhea, gefangen und brachte ihn dazu, sein Kronzeuge zu werden. Die Enthüllungen waren so überwältigend, daß Sleeman nicht imstande war, ihnen Glauben zu schenken. Sleeman hatte gedacht, er kenne jeden Verbrecher in seinem Amtsbereich, und die schlimmsten von ihnen wären bloß Diebe; aber Feringhea berichtete ihm, daß er in Wirklichkeit inmitten eines Aufgebotes berufsmäßiger Mörder lebe; daß sie sich seit vielen Jahren überall in seiner Umgebung aufhielten, daß sie ihre Toten in seiner Nähe begrüben. Das schienen unsinnige Angaben zu sein; aber Feringhea forderte ihn auf, mitzukommen und sich zu überzeugen – und er führte ihn zu einem Grab, grub hundert Leichen aus und berichtete ihm im einzelnen über die Umstände der Tötung und benannte die Thags, die das getan hatten. Es war eine schwindelerregende Angelegenheit. Sleeman fing einige dieser Thags und ging daran, sie getrennt und mit geeigneten Vorkehrungen gegen heimliches Zusammenspiel zu verhören, denn er pflegte den Worten eines Inders ohne Beweise nicht zu vertrauen. Das angesammelte Beweismaterial bestätigte die Wahrheit dessen, was Feringhea gesagt hatte, und enthüllte auch die Tatsache, daß in ganz Indien Thagbanden ihr Geschäft betrieben. Die verblüffte Regierung nahm sich nun das Thagwesen aufs Korn, führte zehn Jahre lang einen systematischen und unerbittlichen Kampf dagegen und rottete es schließlich aus. Bande auf Bande wurde gefangengesetzt, vor Gericht gestellt und bestraft. Die Thags wurden von einem Ende Indiens zum anderen gejagt und gehetzt. Die Regierung entriß ihnen alle ihre Geheimnisse, erfuhr auch die Namen der Bandenmitglieder und verzeichnete sie samt Geburts- und Wohnorten in einem Buch.

Die Thags beteten Bhavani an, und dieser Gottheit opferten sie jeden, der ihnen bequem über den Weg lief; aber die Sachen des Toten behielten sie selbst, denn die Göttin machte sich nur etwas aus der Leiche. Neue Mitglieder wurden unter feierlichen Zeremonien in die Sekte aufgenommen. Dann lehrte man sie, wie man jemanden mit dem heiligen Würgetuch erdrosselte, aber erst nach langer Übung durften sie offiziell damit arbeiten. Ein halbausgebildeter Würger konnte einen Menschen nicht schnell genug erdrosseln, um zu verhindern, daß er einen Laut von sich gab – einen unterdrückten Schrei, ein Gurgeln, Keuchen, Stöhnen oder etwas dieser Art; aber die Arbeit des Erfahrenen war ein Werk des Augenblicks: Das Tuch wurde dem Opfer um den Hals geschlungen, es gab einen plötzlichen Ruck, und der Kopf fiel lautlos nach vorn, während die Augen aus den Höhlen traten; alles war vorbei. Der Thag schützte sich sorgfältig vor Widerstand. Es war üblich, die Opfer zum Niedersetzen zu veranlassen, denn das war die bequemste Stellung für das Geschäft.

Wenn der Thag selbst Indien entworfen hätte, hätte es nicht zweckmäßiger für die Bedürfnisse seines Berufes eingerichtet sein können. Es gab keine öffentlichen Verkehrsmittel. Man konnte keine Verkehrsmittel mieten. Der Reisende ging zu Fuß, fuhr in einem Ochsenwagen oder ritt auf einem Pferd, das er für diesen Zweck gekauft hatte. Sobald er sein eigenes kleines Gemeinwesen oder Fürstentum verlassen hatte, befand er sich unter Fremden; niemand kannte ihn, niemand beachtete ihn, und von dieser Zeit an ließen sich seine Wege nicht mehr verfolgen. Er machte nicht in Städten oder Dörfern halt, sondern schlug sein Lager außerhalb auf und schickte seine Diener zum Kauf von Vorräten in die Ortschaften. Zwischen den Dörfern gab es keine Wohnstätten. Wenn er sich zwischen den Dörfern befand, war er eine leichte Beute, zumal er gewöhnlich nachts reiste, um die Hitze zu meiden. Er wurde immerzu von Fremden überholt, die ihm den Schutz ihrer Gesellschaft anboten oder um den Schutz der seinen baten – und diese Fremden waren oft Thags, wie er bald zu seinem Schaden entdeckte. Die Grundbesitzer, die einheimische Polizei, die kleinen Fürsten, die Dorfobrigkeiten, die Zollbeamten deckten in vielen Fällen die Thags, gewährten ihnen Unterschlupf, und um einen Anteil der Beute verrieten sie ihnen die Reisenden. Zuerst machte es dieser Stand der Dinge der Regierung so gut wie unmöglich, die Räuber zu fassen; wachsame Freunde ließen sie auf geisterhafte Weise verschwinden. Überall in diesem riesigen Kontinent, der auf solche Art heimgesucht war, zogen hilflose Menschen jeder Kaste und Art paarweise und in Gruppen still bei Nacht ihres Wegs, und sie führten bei sich, was den Handel des Landes verkörperte: Schätze, Juwelen, Geld und kleine Posten Seide, Gewürze und Waren aller Art. Es war ein Paradies für den Thag.

Wenn der Herbst einsetzte, begannen sich die Thags nach vorheriger Verabredung zu sammeln. Andere Leute hätten an jeder Wegecke einen neuen Dolmetscher benötigt, aber nicht die Thags; *sie* konnten miteinander sprechen, gleichgültig, wie weit voneinander entfernt sie geboren waren, denn sie besaßen ihre eigene Sprache, und sie hatten geheime Zeichen, an denen sie einander als Thags erkannten, und sie waren untereinander immer Freunde. Selbst Unterschiede nach Religion und Kaste wurden unter der Hingabe an den Beruf begraben, und der Moslem wie der Hindu hoher oder niederer Kaste waren einander herzlich wohlgesinnte und zuverlässige Bundesgenossen.

Wenn eine Bande sich versammelt hatte, hielt sie eine Andacht ab und wartete auf ein Omen. Sie hatten festumrissene Vorstellungen über Vorzeichen. Die Schreie gewisser Tiere waren gute Vorzeichen, die Schreie gewisser anderer schlechte. Ein schlechtes Vorzeichen machte dem Vorhaben ein Ende und ließ die Männer nach Hause zurückkehren.

Das Schwert und das Würgetuch waren geheiligte Embleme. Die Thags beteten zu Hause das Schwert an, bevor sie sich zum Versammlungsplatz begaben; das Würgetuch wurde am Sammelort angebetet. Die Anführer der meisten Banden vollzogen die religiösen Zeremonien selbst; aber die Kaets übertrugen sie bestimmten, feierlich damit betrauten Würgern (Tschaurs). Die Riten der Kaets waren so heilig, daß niemand als der Tschaur die Gefäße und andere dabei verwendete Gegenstände berühren durfte.

Die Methoden der Thags stellten eine merkwürdige Mischung aus Vorsicht und Unvorsichtigkeit dar; kalte, geschäftsmäßige Berechnung und plötzlicher Impuls ohne jede Überlegung; aber zwei Merkmale gab es, die unveränderlich blieben und nicht Launen unterworfen waren: geduldige Beharrlichkeit in der Verfolgung des Opfers und Unbarmherzigkeit, wenn die Zeit zum Handeln heran war.

Vorsicht bewiesen sie hinsichtlich der Größe der Banden. Sie fühlten sich niemals wohl und zuversichtlich, wenn sie an Mannschaftsstärke nicht jede Reisegesellschaft, der sie begegnen mochten, um das Vier- oder Fünffache übertrafen. Und doch war es niemals ihre Absicht, offen anzugreifen, sondern es nur zu tun, wenn die Opfer nicht auf der Hut waren. Wenn sie eine Gruppe von Reisenden aufs Korn nahmen, zogen sie oft mehrere Tage lang in ihrer Gesellschaft dahin und wandten allerlei Listen an, um ihre Freundschaft und ihr Zutrauen zu gewinnen. Wenn das endlich zur Zufriedenheit gelungen war, begann das eigentliche Geschäft. Ein paar Thags wurden heimlich abgeordnet und in der Dunkelheit vorausgeschickt, um einen geeigneten Ort für die Tötung auszuwählen und *die Gräber auszuheben*. Wenn die übrigen den Ort erreichten, machte man halt, um zu rasten oder zu rauchen. Die Reisenden wurden ermuntert, sich zu setzen. Durch Zeichen bestimmte der Anführer einige Thags dazu, sich vor die Reisenden zu setzen, als wollten sie diese bedienen, andere mußten sich neben sie setzen und sie in Gespräche verwickeln, und gewisse erfahrene Würger hatten sich hinter die Reisenden zu stellen und sich für den Augenblick bereit zu halten, da das Zeichen käme. Das Zeichen war gewöhnlich irgendeine alltägliche Bemerkung wie „Bringt den Tabak". Manchmal verstrich noch eine ganze Weile, wenn schon alle Täter auf ihren Plätzen waren – der Anführer ließ sich Zeit, um sicherzugehen. Inzwischen summte die Unterhaltung weiter, undeutliche Gestalten huschten im ungewissen Licht umher, es herrschte friedvolle Stille, und die Reisenden gaben sich der angenehmen Entspannung und Behaglichkeit hin und ahnten nichts von den Todesengeln, die reglos hinter ihrem Rücken standen. Nun war die Zeit reif, und das Zeichen kam: „Bringt den Tabak!" Eine stumme, schnelle Bewegung, in ein und demselben Augenblick packten die Männer zu seiten des Opfers dessen Arme, ergriff der Mann vor ihm die Beine und zog daran, schlang ihm der Mann hinter ihm das Tuch um den Hals, es gab einen Ruck − der Kopf sank vornüber, die Tragödie war vorbei. Man zog die Leichen aus und verscharrte sie in den Gräbern, schnürte die Beute zur Beförderung zusammen, dann zollten die Thags der Bhavani frommen Dank und machten sich auf den Weg zu neuen frommen Werken.

Der Bericht zeigt, daß sich die Reisenden in sehr kleinen Gruppen bewegten − zu zweien, dreien, vieren in der Regel; eine Gruppe von einem Dutzend war selten. Die Thags selbst scheinen die einzigen Leute gewesen zu sein, die in großen Gruppen dahinzogen. Sie reisten in Banden von 10, 15, 25, 40, 60, 100, 150, 200, 250, und einmal wird eine Bande von 310 Mann erwähnt. Wenn man ihre Anzahl bedenkt, war ihre Beute nicht außergewöhnlich − besonders, wenn man berücksichtigt, daß sie keineswegs wählerisch waren, sondern jeden nahmen, den sie kriegen konnten, ob reich oder arm, und manchmal sogar Kinder töteten. Hin und wieder brachten sie Frauen um, aber das sahen sie als Sünde an und als unheilbringend. Die „Saison" dauerte sechs oder acht Monate. In einer Saison belief sich das halbe Dutzend Bandelkand- und Gwalior-Banden auf 712 Männer, und sie ermordeten 210 Menschen. In einer Saison beliefen sich die Malwa- und Kandeish-Banden auf 702 Männer, und sie ermordeten 232 Menschen. In einer Saison beliefen sich die Kandeish- und Berar-Banden auf 963 Männer, und sie ermordeten 385 Menschen.

Es folgt das Sündenregister einer Bande von *60* Thags für eine ganze Saison − einer Bande unter zwei berüchtigten Anführern, Tschoti und Scheich Nangu aus Gwalior:

„Aufbruch von Pura in Jansi, brachten bei der Ankunft in Serora einen Reisenden um.

Begegneten kurz vor Bhopal 3 Brahmanen und brachten sie um.

Überquerten den Nerbudda; brachten bei einem Dorf Hattia einen Hindu um.

Durch Aurungabad nach Walagau; trafen dort auf einen Havildar der Barbierkaste und 5 Sepoys (einheimische Soldaten); kamen am Abend nach Jokur und töteten sie am Morgen nahe bei der Stelle, wo die Schatzgräber im vorigen Jahr umgebracht wurden.

Begegneten zwischen Jokur und Dolia einem Sepoy der Schäferkaste; töteten ihn im Dschungel.

Passierten Dolia und machten in einem Dorf Quartier; trafen zwei Meilen dahinter auf der Straße nach Indur einen Bairagi (Bettler − Bettelmönch); töteten ihn an der Thapa.

Begegneten am Morgen jenseits der Thapa drei Marwari-Reisenden, töteten sie.

Trafen bei einem Dorf am Ufer des Tapti 4 Reisende und brachten sie um.

Begegneten zwischen Tschupra und Doria einem Marwari; töteten ihn.

In Doria 3 Marwaris begegnet; nahmen sie zwei Meilen weit mit und brachten sie um.

Wurden zwei Meilen weiter von 3 Schatzgräbern überholt; nahmen sie zwei Meilen weit mit und brachten sie im Dschungel um.

Ankunft in Kurgur Batisa in Indur, teilten die Beute und zerstreuten uns. Bei einer Expedition insgesamt 27 Mann ermordet."

Tschoti plauderte aus (um seinen Hals zu retten) und gab diese Tatsachen an. Verschiedenes ist an seiner Zusammenstellung bemerkenswert: 1. die geschäftsmäßige Knappheit; 2. die Gefühllosigkeit; 3. die Kleinheit der Gruppen, denen die Sechzig begegneten; 4. die Mannigfaltigkeit des erlegten Wildes nach Art und Qualität; 5. die Zusammenarbeit von Hindu- und Moslem-Anführern im Dienste Bhavanis; 6. die geheiligte Kaste der Brahmanen wird von beiden Seiten nicht respektiert; 7. auch nicht der besondere Stand jenes Bettelmönches, des Bairagi.

Ein Bettler ist ein heiliges Wesen, und einige Banden verschonten ihn aus diesem Grunde, gleichgültig, wie flau das Geschäft gehen mochte; aber andere Banden ermordeten nicht nur solche, sondern sogar das heiligste aller heiligen Wesen, den Fakir – jenes abstoßende Gestell aus Haut und Knochen, das nackt herumläuft, sein buschiges Haar mit Staub und Schmutz verfilzen läßt und seinen dürren Leib so mit Asche überstäubt, daß er wie ein Gespenst aussieht. Manchmal vertraute ein Fakir eine Idee zu sehr auf den Schutz seiner Heiligkeit. Inmitten eines der Sündenregister Feringheas, der mit vierzig Thags unterwegs gewesen war, finde ich einen solchen Fall. Nachdem schon 39 Männer und eine Frau getötet waren, betrat der Fakir die Bildfläche:

„Begegneten kurz vor Doregau 3 Pandits; auch einem Fakir auf einem Pony; er war mit Zucker bepflastert, um die Fliegen anzulocken, und war von ihnen über und über bedeckt. Jagten den Fakir davon und töteten die drei anderen.

Hinter Doregau schloß sich der Fakir wieder an und zog mit uns nach Raojana; trafen 6 Khutries, die von Bombay nach Nagpur unterwegs waren. Vertrieben den Fakir mit Steinen und brachten die 6 Mann im Lager um und begruben sie im Wäldchen.

Am nächsten Tag schloß sich der Fakir wieder an; schickten ihn in Mana fort. Schlossen uns dann mit 2 Kahars und 1 Sepoy zusammen und strebten dem Ort zu, der für den Mord ausgewählt war. Als wir nahe daran waren, kam der Fakir wieder. Verloren alle Geduld mit ihm und gaben Mithu, einem aus der Bande, 5 Rupien (2,50 Dollar), daß er ihn umbringe und die Sünde auf sich nehme. Alle vier wurden erdrosselt, einschließlich des Fakirs. War überrascht, unter dem Besitz des Fakirs 30 Pfund Korallen, 350 Schnüre aus kleinen Perlen, 15 Schnüre aus großen Perlen und ein vergoldetes Halsband zu finden."

Merkwürdig, wie wenig sich die Zeit auf einen wirklich interessanten Vorgang auswirkt. Dieser hier, so alt er ist und wie lange Zeit er schon in der Vergessenheit ruht, liest sich genauso lebendig, fesselnd wie die Nachrichten in der Morgenzeitung; die eigene Stimmung steigt, fällt, steigt wieder, ganz wie die Chancen für den Fakir gerade stehen; jetzt hofft man, jetzt zweifelt man, jetzt hofft man wieder; und schließlich geht alles gut aus, und man spürt, wie eine ungeheure Welle der Befriedigung den eigenen Leib durchströmt, und man streckt unwillkürlich die Hand aus, um Mithu auf die Schulter zu klopfen, da – pff! ist das Ganze verschwunden, nichts bleibt zurück; Mithu und die ganze Schar sind schon seit so vielen, *vielen* langen Jahren Staub und Asche und vergessen! Und dann folgt ein Gefühl der Kränkung: man weiß nicht, ob Mithu zusammen mit der Sünde auch die Beute bekommen hat oder die Beute teilen und die ganze Sünde für sich behalten mußte. Ein amtlicher Bericht verfügt einfach über kein literarisches Geschick. Er läßt eine Geschichte gerade an der interessantesten Stelle abbrechen.

Diese Berichte über Streifzüge der Thags laufen ab wie die unaufhörliche Wiederholung einer monotonen Melodie: „Begegneten einem Sepoy – töteten ihn; begegneten 5 Pandits – töteten sie; begegneten 4 Radschputs und einer Frau – töteten sie" – und so weiter, bis die Statistik allmählich ziemlich trocken wird. Aber dieser kleine Ausflug der 40 Mann Feringheas brachte eine gewisse Abwechslung. Einmal stießen sie auf einen Mann, der sich in einem *Grab* verbarg – einen Dieb; er hatte Danroy Seith von Parauti 1100 Rupien gestohlen. Sie erdrosselten ihn und nahmen das Geld an sich. Für Diebe hatten sie kein Verständnis. Sie brachten zwei Schatzgräber um und erbeuteten 4000 Rupien. Sie stießen auf zwei Ochsen, „beladen mit Kupfermünzen", töteten die vier Treiber und nahmen das Geld an sich. Es muß eine halbe Tonne gewesen sein. Ich glaube, eine doppelte Handvoll Kupfermünzen ergeben eine Anna, und sechzehn Anna ergeben eine Rupie; und selbst damals war eine Rupie nur einen halben Dollar wert. Als sie auf demselben Weg von Baroda zurückkehrten, erlebten sie einen weiteren phantastischen Glückstreffer: „Die Lohars von Udaipur" übergaben einen Reisenden ihrer Obhut, „sicherheitshalber". Oje, oje, über den schwindelnd tiefen Abgrund der Zeit hinweg sehen wir noch heute Feringheas Lippen seine Zähne freigeben und fangen durch den Dunstschleier das kurze Aufleuchten seines strahlenden Lächelns auf. Er nahm die Verantwortung an, der gute Mensch; und so wissen wir, was aus dem Reisenden wurde. Selbst Radschas schreckten Feringhea nicht; er stieß auf einen Elefantentreiber, der dem Radscha von Udaipur zugehörte, und erdrosselte ihn prompt.

„Insgesamt 100 Männer und 5 Frauen auf dieser Expedition ermordet."

In den Berichten über die Raubzüge der Thags finden wir Opfer jedes Ranges und Standes erwähnt:

Einheimische Soldaten	Ladenbesitzer
Fakire	Sänftenträger
Bettelmönche	Bauern
Träger Heiligen Wassers	Ochsentreiber
Tischler	Männliche Dienstboten
Krämer	Auf Arbeitssuche
Schneider	Weibliche Dienstboten
Schmiede	Auf Arbeitssuche
Polizisten (einheimische)	Hirten
Konditoren	Bogenschützen

Stallknechte	Kellner
Mekkapilger	Weber
Tschaprasis	Priester
Schatzgräber	Bankiers
Kinder	Bootsleute
Kuhhirten	Händler
Gärtner	Grasmäher

Auch den Koch eines Fürsten und selbst den Wasserträger jenes erlauchten Herrn aller Herren und Königs aller Könige, des Generalgouverneurs von Indien! Wie breit die Skala ihres Geschmacks war! Sie ermordeten auch Schauspieler – arme, wandernde Schmierenkomödianten. Zwei Fälle sind festgehalten; der erste betraf eine Thagbande unter einem Anführer, der den großen Namen eines besseren Mannes besudelt – Kiplings unsterblichen Gungadins.

„Nachdem wir 4 Sepoys ermordet hatten, zogen wir weiter auf Indur zu, begegneten 4 umherziehenden Schauspielern und überredeten sie, mit uns zu kommen, unter dem Vorwand, wir wollten am nächsten Aufenthaltsort ihre Vorstellung sehen. Haben sie bei einem Tempel in der Nähe von Bhopal ermordet."

Zweites Beispiel:

„In Deohatti schlossen sich Komödianten an. Haben sie östlich dieses Ortes ermordet."

Aber diese Bande war eine besonders bösartige Mannschaft. Auf dieser Expedition ermordeten sie einen Fakir und zwölf Bettler. Und doch behütete sie Bhavani; denn einmal, als sie in einem Gehölz einen Mann erdrosselten und unmittelbar in der Nähe eine Menschenmenge vorüberzog, glitt die Schlinge ab, und der Mann schrie, Bhavani aber sorgte dafür, daß im gleichen Augenblick ein Kamel in ein Gebrüll ausbrach, das den Schrei übertönte; und bevor der Mann ihn wiederholen konnte, hatte man ihm den Atem aus dem Leibe gewürgt.

Die Kuh ist in Indien so heilig, daß es einen lästerlichen Frevel an der Gottheit darstellt, ihren Wärter umzubringen, und sogar die Thags erkannten das an; doch hin und wieder war ihr Blutdurst zu stark, und so brachten sie ein paar Kuhhirten um. In einem dieser Fälle sagte der Zeuge, der den Kuhhirten tötete: „Bei den Thags ist das streng verboten, und es ist eine Tat, aus der nichts Gutes kommen kann. Ich war danach zehn Tage lang fieberkrank. Ich glaube sicher, daß die Ermordung eines Mannes mit einer Kuh schlimme Folgen hat. Wenn keine Kuh dabei ist, hat das nichts auf sich." Ein anderer Thag sagte, er habe die Füße des Kuhhirten festgehalten, während dieser Zeuge das Erdrosseln besorgte. Er fühlte sich nicht beunruhigt, weil das Unglück im Gefolge einer solchen Tat über den Würger komme und nicht über die Helfer, selbst wenn es hundert wären.

Viele Generationen lang schweiften ständig Tausende von Thags durch ganz Indien. Sie machten aus dem Thagwesen einen erblichen Beruf und lehrten ihn ihren Söhnen und den Söhnen ihrer Söhne. Knaben waren schon im Alter von sechzehn Jahren Vollmitglieder; Veteranen waren noch mit siebzig an der Arbeit. Worin bestand die Verlockung, was war der Antrieb?

Offenbar war es zum Teil Frömmigkeit, zum großen Teil Gewinnsucht, und es besteht der begründete Verdacht, daß der damit verbundene Sport den größten Reiz darstellte. Meadows Taylor läßt in einem seiner Bücher einen Thag behaupten, das Vergnügen an der Tötung eines Menschen sei dasselbe wie der Trieb des Weißen zur Jagd auf Großwild, nur großartiger, verfeinert und veredelt. Ich zitiere die Stelle:

47. KAPITEL

> Eine einfache Regel, Geld zu sparen: Um die Hälfte zu sparen, wenn dich ein heftiger Impuls treibt, zu einem Werke der Nächstenliebe beizusteuern, warte ab und zähle bis vierzig; um dreiviertel zu sparen, zähle bis sechzig; um alles zu sparen, bis fünfundsechzig.
>
> *Querkopf Wilsons Neuer Kalender*

Der Thag sagte:

„Wie viele von euch Engländern sind dem Sport leidenschaftlich ergeben! Eure Tage und Monate verbringt ihr im Banne seiner Erregungen. Ein Tiger, ein Panther, ein Büffel oder ein Eber fordern bei euch die äußersten Anstrengungen zu ihrer Vernichtung heraus – ihr setzt sogar euer Leben bei der Verfolgung aufs Spiel. Um wieviel edler ist das Wild der Thags!"

Das muß wirklich das Geheimnis der Entstehung und Entwicklung des Thagunwesens sein. Die Lust zu töten! Die Lust, zuzusehen, wie jemand getötet wird – das sind Wesenszüge des Menschengeschlechts im allgemeinen. Wir Weißen sind nur gemäßigte Thags; Thags, die sich unwillig in die Hemmungen einer nicht sehr dicken Kruste Zivilisation schicken; Thags, die vor langer Zeit das Blutbad der römischen Arena genossen und später die öffentliche Verbrennung zweifelhafter Christen durch verbürgte Christen und die sich heutzutage mit den Thags aus Spanien und Nîmes zusammenrotten, um das Blut und Elend der Stierkampfarena zu genießen. Es gibt keine Touristen, welchen Geschlechts und welchen Glaubensbekenntnisses auch immer, die imstande wären, den Verlockungen der Stierkampfarena zu widerstehen, wenn sich die Gelegenheit bietet; und in der Jagdzeit sind wir gemilderte Thags und finden Gefallen daran, ein zahmes Kaninchen zu jagen und zu töten. Dennoch, wir haben einen gewissen Fortschritt gemacht – mikroskopisch klein und in Wirklichkeit kaum der Erwähnung wert und gewiß nichts, worauf wir stolz sein dürften; – dennoch, es ist ein Fortschritt: Wir finden kein Vergnügen mehr daran, hilflose Menschen niederzumetzeln oder zu verbrennen. Wir haben eine kleine Anhöhe erreicht, von wo aus wir mit selbstgefälligem Schaudern auf die indischen Thags herabsehen können; und wir können sogar auf einen Tag hoffen, in vielen hundert Jahren, wenn unsere Nachwelt in gleicher Weise auf uns herabschauen wird.

Es existieren viele Hinweise dafür, daß der Thag Menschen oft nur um des Sportes willen jagte; daß die Angst und der Schmerz des verfolgten Wildes ihm nicht mehr bedeuteten, als uns die Angst und der Schmerz des Hasen oder des Hirsches; und daß er sich nicht mehr schämte, sein Wild durch

Täuschung hinters Licht zu führen und sein Vertrauen zu mißbrauchen, als wir, wenn wir den Ruf eines wilden Tieres nachahmen und es erschießen, wenn es uns mit seinem Vertrauen beehrt und nachsehen kommt, was wir wohl wollen:

„Madara, Sohn des Nihal, und ich, Ramzam, brachen bei kaltem Wetter von Kotdi auf und folgten auf der Suche nach Reisenden etwa zwanzig Tage lang der Landstraße, bis wir nach Selempur kamen, wo wir einem sehr alten Mann begegneten, der ostwärts reiste. Wir gewannen in folgender Weise sein Vertrauen: Er trug eine Last, die für sein Alter zu schwer war; ich sagte ihm: ‚Ihr seid ein alter Mann, ich will Euch helfen, Eure Last zu tragen, da Ihr aus meiner Gegend seid.‘ Er sagte: ‚Sehr schön, nehmt mich mit.‘ Also nahmen wir ihn mit nach Selempur, wo wir in jener Nacht schliefen. Wir weckten ihn am nächsten Morgen vor Anbruch der Dämmerung und machten uns auf den Weg, und nach drei Meilen, als es noch sehr dunkel war, ließen wir ihn zum Ausruhen niedersitzen. Madara stand hinter ihm bereit und erdrosselte ihn. Er sprach nie mehr ein Wort. Er war etwa sechzig oder siebzig Jahre alt."

Eine andere Bande schloß sich einigen Barbieren an und überredete sie, in ihrer Gesellschaft weiterzuziehen, indem sie ihnen den Gewinn in Aussicht stellte, die ganze Mannschaft rasieren zu dürfen – dreißig Thags. An der Stelle, die für den Mord ausersehen war, wurden fünfzehn rasiert, und sie bezahlten tatsächlich die Barbiere für ihre Arbeit. Dann brachten sie sie um und holten sich das Geld zurück.

Eine Bande von zweiundvierzig Thags stieß auf der Straße auf zwei Brahmanen und einen Ladenbesitzer, lockte sie in ein Wäldchen und organisierte zu ihrer Unterhaltung ein Konzert. Während diese armen Kerle der Musik lauschten, standen die Würger hinter ihnen; und in einem Augenblick, der für dramatische Effekte am geeignetsten war, bedienten sie sich der Schlinge.

Der leidenschaftlichste Angler muß mindestens einmal in der Woche einen Fang machen, sonst kühlt sich seine Begeisterung ab, und er stellt seine Ausrüstung beiseite. Der Tigerjäger muß mindestens einmal in vierzehn Tagen einen Tiger aufspüren, sonst verliert er die Lust und gibt auf. Die Begeisterung des Elefantenjägers wird allmählich dahinschwinden, und schließlich wird sein Eifer erlahmen, wenn er einen Monat lang umherstapft, ohne ein Mitglied dieser edlen Familie zu finden, das er meucheln könnte.

Aber wenn die Gier im Herzen des Jägers auf die edelste Beute unter allem Wild, den Menschen, gerichtet ist, wie anders ist da alles! und wie blaß und armselig wirkt der Eifer und wie kindlich die Ausdauer jener anderen Jäger im Vergleich. Dann vermögen weder Hunger noch Durst, noch Erschöpfung, weder vereitelte Hoffnung noch eine Kette von Enttäuschungen, noch der bleiern-schwerfällige Schritte der Zeit die Geduld des Jägers zu besiegen, seine Freude am Spüren zu mindern oder die brennende Glut seiner Gier abzukühlen. Von allen Jagdleidenschaften, die im Busen des Menschen brennen, gibt es keine, die ihn über derartige Entmutigungen hinwegheben könnte, außer dieser einen – außer dem königlichen Sport, dem erhabenen Sport, dessen Opfer der Bruder ist. Im Vergleich damit ist die Tigerjagd eine farblose, armselige Angelegenheit, soviel auch damit geprahlt worden ist.

Ja, der Thag war bereit, geduldig Woche um Woche zu Fuß unter der sengenden Sonne Indiens dahinzustapfen, mit einem Durchschnitt von neun oder zehn Meilen am Tag, wenn er nur die Hoffnung hatte, irgendwann einmal Wild zu finden und seine dürstende Seele mit Blut erfrischen zu können. Hier ist ein Beispiel:

„Ich (Ramzam) und Hyder brachen mit der Absicht, Reisende zu erdrosseln, von Gaddapur auf und zogen über Fort Dschalalabad, Nawalgange, Bangermau an die Ufer des Ganges (mehr als 100 Meilen), von wo aus wir auf einer anderen Route zurückkehrten. Immer noch keine Reisenden! bis wir Bowanigange erreichten, wo wir auf einen Reisenden, einen Ruderer, trafen; wir verleiteten ihn, mit uns zu gehen, und etwa zwei Meilen weiter östlich erdrosselte ihn Hyder im Stehen – denn er war besorgt und fürchtete sich und wollte sich nicht setzen. Dann machten wir eine lange Reise (etwa 130 Meilen) und erreichten Hassanpur Bandwa, wo wir an der Zisterne einem Reisenden begegneten – er schlief in jener Nacht dort; am nächsten Morgen folgten wir ihm und versuchten, sein Vertrauen zu erringen; nach zwei Meilen versuchten wir, ihn zu überreden, sich zu setzen – aber er wollte nicht, da er uns gegenüber aufmerksam geworden war. Ich versuchte, ihn im Gehen zu erdrosseln, hatte aber keinen Erfolg; daraufhin fielen wir beide über ihn her. Er machte ein gewaltiges Geschrei: ‚Sie bringen mich um!‘ Schließlich erdrosselten wir ihn und warfen seinen Leichnam in einen Brunnen. Danach kehrten wir nach Hause zurück, nachdem wir einen Monat unterwegs gewesen waren und etwa 260 Meilen zurückgelegt hatten. Insgesamt zwei Männer auf der Expedition ermordet.“

Und hier ist ein weiterer Fall – mitgeteilt von dem furchtbaren Futty Khan, einem Mann mit einem ungeheuerlichen Register, auf den wir noch später zurückkommen werden:

„Ich und drei andere reisten auf der Suche nach Opfern etwa 45 Tage etwa 200 Meilen weit entlang der Landstraße nach Bandwa und kehrten über Davodpur (weitere 200 Meilen) zurück; während dieser Reise hatten wir nur einen Mord zu verzeichnen, der wie folgt geschah. Vier Meilen östlich von Nubastaghat trafen wir auf einen Reisenden, einen alten Mann. Zusammen mit Koshal und Hyder überredete ich ihn, mit uns zu kommen, und wir begleiteten ihn am selben Tag bis auf drei Meilen vor Rampur, wo wir ihn nach Einbruch der Dunkelheit an einer einsamen Stelle dazu bekamen, sich zu setzen und zu rasten; und während ich ein Gespräch mit ihm führte und vor ihm saß, erdrosselte ihn Hyder von hinten; er leistete keinen Widerstand. Koshal stieß ihm das Messer unter die Arme und in die Kehle, und wir warfen den Leichnam in ein fließendes Wasser. Wir erhielten jeder etwa 4 oder 5 Rupien (2 oder 2,50 Dollar). Dann wandten wir uns heimwärts. Insgesamt ein Mann auf dieser Expedition ermordet.“

Da ist es wieder! Sie wanderten 400 Meilen weit, waren etwa drei Monate unterwegs und ernteten jeder zweieinhalb Dollar. Aber das bloße Vergnügen an der Jagd genügte. Das war Lohn genug. Sie murrten nicht.

Immer wieder einmal stößt man in diesem dicken Buch auf die ergreifende Bemerkung: „Wir versuchten, ihn zu bewegen, sich zu setzen, aber er wollte nicht.“ Das besagt alles. Irgendein Zwischenfall hatte in ihm den Verdacht erweckt, diese glatten Freunde, die ihn so umhegt und umhätschelt und in Sicherheit gewiegt und nach seinen Wanderungen in Einsamkeit und Verlassenheit so froh gemacht hatten, seien die gefürchteten Thags, und jetzt hatte ihre unheimliche Aufforderung, sich „zu setzen und auszuruhen", die furchtbare Wahrheit bestätigt. Er wußte, daß es keine Hilfe für ihn gab und daß er zum letzten Mal irdische Dinge vor Augen hatte, aber „er wollte sich nicht setzen". Nein, das nicht – es war zu schrecklich, daran zu denken!

Es gibt eine Anzahl von Beispielen, die darauf hinweisen, daß ein Mann, der einmal die königlichen Freuden der Menschenjagd gekostet hatte, sich danach nicht mehr mit der dumpfen Monotonie eines Lebens ohne Verbrechen abfinden konnte. Ein Beispiel aus der Aussage eines Thags:

„Wir zogen weiter nach Kurnaul, wo wir einen ehemaligen Thag namens Dschunua trafen, einen alten Kameraden, der Bettelmönch und Jünger und fromm geworden war. Er kam zu uns in den Serai und kehrte vor Freude weinend zu seinem alten Geschäft zurück."

Weder Reichtum noch Ehren noch Würden konnten einen gebesserten Thag lange befriedigen. Eines Tages warf er sie alle von sich und kehrte zurück zu dem grausigen Vergnügen, Menschen zu jagen und selbst von den Briten gejagt zu werden.

Ein bedeutender einheimischer Grande nahm Ramzam in seinen Dienst und gab ihm Gewalt über fünf Dörfer. „Meine Autorität über diese Leute erstreckte sich so weit, sie zu mir befehlen zu können, sie stehen oder sitzen zu lassen. Ich kleidete mich gut, ritt mein Pony und hatte zwei Sepoys, einen Schreiber und einen Dorfwächter zu meinen Diensten. Drei Jahre lang pflegte ich jedem Dorf monatlich einen Besuch abzustatten, und kein Mensch vermutete, daß ich ein Thag war! Der Dorfälteste wartete mir auf, um das Geschäftliche zu besprechen, und alt und jung verneigten sich, wenn ich vorüberkam."

Jedoch erhielt er gerade während dieser drei Jahre Urlaub, „um einer Hochzeit beizuwohnen", ging statt dessen mit sechs anderen auf einen Vergnügungsbummel nach Thagmanier und jagte fünfzehn Tage lang auf der Landstraße! – mit befriedigenden Ergebnissen.

Später hatte er unter einem Radscha ein hohes Amt inne. Dort befehligte er über zehn Meilen Landes und eine Schutztruppe von fünfzehn Mann, mit dem Recht, im Bedarfsfalle weitere zweitausend anzufordern. Aber die Briten kamen ihm auf die Spur, und sie bedrängten ihn so, daß er sich ergeben mußte. Sehen Sie nur, was er für eine Erscheinung war, wenn er in vollem Staat dastand und alle seine Sachen anhatte: „Ich war schwer bewaffnet – mit Schwert, Schild, Pistolen, einer Muskete und einem Feuersteingewehr, denn ich war gern so aufgemacht, und wenn ich so bewaffnet war, fürchtete ich nichts, und wenn mir vierzig Mann gegenüberstanden."

Er ergab sich und erklärte stolz, daß er ein Thag sei. Dann fand er sich auf entsprechendes Ersuchen bereit, seinen Freund und Kumpel Buhram zu verraten, einen Thag mit dem ungeheuerlichsten Tatenregister in ganz Indien. „Ich ging zu dem Haus, wo Buhram schlief (oft hat er unsere Banden angeführt!). Ich weckte ihn, er kannte mich gut und kam zu mir heraus. Es war eine kalte Nacht, deshalb zündete ich etwas Stroh an, angeblich um mich zu wärmen, in Wirklichkeit aber, um für seine Festnahme durch die Wachen Licht zu haben. Wir wärmten uns die Hände. Die Wachen umstellten uns. Ich sagte ihnen: „Das ist Buhram", und er wurde gefaßt, gerade so, wie eine Katze eine Maus fängt. Dann sagte Buhram: „Ich bin ein Thag! mein Vater war ein Thag, mein Großvater war ein Thag, und ich habe viele Thaggenossen gehabt!"

Also sprach der gewaltige Jäger, der mächtigste der Mächtigen, der Gordon Cumming seiner Zeit. Viel Bedauern war nicht darin zu verspüren.[*]

So sehr, sehr oft läßt dieser amtliche Bericht unsere Neugier unbefriedigt. Als Beispiel folgt hier ein kleiner Absatz aus den Aufzeichnungen über eine gewisse Bande von 193 Thags, wo sich ebenfalls dieser Mangel findet:

„Trafen auf Lall Sing Subahdar und seine Familie, die aus 9 Personen bestand. Reisten zwei Tage lang mit ihnen, und am dritten brachten wir sie alle um, ausgenommen die zwei Kinder, kleine Jungen von anderthalb Jahren."

Damit schließt es. Was haben sie mit diesen armen kleinen Wesen gemacht? Wie verlief ihre weitere Lebensgeschichte? Hatte man vor, sie als Thags aufzuziehen? Wie konnte man auf einen Marsch, der sich über mehrere Monate erstreckte, solche kleinen Geschöpfe versorgen? Niemand scheint sich die Mühe gemacht zu haben, Fragen bezüglich der Babys zu stellen. Aber ich wüßte gern Bescheid.

Man ist geneigt, sich vorzustellen, die Thags wären absolut verhärtet, völlig jeglicher menschlichen Regung bar und ihren eigenen Familien gegenüber genau so herzlos gewesen wie den Familien anderer gegenüber, aber so war das nicht. Wie alle anderen Inder hegten sie eine leidenschaftliche Liebe für ihre eigene Verwandtschaft. Ein schlauer britischer Offizier, der den indischen Charakter kannte, berücksichtigte diesen Wesenszug, als er seine Pläne für die Festnahme des berüchtigten Feringhea Eugène Sues entwarf. Er fand Feringheas Versteck und schickte nachts eine Wache aus, ihn zu ergreifen, aber der Trupp benahm sich ungeschickt, und er entkam. Sie ergriffen jedoch den Rest der Familie – Mutter, Ehefrau, Kind und Bruder – und brachten sie zu ihrem Vorgesetzten nach Dschabalpur; der Offizier murrte nicht, sondern wartete ab: „Ich wußte, daß Feringhea sich nicht weit entfernen würde, solange sich Wesen, die ihm durch Familienbande so teuer waren, in meiner Hand befanden." Er hatte recht. Feringhea war sich völlig der Gefahr bewußt, die er in Kauf nahm, wenn er in der Umgebung blieb, dennoch konnte er sich nicht losreißen. Der Offizier fand heraus, daß er sich abwechselnd in fünf Dörfern aufhielt, wo er Verwandte und Freunde besaß, die für ihn Nachrichten von seiner Familie im Gefängnis von Dschabalpur be-

[*] „Nachdem ich eine Kugel in das Schulterblatt eines Elefanten gejagt und damit bewirkt hatte, daß sich das gequälte Tier haltsuchend gegen einen Baum lehnen mußte, ging ich daran, Kaffee zu brühen. Nachdem ich mich erfrischt und zwischen den Schlucken beobachtet hatte, wie sich der Elefant wand und krümmte, beschloß ich auszuprobieren, wo die verwundbaren Stellen lägen, ging sehr nahe heran und feuerte mehrere Kugeln auf verschiedene Punkte seines gewaltigen Schädels ab. Er quittierte die Schüsse nur durch eine salaamähnliche Bewegung seines Rüssels, mit dessen Spitze er die Wunden mit einer auffallenden und eigenartigen Bewegung zart berührte. Überrascht und entsetzt darüber, daß ich nur das Leiden des edlen Tieres verlängerte, das seine Qualen mit solch würdevoller Fassung ertrug, beschloß ich, das Trauerspiel mit aller nur möglichen Eile zu beenden, und eröffnete dementsprechend das Feuer von links. Ich zielte auf die Schulter und feuerte sechs Schuß aus der Zwillingsbüchse ab, die sich dann doch wohl als tödlich erwiesen haben, und danach feuerte ich noch sechs Schuß aus dem holländischen Sechspfünder ab. Jetzt tropften ihm große Tränen aus den Augen, die sich langsam schlossen und öffneten, ein Krampf schüttelte den kolossalen Rumpf, dann fiel er auf die Seite und verschied." *Gordon Cumming*

schaffen konnten; und daß er niemals zwei Nächte hintereinander im gleichen Dorf schlief. Der Offizier spürte seine verschiedenen Schlupfwinkel auf, dann schlug er in einer Nacht zur gleichen Stunde in allen fünf Dörfern zu und erwischte seinen Mann.

Ein weiteres Beispiel für Familienliebe. Kurze Zeit vor der Festnahme der Familie Feringheas hatte der britische Offizier Feringheas Stiefbruder, den Anführer einer zehnköpfigen Bande, verhaftet, die elf Mann vor Gericht gestellt und zum Tode durch Erhängen verurteilt. Die festgenommene Familie Feringheas traf einen Tag, bevor die Hinrichtung stattfinden sollte, in dem Gefängnis ein. Der Stiefbruder, Jurhu, bat flehentlich darum, die bejahrte Mutter und die anderen sehen zu dürfen. Die Bitte wurde gewährt, und folgendes begab sich – der britische Offizier berichtet:

„Am Morgen, unmittelbar bevor sie zum Schafott gingen, fand die Unterredung in meiner Anwesenheit statt. Er fiel der alten Frau zu Füßen und bat sie, ihn von den Pflichten zu entbinden, die ihm die Milch auferlege, mit der sie ihn von klein auf genährt habe, denn er werde sterben, bevor er eine von ihnen erfüllen könne. Sie legte ihm die Hände auf das Haupt, er kniete nieder, und sie sprach, sie vergebe ihm alles, und forderte ihn auf, wie ein Mann zu sterben."

Wenn ein fähiger Künstler davon ein Bild malen wollte, wäre es ein Bild voller Würde, Feierlichkeit und Pathos; und es könnte einen rühren. Man würde sich alles mögliche darunter vorstellen, nur nicht, was es wirklich ist. Ehrfürchtige Verehrung spricht daraus, Zärtlichkeit, Dankbarkeit, Mitleid, Ergebenheit, Seelenstärke und Selbstachtung – und kein Gefühl der Schande, kein Gefühl der Entehrung. Alles ist da, was einen feierlichen Abschied ausmacht und dem Bild rührende Anmut, Schönheit und Würde verleiht. Und doch ist einer der beiden ein Thag und die andere die Mutter von Thags! Hier scheint die Widersprüchlichkeit der menschlichen Natur ihre äußerste Grenze erreicht zu haben.

Ich möchte noch auf einen merkwürdigen Tatbestand hinweisen, da ich gerade daran denke. Eine der häufigsten Bemerkungen, die man in dieser bestürzenden Zusammenstellung der Geständnisse der Thags findet, ist folgende: „Erdrosselten ihn und *warfen ihn in einen Brunnen!*" In einem Fall warfen sie sechzehn Mann in einen Brunnen – und sie hatten schon vorher andere in denselben Brunnen geworfen. Man bekommt direkt Durst, wenn man daran denkt.

Und dann ist da noch eine sehr merkwürdige Sache. Die Thagbanden besaßen *private Friedhöfe*. Sie töteten und begruben ihre Opfer nicht gern aufs Geratewohl hier und da und irgendwo. Wenn sie konnten, warteten sie lieber ab und lockten ihre Opfer weiter, um zu einem ihrer regulären Begräbnisplätze (Bhils) zu gelangen. In dem kleinen Königreich Audh, das etwa halb so groß war wie Irland und so groß wie der Staat Maine, hatten sie *274 Bhils*. Sie lagen an *1400 Meilen Landstraße* verteilt, durchschnittlich nur mit fünf Meilen Abstand voneinander, und die britische Regierung spürte jeden einzelnen auf, stellte seine Lage fest und zeichnete sie auf der Karte ein.

Die Banden von Audh verließen selten ihr eigenes Land, unterhielten aber innerhalb seiner Grenzen ein blühendes Geschäft. Genauso die Banden, die hereinkamen, um mitzuhelfen. Einige der Thaganführer von Audh waren für ihre erfolgreichen Karrieren berühmt. Vier von ihnen gaben jeder mehr als 300 Morde zu; ein anderer fast 400; unser Freund Ramzam 604 – er ist derjenige, der Urlaub bekam, um einer Hochzeit beizuwohnen, und statt dessen thaggen ging; und er ist auch derjenige, der Buhram an die Briten verriet.

Aber die längsten Listen unter allen stellten die Mordregister Futty Khans und Buhrams dar. Futty Khans Zahl ist geringer als die Ramzams, aber er steht an der Spitze, weil er den besten *Durchschnitt* pro Dienstjahr in der Thaggeschichte Audhs hat. Er mordete in zwanzig Jahren 508 Menschen, und er war noch ein junger Mann, als die Briten seinen Bemühungen Einhalt geboten. Buhrams Liste umfaßte 931 Morde, aber er hatte dazu vierzig Jahre gebraucht. Sein Durchschnitt über vierzig Jahre lang bei monatlich einem und beinahe noch einem ganzen weiteren Menschen, aber Futty Khans Durchschnitt betrug über die zwanzig Jahre seiner Einsatzfähigkeit *zwei* und noch ein bißchen von einem weiteren Menschen pro Monat.

Etwas fällt sehr auf, und darauf möchte ich aufmerksam machen. Sie haben ja aus der Aufstellung der Berufe, denen die Opfer der Thags nachgingen, ersehen, daß niemand ohne Schutz auf indischen Straßen reisen und dabei lebendig durchkommen konnte; daß die Thags keinen Rang, keinen Beruf, keine Religion, niemanden respektierten; daß sie jeden unbewaffneten Menschen töteten, der ihnen über den Weg lief. Das ist vollkommen richtig – mit einem Vorbehalt. In der ganzen, langen Liste der Geständnisse der Thags *wird nur einmal ein englischer Reisender erwähnt* – und hier folgt, was der Thag über die Umstände sagt:

„Es war auf dem Wege von Mhau nach Bombay. *Wir gingen ihm geflissentlich aus dem Wege.* Er zog am nächsten Morgen mit einer Anzahl von Reisenden, *die seinen Schutz gesucht hatten,* weiter, und sie schlugen die Straße nach Baroda ein."

Wir wissen nicht, wer er war; er huscht über die Seiten dieses vergilbten alten Buches und taucht jenseits wieder in der Dunkelheit unter; aber er ist eine eindrucksvolle Gestalt, wie er gelassen und furchtlos durch das Tal des Todes zieht, geborgen durch die Kraft des englischen Namens.

Wir haben nun das große amtliche Buch bis zu Ende verfolgt, und wir verstehen jetzt, was das Thagunwesen bedeutete, welch eine blutige Herrschaft des Schreckens, welch eine verheerende Geißel das war. Im Jahre 1830 entdeckten die Engländer diese Organisation, die wie eine Krebsgeschwulst in Lebenszentren des Organismus dieses Reiches nistete, wo sie in aller Heimlichkeit ihr verheerendes Werk verrichtete; und sie wurde von zahllosen Verbündeten unterstützt, beschützt, beschirmt und verborgen – großen und kleinen einheimischen Würdenträgern, Zollbeamten, Dorfältesten, einheimischer Polizei, die alle bereit waren, zu ihren Gunsten zu lügen, während die Masse der Bevölkerung aus Furcht vorgab, nichts von ihrer Tätigkeit zu wissen; und dieser Zustand hatte seit Generationen bestanden und schien sich nicht erschüttern zu lassen, da ihn Alter und Gewohnheit sanktionierten. Wenn es jemals eine undankbare Aufgabe, jemals eine aussichtslose Aufgabe in der Welt gegeben hat, so war es diese hier – die Aufgabe, das Thagunwesen zu besiegen. Aber diese kleine Handvoll englischer Beamter in Indien nahm es in ihren kraftvollen, selbstbewußten Griff und rottete es aus mit

Stumpf und Stiel! Wie bescheiden klingen Kapitän Vallanceys Worte jetzt, wenn wir sie erneut lesen, nun wir wissen, was wir wissen:

„Der Tag, da dieses weitverbreitete Übel in Indien ausgerottet und nur noch dem Namen nach bekannt sein wird, dürfte in großem Maße dazu beitragen, die britische Herrschaft im Osten unsterblich zu machen."

Es wäre schwer, einen Anspruch bescheidener zu formulieren als den auf diese überaus segensreiche Tat.

48. KAPITEL

Kummer kann sich allein behelfen; aber um eine Freude voll auszukosten, muß man sie mit jemandem teilen können.

Querkopf Wilsons Neuer Kalender

Wir verließen Bombay mit einem Nachtzug in Richtung Allahabad. Es ist in diesem Lande Brauch, Tagfahrten zu vermeiden, wenn es irgend möglich ist. Aber eine Schwierigkeit taucht dabei auf: Es scheint zwar so, als könnte man sich die zwei unteren Schlafplätze sichern, indem man sich rechtzeitig um sie bewirbt, aber es gibt keinen Schein, der das ausweist, und kein anderes vorlegbares Beweisstück irgendwelcher Art für den Fall, daß die Besitzrechte angefochten werden sollten. Das Wort „bestellt" erscheint im Fenster, aber es gibt nicht an, *für wen* das Abteil bestellt ist. Wenn Ihr Satan und Ihr Barney vor den Dienern anderer eintreffen und das Bettzeug auf den beiden Sofas ausbreiten und dann Schildwache stehen, bis Sie kommen, ist alles gut; aber wenn sie sich zu einer anderen Besorgung entfernen, können Sie es erleben, daß man Ihr Bettzeug auf die Hängebretter hinaufbefördert hat und die zwei Dämonen eines anderen vor ihres Herrn Bettzeug Wache halten, das sie inzwischen auf Ihren Sofas ausgebreitet haben.

Man zahlt für den Schlafplatz keine Extragebühr; und hier liegt der Kern des Problems. Wenn man eine Fahrkarte kauft und sie nicht benutzt, bleibt dadurch für jemand anderen Platz frei; aber wenn einem der Platz reserviert ist, bleibt er leer, und doch sichert einem die Fahrkarte einen *anderen* Platz, sobald man etwas später bereit ist, die Fahrt anzutreten.

Einem Menschen, der ein vernünftigeres System gewöhnt ist, kann jedoch keine Erklärung ein solches System ganz einleuchtend machen. Wenn die Organisation unserem Volk überlassen wäre, würden wir für die Platzreservierung eine Extragebühr erheben, und dann würde die Eisenbahn keinen Verlust erleiden, wenn der Kunde den Platz nicht in Anspruch nimmt.

Das gegenwärtige System fördert gutes Benehmen – und vereitelt es auch. Wenn ein junges Mädchen einen unteren Schlafplatz innehat und eine ältere Dame hereinkommt, ist es üblich, daß das Mädchen seinen Platz der Späterkommenden anbietet; und es ist üblich, daß die Späterkommende dem Mädchen höflich dankt und den Platz annimmt. Aber manchmal erlebt man das auch anders. Als wir gerade Bombay verlassen sollten, lagen die Reisetaschen meiner Tochter auf ihrem Schlafplatz – einem der unteren Plätze –, um ihn besetzt zu halten. Im letzten Augenblick platzte eine amerikanische Dame mittleren Alters in das Abteil herein, gefolgt von einheimischen Trägern, die ihr Gepäck schleppten. Sie murrte und knurrte, schimpfte und versuchte mit allen Mitteln, sich hervorragend unbeliebt zu machen, was ihr auch gelang. Ohne ein Wort hievte sie die Reisetaschen auf das Hängebrett und nahm den unteren Schlafplatz in Besitz.

Auf einer unserer Reisen stiegen Mr. Smythe und ich auf einer Station aus, um auf und ab zu gehen, und als wir zurückkamen, befand sich Smythes Bettzeug auf dem Hängebrett und ein englischer Kavallerieoffizier lag auf dem Sofa zu Bett, das Smythe bisher eingenommen hatte. Es war niederträchtig, sich darüber zu freuen, aber so sind wir eben beschaffen; ich hätte mich nicht mehr freuen können, wenn es mein Feind gewesen wäre, den dieses Mißgeschick betroffen hätte. Wir alle sehen gern andere Leute in Schwierigkeiten, wenn es uns nichts kostet. Ich freute mich so sehr über Mr. Smythes Ärgernis, daß ich nicht einschlafen konnte, weil ich immerzu daran dachte und mich daran ergötzte. Ich wußte, daß er annahm, der Offizier habe selbst den Raub begangen, während ohne jeden Zweifel der Diener des Offiziers das ohne dessen Wissen getan hatte. Mr. Smythe merkte sich diesen Vorfall und sehnte sich nach einer Gelegenheit, sich an irgend jemandem schadlos dafür zu halten. Später einmal kam die Gelegenheit, in Kalkutta. Wir brachen gerade zu einer vierundzwanzigstündigen Reise nach Dardschiling auf. Mr. Barclay, der Generaldirektor, habe für unsere Unterbringung besondere Vorkehrungen getroffen, sagte Mr. Smythe; also hatten wir es nicht nötig, uns besonders zu beeilen, zum Zug zu kommen; infolgedessen verspäteten wir uns ein wenig. Als wir eintrafen, wogte der übliche ungeheure Aufruhr und Wirrwarr eines großen indischen Bahnhofs am höchsten. Es war ein unverschämt langer Zug, denn sämtliche Landeskinder Indiens fuhren mit ihm irgendwohin, und verspätete und ängstliche Leute trieben die einheimischen Beamten zur Raserei. Sie wußten nicht, wo sich unser Wagen befand, und konnten sich nicht erinnern, Anweisungen darüber erhalten zu haben. Es war eine tiefe Enttäuschung; außerdem sah es so aus, als sollte unsere Hälfte der Gruppe überhaupt zurückgelassen werden. Da kam Satan angerannt und sagte, er habe ein Abteil mit je einem unbesetzten Sofa und Hängebrett gefunden, habe unsere Betten gemacht und unser Gepäck verstaut. Wir rasten hin, und gerade, als der Zug auszufahren begann und die Träger die Türen den ganzen Zug entlang zuschlugen, steckte ein Beamter der indischen Zivilverwaltung, ein guter Freund von uns, den Kopf herein und sagte: „Ich habe überall nach Ihnen gesucht. Was machen Sie hier? Wissen Sie nicht…"

Der Zug fuhr ab, bevor er seine Rede beenden konnte. Mr Smythes Gelegenheit war da. Sein Bettzeug auf dem Hängebrett tauschte er sogleich gegen das Bettzeug eines Fremden aus, das auf dem Sofa mir gegenüber lag. Gegen zehn Uhr hielten wir irgendwo, und ein hochgewachsener Engländer von streng militärischer Erscheinung trat ein. Wir stellten uns schlafend. Die Lampen waren verhängt, aber es war hell genug, um seinen überraschten Ausdruck wahrzunehmen. Er stand da, stattlich und vornehm, starrte auf Smythe nieder und machte sich schweigend seine Gedanken über die Situation. Nach einer kleinen Weile sagte er: „Well!" Und das war alles.

Aber es war genug. Es war leicht zu verstehen. Es hieß: „Das ist außerge-wöhnlich. Das ist unerhört. So etwas ist mir doch noch nie vorgekommen."

Er setzte sich auf sein Gepäck, und zwanzig Minuten lang beobachteten wir ihn zwischen den Wimpern hervor, wie er mit der Zugbewegung hin und her schaukelte und schwankte. Dann kamen wir an eine Station, und er stand auf und ging hinaus, wobei er murmelte: „Ich *muß* einfach einen unteren Schlafplatz haben, sonst warte ich lieber den nächsten Zug ab." Gleich dar-auf kam sein Diener und holte seine Sachen fort.

Mr. Smythes Wunde war geheilt, sein Rachedurst war gestillt. Aber er konnte nicht schlafen, und genausowenig ich, denn das war ein ehrwürdig al-ter Wagen, und alles an ihm war ausgeleiert. Die Tür zum Nebengelaß schlug die ganze Nacht über auf und zu und spottete aller Befestigungsme-thoden, die wir ersannen. In der Morgendämmerung standen wir sehr abge-mattet auf und stiegen auf einer Zwischenstation aus; und während wir eine Tasse Kaffee tranken, drehte jener Engländer längsseits bei, und jemand sprach zu ihm:

„Also sind Sie doch nicht ausgestiegen?"

„Nein. Der Schaffner hat einen Platz für mich gefunden, der bestellt und nicht besetzt worden war. Ich hatte einen ganzen Salonwagen für mich allein – oh, ganz fürstlich! In meinem ganzen Leben habe ich noch kein solches Glück gehabt."

Sehen Sie, das war unser Wagen. Wir stiegen sofort in den anderen Wa-gen um, allesamt, einschließlich der Familie. Aber ich bat den englischen Herrn zu bleiben, und das tat er. Ein angenehmer Mensch, ein Infanterie-oberst; und er weiß bis heute noch nicht, daß Smythe selbst ihn seines Schlafplatzes beraubte, sondern er glaubt, Smythes Diener hätte es ohne Smythes Wissen getan. Wir halfen ihm, dieses Bild von der Sache zu gewin-nen.

Die indischen Züge sind ausschließlich mit Einheimischen bemannt. Die indischen Bahnhöfe – ausgenommen sehr große und wichtige – sind aus-schließlich mit Einheimischen besetzt, ebenso die Post- und Telegrafenäm-ter. Die Polizeimannschaften bestehen aus Einheimischen. Alle diese Leute sind freundlich und entgegenkommend. Eines Tages verließ ich einen Ex-preßzug, um in diesem immer wieder hinreißenden Theater herumzubum-meln: in der Ebbe und Flut und den Wirbelströmen buntgekleideter Einhei-mischer, die auf dem geräumigen Bahnsteig eines indischen Bahnhofs stän-dig auf und ab branden; und ich vergaß mich ganz in meinem Entzücken, und als ich mich umdrehte, fuhr der Zug bereits eilig davon. Ich wollte mich setzen und auf einen anderen Zug warten, wie ich es zu Hause getan hätte; ich hätte an gar keine andere Möglichkeit gedacht. Aber ein einheimischer Beamter, der eine grüne Flagge in der Hand trug, sah mich und fragte höf-lich:

„Gehören Sie nicht in diesen Zug, Sir?"

„Ja", sagte ich.

Er schwenkte seine Flagge, und der Zug kam zurück! Und er setzte mich mit so viel Förmlichkeit hinein, als wäre ich der Generaldirektor persönlich. Es sind freundliche Leute, diese Einheimischen. Gesichter und Haltung, die auf einen grämlichen Sinn und ein böses Herz schließen lassen, schienen mir unter den Indern so selten zu sein – tatsächlich nahezu völlig zu fehlen –, daß ich mich manchmal fragte, ob nicht das Thagunwesen nur ein Traum und keine Wirklichkeit gewesen sei. Die bösen Herzen *sind* vorhanden, aber ich glaube, daß sie eine kleine, armselige Minderheit darstellen. Eines ist gewiß: es ist wohl das *interessanteste* Volk der Welt – und das am wenigsten begreifliche. Auf jeden Fall das am schwersten zu deutende. Der Charakter der Inder und ihre Geschichte, ihre Bräuche und ihre Religion geben einem an jeder Ecke neue Rätsel auf – Rätsel, die nach einer Erläuterung noch ein bißchen mehr verwirren als vorher. Man kann die *Tatsachen* über eine bestimmte Erscheinung erfahren – wie Kastenwesen oder das Thagunwesen oder die Sati und so weiter – und mit den Tatsachen zusammen eine Theorie, die sie zu erklären versucht, aber das nie befriedigend vermag. Man kann nie völlig verstehen, *wie* eine so seltsame Sache entstehen konnte, und *wieso*.

Zum Beispiel die Sati. Die Erklärung dafür lautet: Eine Frau, die aus dem Leben scheidet, wenn ihr Gatte stirbt, wird sogleich wieder mit ihm vereint und lebt fortan für immer glücklich mit ihm im Himmel; ihre Familie baut ihr ein kleines Denkmal oder einen Tempel, zollt ihr Bewunderung und hält ihr Andenken in der Tat für alle Zeit in Ehren; die Familie selbst wird von der Allgemeinheit hoch geachtet; die Selbstaufopferung der Frau bedeutet für ihre Nachkommenschaft eine hohe Auszeichnung von bleibendem Wert. Und außerdem, sehen Sie, was ihr erspart bleibt: wenn sie es vorzöge, am Leben zu bleiben, wäre sie ein entehrter Mensch; sie könnte nicht wieder heiraten; ihre Familie würde sie verachten und von sich weisen; sie wäre eine freudlose Ausgestoßene und ihren Lebtag unglücklich.

Nun gut, sagen Sie, aber die Erklärung ist noch nicht vollständig. *Wie* konnten die Leute überhaupt zu einem so seltsamen Brauch gelangen? Was war der Ursprung des Gedankens? „Ja, das weiß niemand; wahrscheinlich war es eine göttliche Offenbarung." Noch eines: Warum wählte man einen so grausamen Tod – wieso hätte nicht ein leichterer den Zweck erfüllt? „Das weiß niemand; vielleicht war das auch eine Offenbarung."

Nein, man kann das niemals begreifen. Das scheint unmöglich zu sein. Man entschließt sich zu der Annahme, daß eine Witwe sich nie aus eigenem Antrieb verbrennen lasse, sondern in den Tod gehe, weil sie sich fürchte, die öffentliche Meinung herauszufordern. Aber man ist nicht in der Lage, diese Ansicht aufrechtzuerhalten. Die Geschichte entzieht ihr den Boden unter den Füßen. Major Sleeman führt in einem seiner Bücher einen überzeugenden Fall an. Während seiner Regierungstätigkeit in Nerbudda unternahm er am 28. März 1828 den tapferen Versuch, auf eigene Faust die Witwenverbrennung auszurotten, ohne Erlaubnis der indischen Zentralregierung. Er konnte nicht voraussehen, daß die Regierung selbst sie acht Monate später unterdrücken würde. Der einzige Rückhalt, den er hatte, waren seine kühne Natur und sein mitfühlendes Herz. Er erließ eine Proklamation, mit der er die Sati für seine Provinz abschaffte. Am Morgen des 24. November, eines Dienstags – merken Sie sich den Wochentag –, starb Ummed Singh Upadhya, Oberhaupt der angesehensten und zahlreichsten brahmanischen Familie der Provinz, und bald darauf kam eine Abordnung seiner Söhne und Enkel und bat ihn, seiner bejahrten Witwe zu erlauben, sich auf seinem Scheiterhaufen verbrennen zu lassen. Sleeman drohte, seinen Befehl mit Gewalt durchzusetzen und jeden Menschen streng zu bestrafen, der Beihilfe leiste; er stellte einen Polizeiposten auf, der darüber zu wachen hatte, daß es nicht geschehe. Vom frühen Morgen an hatte die alte Witwe von fünfundsechzig Jahren neben ihrem Toten am Ufer des heiligen Flusses gesessen und die langen Stunden hindurch auf die Erlaubnis gewartet, und nun kam statt ihrer die Ablehnung. Mit einem einzigen kleinen Satz vermittelt uns Sleeman ein ergreifendes Bild dieser einsamen, alten, grauhaarigen Gestalt; den ganzen Tag und die ganze Nacht hindurch „blieb sie am Ufer sitzen, ohne zu essen und zu trinken". Am nächsten Morgen wurde die Leiche des Gatten in einer acht Quadratfuß großen und drei oder vier Fuß tiefen Grube vor den Augen mehrerer tausend Zuschauer zu Asche verbrannt. Dann watete die Witwe zu einem kahlen Felsen im Wasser hinaus, und alle gingen fort bis auf ihre Söhne und anderen Verwandten. Den ganzen Tag saß sie dort auf ihrem Felsen in der glühenden Sonne ohne Speise und Trank und ohne Kleidung außer einem Laken um die Schultern.

Die Angehörigen blieben bei ihr, und alle versuchten sie zu überreden, von ihrem Vorhaben abzustehen, denn sie liebten sie innig. Sie weigerte sich standhaft. Dann ging ein Teil der Familie zu dem zehn Meilen entfernten Haus Sleemans und versuchte wieder, ihn zu bewegen, ihr die Verbrennung zu gestatten. Er lehnte ab, da er noch hoffte, sie retten zu können.

Den ganzen Tag lang schmorte sie in ihrem Laken auf dem Felsen, und die ganze Nacht lang hielt sie dort in der bitteren Kälte Wache. Am Donnerstagmorgen vollzog sie im Angesicht ihrer Angehörigen ein Zeremoniell, das ihnen mehr sagte, als es Worte vermocht hätten; sie setzte den Dhadscha auf (einen groben roten Turban) und zerbrach ihre Armreifen in Stücke Durch diese Handlungen wurde sie in den Augen des Gesetzes eine Tote und war für immer aus ihrer Kaste ausgeschlossen. Nach dem eisernen Gesetz alter Sitte konnte sie jetzt, auch wenn sie sich noch entschließen sollte weiterzuleben, niemals wieder zu ihrer Familie zurückkehren. Sleeman war in großer Not. Wenn sie sich zu Tode hungerte, war ihre Familie entehrt; und außerdem wäre das Verhungern ein langwierigeres Leiden als der Feuertod. Er kehrte am Abend tief bekümmert heim. Die alte Frau blieb auf ihrem Felsen sitzen, und dort fand er sie auch am nächsten Morgen wieder, noch immer mit dem Dhadscha auf dem Haupt. „Sie sprach sehr gefaßt und sagte mir, sie habe beschlossen, ihre Asche mit der ihres verstorbenen Gatten zu vermischen, und werde geduldig meine Erlaubnis dazu abwarten, in der Gewißheit, daß Gott sie befähigen werde, am Leben zu bleiben, bis diese erteilt sei, obwohl sie nicht zu essen oder zu trinken wage. Sie blickte nach der Sonne, die in diesem Augenblick vor ihren Augen über einer langgestreckten schönen Partie des Flusses aufging, und sprach ruhig: ‚Meine Seele weilt seit fünf Tagen mit der meines Gatten in der Nähe dieser Sonne; nichts als meine irdische Hülle ist zurückgeblieben, und diese, das weiß ich, werden Sie bald mit seiner Asche in jener Grube dort vermischen lassen, denn es liegt nicht in Ihrer Natur oder Ihrer Gewohnheit, mutwillig die Leiden einer armen, alten Frau zu verlängern.'"

Er versicherte ihr, daß es sein Wunsch und seine Pflicht sei, sie zu retten und sie zu drängen, weiterzuleben und ihre Familie vor der Schande zu bewahren, für ihre Mörder gehalten zu werden. Aber sie sagte, sie fürchte nicht, daß so etwas geschehen könne; sie hätten als gute Kinder alles in ihrer Macht Stehende getan, um sie zu überreden, weiterzuleben und bei ihnen zu bleiben; „, und wenn ich zustimmen würde, ich weiß, sie würden mich lieben und ehren, aber meine Pflichten ihnen gegenüber sind nun erfüllt. Ich stelle sie alle Ihrer Fürsorge anheim, und folge meinem Gatten nach, Ummed Singh Upadhya, mit dessen Asche die meine bereits dreimal auf dem Scheiterhaufen vermischt worden ist.'"

Sie glaubte, daß sie und ihr Gatte drei verschiedene Male als Mann und Frau gelebt hätten, und daß sie dreimal auf seinem Scheiterhaufen verbrannt worden wäre. Deshalb drückte sie sich so eigenartig aus. Seit sie ihre Armreifen zerbrochen und den roten Turban aufgesetzt hatte, betrachtete sie sich als Leiche; sonst hätte sie sich nicht gestattet, ihrem Gatten gegenüber so unehrerbietig zu sein, seinen Namen auszusprechen. „Es war zum ersten Mal in ihrem langen Leben, daß sie den Namen ihres Gatten ausgesprochen hatte, denn in Indien nennt keine Frau, hoch oder niedrig, den Namen ihres Gatten."

Major Sleeman versuchte immer noch, ihren Vorsatz zu erschüttern. Er versprach, ihr zwischen den Tempeln ihrer Vorfahren am Flußufer ein schönes Haus zu bauen und ihr eine stattliche Zuwendung aus zinsfreien Ländereien zukommen zu lassen, wenn sie nur einwillige, leben zu bleiben; und wenn sie es nicht täte, würde er nicht gestatten, jemals mit Stein oder Ziegel die Stelle zu bezeichnen, wo sie gestorben sei. Aber sie lächelte nur und sagte: „„Mein Puls hat seit langem aufgehört zu schlagen, meine Seele ist abgeschieden; ich werde bei der Verbrennung nichts zu leiden haben; wenn Sie Beweise wünschen, lassen Sie Feuer kommen, und Sie werden diesen Arm verbrennen sehen, ohne daß es mir Schmerz verursachte.'"

Sleeman war nun davon überzeugt, daß er ihren Vorsatz nicht ändern könne. Er ließ alle führenden Familienmitglieder kommen und sagte, er werde die Verbrennung dulden, wenn sie eine schriftliche Verpflichtung unterzeichneten, die Sati in ihrer Familie von nun an aufzugeben. Sie stimmten zu; die Urkunden wurden ausgefertigt und unterschrieben, und am Sonnabendmittag erhielt die arme Frau die Nachricht. Sie schien sehr beglückt zu sein. Die Badezeremonien wurden vollführt, und um drei Uhr war sie bereit, und das Feuer loderte hell in der Grube. Sie war nunmehr seit mehr als viereinhalb Tagen ohne Speise und Trank. Sie kam von ihrem Felsen ans Ufer, nachdem sie zuvor ihr Laken mit dem heiligen Wasser des Flusses benetzt hatte, denn ohne diese Sicherung hätte sie jeder Schatten verunreinigt, der zufällig auf sie gefallen wäre; dann schritt sie zu der Grube, wobei sie sich auf einen ihrer Söhne und einen Neffen stützte – die Entfernung betrug 150 Yard.

„Ich hatte ringsumher Wachen aufgestellt, und kein anderer Mensch durfte sich auf mehr als fünf Schritt nähern. Sie kam mit gelassener und freudiger Miene näher, hielt einmal an, richtete den Blick empor und sagte: ,Warum haben sie mich dir fünf Tage lang ferngehalten, mein Gemahl?' Als sie bis zu den Posten gelangt waren, machten ihre Begleiter halt und blieben stehen; sie ging weiter und schritt einmal um die Grube, hielt einen Augenblick inne und warf, ein Gebet murmelnd, einige Blumen ins Feuer. Dann schritt sie entschlossen und fest an den Rand der Grube heran, trat mitten in das Feuer hinein, setzte sich, lehnte sich im Feuer zurück, als ruhe sie auf einem Lager, und verbrannte, ohne einen Schrei von sich zu geben oder ein Zeichen der Todesangst zu verraten."

Das ist edel und schön. Es zwingt einem Ehrfurcht und Respekt ab − nein, wir zollen sie freiwillig, ohne Nötigung. Wir begreifen, wie der Brauch, einmal ins Leben gekommen, sich fortpflanzen konnte, denn seine Seele ist jene ungeheure Macht, der Glaube, durch die vereinigten Kräfte des Beispiels, lange bestehender Übung und der Gewohnheit zum Gipfelpunkt seiner Kraft geführt; aber wir können nicht begreifen, wie die ersten Witwen dazu gelangten, solches auf sich zu nehmen. Das ist ein rätselhafter Punkt.

Sleeman stellt fest, es sei üblich gewesen, bei der Sati Musik ertönen zu lassen, aber die Vorstellung der Weißen, das wäre geschehen, um die Schreie der Märtyrerin zu übertönen, sei unrichtig; sie habe einen ganz anderen Zweck gehabt. Man glaubte, daß die Märtyrerin bei ihrem Tode weissage, daß die Weissagungen manchmal Unheil ankündigten, und man betrachtete es als einen Liebesdienst an denjenigen, die es treffen sollte, die Stimme zu übertönen und sie nichts von ihrem künftigen Unglück wissen zu lassen.

49. KAPITEL

> Er hatte viele Erfahrungen mit Ärzten gemacht und sagte: „Der einzige Weg, die Gesundheit zu erhalten, ist essen, was man nicht will, trinken, was man nicht mag, und tun, was man lieber lassen würde."
>
> *Querkopf Wilsons Neuer Kalender*

Es war eine lange Reise − zwei Nächte, ein Tag und noch in einen weiteren Tag hinein, von Bombay ostwärts nach Allahabad; aber es war immer interessant, und es war nicht sehr ermüdend. Zuerst schien die Nachtfahrt anstrengend zu werden, aber das lag an den Pyjamas. Diese dumme Nachtbekleidung besteht aus Jacke und Hose. Manchmal ist sie aus Seide, manchmal aus einem kratzigen, dünnen Wollstoff mit einer Oberfläche wie Sandpapier. Die Hosen sind lose, elefantenbeinige und elefantenbauchige Dinger, und statt daß man sie ringsherum knöpft, läuft eine Zugschnur um den Leib, welche die erforderliche Umfangsminderung besorgen soll. Die Jacke ist geräumig und vorn zum Knöpfen eingerichtet. Pyjamas sind heiß in heißen Nächten und kalt in kalten Nächten − Mängel, die ein Nachthemd nicht aufweist. Ich versuchte es mit den Pyjamas, um mit der Mode zu gehen; aber ich mußte sie aufgeben, ich konnte sie nicht aushalten. Der Wechsel von der Tageskleidung zur Nachtkleidung war unzulänglich. Ich vermißte das erfrischende und wohlige Gefühl, welches das Nachthemd vermittelt, ausgezogen, befreit, aller Fesseln und Hemmnisse ledig zu sein. Statt dessen hatte ich die lästige, beengende, bedrückende, erstickende Empfindung, angezogen im Bett zu liegen. Die ganze warme Hälfte der Nacht hindurch reizte der grobe Stoff meine Haut, bis sie glühte wie im Fieber, und die Träume, die mich während der launischen Anflüge seichten Schlummers heimsuchten, waren der Art, wie sie den Schlaf der Verdammten quälen oder das jedenfalls tun sollten; und die ganze kalte andere Hälfte der Nacht hindurch konnte ich keine Zeit zum Schlaf finden, weil ich sie brauchte, um Decken zu stehlen. Aber Decken sind bei solcher Gelegenheit wertlos; je höher sie aufgeschichtet sind, desto wirksamer kapseln sie die Kälte ein und hindern sie am Entweichen. Der Erfolg ist, daß die Beine zu Eis werden und man weiß, wie man sich später einmal fühlen wird, wenn man begraben ist. In einem Moment geistiger Klarheit legte ich die Pyjamas beiseite und führte von da an ein vernünftiges und angenehmes Leben.

Draußen auf dem Land beginnt der Tag in Indien zeitig. Man sieht eine Ebene, vollkommen flach, staubfarben und ziegelrot, die sich in dem ungewissen grauen Licht nach allen Seiten grenzenlos dahindehnt, überall mit dem Streifenmuster hartgestampfter, schmaler Pfade gezeichnet, und in weiten Abständen unterbrechen Gruppen geisterhafter Bäume, die auf Dörfer hinweisen, die ungeheure ebene Fläche; auf allen diesen Pfaden schreiten schlanke Frauen und die schwarzen Gestalten sehniger, nackter Männer zur Arbeit, die Frauen mit kupfernen Wasserkrügen auf dem Kopf, die Männer mit Hacken. Der Mann geht nicht völlig nackt; stets trägt er einen weißen Stoffetzen, ein Lendentuch; es läuft auf eine Binde hinaus und ist ein weißer Akzent auf seiner schwarzen Figur, ähnlich dem Silberband um die Mitte eines Pfeifenstieles. Manchmal trägt er auch einen bauschigen und massigen weißen Turban, und der setzt einen zweiten Akzent. Dann entspricht das genau Miss Gordon Cummings Blitzlichtbild von ihm – als einem Menschen, der in „einen Turban und ein Taschentuch" gekleidet sei.

Den ganzen Tag lang herrscht dieselbe Eintönigkeit staubfarbener, absolut flacher Ebenen und verstreuter Baumgruppen und aus Lehm errichteter Dörfer. Bald ist einem klar, daß Indien nicht schön ist; dennoch besitzt es einen Zauber, der bestrickend ist und nicht schal wird. Man kann vielleicht nicht erklären, was im einzelnen diese Bezauberung ausmacht, aber dennoch fühlt man sie und bekennt sich zu ihr. Natürlich, im Grunde weiß man es auf eine verschwommene Weise, daß es das *Historische* ist; das ist es, was einen fesselt, ein immer gegenwärtiges Gefühl für die Myriaden Menschenleben, die hier erblühten, dahinwelkten und verlöschten, Jahrhundert um Jahrhundert, Jahrtausend um Jahrtausend, in ewiger Wiederholung desselben fruchtlosen und sinnlosen Vorgangs; dieses Gefühl ist es, das diesem gottverlassenen, unschönen Land die Macht verleiht, die Seele anzusprechen und sich mit ihr zu befreunden; und es spricht mit einer Stimme voll bitterer Ironie, mit einer Stimme voll Schwermut. Die Sandsteppen Australiens und die Eiswüsten Grönlands besitzen keine Stimme, denn sie haben keine altehrwürdige Geschichte; da sie nichts über den Menschen und seine Eitelkeiten, seinen flüchtigen Glanz und sein Elend zu erzählen wissen, besitzen sie nichts, womit sie ihre Häßlichkeit vergeistigen und mit dem Schleier eines Zaubers verhüllen könnten.

Es gibt nichts Hübsches an einem indischen Dorf, einem Dorf aus Lehm, und ich kann mich nicht erinnern, daß wir auf der langen Strecke nach Allahabad etwas anderes als Dörfer aus Lehm gesehen hätten. Es ist immer eine kleine Gruppe erdfarbener Lehmhütten, die sich innerhalb eines Lehmwalles drängen. In der Regel hatte der Regen Teile einiger Häuser niedergespült, und das verlieh dem Dorf das Aussehen einer uralten und zerfallenden Ruine. Ich glaube, Vieh und Ungeziefer wohnen mit im Hause; denn ich sah Vieh herauskommen und Vieh hineingehen; und immer, wenn ich einen Dorfbewohner sah, kratzte er sich. Letzteres ist nur ein Indizienbeweis, aber ich glaube, er hat Gewicht. Das Dorf besitzt einen oder zwei angeschlagene kleine Tempel, groß genug, um einem Götzen Raum zu bieten, und mit genügend Kundschaft, um einen Priester zu mästen und ihm ein angenehmes Leben zu verschaffen. Wo es Mohammedaner gibt, stehen meistens außerhalb des Dorfes ein paar armselige Grabsteine, die verfallen und vernachlässigt aussehen. Die Dörfer interessierten mich wegen bestimmter Umstände, die Major Sleeman in seinen Büchern über sie berichtet – besonders dessentwegen, was er über die dort herrschende Arbeitsteilung sagt. Er berichtet, die ganze Oberfläche Indiens sei in den Grundbesitz einzelner Dörfer aufgeteilt; neun Zehntel der ungeheuren Bevölkerung des Landes machten die Leute aus, die den Boden bearbeiten, und diese seien es, die in den Dörfern wohnten; es gebe gewisse „feststehende“ Dorfbedienstete – Schlosser und andere, denen offenbar vom Dorf als Ganzem ein Lohn gezahlt wird und deren Berufe in bestimmten Familien verbleiben und wie ein Besitz vom Vater zum Sohn weitergegeben werden. Er führt eine Liste dieser feststehenden Dorfbediensteten an: Priester, Schmied, Zimmermann, Rechnungsführer, Wäscher, Korbflechter, Töpfer, Wächter, Barbier, Schuhmacher, Klempner, Zuckerbäcker, Weber, Färber und so weiter. Zu seiner Zeit gab es Hexen im Überfluß, und es bewies keinen guten Geschäftssinn, wenn ein Mann seine Tochter in eine Familie verheiratete, die keine Hexe besaß, denn sie würde eine Hexe im Haus benötigen, um ihre Kinder vor den Zauberflüchen zu schützen, welche die Hexen benachbarter Familien ihnen ohne allen Zweifel anhängen würden.

Das Amt der Hebamme war in der Familie des Korbmachers erblich. Es gehörte seiner Frau. Womöglich taugte sie nicht dazu, aber auf jeden Fall war es ihr Amt. Ihre Bezahlung war nicht hoch – 25 Cent für einen Knaben und die Hälfte für ein Mädchen. Ein Mädchen war nicht erwünscht, weil es später verheerende Ausgaben verursachte. Sobald sie alt genug wäre, um anstandshalber Kleider tragen zu müssen, würde es die Familie in Schande bringen, wenn sie unverheiratet bliebe; aber sie zu verheiraten, würde finanziellen Ruin bedeuten, denn die Sitte erforderte es, daß der Vater für den Festschmaus und die Hochzeitsausstattung alles ausgab, was er besaß, und alles, was er borgen konnte – er mußte sich tatsächlich in einen Zustand der Verarmung stürzen, von dem er sich möglicherweise nie wieder erholen konnte.

Es war diese Furcht vor dem zukünftigen Ruin, die in Indien früher so allgemein zur Tötung weiblicher Säuglinge führte, bevor England die eiserne Hand seiner Verbote auf dieses erbarmungswürdige Gemetzel legte. Wie verbreitet die Sitte war, kann man aus einer beiläufigen, aber elektrisierenden Bemerkung Sleemans ablesen: er spricht von Kindern, die in Dörfern spielen – *wo nie Mädchenstimmen ertönten!*

Der törichte Brauch übertriebenen Hochzeitsgepränges ist in Indien noch im vollen Schwange, und infolgedessen wird immer noch heimlich der Mord an weiblichen Babys begangen, aber angesichts der Wachsamkeit der Regierung und der strengen Strafen, die sie verhängt, nicht mehr in großem Umfang.

In manchen Teilen Indiens hat das Dorf drei weitere Bedienstete in Lohn: einen Astrologen, der dem Dörfler zu sagen hat, wann er sein Feld bestellen oder eine Reise machen oder eine Frau heiraten oder ein Kind erdrosseln oder einen Hund borgen oder einen Baum erklettern oder eine Ratte fangen oder einen Nachbarn betrügen dürfe, ohne den wachsamen und besorgten Himmel zu kränken; und was sein Traum bedeute, wenn er einen hatte und nicht schlau genug war, ihn sich selbst aus der Zusammensetzung seines Abendessens zu erklären. Die anderen zwei feststehenden Bediensteten waren der Tigerbesprecher und der Hagelbeschwörer. Der eine hielt den Tiger fern, wenn er konnte, und strich natürlich so und so seinen Lohn ein, und der andere hielt die Hagelgewitter ab oder erklärte, warum es ihm nicht gelungen sei. Er kassierte dasselbe für die Erläuterung eines Mißerfolges wie für einen Erfolg. Wer in Indien seinen Lebensunterhalt nicht verdienen kann, ist ein Idiot.

Major Sleeman enthüllt, daß die Gewerkschaft und der Boykott in Indien uralte Einrichtungen sind. Indien scheint einfach alles hervorgebracht zu haben. Der „Kehrer" gehört der untersten Kaste an; er ist der Niedrigste der Niedrigen – alle anderen Kasten verachten ihn und schmähen seinen Beruf. Aber das stört ihn nicht. Seine Kaste ist eine Kaste, und das genügt ihm, deshalb ist er stolz darauf und schämt sich nicht. Sleeman sagt:

„Es ist vielleicht vielen meiner Landsleute, sogar in Indien, nicht bekannt, daß in jeder großen und kleinen Stadt im Lande das Recht, Häuser und Straßen zu kehren, ein Monopol ist, das durch den Kastenstolz der Straßenkehrer, die alle der niedrigsten Kaste angehören, in vollem Umfange unterstützt wird. Die Kaste erkennt einem bestimmten Mitglied das Recht zu, innerhalb eines bestimmten Bezirkes zu kehren; und wenn irgendein anderes Mitglied sich herausnimmt, innerhalb dieses Gebietes zu kehren, wird es exkommuniziert – kein anderes Mitglied raucht dann aus seiner Pfeife oder trinkt aus seinem Krug; und er kann nur durch ein Festessen für die ganze Kehrergemeinschaft die Wiederaufnahme in seine Kaste erkaufen. Wenn ein Hausherr innerhalb eines bestimmten Bezirkes zufällig den Kehrer dieses Gebietes kränkt, wird sein Unrat einfach nicht entfernt, bis er den Kehrer versöhnt hat, weil kein anderer es wagen wird, da etwas anzurühren; und die Bevölkerung einer Stadt wird von diesen Leuten oft schlimmer tyrannisiert als von sonst jemand."

Eine Fußnote von Major Sleemans Verleger, Mr. Vincent Arthur Smith, gibt an, in unseren Tagen stelle diese Tyrannei der Kehrergilde eine der vielen Schwierigkeiten dar, die dem Fortschritt der sanitären Verbesserungen in Indien im Wege stehen. Man stelle sich folgendes vor:

„Die Kehrer können nicht gezwungen werden, denn kein Hindu oder Muselman würde ihre Arbeit tun, und wenn es ums Leben ginge, oder wollte sich dadurch verunreinigen, daß er den widerspenstigen Straßenkehrer schlüge."

Sie scheinen ganz offenbar den Vorteil auf ihrer Seite zu haben; es fällt schwer, sich eine unverletzlichere Position vorzustellen. „Die verbürgten Rechte, die im Text beschrieben wurden, werden in der Praxis völlig aner-

kannt, so daß *sie häufig Gegenstand von Verkäufen und Beleihungen sind.*" Genau
wie die Route eines Milchhändlers oder wie eine Londoner Kreuzungskeh-
rerstelle. Es heißt, daß sein Recht auf seine Kreuzung vom Rest der Gilde
anerkannt werde; daß sie ihn in seinem Besitz schützen; daß gewisse auserle-
sene Kreuzungen ein wertvoller Besitz und zu hohen Summen verkäuflich
seien. Ich habe beobachtet, daß der Mann, der vor dem Armee- und Flotten-
magazin kehrt, das Auftreten eines wohlhabenden südafrikanischen Aristo-
kraten an den Tag legt; und wenn er sich unbeobachtet glaubt, trägt er genau
die Miene, die man immer bei einem Manne sieht, der seine Tochter auf-
spart, um sie mit einem Herzog zu verheiraten.

Sleeman ist zu entnehmen, daß in Indien der Beruf des Elefantentreibers
den Mohammedanern vorbehalten ist. Ich frage mich, warum. Wasserträger
(Bhistie) sind Mohammedaner, aber es heißt, der Grund dafür sei, daß die
Religion des Hindu ihm nicht gestatte, die Haut toter Rinder zu berühren,
und gerade daraus ist der Wassersack hergestellt; es würde ihn verunreini-
gen. Und sie gestattet ihm nicht, Fleisch zu essen; das Tier, welches das
Fleisch geliefert hat, wurde gemordet, und es ist Sünde, einem Geschöpf das
Leben zu nehmen. Es ist eine gute und milde Religion, aber unpraktisch.

Ein großer indischer Fluß läßt bei Niedrigwasser an das bekannte anato-
mische Bild eines enthäuteten menschlichen Körpers denken, wobei das ver-
wickelte Netz ineinander verwobener Muskeln und Sehnen die Wasserläufe
darstellt und die von ihnen umschlossenen Fett- und Fleischinseln die Sand-
bänke bilden. Irgendwo auf dieser Reise passierten wir einen solchen Fluß,
und bei einer späteren Reise sahen wir im Satledsch die Zweitausfertigung
dieses Flusses. Merkwürdige Flüsse sind das: niedrige Ufer, verwirrend weit
auseinanderliegend und nichts dazwischen als eine ungeheure Fläche von
Sandbänken, zwischen denen träge, kleine Wasseradern dahinrinnen; ganze
Saharas an Sand, wie von Pockennarben mit Fußabdrücken bedeckt, die
schnurgerade von einem Ufer zum anderen hingetupft sind, in Streifen, so
gerade wie der Äquator (mit Ausnahme der Unterbrechungen durch Kanäle)
– sozusagen eine Fähre zu Fuß. Für diese Art Flüsse sind lange Eisenbahn-
brücken erforderlich, und Indien hat sie. Kurz vor Allahabad überquert man
eine solche sehr lange Brücke. Sie führte uns nun über das Bett des
Dschamna, ein Bett, in dem offenbar seit längerer Zeit nicht mehr geschlafen
worden war. Nicht alles war Flußbett – der größte Teil davon war nur Über-
schwemmungsbecken.

Allahabad bedeutet „Stadt Gottes". Ich entnehme dies den Büchern. Einer
gedruckten Kuriosität – einem Brief, verfaßt von einem jener Hindus, die so
tapfer und zuversichtlich den Kampf mit der englischen Sprache aufgenommen haben, „Babu" genannt – entnahm ich eine gedrängtere Übersetzung:
„Gottstadt". Sie ist vollkommen richtig, aber mehr kann man zu ihren Gunsten auch nicht sagen.

Wir kamen am Vormittag an, ohne Diener, denn Satan war am Morgen irgendwo zurückgeblieben und stieß erst nach Einbruch der Nacht wieder zu
uns. Es erschien alles so friedlich ohne ihn. Die Welt schien zu schlafen und
zu träumen.

Ich glaube, ich habe die Stadt der Einheimischen nicht gesehen. An den
Grund dafür kann ich mich nicht erinnern; denn ein Vorfall verknüpft sie

mit dem Indischen Aufstand, und das genügt, um jeden beliebigen Ort interessant zu machen. Aber ich sah den englischen Teil der Stadt. Es ist eine Stadt mit breiten Alleen und stattlichen Entfernungen, sie wirkt hübsch und einladend, und alles deutet auf Behaglichkeit, Muße und die heitere Gelassenheit hin, wie sie ein gutes Gewissen, untermauert durch ein ausreichendes Bankkonto, verschafft. Die Bungalows (Wohnhäuser) stehen weit eingerückt in der Abgeschiedenheit und Zurückgezogenheit weiträumiger, eingefriedeter Bezirke (privater Grundstücke, würden wir sagen) und im Schatten und Schutz der Bäume. Selbst der Photograph und der wohlhabende Kaufmann betreiben ihr Gewerbe in der vornehmen Abgeschiedenheit großer abgeschlossener Grundstücke, und die Bürger der Stadt fahren aus geschäftlichem Anlaß dahin. Und nicht in Mietdroschken – o nein; in den indischen Städten sind Mietdroschken nur für den durchreisenden Fremden da; alle weißen Einwohner besitzen eigene Wagen, und jeder Wagen ist über und über bedeckt mit einer ganzen Herde schwarzer Lakaien und Kutscher in weißen Turbanen. Die Umgebung eines Vortragssaales wirkt wie ein Schneesturm und macht, daß sich der Vortragende vorkommt wie eine Oper. Indien trägt viele Namen, und sie sagen alle etwas Zutreffendes aus. Es ist das Land der Widersprüche, das Land der Geistesschärfe und des Aberglaubens, das Land des Reichtums und der Armut, das Land des Prunks und der Trostlosigkeit, das Land der Pest und der Hungersnot, das Land des Thag und des Giftmörders und das der Sanftmütigen und Geduldigen, das Land der Sati, das Land der geächteten Witwe, das Land, wo „alles Leben heilig ist", das Land der Leichenverbrennung, das Land, wo „der Geier Grab und Mahnmal ist", das Land des Götterüberflusses; und wenn äußere Merkmale überhaupt etwas bedeuten, ist es das Land der Privatkutsche.

In Bombay kam die Direktrice eines Modegeschäftes in ihrem Privatwagen in das Hotel, um für ein Kleid maßzunehmen – nicht für mich, für jemand anderen. Sie war zu einem vorübergehenden Aufenthalt nach Indien gekommen, dehnte ihn aber auf unbestimmte Zeit aus; ja, sie hatte die Absicht, bis ans Ende ihrer Tage dazubleiben. In London, sagte sie, sei ihre Arbeit schwer gewesen, ihre Arbeitszeit lang; aus Gründen der Sparsamkeit habe sie in schäbigen Zimmern und weit vom Geschäft wohnen müssen, auf den Pfennig sehen, sich viele der einfachen Annehmlichkeiten des Lebens versagen, sich tatsächlich auf das absolut Notwendige beschränken, Mietdroschken meiden und mit der Untergrundbahn dritter Klasse zu und von der Arbeit fahren müssen, wobei sie unterwegs die ganze Strecke über Kohlenrauch und Flugasche geschluckt habe und manchmal durch die Gesellschaft von Männern und Frauen belästigt worden sei, die noch weniger angenehm als Rauch und Funken waren. Aber in Bombay könne sie von nahezu jedem Gehalt beliebiger Stufe bequem leben, sich ihren Privatwagen leisten und sechs Diener halten statt des einen Mädchens für alles, das sie in ihrem englischen Haushalt hatte. In Kalkutta entdeckte ich später, daß die Büroangestellten der Standard Oil kleine, einspännige Fahrzeuge besaßen und niemals zu Fuß gingen; und man sagte mir, die Angestellten der anderen großen Firmen dort seien genauso ausgestattet. Aber zurück nach Allahabad.

Am nächsten Tag stand ich bei Morgengrauen auf. Der Diener des Reisenden schläft in Indien nicht in einem Hotelzimmer, sondern wickelt sich bis über die Ohren in eine Decke und streckt sich auf der Veranda quer vor die Tür seines Herrn und verbringt die Nacht dort. Ich glaube nicht, daß irgend jemandes Diener ein Zimmer bewohnt. Offenbar schlafen auch die zu den Bungalows gehörenden Diener auf der Veranda; sie ist geräumig und zieht sich um das ganze Haus. Ich spreche von männlichen Dienern; vom andern Geschlecht sah ich gar keine. Ich glaube, es gibt auch keine, bis auf Kindermädchen. Ich erhob mich beim Morgengrauen und schritt die Veranda entlang, an der Reihe der Schläfer vorbei. Vor einer Tür hockte ein Hindudiener und wartete auf den Ruf seines Herrn. Er hatte die gelben Schuhe poliert und sie vor die Tür gestellt, und jetzt hatte er nur noch zu warten. Es war grimmig kalt, aber da saß er, bewegungslos wie ein Standbild und ebenso geduldig. Das beunruhigte mich. Ich wollte ihm sagen: ‚Kauere doch nicht so da, du erfrierst; das verlangt niemand von dir; bewege dich und wärme dich auf.‘ Aber mir fehlten die Worte. Ich dachte daran, dschaldi dschao zu sagen, aber ich konnte mich nicht erinnern, was das bedeutete, deshalb sagte ich es nicht. Ich kannte noch einen anderen Satz, aber der wollte mir nicht einfallen. Ich ging mit dem Vorsatz weiter, ihn aus meinen Gedanken zu verjagen, aber seine bloßen Beine und bloßen Füße hielten ihn darin fest. Sie zogen mich immer wieder von der Sonnenseite fort an eine Stelle, von wo aus ich ihn sehen konnte. Nach einer Stunde hatte er seine Stellung noch nicht im geringsten verändert. Es war eine seltsame und eindrucksvolle Offenbarung der Ergebenheit und Geduld oder Standhaftigkeit oder Gleichgültigkeit – ich wußte nicht, was zutraf. Aber es beunruhigte mich und verdarb mir den Magen. Wirklich, zwei Stunden verdarb es mir ganz gründlich. Dann verließ ich seine Umgebung und überließ es ihm, sich selbst so lange zu züchtigen, wie er nur wollte. Aber bis dahin hatte der Mann seine Stellung nicht um Haaresbreite verändert. Ihn werde ich wohl nie loswerden, nehme ich an; seine Gestalt verschwimmt nie in meiner Erinnerung. Immer, wenn ich von indischer Ergebung lese, von indischer Geduld unter allem Unrecht, aller Bedrängnis, allem Unglück, taucht er vor mir auf. Er ist für mich Indien in Not, er wird zu dessen Verkörperung. Und seit ungezählten Menschenaltern ist Indien in Not mit derselben Bemerkung verfolgt worden, die ich aussprechen wollte, aber nicht aussprach, weil mir ihre Bedeutung entfallen war: Dscheldi dschau! (Los, mach dich fort!) Ach, das war ja genau das Richtige.

In der Helligkeit des frühen Morgens machten wir eine lange Spazierfahrt zum Fort hinaus. Ein Teil des Weges war wunderschön. Er führte unter stattlichen Bäumen dahin und zwischen Gruppen von Eingeborenenhäusern hindurch und an dem vertrauten Dorfbrunnen vorbei, wo ständig malerische Trupps zusammenströmen und sich wieder zerstreuen, lachen und schwatzen; und gerade jetzt übergossen kräftige Männer ihre bronzenen Leiber mit dem klaren Wasser und boten damit ein erfrischendes und verlockendes Schauspiel; verlockend, denn die Sonne war bereits mächtig im Geschäft und heizte Indien für den Tag auf. Es wurde in dieser frühen Stunde viel gebadet, denn es ging auf die Frühstückszeit zu, und mit ungereinigtem Leib darf der Hindu nicht essen.

Dann stießen wir in die heiße Ebene vor. Wir fanden die Straßen mit Pilgern beiderlei Geschlechts verstopft, denn es wurde eine der großen religiösen Messen Indiens abgehalten, genau jenseits des Forts am Zusammenfluß der beiden heiligen Ströme, des Ganges und des Dschamna. Drei heilige Ströme, hätte ich sagen sollen, denn es gab noch einen unterirdischen. Niemand hat ihn gesehen, aber das hat nichts zu sagen. Die Tatsache, daß er da ist, genügt. Diese Pilger waren aus ganz Indien zusammengekommen; manche von ihnen waren monatelang unterwegs gewesen, waren durch Hitze und Staub dahingestapft, erschöpft, arm, hungrig, aber aufrecht erhalten und getragen von einem unerschütterlichen Glauben; und jetzt waren sie überglücklich und zufrieden; sogleich sollten sie ihre volle und hinlängliche Belohnung finden: das heilige Wasser würde sie von jeder Spur der Sünde und Verderbnis reinwaschen, da es alles, was immer damit in Berührung komme, gänzlich rein mache, selbst Tod und Fäulnis. Wunderbar ist die Macht eines solchen Glaubens, der Heerscharen über Heerscharen alter und schwacher, junger und zarter Menschen die Kraft gibt, ohne Zögern und Klagen solche unglaublichen Reisen anzutreten und die daraus erwachsenden Nöte ohne Murren zu ertragen. Es geschieht aus Liebe, oder es geschieht aus Furcht – ich weiß nicht, was zutrifft. Gleichgültig, was den Antrieb gibt, die daraus erwachsende Tat ist für Menschen unseres Schlages, die kühlen Weißen, etwas unvorstellbar Wundersames. Es gibt unter uns wenige überragende Persönlichkeiten, die etwas aufweisen könnten, das dieser ungeheuren Aufopferung gleichkäme, aber wir übrigen wissen, daß wir etwas Ähnlichem nicht gewachsen wären. Dennoch, wir reden alle von Aufopferung, und das läßt mich hoffen, daß wir weitherzig genug sind, sie beim Hindu zu würdigen.

Zwei Millionen Inder treffen alljährlich zu dieser Messe ein. Wie viele aufbrechen und unterwegs sterben an Altersschwäche, Erschöpfung, Krankheit und Unterernährung und wie viele aus den gleichen Gründen auf dem Rückweg sterben, weiß niemand; aber die Zahl ist groß, man könnte sagen, ungeheuer groß. Jedes zwölfte Jahr gilt als ein Jahr besonderer Gnade; die Zahl der Pilger schwillt dann erheblich an. Das zwölfte Jahr habe seit ältester Zeit diese Auszeichnung genossen, sagt man. Man sagt auch, es solle nur noch ein zwölftes Jahr geben – für den Ganges. Danach werde der heiligste der heiligen Flüsse aufhören, heilig zu sein, und werde von den Pilgern für viele Jahrhunderte verlassen werden; für wie viele Jahrhunderte, haben die Weisen nicht angegeben. Danach werde er wieder heilig. In der Zwischenzeit werden die genauen Daten von denjenigen geklärt, denen alle solche Angelegenheiten obliegen, den großen Oberbrahmanen. Es wird so ähnlich sein wie das Schließen einer Münze. Auf den ersten Blick sieht das außerordentlich unbrahmanisch unkaufmännisch aus, aber ich bin nicht besorgt, ihr guter Ruf beruhigt und besänftigt mich. „Bruder Fuchs wartet ab", wie Onkel Remus sagt; und zur gegebenen Zeit wird er auf das indische Publikum etwas loslassen, das beweist, daß er in finanzieller Hinsicht nicht geschlafen hat, als er den Ganges aus dem Verkehr zog.

Die Straßen entlang schafften große Scharen Einheimischer heiliges Wasser aus den Flüssen fort. Sie wollten es weit und breit nach Indien hineintragen und verkaufen. Tavernier, der französische Forscher (17. Jahrhundert), berichtet, daß Gangeswasser oft bei Hochzeiten angeboten werde; „jeder Gast bekommt einen Becher voll oder auch zwei, je nach der Freigebigkeit des Gastgebers; manchmal wird bei einer Hochzeit Gangeswasser im Werte von 2000 und 3000 Rupien konsumiert."

Das Fort ist ein gewaltiges, altertümliches Bauwerk und hat mit Religionen umfangreiche Erfahrungen gesammelt. In seinem großen Hof befindet sich ein Monolith, der vor mehr als zweitausend Jahren dort aufgestellt wurde, um mit seiner frommen Inschrift den Buddhismus zu lehren; das Fort wurde vor dreihundert Jahren durch einen mohammedanischen Großmogul errichtet – eine erneute Heiligung des Ortes im Sinne *dieser* Religion. Es ist auch ein Hindutempel da, mit unterirdischen Verzweigungen, vollgestopft mit Schreinen und Götzen; und jetzt gehört das Fort den Engländern und enthält eine christliche Kirche. Bei allen Gesellschaften versichert.

Von den hohen Wällen aus hat man eine schöne Aussicht auf die heiligen Flüsse. Sie vereinigen sich an dieser Stelle – der blaßblaue Dschamna, offenbar sauber und klar, und der lehmige Ganges, stumpfgelb und nicht sauber. Auf einer langen, geschwungenen Landzunge zwischen den Flüssen sah man Zeltstädte mit einer Vielzahl flatternder Wimpel und einem ungeheuren Schwarm von Pilgern. Es war mühselig, zu der Stelle hinabzugelangen, und es war dort nicht gerade still, als wir anlangten, aber es war interessant. Eine Welt der Geschäftigkeit, des Aufruhrs, des Lärms, teils religiöser, teils geschäftlicher Natur, denn die Mohammedaner waren da, um zu fluchen und zu verkaufen, und die Hindus, um zu kaufen und zu beten. Das ist in gleichem Maße eine Handelsmesse wie ein religiöses Fest. Menschenmassen badeten, beteten und tranken das reinigende Wasser, und viele kranke Pilger waren über weite Strecken in Sänften herbeigekommen, um durch ein Bad von ihren Gebrechen geheilt zu werden oder, wenn das nicht möglich sein sollte, um an den gesegneten Ufern zu sterben und sich so des Himmels zu versichern. Auch Fakire gab es da im Überfluß, die Leiber mit Asche bestäubt und das lange Haar mit Kuhmist zusammengepflastert; denn die Kuh ist heilig und auch alles, was sie übrigläßt; so heilig, daß der gute Hindubauer die Mauern seiner Hütte al fresco mit diesem Abfall schmückt und auch zur Zierde seines Lehmestrichs schmückende Figuren daraus legt. Ganze Familien saßen da, furchterregend und wunderlich angemalt, und stellten durch Haltung und Gruppierung die Familien bestimmter großer Götter dar. Einen heiligen Mann sah man, der tage- und wochenlang auf einem Büschel eiserner Stacheln saß und sich nichts daraus zu machen schien; und einen anderen heiligen Mann, der den ganzen Tag dastand, seine verdorrten Arme bewegungslos emporhielt und das seit Jahren getan haben sollte. Alle diese Darsteller haben neben sich auf dem Boden ein Tuch zur Aufnahme von Spenden, und sogar die ärmsten Leute geben eine Kleinigkeit und hoffen, daß ihnen das Opfer Segen bringe. Zuletzt zog eine Prozession nackter Heiliger singend vorüber, da riß ich mich los.

50. KAPITEL

Wer seine Sittsamkeit zur Schau stellt, ist
der Zwilling der Statue, die ein Feigenblatt
trägt.

Querkopf Wilsons Neuer Kalender

Die Reise nach Benares ging bei Tag vor sich und dauerte nur wenige Stunden. Es war furchtbar staubig. Der Staub setzte sich als eine dicke, aschfarbene Schicht auf der Haut fest und machte einen zum Fakir, dem zu dieser Rolle nichts fehlte als der Kuhmist und das Gefühl der Heiligkeit. Am halben Nachmittag mußten wir in Mogul-serai – wenn das der Name war – umsteigen, und wir warteten dort zwei Stunden auf den Zug nach Benares. Wir hätten uns einen Wagen besorgen und zur heiligen Stadt fahren können, aber uns wäre die Wartezeit entgangen. In anderen Ländern ist ein langer Aufenthalt auf dem Bahnhof eine öde und langweilige Angelegenheit, aber in Indien hat man nicht das Recht, so zu empfinden. Man hat da die riesige Schar juwelengeschmückter Landeskinder vor Augen, das Getümmel, die Geschäftigkeit, das Gewirr, die quirlende Farbenpracht der Trachten – du lieber Himmel, das Entzücken, die Verzauberung lassen sich einfach nicht schildern. Der zweistündige Aufenthalt verging viel zu rasch. Unter anderen erfreulichen Dingen war da ein einheimischer Fürst irgendwo aus dem Hinterland zu betrachten, mit seiner Ehrengarde, einer abgerissenen, aber wunderbar farbenfrohen Bande von fünfzig dunkelhäutigen Barbaren, die mit Steinschloßmusketen bewaffnet waren. Das allgemeine Schauspiel erschöpfte die letzten Möglichkeiten der Mannigfaltigkeit schon so weitgehend, daß man gesagt hätte, eine weitere Steigerung dürfte gar nicht mehr auffallen, aber als dieser Falstaff mit seiner malerischen Geckenschar vorübermarschierte, sah man ein, daß das scheinbar Unmögliche eingetreten war.

Schließlich ging es weiter, und bald erreichten wir die Außenbezirke von Benares; dort gab es einen weiteren Aufenthalt; aber wie üblich gab es auch etwas zu betrachten. Das war eine Gruppe kleiner Segeltuchgehäuse – Sänften. Eine Sänfte ist kein besonderer Anblick – wenn sie leer ist; aber wenn sich eine Dame darin befindet, erweckt sie lebhaftes Interesse. Diese Gehäuse hatte man etwas abseits geparkt, und während der Dreiviertelstunde, die wir dort verweilten, standen sie in der sengenden Glut der unbarmherzigen Sonne. Sie enthielten Zenanadamen. Diese mußten aufrecht sitzen; es war nicht genug Platz vorhanden, um sich auszustrecken. Vermutlich machte es ihnen nichts aus. Sie sind für ihr ganzes Leben an die enge Beschränkung ihrer Wohnungen gewöhnt; wenn sie eine Reise unternehmen, werden sie in diesen Gehäusen zur Bahn getragen; im Zug müssen sie abgesondert sitzen, um der Betrachtung zu entgehen. Viele Leute bemitleiden sie, und ich selbst habe das immer getan und nie etwas dafür verlangt; aber es ist zweifelhaft, ob diese Anteilnahme gewürdigt wird. Während wir in Indien waren, schlugen einige wohlmeinende Europäer in einer Großstadt vor, die Benutzung eines großen Parks den Zenanadamen vorzubehalten, damit sie dort hingehen und bei verbürgter Abgeschiedenheit unverschleiert umhergehen, Sonnenschein und Luft genießen könnten, wie sie es noch nie erlebt hatten. Die gute

Absicht hinter diesem Vorschlag wurde anerkannt, und man dankte aufrichtig dafür, aber den Vorschlag selbst lehnten diejenigen, die ermächtigt waren, für die Zenanadamen zu sprechen, prompt ab. Offenbar war den Damen die Vorstellung anstößig – wirklich, sie war ganz ausgesprochen anstößig. Entsprach dieser Vorschlag etwa dem, wenn man europäische Damen eingeladen hätte, sich spärlich und anstößig gekleidet in der Abgeschiedenheit eines Privatparks zu versammeln? Das ungefähr schien es zu heißen.

Zweifellos ist Sittsamkeit einem religiösen Gefühl gleichwertig, und zweifellos fühlt der Mensch, dessen Sittlichkeitsregeln verletzt worden sind, denselben Schmerz, als wäre etwas entweiht worden, das ihm auf Grund seiner Religion heilig ist. Ich sage „Sittlichkeitsregel", weil es auf der Welt etwa eine Million Regeln gibt, und das bedeutet eine Million Maßstäbe, die zu beachten sind. Major Sleeman erwähnt einen Fall, wo einige verschleierte Damen aus hoher Kaste zutiefst schockiert waren, als einige junge englische Damen mit völlig bloßen Gesichtern vorübergingen; so schockiert, daß sie ihre tiefe Empörung äußerten und sich fragten, wie man bloß so schamlos sein könne, seine Person derart bloßzustellen. Und doch „waren die Beine der Empörten nackt bis zum halben Oberschenkel hinauf". Beide Gruppen waren moralisch sauber und sittsam ohne Tadel, insofern sie sich nach ihren unterschiedlichen Regeln richteten, aber sie hätten nicht zur Abwechslung die Rollen vertauschen können, ohne von beträchtlichem Unbehagen befallen zu werden. Alle menschlichen Regeln sind mehr oder weniger idiotisch, meine ich. Zweifellos ist es so am besten. So, wie es jetzt ist, können die Heilanstalten die geistig Gesunden gerade fassen, aber wenn wir versuchen wollten, die Geisteskranken einzusperren, würde uns das Baumaterial ausgehen.

Bevor man zum Hotel gelangt, hat man eine lange Fahrt durch die Außenbezirke von Benares. Und alle Eindrücke sind schwermütig. Es ist ein Anblick staubiger Dürre, verfallender Tempel, zerbröckelnder Grabmäler, geborstener Lehmmauern, schäbiger Hütten. Die ganze Gegend scheint vor Alter und Armut zu stöhnen. Es braucht wohl zehntausend Jahre der Not, um ein solches Aussehen hervorzubringen. Als wir das Hotel erreichten, befanden wir uns noch immer außerhalb der großen Inderstadt. Es war ein stilles und anheimelndes Haus, einladend und offensichtlich behaglich. Aber das Nebengebäude gefiel uns besser, und wir wandten uns dorthin. Es lag vielleicht eine Meile weit ab, stand inmitten eines großen, umfriedeten Grundstücks und war nach Bungalowart gebaut, alles zu ebener Erde und eine Veranda ringsherum. Es gibt Türen in Indien, aber ich weiß nicht, wozu. Sie schließen nicht, sie stehen meistens offen, und in der Türöffnung hängt ein Vorhang, um das grelle Sonnenlicht abzuhalten. Dennoch hat man genug Abgeschlossenheit, denn natürlich wird kein Weißer hereinkommen, ohne sich vorher bemerkbar zu machen. Die einheimischen Diener kommen so herein, aber sie zählen offenbar nicht. Sie gleiten herein, barfuß und geräuschlos, und stehen mitten im Raum, bevor man es weiß. Zuerst versetzt einem das einen Schock, und manchmal ist es peinlich, aber man muß sich daran gewöhnen, und so gewöhnt man sich auch daran.

Ein Baum stand auf dem Grundstück, und darin wohnte ein Affe. Zuerst interessierte mich der Baum stark, denn man sagte mir, das sei der berühmte Pipal – der Baum, in dessen Schatten man nicht lügen könne. Dieser hier bestand die Prüfung nicht, und ich wandte mich enttäuscht ab. Dicht dabei lag ein leise quietschender Brunnen, und ein Paar Ochsen zog stundenlang Wasser daraus hervor, überwacht von zwei Einheimischen, die wie üblich „Turban und Taschentuch" trugen. Der Baum und der Brunnen waren das einzige Sehenswerte auf dem Grundstück, weshalb die Örtlichkeit so abgeschieden, so beruhigend und wohltuend wirkte; und sehr erholsam nach so vielen Unternehmungen. Außer uns wohnte niemand in dem Bungalow; die anderen Gäste wohnten im nächsten, wo auch die Table d'hôte gedeckt wurde. Man konnte einfach nicht angenehmer untergebracht sein. Zu jedem Zimmer gehörte das übliche Bad – ein Raum zehn oder zwölf Fuß im Quadrat mit einer geräumigen, steingepflasterten Grube darin und Wasser im Überfluß. Man könnte diese Ausstattung kaum verbessern, ausgenommen, man lieferte kaltes Wasser und ließe das heiße fort, mit Rücksicht auf das glühendheiße Klima; aber das ist verboten. Es würde der Gesundheit des Badenden schaden. Der Fremde wird gewarnt, in Indien kalte Bäder zu nehmen, aber selbst die intelligentesten Fremden sind Trottel, folgen den Warnungen nicht und liegen deshalb bald auf der Nase. Ich war der intelligenteste Trottel, der in jenem Jahr durchreiste. Aber jetzt bin ich noch intelligenter. Jetzt, da es zu spät ist.

Ich frage mich, ob der Dorian, wenn das der Name war, noch so eine abergläubische Angelegenheit ist wie der Pipalbaum. Wir begegneten einem Überfluß tropischer Früchte in bunter Mannigfaltigkeit, aber der Dorian tauchte niemals auf. Nie war es die richtige Zeit für den Dorian. Immer sollte er irgendwann aus Burma eintreffen, tat es aber nie. Nach dem, was man hörte, war es eine ganz eigenartige Frucht, unvergleichlich köstlich im Geschmack, aber nicht im Geruch. Seine Rinde sollte einen so entsetzlichen Gestank verbreiten, daß dort, wo ein Dorian im Zimmer wäre, sogar die Anwesenheit eines Iltis als Erfrischung wirken sollte. Wir begegneten vielen, die den Dorian gegessen hatten, und sie alle sprachen davon mit einer Art Verzückung. Sie sagten, wenn man die Nase zuhalten könne, bis man die Frucht im Munde habe, werde einen von Kopf bis Fuß heilige Freude durchströmen, die einen den Geruch der Rinde vergessen lasse, aber wenn man abrutsche und den Geruch der Rinde einatme, bevor man die Frucht im Munde habe, werde man ohnmächtig. In dieser Rinde liegt ein Vermögen. Eines Tages wird sie jemand nach Europa einführen und als Käse verkaufen.

Benares war keine Enttäuschung. Es bestätigte seinen Ruf als Kuriosum. Es liegt auf hohem Grund und überragt eine weite Krümmung des Ganges. Es ist eine ungeheure Masse von Gebäuden, die einen Hügel als dichte Kruste bedecken; diese durchzieht nach allen Richtungen ein verwickeltes Durcheinander von Rissen, die Straßen darstellen sollen. Hohe, schlanke Minarette und die beflaggten Turmspitzen der Tempel ragen daraus hervor und verleihen dem Bild, vom Fluß aus betrachtet, einen malerischen Reiz. Die Stadt ist geschäftig wie ein Ameisenhaufen, und das Brodeln menschlichen Lebens in dem Netz enger Straßen erinnert an Ameisen. Die heilige Kuh schweift auch umher und geht, wohin sie will, entnimmt den Kornläden ihren Tribut, ist überall im Wege und stellt eine große Belästigung dar, weil man sie ja nicht behelligen darf.

Benares ist älter als die Geschichte, älter als die Überlieferung, älter sogar als die Legende und sieht doppelt so alt aus wie alle zusammengenommen. Einer Behauptung der Hindus, die in Ehrwürden Mr. Parkers gedrängtem und klarem „Führer durch Benares“ wiedergegeben wird, entnehme ich, daß der Grund, auf dem die Stadt steht, der Ausgangspunkt der Schöpfung war. Zuerst war es nur ein aufgerichteter Lingam, nicht größer als ein Ofenrohr, und der stand inmitten eines uferlosen Ozeans. Dies war das Werk des Gottes Wischnu. Später breitete er den Lingam aus, bis seine Oberfläche zehn Meilen Durchmesser aufwies. Immer noch war er für den Zweck nicht groß genug; deshalb baute er bald den Erdball darum herum. Infolgedessen ist Benares der Mittelpunkt der Erde. Man hält das für einen Vorzug.

Benares hat eine bewegte Geschichte, in sachlicher ebenso wie geistiger Hinsicht. Es fing vor vielen Jahrtausenden brahmanisch an; kürzlich, vor zweitausendfünfhundert Jahren, kam dann Buddha, und anschließend war es viele Jahrhunderte lang buddhistisch – zwölf etwa –, aber dann bekamen die Brahmanen wieder die Oberhand und haben sie seither behalten. In den Augen der Hindus ist Benares unaussprechlich heilig, und es ist so unhygienisch wie heilig und riecht wie die Rinde des Dorian. Es ist das Hauptquartier des brahmanischen Glaubens, und ein Achtel der Bevölkerung sind Priester dieser Kirche. Aber das bedeutet keinen Überfluß, denn sie haben ganz Indien zur Beute. Ganz Indien wallfahrt in Massen hierher und gießt seine Ersparnisse in kräftigem, nie versiegendem Schwall in die Taschen der Priester. Einem Priester mit einem günstigen Standort am Ufer des Ganges geht es viel besser als dem Straßenkehrer an der besten Kreuzung Londons. Ein günstiger Standort ist eine Unmasse Geld wert. Sein heiliger Inhaber sitzt sein ganzes Leben lang unter einem großmächtigen, weithin sichtbaren Schirm und segnet Leute, kassiert seine Provision und wird fett und reich; und der Standort geht vom Vater auf den Sohn über, weit, weit über die Generationen hinweg, und bleibt ein dauerhafter und einträglicher Familienbesitz. Wie Mr. Parker andeutet, kann er gelegentlich auch zum Streitobjekt werden, und dann wird der Fall nicht durch Gebete und Fasten und Rückfragen bei Wischnu geregelt, sondern durch das Dazwischentreten einer sehr viel wirksameren Macht – eines englischen Gerichtes. Ein amerikanischer Missionar erzählte mir in Bombay, in Indien seien 640 Missionare protestantischen Glaubens am Werk. Zunächst schien mir das eine riesige Streitmacht zu sein, aber das war natürlich ein vorschneller Gedanke. Ein Missionar auf 500 000 Landeskinder – nein, das ist keine Streitmacht; das ist das Gegenteil; 640, die gegen eine befestigtes Lager von 300 000 000 marschieren – die Übermacht ist zu groß. In Benares allein hätte eine Streitmacht von 640 Mann übergenug zu tun, um gegen 8000 brahmanische Priester anzugehen. Missionare müssen reichlich mit Hoffnung und Zuversicht ausgestattet sein, und diese Ausstattung scheinen sie zu allen Zeiten in allen Teilen der Welt besessen zu haben. Mr. Parker besitzt sie. Sie befähigt ihn dazu, einem Zahlenmaterial günstige Schlußfolgerungen zu entnehmen, das bei anderen Mathematikern eine andere Bilanz ergäbe. Zum Beispiel:

„Im Laufe der letzten Jahre erklären erfahrene Beobachter, daß die Zahl der Pilger nach Benares angestiegen sei.“

Und dann zieht er die Bilanz aus dieser Tatsache und gelangt zu folgendem Schluß:

„Aber diese Neubelebung, wenn man es so nennen darf, trägt die Male des Todes. Es ist ein krampfhaftes Aufbäumen vor der Auflösung."

In unserer Welt sehen wir die römisch-katholische Kirche schon seit vielen Jahrhunderten unter denselben Umständen sterben. Manches Mal haben wir uns zur Beerdigung bereitgemacht und festgestellt, daß man sie verschoben hatte, wegen des Wetters oder aus anderen Gründen. Durch Erfahrung klug geworden, sollten wir uns für dieses brahmanische Begräbnis erst fertig machen, wenn wir sehen, daß sich der Leichenzug in Bewegung setzt. Offenbar ist die Beerdigung einer Religion eines der ungewissesten Dinge dieser Welt.

Ich hätte gern irgendeine Vorstellung von der Hindutheologie erworben, aber die Schwierigkeiten waren zu groß, die Angelegenheit zu verwickelt. Selbst ihr bloßes Abc ist verwirrend. Es gibt eine Dreieinigkeit: Brahma, Schiwa und Wischnu – offenbar voneinander unabhängige Mächte, obwohl man sich dessen nicht ganz sicher sein kann, denn in einem der Tempel existiert ein Bildnis, wo man den Versuch gemacht hat, die drei in einer Person zu vereinigen. Die drei haben noch andere Namen, und zwar in Mengen, und das verwirrt einem den Verstand. Die drei haben Gattinnen, und die Gattinnen haben zahlreiche Namen, und das macht die Verwirrung noch größer. Sie haben auch Kinder, und die Kinder haben viele Namen, und so schreitet die Verwirrung immer weiter und weiter fort. Es lohnt gar nicht der Mühe, zu versuchen, die Wolke niederer Götter in den Griff zu bekommen, denn es gibt deren zu viele.

Es bedeutet sogar eine berechtigte Einsparung, Brahma, den höchsten Gott von allen, von den Studien auszunehmen, denn er scheint in Indien keine große Rolle zu spielen. Der überwältigende Teil der Verehrung des Volkes wird an Schiwa und Wischnu samt ihren Familien verschwendet. Schiwas Symbol, der Lingam, mit dem Wischnu die Schöpfung begann, wird offenbar von jedermann angebetet. Er ist in Benares das verbreitetste Objekt. Überall ist er zu sehen, wird mit Blumen umkränzt, erhält Opfergaben, er leidet nicht unter Vernachlässigung. Gewöhnlich ist es ein aufrechtstehender Stein, wie ein Fingerhut geformt – manchmal wie ein verlängerter Fingerhut. Diese Priapos-Anbetung also ist älter als die Geschichte. Mr. Parker behauptet, daß in Benares die Lingams *an Zahl die Einwohner übertreffen*".

In Benares gibt es viele mohammedanische Moscheen. Hindutempel gibt es ohne Zahl – diese wunderlich gebildeten und mit Bildhauerarbeiten reich verzierten kleinen Steinblöcke drängen sich in allen Gassen. Der Ganges selbst und jeder einzelne Wassertropfen darin sind Tempel. Die Religion ist demnach das „Geschäft" von Benares, gerade wie die Goldgewinnung das Geschäft Johannesburgs ist. Andere Gewerbezweige fallen überhaupt nicht ins Gewicht, verglichen mit dem ungeheuren und allumfassenden geschäftlichen Drang und Druck und Auftrieb in der Spezialbranche der Stadt. Benares ist die heiligste der heiligen Städte. Sobald man eine genau festgelegte Grenze überschreitet, die es von der übrigen Welt trennt, steht man auf unaussprechlich und unbeschreiblich heiligem Boden. Mr. Parker sagt: „Es ist unmöglich, eine angemessene Vorstellung von den inbrünstigen Gefühlen der Verehrung und Liebe zu vermitteln, mit denen der fromme Hindu das ‚Heilige Kashi' (Benares) betrachtet." Und dann gibt er einem das folgende lebendige und rührende Bild:

„Laßt ein Hinduregiment durch den Distrikt marschieren; sobald sie die Grenzlinie überschreiten und das Gebiet des heiligen Ortes betreten, erfüllen sie die Luft mit Rufen: ‚Kashi dschi ki dschai – dschai – dschai!‘ (Heiliges Kashi! Heil Dir! Heil! Heil! Heil!). Der erschöpfte Pilger, der vor Alter und Schwäche kaum zu stehen vermag, von Staub und Hitze geblendet und halbtot vor Erschöpfung, kriecht aus dem backofengleichen Eisenbahnwagen heraus, und sobald seine Füße den Boden berühren, hebt er die verdorrten Hände gen Himmel und bricht in denselben frommen Ruf aus. Laßt einen Europäer in irgendeiner fremden Stadt bei einer zufälligen Unterhaltung im Bazar die Tatsache erwähnen, daß er in Benares gewohnt hat, und sofort erheben sich Stimmen, um Segen auf sein Haupt herabzuflehen, denn wer in Benares wohnt, ist der gesegnetste unter den Menschen.“

Das läßt unsere eigene religiöse Begeisterung blaß und kühl wirken. Soweit sich das Leben der Religion im Herzen, nicht im Hirn abspielt, scheint Mr. Parkers ergreifendes Bild gewissermaßen einen unbegrenzten Aufschub für jene Beerdigung zu versprechen.

51. KAPITEL

> Laßt mich den Aberglauben eines Volkes schaffen, und mir ist es gleich, wer ihm seine Gesetze oder seine Lieder gibt.
>
> *Querkopf Wilsons Neuer Kalender*

Ja, die Stadt Benares ist im wesentlichen einfach eine große Kirche, ein religiöser Bienenstock, wo jede einzelne Zelle ein Tempel, ein Schrein oder eine Moschee ist und wo sozusagen jedes nur erdenkliche irdische und himmlische Gut unter einem einzigen Dach zu haben ist – eine Art Armee- und Flottenarsenal mit theologischen Vorräten.

Ich will einen kleinen Wegweiser für den Pilger ausarbeiten; dann werden Sie feststellen, wie handlich das System ist, wie bequem, wie umfassend. Wenn Sie mit dem ernstlichen Wunsch nach Benares fahren, geistlichen Nutzen daraus zu ziehen, werden Sie meinen Plan vorteilhaft finden. Einige der Tatsachen entnahm ich Unterhaltungen mit Ehrwürden Mr. Parker und die anderen seinem „Führer durch Benares“. Sie sind deshalb zuverlässig.

1. Reinigung. Bei Sonnenaufgang müssen Sie zum Ganges hinabsteigen und baden, beten und etwas Wasser trinken. Dies zur allgemeinen Reinigung.

2. Schutz gegen Hunger. Darauf müssen Sie sich gegen das soeben erwähnte irdische Übel wappnen. Das tun Sie dadurch, daß Sie einen Augenblick im Tempel des Rindes beten. Neben seiner Tür finden Sie ein Standbild des Ganescha, eines Sohnes Schiwas; er trägt einen Elefantenkopf auf einem menschlichen Körper; sein Antlitz und seine Hände sind aus Silber. Sie beten ihn eine Weile an und gehen dann weiter in eine überdachte Veranda, wo Sie Andächtige antreffen, die mit Hilfe von Lehrern aus den heiligen Büchern vorlesen. An diesem Ort stehen Gruppen roher und scheußlicher Götzen. Sie können etwas für ihren Unterhalt spenden; dann treten Sie in den

Tempel ein, eine finstere und übelriechende Örtlichkeit, denn er wimmelt von heiligen Kühen und Bettlern. Sie geben den Bettlern etwas und „küssen ehrfürchtig die Schwänze" der Kühe, die an Ihnen vorbeikommen, denn diese Kühe sind ganz besonders heilig, und diese fromme Handlung wird Sie für diesen Tag vor Hunger schützen.

3. *„Der Freund des Armen."* Als nächsten beten Sie diesen Gott an. Er residiert auf dem Grunde einer steinernen Zisterne im Tempel des Dalbhyeschwar, im Schatten eines stattlichen Pipalbaumes auf der Anhöhe über dem Ganges, also müssen Sie zu Fuß zurück. Der Freund des Armen ist der Gott *wirtschaftlichen Wohlstandes* im allgemeinen und des *Regens* im besonderen. Dadurch, daß Sie ihn anbeten, sichern Sie sich wirtschaftlichen Wohlstand oder beides. Es ist Schiwa unter einem neuen Namen, und er wohnt auf dem Grunde jener Zisterne in Gestalt eines Steinlingams. Sie übergießen ihn mit Gangeswasser, und als Belohnung für diese Huldigung erhalten Sie die zugesagten Vorteile. Wenn sich der Regen verspätet, müssen Sie Wasser hineingießen, bis die Zisterne voll ist; dann kommt der Regen ganz bestimmt.

4. *Fieber.* An dem Kedar Ghat finden Sie eine lange Flucht steinerner Stufen, die zum Fluß hinabführen. Auf halber Strecke nach unten steht ein mit Jauche gefüllter Tank. Trinken Sie davon, soviel Sie wollen. Es ist gut gegen Fieber.

5. *Pocken.* Gehen Sie von dort aus geradenwegs zum Central Ghat. An ihrem stromaufwärts gelegenen Ende finden Sie ein kleines, weißgekalktes Gebäude, das ein der Sitala, der Pockengöttin, geweihter Tempel ist. Ihr Rohmodell steht da – eine rohe menschliche Figur hinter einem Messingschirm. Sie beten diese an aus Gründen, die ich bald nennen werde.

6. *Der Schicksalsbrunnen.* Aus bestimmten Gründen gehen Sie nun zu diesem Brunnen, um Ihre Huldigung darzubringen. Sie finden ihn im Dandpan-Tempel in der Innenstadt. Das Sonnenlicht fällt durch ein quadratisches Loch im darüberliegenden Mauerwerk hinein. Sie nähern sich ehrfürchtig, denn jetzt geht es um Ihr Leben. Sie beugen sich über den Brunnen und schauen hinein. Wenn das Geschick günstig steht, sehen Sie Ihr Gesicht tief unten im Brunnen im Wasser abgebildet. Wenn die Dinge anders bestimmt sind, verdeckt plötzlich eine Wolke die Sonne, und Sie sehen nichts. Das bedeutet, daß Sie keine sechs Monate mehr zu leben haben. Wenn Sie bereits an der Schwelle des Todes stehen, ist Ihre Lage jetzt ernst. Es ist keine Zeit zu verlieren. Lassen Sie diese Welt fahren, richten Sie sich auf die nächste ein. Bequem in Reichweite, direkt an Ihrem Ellbogen, ist dazu Gelegenheit. Sie wenden sich um und beten das Bild Maha Kals, des Großen Schicksals, an, und das Glück im kommenden Leben ist gesichert. Wenn Sie noch Odem im Leib haben, sollten Sie nun eine Anstrengung unternehmen, die Frist des gegenwärtigen Lebens zu verlängern. Sie haben eine Chance. Es gibt für alles eine Chance in diesem bewunderungswürdig ausgestatteten und fabelhaft zweckmäßig geordneten geistlichen und weltlichen Armee- und Flottenarsenal. Sie müssen sich zum

7. *Brunnen des Langen Lebens* bringen lassen. Dieser liegt im Bezirk des verfallenden und ehrwürdigen Briddhkal-Tempels, eines der ältesten in Benares. Sie treten ein, an einem steinernen Bildnis des Affengottes Hanuman vorbei, und dort finden Sie einen flachen Tümpel stagnierender Jauche. Er

riecht wie bester Limburger Käse und ist infolge der Waschungen verfaulender Aussätziger verschmutzt, aber das macht nichts, baden Sie darin; baden Sie dankbar und gläubig darin, denn dies ist der Jungbrunnen; dies ist das Wasser langen Lebens. Ihre grauen Haare verschwinden, und mit ihnen Ihre Runzeln und Ihr Rheumatismus, die Bürden der Sorge und die Müdigkeit des Alters, und Sie kommen heraus jung, frisch, elastisch und begierig auf den neuen Lebenskampf. Nun überfluten Sie die mannigfaltigen Begierden, welche die süßen Träume des Lebensfrühlings heimsuchen. Sie gehen dorthin, wo Sie

8. *Erfüllung der Begierde* finden werden. Nämlich zum Kameschwar-Tempel, Schiwa als Herrn der Begierden geweiht. Sorgen Sie dort für die Ihren. Und wenn Sie Götzen inmitten des Gedränges und Geschiebes der Tempel gern ansehen, dort finden Sie genug, um ein Museum auszustatten. Jetzt fangen Sie an, mit aufgefrischter neuer Lebendigkeit Sünden zu begehen; deshalb wird es gut sein, häufig einen Ort aufzusuchen, wo Sie eine

9. *Einstweilige Reinigung von Sünde* erhalten können, nämlich den Ohrring-Brunnen. Sie müssen sich diesem mit der tiefsten Ehrfurcht nahen, denn er ist unaussprechlich heilig. Er ist in der Wertschätzung der Leute tatsächlich die allerheiligste Stelle in Benares, das Heiligtum der Heiligtümer. Es ist ein Wasserbecken mit einem Geländer darum. Steinstufen führen zum Wasser hinab. Das Wasser ist nicht sauber. Das kann es gar nicht sein, denn es baden immerzu Leute darin. Solange Sie auch stehenbleiben und zuschauen, Sie sehen immer und immer Sünder reihenweise hinabsteigen und heraufkommen – mit Sünde beschmutzt hinabsteigen, davon gereinigt heraufkommen. „Der Lügner, der Dieb, der Mörder und der Ehebrecher können sich hier waschen und werden rein", sagt Ehrwürden Mr. Parker in seinem Buch. Na schön. Ich kenne Mr. Parker, und ich glaube ihm; aber wenn das jemand anders gesagt hätte, hielte ich ihn für einen Menschen, der besser in das Becken hinabstiege und sich noch einmal wüsche. Der Gott Wischnu hat dieses Becken ausgehoben. Er hatte zum Graben nur seinen „Diskus" zur Verfügung. Ich weiß nicht, was ein Diskus ist, aber ich weiß, daß er zum Beckenausheben herzlich wenig taugt, denn als Wischnu fertig war, war das Becken angefüllt mit Schweiß – Wischnus Schweiß. Er schuf den Boden, auf dem Benares steht, baute danach die Erde darum herum und fand nichts dabei, und doch hat er über einem kleinen Ding wie diesem Becken dermaßen geschwitzt. Eine dieser Angaben ist zweifelhaft. Ich weiß nicht, welche, aber es fällt mir schwer, die Ansicht zu unterdrücken, daß ein Gott, der um Benares herum eine Welt bauen konnte, auch intelligent genug gewesen sein müßte, sie auch um das Becken herum zu bauen, statt es auszuheben. Jugend, langes Leben, einstweilige Reinigung von Sünde, die Erlösung durch Versöhnung des Großen Schicksals – alles sehr gut. Aber Sie müssen noch mehr tun. Sie müssen sich

10. *Des Heiles versichern.* Es gibt verschiedene Wege dazu. Einer davon ist, im Ganges zu ertrinken, aber der ist nicht angenehm. Ein anderer ist, innerhalb des Weichbildes von Benares zu sterben, aber das ist gewagt, denn Sie könnten sich ja außerhalb der Stadt befinden, wenn Ihre Zeit gekommen ist. Der beste Weg von allen ist die „Wallfahrt rund um die Stadt". Sie müssen zu Fuß gehen; auch müssen Sie barfuß sein. Die Wanderung geht über vier-

undvierzig Meilen, denn die Straße windet sich ein Stück ins Land hinaus, und Sie sind fünf oder sechs Tage unterwegs. Aber Sie haben genug Gesellschaft, Sie ziehen mit ganzen Heerscharen glücklicher Pilger dahin, deren farbenprächtige Trachten Ihnen ein schönes Schauspiel bieten und deren frohe Lieder und fromme Triumphhymnen Ihre Müdigkeit verscheuchen und Ihren Geist aufheitern; und in Abständen gibt es Tempel, wo Sie schlafen und Ihre Kräfte durch Nahrung auffrischen können. Wenn die Wallfahrt beendet ist, haben Sie sich das Heil erkauft und dafür bezahlt. Aber möglicherweise wird es Ihnen erst zuteil, wenn Sie

11. *Ihre Erlösung registrieren lassen.* Das können Sie im Sakhi-Binayak-Tempel machen lassen, und es ist zweckmäßig, das zu tun, denn sonst wären Sie möglicherweise nicht imstande, zu beweisen, daß Sie die Wallfahrt durchgeführt haben, falls das einmal angefochten werden sollte. Dieser Tempel liegt in einer Gasse hinter dem Tempel der Rinder. Über der Tür befindet sich ein rotes Bildnis Ganeschas mit dem Elefantenkopf, des Sohnes und Erben Schiwas und Prinzen von Wales der theologischen Monarchie, gewissermaßen. Drinnen wohnt ein Gott, dessen Amt es ist, Ihre Wallfahrt zu protokollieren und die Verantwortung für Sie zu übernehmen. Sie bekommen ihn nicht zu sehen, aber Sie sehen einen Brahmanen, der sich der Sache annimmt und das Geld einstreicht. Wenn er vergessen sollte, das Geld zu kassieren, können Sie ihn daran erinnern. *Er* weiß nun, daß Ihr Heil gewiß ist, aber natürlich würden Sie es gern selbst wissen. Sie brauchen nichts weiter zu tun, als hinzugehen und am

12. *Brunnen des Wissens um die Erlösung* zu beten und zu zahlen. Er liegt dicht beim Goldenen Tempel. Dort sehen Sie, aus einem einzigen Stück schwarzen Marmors gemeißelt, einen Stier, der viel größer ist als jeder lebende Stier, den Sie jemals gesehen haben, und doch besteht kaum eine Ähnlichkeit. Und dort sehen Sie auch etwas sehr Ungewöhnliches – ein Bild Schiwas. Sie haben seinen Lingam schon fünfzigtausendmal gesehen, aber dies ist Schiwa selbst, und die Ähnlichkeit soll groß sein. Er besitzt drei Augen. Er ist der einzige Gott in dem Unternehmen, der drei besitzt. „Der Brunnen ist mit einem schönen steinernen Baldachin bedeckt, den vierzig Pfeiler tragen", und um ihn herum finden Sie, was sie bereits an fast jedem Schrein gesehen haben, den Sie in Benares aufsuchten, eine Masse frommer und inbrünstiger Pilger. Das heilige Wasser wird ihnen mit einer Kelle zugeteilt; und mit ihm kommt ihnen die Gewißheit, klar, aufwühlend, absolut, daß sie gerettet sind; und Sie können an ihren Gesichtern ablesen, daß es ein Glück auf dieser Welt gibt, welches das erhabenste ist und mit dem sich keine andere Freude vergleichen läßt. Sie bekommen Ihr Wasser, Sie entrichten Ihre Abgabe, und was möchten Sie nun noch? Gold? Brillanten, Macht, Ruhm? In einem einzigen Augenblick sind diese Dinge zu Schmutz, Staub, Asche verwelkt. Die Welt kann Ihnen nun nichts mehr geben. Für Sie ist sie bankrott.

Ich behaupte nicht, daß die Pilger ihre Anbetung in der Ordnung und Reihenfolge durchführen, die oben in meinem Wegweiser skizziert wurde, aber ich glaube, die Logik legt nahe, daß sie es so machen sollten. Statt die Anbetung holterdiepolter zu erledigen, hätten wir dann einen festen Ausgangspunkt und eine Marschroute, die den Pilger in ausgeklügeltem und logischem Fortschritt stetig näher einem Endziel zuführt. So macht ihm sein Bad im Ganges am frühen Morgen Appetit; er küßt die Kuhschwänze, und das vertreibt ihn wieder; jetzt ist Geschäftszeit, und in seinem Sinn erwacht die Sehnsucht nach materiellem Wohlstand, und er geht hin und gießt Wasser über Schiwas Symbol; das sichert den Wohlstand, bringt aber auch Regen, der bei ihm Fieber hervorruft. Dann trinkt er an dem Kedar Ghat die Jauche, um das Fieber zu heilen; sie heilt das Fieber, bringt ihm aber die Pokken. Er möchte wissen, wie sie verlaufen werden; er geht zum Dandpan-Tempel und schaut in den Brunnen hinab. Eine umwölkte Sonne bedeutet ihm, daß er dem Tod nahe ist. Da er nicht sagen kann, in welchem Augenblick er sterben werde, ist es für ihn logischerweise zunächst das klügste, sich ein glückliches Nachher zu sichern; das tut er durch Vermittlung des Großen Schicksals. Nun kann ihm der Himmel nicht entgehen; sein nächster Zug wird natürlich sein, sich ihm fernzuhalten, solange er kann. Deshalb geht er zum Briddhkal-Tempel und sichert sich Jugend und langes Leben, indem er in einer Pfütze Lepraeiter badet, die jede Mikrobe umbringen würde. Logischerweise hat die Jugend ihn wieder zur Sünde tauglich gemacht und auch mit dem Hang ausgestattet, sie zu begehen; er zieht natürlich zu dem Tempel, der der Erfüllung der Begierden geweiht ist, und trifft Vorsorge. Logischerweise geht er nun von Zeit zu Zeit zum Ohrring-Brunnen, um sich zu entlasten und für weitere verbotene Genüsse aufzufrischen. Aber zuerst und zuletzt und immerzu ist er ein Mensch, und deshalb wird er in seinen nachdenklichen Augenblicken immer über die „Zukunft" grübeln. Er macht die große Wallfahrt um die Stadt herum und damit sein Heil absolut gewiß; er läßt das auch protokollieren, damit es absolut gewiß bleibe und nicht beim Durcheinander der großen Schlußabrechnung vergessen oder etwa nicht anerkannt werde. Logischerweise möchte er auch *persönlich* die befriedigende und beruhigende Gewißheit darüber besitzen, daß ihm das Heil gewiß sei; deshalb geht er zum Brunnen des Wissens um die Erlösung, fügt diesen Schlußstein hinzu und geht dann heiter und gelassen seinen Angelegenheiten nach; heiter und gelassen, denn er ist nun mit einem fürstlichen Privileg ausgestattet, das ihm keine Religion der Welt außer seiner eigenen verleihen könnte; denn von nun an mag er so viele Millionen Sünden begehen, wie er will, und nichts kann daraus entstehen.

So ist das System richtig und logisch geordnet, gefällig, bündig, klar definiert und umfaßt alles Nötige. Ich möchte es solchen Leuten empfehlen, die andere Systeme für die Anwendung in unserem bedauerlich kurzen Dasein zu schwierig, anspruchsvoll und lästig finden.

Jedoch möchte ich niemanden täuschen. In meinem Wegweiser fehlt ein Umstand. Ich muß ihn anführen. Die Wahrheit ist, daß dem Pilger, nachdem er den Vorschriften des Wegweisers getreulich bis zum Schluß gefolgt ist und sich seines Heils und auch des persönlichen Wissens um diesen Tatbestand versichert hat, immer noch ein Unheil zustoßen kann, das die ganze Sache ungültig macht. Wenn er jemals auf die andere Seite des Ganges übersetzte und dort abgefangen würde und stürbe, käme er sogleich wieder in Gestalt eines Esels ins Leben zurück. Stellen Sie sich das vor, nach allen diesen Mühen und Kosten! Sie sehen, wie launisch und ungewiß dort das Heil ist. Der Hindu hegt eine kindische und unvernünftige Abneigung dagegen, in einen

Esel verwandelt zu werden. Es ist schwer zu sagen, warum. Man müßte richtiger erwarten, daß ein Esel eine Abneigung dagegen hätte, in einen Hindu verwandelt zu werden. Man könnte einsehen, daß er dadurch an Würde verlöre; auch an Selbstachtung und neun Zehnteln seiner Intelligenz. Aber der in einen Esel verwandelte Hindu würde überhaupt nichts verlieren, wenn man seine Religion nicht mitzählt. Und er würde viel gewinnen – Erlösung von der Sklaverei unter zwei Millionen Göttern und zwanzig Millionen Priestern, Fakiren, Bettelmönchen und anderen heiligen Bazillen; und er würde der Hinduhölle entkommen; er würde auch dem Hinduhimmel entgehen. Das sind Vorteile, die der Hindu bedenken sollte; dann würde er hinüberziehen und auf dem anderen Ufer sterben.

Benares ist ein religiöser Vesuv. In seinen Eingeweiden wogen und schüttern, grollen, donnern, beben, sieden, rollen, flammen und rauchen die theologischen Kräfte seit Jahrtausenden. Aber an seinem Fuß hat eine kleine Gruppe von Missionaren Posten gefaßt, und sie hegen Hoffnung. Es sind die Baptisten-Missionsgesellschaft, die Kirchliche Missionsgesellschaft, die Londoner Missionsgesellschaft, die Wesleyaner Missionsgesellschaft und die Zenana Medizinische und Bibel-Gesellschaft. Sie haben Schulen, und ihre Hauptarbeit scheint sich unter den Kindern abzuspielen. Und zweifellos gedeiht dieser Teil des Werkes am besten, denn erwachsene Leute werden sich wahrscheinlich überall an die Religion klammern, mit der sie aufgewachsen sind.

52. KAPITEL

> Runzeln sollten nur andeuten, wo das Lächeln lag. *Querkopf Wilsons Neuer Kalender*

In einem dieser Tempel in Benares sahen wir einen Gläubigen auf merkwürdige Art für sein Heil arbeiten. Er hatte einen riesigen Tonklumpen neben sich und formte daraus winzige kleine Götter, nicht größer als Teppichnägel. In jeden steckte er ein Reiskorn – das den Lingam darstellen sollte, nehme ich an. Er produzierte sie flink, denn er hatte in langer Übung große Geschicklichkeit erworben. Er stellte täglich zweitausend Götter her, dann warf er sie in den heiligen Ganges. Diese Huldigung brachte ihm wiederum die tiefe Huldigung der Pilger ein – auch ihre Kupferstücke. Er besaß hier eine sichere Pfründe und gewann sich einen hohen Platz in der anderen Welt.

Die dem Ganges zugewandte Front ist das köstlichste Schaustück von Benares. Ihre hohen Steinhänge sind vom Wasser bis zum Gipfel über eine Strecke von drei Meilen einheitlich mit einem prachtvollen Gedränge massiven und malerischen Mauerwerks, einem verwirrend schönen Durcheinander steinerner Plattformen, Tempel, Treppenfluchten, kostbarer und stattlicher Paläste bepflastert – nirgends eine Lücke, nirgends eine Spur des Hanges selbst; die ganze lange Front ist durch dieses überladene Bild von Plattformen, himmelwärts stürmenden Treppen, reichverzierten Tempeln, majestätischen Palästen, die sich in der Ferne verlieren, völlig dem Blick entzogen; und überall herrscht Geschäftigkeit, Bewegung, ein menschliches Gewimmel, alle in prächtigem Aufzug – in wahren Regenbogen strömt es die hohen

Treppen hinauf und hinab und formiert sich auf den meilenlangen, großen Terrassen am Ufer des Flusses gleichsam zu Blumenbeeten.

All dieses Mauerwerk, alle diese Architektur zeugt von Frömmigkeit. Die Paläste wurden von einheimischen Fürsten errichtet, deren Heimat in der Regel weit von Benares entfernt ist, die aber von Zeit zu Zeit herkommen, um ihre Seelen durch den Anblick und die Berührung des Ganges, das vergötterten Stromes, zu erfrischen. Die Treppen sind Zeugnisse frommer Werke; die Menge kleiner, kostbarer Tempel sind Ausdruck der Geldbeträge, die reiche Leute um ihres gegenwärtigen Ansehens und der Hoffnung auf zukünftige Belohnung willen gespendet haben. Offensichtlich fällt der reiche Christ, der große Summen für seine Religion ausgibt, bei uns wegen seiner Seltenheit auf, aber den reichen Hindu, der nicht große Summen für seine Religion ausgäbe, gibt es anscheinend nicht. Auch bei uns geben die Armen Geld für ihre Religion aus, aber sie behalten sich etwas, um zu leben. Die Armen in Indien ruinieren sich anscheinend täglich um ihrer Religion willen. Der reiche Hindu kann sich seine frommen Ausgaben leisten; er erntet viel Ruhm für seine Spenden, behält jedoch von seinem Einkommen genug für weltliche Zwecke zurück; aber der arme Hindu hat das Recht auf Mitleid, denn seine Spenden halten ihn in Armut, bringen ihm aber keinen Ruhm ein.

Wir machten die übliche Fahrt den Fluß hinauf und hinab, saßen dabei auf Stühlen unter einem Sonnendach auf Deck der gebräuchlichen geräumigen, von Hand bewegten Arche; wir machten die Fahrt zwei- oder dreimal und hätten sie noch viel öfter mit steigendem Interesse und Entzücken wiederholen können; denn natürlich wurden die Paläste und Tempel immer schöner; je öfter man sie sah – so ist das immer mit solchen Dingen; auch glaube ich, man könnte sich am Anblick der Badenden nicht satt sehen, noch an ihren Trachten, noch an ihrer List, aus ihnen heraus- und wieder in sie hineinzugelangen, ohne allzuviel Bronze zur Schau zu stellen, noch an ihren Gebärden der Anbetung oder an ihrer Versunkenheit beim Zählen der Gebetsperlen.

Aber ich würde dessen überdrüssig werden, mitanzusehen, wie sie sich den Mund mit jenem furchtbaren Wasser ausspülen und es trinken. Wirklich, ich bekam es satt, und zwar sehr bald. An einer Stelle, wo wir eine Zeitlang hielten, machte der faulige Strahl eines Abwasserrohrs das Wasser ringsumher trübe und schmutzig, und überdies schwappte zufällig eine Leiche darin herum, die den Fluß herabgetrieben war. Zehn Schritt unterhalb dieser Stelle stand eine Menge Männer, Frauen und graziöser junger Mädchen bis zum Gürtel im Wasser – und sie schöpften es mit den Händen und tranken es. Der Glaube kann ganz gewiß Wunder wirken, und dies ist ein Beispiel dafür. Diese Leute tranken das widerliche Zeug nicht, um ihren Durst zu stillen, sondern um ihre Seelen und das Innere ihrer Leiber zu reinigen. Nach ihrem Glauben macht das Gangeswasser alles rein, was es berührt – sofort und vollkommen rein. Das Kloakenwasser war ihnen kein Ärgernis, die Leiche stieß sie nicht ab; das heilige Wasser hatte beide benetzt, und beide waren jetzt rein wie Schnee und konnten niemanden verunreinigen. Diesen Anblick werde ich nie vergessen, aber nicht, weil ich es nicht wollte.

Noch ein Wort über das scheußliche, aber allesreinigende Gangeswasser.

Als wir später nach Agra fuhren, kamen wir zufällig gerade zurecht, um bei der Entstehung eines Wunders zugegen zu sein, einer denkwürdigen wissenschaftlichen Entdeckung – der Entdeckung, daß in gewisser Hinsicht das schmutzige und verachtete Gangeswasser tatsächlich das mächtigste Reinigungsmittel der Welt ist. Wie ich bereits sagte, ist diese merkwürdige Tatsache eben erst den Schätzen der modernen Wissenschaft hinzugefügt worden. Es war schon lange als seltsam aufgefallen, daß Benares zwar oft von der Cholera betroffen wird, sie sich aber nicht über seine Grenzen hinaus verbreitet. Man konnte das nicht erklären. Mr. Henkin, ein Gelehrter im Dienste der Regierung von Agra, beschloß das Wasser zu untersuchen. Er reiste nach Benares und nahm seine Experimente vor. Er entnahm Wasser aus der Mündung der Kloaken, wo sie sich bei den Badeghats in den Fluß entleeren; ein Kubikzentimeter enthielt Millionen Keime; nach sechs Stunden waren sie *alle tot.* Er angelte sich eine vorübertreibende Leiche, band sie ans Ufer und schöpfte neben ihr Wasser, das von Cholerakeimen wimmelte; nach sechs Stunden waren sie *alle tot.* Er setzte diesem Wasser Schwarm auf Schwarm Cholerakeime zu; innerhalb der sechs Stunden *gingen sie alle ein,* bis auf den letzten. Wiederholt nahm er reines Quellwasser, das keinerlei tierisches Leben enthielt, und fügte einige Cholerakeime hinzu; stets begannen sie sogleich, sich zu vermehren, und stets wimmelten sie innerhalb von sechs Stunden – und zählten *Millionen und aber Millionen.*

Seit uralter Zeit hegen die Hindus den festen Glauben, daß das Wasser des Ganges absolut rein sei, durch keinerlei Berührung verunreinigt werden könne und unfehlbar alles, was es auch berühre, rein und sauber mache. Sie glauben noch immer daran, und deshalb baden sie darin und trinken es, ohne sich um seine *scheinbare* Schmutzigkeit und die vorübertreibenden Leichen zu kümmern. Man hat sie ganze Menschenalter lang verlacht, aber von jetzt an muß sich das Gelächter ein bißchen zügeln. Wie haben sie in jener alten Zeit das Geheimnis des Wassers herausgefunden? Wir wissen es nicht. Wir wissen nur, daß sie eine Zivilisation besaßen, lange, bevor wir aus dem Zustand der Wildheit auftauchten. Aber um darauf zurückzukommen, wo ich vorhin stehenblieb; ich wollte gerade über das Verbrennungsghat sprechen.

Fakire verbrennt man nicht – diese verehrten Bettelmönche. Sie sind so heilig, daß sie ohne dieses Sakrament ans Ziel gelangen, vorausgesetzt, daß sie dem heiligenden Fluß überantwortet werden. Wir sahen, wie einer bis zur Flußmitte gebracht und über Bord geworfen wurde. Er war zwischen zwei großen Steinplatten eingeklemmt.

Wir lagen eine halbe Stunde lang auf gleicher Höhe mit dem Verbrennungsghat und sahen der Verbrennung von neun Leichen zu. Ich hätte nicht den Wunsch, mehr davon zu sehen, es sei denn, ich dürfte die Betreffenden auswählen. Die Trauernden folgen der Bahre durch die ganze Stadt und zum Ghat hinab; dann übergeben die Bahrenträger die Leiche einigen Einheimischen niederer Kaste – Doms –, und das Trauergefolge dreht um und kehrt nach Hause zurück. Ich hörte kein Weinen und sah keine Tränen, es gab keine Abschiedszeremonie. Diese Bekundungen der Trauer und Liebe sind offenbar der Abgeschiedenheit des Heimes vorbehalten. Die toten Frauen waren in Rot gehüllt, die Männer in Weiß. Sie werden am Flußufer ins Wasser gelegt, während der Scheiterhaufen vorbereitet wird.

Der erste war ein Mann. Als die Doms ihn entblößten, um ihn zu waschen, stellte er sich als ein stämmig gebauter, gutgenährter und gutaussehender alter Herr heraus, bei dem keinerlei Anzeichen darauf hindeuteten, daß er jemals krank gewesen wäre. Man brachte trockenes Holz und schichtete es zu einem lockeren Stapel auf; die Leiche wurde daraufgelegt und mit Brennmaterial bedeckt. Ein nackter Heiliger, der ein kleines Stück weit entfernt auf erhöhtem Grunde saß, fing dann an, mit großem Nachdruck zu sprechen und zu rufen, und er unterhielt diesen Lärm die ganze Zeit über. Es könnte die Leichenrede gewesen sein und war sie wahrscheinlich auch. Ich vergaß zu sagen, daß einer der Trauernden zurückgeblieben war, als die anderen fortgingen. Das war der Sohn des Toten, ein Junge von zehn oder zwölf Jahren, braun und hübsch, ernst und gefaßt, in fließendes Weiß gekleidet. Er war da, um seinen Vater zu verbrennen. Man gab ihm eine Fackel, und während er langsam siebenmal um den Scheiterhaufen herumschritt, wurde der nackte schwarze Mann auf erhöhtem Grunde in seiner Predigt noch wilder als zuvor. Als der siebente Rundgang vollendet war, legte der Knabe die Fackel zu Häupten seines Vaters und dann zu seinen Füßen an; die Flammen züngelten rasch mit scharfem, prasselndem Geräusch empor, und der Knabe ging fort. Hindus wollen keine Töchter, weil ihre Hochzeitsfeierlichkeiten eine so ruinöse Ausgabe mit sich bringen, aber sie wünschen sich Söhne, damit sie bei ihrem Tod einen ehrenvollen Abschied von der Welt genießen können, und keine Ehre kommt der Ehre gleich, daß ein Sohn den Scheiterhaufen ansteckt. Der Vater, der ohne Sohn stirbt, ist wirklich in einer traurigen Lage und wird bemitleidet. Da das Leben unsicher ist, heiratet der Hindu schon als Knabe, in der Hoffnung, einen Sohn zur Verfügung zu haben, wenn der Tag kommt, da er ihn braucht. Aber wenn er keinen Sohn hat, adoptiert er einen. Das genügt allen Erfordernissen.

Inzwischen verbrennt der Leichnam, ebenso mehrere andere. Es ist ein düsteres Geschäft. Die Heizer setzten sich nicht müßig hin, sondern gingen geschäftig umher, stocherten das Feuer mit langen Stangen auf und legten gelegentlich Brennstoff nach. Manchmal hoben sie ein halbes Skelett empor, ließen es fallen, schlugen mit einer Stange darauf ein und zerbrachen es auf diese Weise, damit es besser brenne. Sie hievten auf gleiche Art Schädel empor und zerschlugen und zerschmetterten sie. Der Anblick war kaum zu ertragen; er wäre noch schlimmer gewesen, wenn die Trauernden dageblieben und Augenzeugen geworden wären. Ich hatte nur einen schwachen Wunsch empfunden, eine Verbrennung zu sehen, deshalb war er bald gestillt. Aus hygienischen Gründen wäre es gut, wenn die Verbrennung allgemein üblich wäre; aber dieses Verfahren ist abstoßend und nicht zu empfehlen.

Das verwendete Feuer ist natürlich heilig – denn es liegt Geld darin. Gewöhnliches Feuer ist verboten; es liegt kein Geld darin. Man berichtete mir, dieses heilige Feuer werde sämtlich von einem einzigen Menschen geliefert, er besitze ein Monopol darauf und verlange einen guten Preis dafür. Manchmal bezahlt ein reicher Leidtragender tausend Rupien dafür. Aus Indien in das Paradies zu gelangen ist eine teure Sache. Jede damit verbundene Einzelheit kostet etwas und trägt dazu bei, einen Priester zu mästen. Ich nehme an, man kann ziemlich sicher sein, daß dieser Brandstifter einem heiligen Orden angehört

Dicht bei dem Verbrennungsplatz stehen ein paar verwitterte Steine, die zum Gedenken an die Sati errichtet wurden. Jeder trägt eine roh gemeißelte Inschrift, die einen Mann und eine Frau Hand in Hand stehend oder gehend darstellt, und bezeichnet die Stelle, wo eine Witwe in den Feuertod ging, damals, als die Sati in Blüte stand. Mr. Parker sagt, daß sich auch heute noch Witwen verbrennen ließen, wenn die Regierung es gestattete. Die Familie, die auf einen dieser kleinen Gedenksteine weisen und sagen kann: „Die sich hier verbrannte, war eine unserer Ahnfrauen", wird beneidet.

Es ist ein merkwürdiges Volk. Bei ihnen scheint alles Leben geheiligt zu sein, ausgenommen menschliches Leben. Selbst das Leben des Ungeziefers ist heilig und darf nicht vernichtet werden. Bevor der gute Dschaina einen Sitzplatz benutzt, wischt er ihn erst ab, damit er nicht beim Hinsetzen ein wertloses Insekt umbringe. Es bekümmert ihn, Wasser trinken zu müssen, denn die Beschaffenheit seines Magens könnte womöglich den Mikroben nicht zuträglich sein. Und doch hat Indien den Thag und die Sati hervorgebracht. Indien ist schwer zu begreifen.

Wir gingen zum Tempel der Thaggöttin Bhavani oder Kali oder Durga. Sie trägt diese Namen und noch andere. Sie ist die einzige Göttin, der lebende Opfer dargebracht werden. Ihr werden Ziegen geopfert. Affen wären billiger. Es gibt da herum viele. Da sie heilig sind, bewegen sie sich sehr frei und klettern überall herum, wo es ihnen paßt. Der Tempel und sein Portal sind wunderschön in Stein gehauen, aber auf das Götzenbild trifft das nicht zu. Bhavani ist nicht hübsch anzusehen. Sie hat ein silbernes Gesicht und streckt eine tiefrot angestrichene geschwollene Zunge heraus. Sie trägt ein Halsband aus Totenköpfen.

Wirklich, keiner der Götzen in Benares ist hübsch oder sympathisch. Und was für einen Schwarm gibt es davon! Die Stadt ist ein einziges ungeheures Götzenmuseum – und alle grob, mißgestaltet und häßlich. Sie drängeln sich nachts durch alle Träume, eine wilde Schar von Alpträumen. Wenn man ihrer in den Tempeln müde wird und eine Fahrt auf dem Fluß unternimmt, findet man grell angemalte Riesengötzen nebeneinander das Ufer entlang verteilt. Und offenbar ist überall, wo nur Raum für einen weiteren Lingam ist, ein Lingam aufgestellt. Wenn Wischnu vorausgesehen hätte, wie seine Stadt aussehen würde, hätte er sie Götzenhausen oder Lingamburg genannt.

Das auffälligste Wahrzeichen von Benares sind die zwei schlanken weißen Minarette, die wie Masten über der großen Moschee des Aurangzeb aufragen. Sie scheinen immer im Blickfeld zu liegen, von jedem beliebigen Punkt aus, diese luftigen, anmutigen, begeisternden Erscheinungen. Aber Masten ist nicht das richtige Wort, denn Masten weisen eine merkliche Verjüngung auf, diese Minarette aber nicht. Sie sind 142 Fuß hoch und haben am Fuße nur 8 1/2 Fuß Durchmesser, an der Spitze 7 1/2 Fuß – nahezu keine Verjüngung. Das sind die Proportionen einer Kerze; und schön und feierlich wie Kerzen sind sie. Jedenfalls werden sie es eines Tages sein, wenn die Christen sie erben und mit elektrischem Licht krönen. Eine großartige Aussicht hat man von dort oben aus – eine wundervolle Aussicht. Ein großer grauer Affe war ein Teil davon und verdarb sie. Ein Affe hat kein Urteilsvermögen. Dieser hier hüpfte auf den höchsten Höhen der Moschee herum – hüpfte über leere, gähnende Zwischenräume hinweg, die fast zu breit für ihn waren und die er jedesmal nur gerade knapp um Haaresbreite überwand. Er machte mich so nervös, daß ich gar nicht auf die Aussicht achten konnte. Ich konnte auf nichts anderes achten als nur ihn. Jedesmal, wenn er über einen dieser Abgründe hinwegsegelte, stockte mir der Atem, und wenn er nach dem luftigen Vorsprung angelte, zu dem er hingelangen wollte, angelte ich aus Anteilnahme mit. Und er verhielt sich vollkommen gleichgültig, vollkommen ungerührt, und ich mußte das Atemanhalten allein besorgen. Ein dutzendmal kam er um Haaresbreite noch einmal mit dem Leben davon, und ich war so besorgt um ihn, daß ich ihn erschossen hätte, wenn ich etwas dazu mitgehabt hätte. Aber ich empfehle die Aussicht sehr. Man hat da mehr vom Affen als von der Aussicht vor Augen, und der Affe wird da immer im Vordergrund stehen, solange der Idiot am Leben bleibt, aber die Aussicht, die man erhält, ist hervorragend. Ganz Benares, der Fluß und die Umgebung sind vor Ihnen ausgebreitet. Nehmen Sie ein Gewehr mit und sehen Sie sich das an.

Das nächste, was ich sah, war friedvoller. Es war eine neue Kunstgattung, ein auf Wasser gemaltes Bild. Ein Inder machte das. Er streute feinen Staub verschiedener Farben auf die stille Oberfläche eines Wasserbeckens, und daraus wuchs allmählich ein zartes und hübsches Bild, ein Bild, das ein Atemhauch hätte zerstören können. Es machte irgendwie einen tiefen Eindruck nach all dem Grasen zwischen intakten, beschädigten und verfallenden Tempeln, die auf Ruinen stehen, und diese Ruinen auf weiteren Ruinen, und diese wiederum auf weiteren. Es war eine Predigt, ein Sinnbild, ein Symbol der Vergänglichkeit. Diese Schöpfungen aus Stein waren im Grunde doch nur eine Art Wasserbilder.

Eine bedeutsame Episode aus der Laufbahn Warren Hastings' in Indien hatte Benares zum Schauplatz. Wo dieser ungewöhnliche Mann auch auftrat, hinterließ er seine Spur. Er kam 1871 nach Benares, um eine Buße von fünfhunderttausend Pfund einzutreiben, die er dem Radscha Tscheit Singh im Namen der Ostindischen Kompanie auferlegt hatte. Hastings war ein gutes Stück von Heimat und Hilfe entfernt. Es waren wahrscheinlich kein Dutzend Engländer in Reichweite; der Radscha saß in seiner Festung, von seinen Heerscharen umgeben. Aber ganz egal. Von seinem kleinen Lager in einem benachbarten Garten aus sandte Hastings eine Gruppe, den Herrscher zu verhaften. Er schickte ein paar hundert einheimische Soldaten, Sepoys, unter dem Befehl dreier junger englischer Leutnants auf diese tollkühne Mission. Der Radscha unterwarf sich ohne ein Wort. Der Vorfall beleuchtet blitzartig die indische Situation und vermittelt einem ein lebhaftes Gefühl für die Riesenschritte, die die Engländer seit dem Tage des großen Sieges Clives zurückgelegt, und die Vormachtstellung, die sie in diesem Lande errungen hatten. Sie, die eben noch Niemande gewesen waren, die keiner fürchtete, waren binnen eines Vierteljahrhunderts die anerkannten Herren und Gebieter geworden, die jedermann fürchtete, einschließlich der Herrscher, und denen jedermann diente, einschließlich der Herrscher. Danach klingen sogar die Märchen wahr. Die Engländer hatten sich nicht gescheut, einheimische Soldaten anzuwerben, damit sie gegen ihre eigenen Leute kämpften, und sich ihren Gehorsam zu sichern. Und nun scheute sich Hastings nicht, mit einer Handvoll solcher Soldaten an diesen fernen Ort vorzudringen und sie auszuschicken, einen eingeborenen Herrscher zu verhaften.

Die Leutnants setzten den Radscha in seinem eigenen Fort gefangen. Wunderschön, eine solche Tollkühnheit, eine solche Unverschämtheit. Die Verhaftung brachte die Leute des Radscha in Wut, und ganz Benares kam herangestürmt, umringte den Bau und schnaubte Rache. Und doch, ohne einen Zufall hätte sich vielleicht nichts Besonderes ergeben. Die Volksmenge entdeckte etwas überaus Seltsames, etwas fast Unglaubliches – daß diese Handvoll Soldaten mit ungeladenen Gewehren und ohne Munition zu diesem verwegenen Unternehmen ausgesandt worden war. Das hat man der Gedankenlosigkeit zugeschrieben, aber das kann es wohl kaum gewesen sein, denn in derartigen bedeutsamen und entscheidenden Situationen *denken* intelligente Menschen. Es muß Gleichgültigkeit gewesen sein, ein übertriebenes Vertrauen auf die oft erwiesene Unterwürfigkeit der Einheimischen, sobald sie sich auch nur einem oder zwei finsterblickenden Briten in ihrer Kriegsbemalung gegenübersahen. Aber wie es auch gewesen sein mag, die Volksmenge hatte eine verhängnisvolle Entdeckung gemacht. Sie war jetzt mutig, brach in das Fort ein und metzelte die hilflosen Soldaten und ihre Offiziere nieder. Hastings entkam bei Nacht aus Benares, brachte sich in Sicherheit und ließ das Fürstentum in einem Zustand wilden Aufruhrs zurück; aber binnen eines Monats war er zurück und befriedete es in seiner raschen und männlichen Art, nahm dem Radscha seinen Thron und gab ihn einem anderen. Er war ein fähiger Mann, dieser Warren Hastings. Es blieb das einzige Mal, daß er keine Munition bei sich hatte. Einige seiner Handlungen haben Flecken auf seinem Namen hinterlassen, die nie fortgewaschen werden können, aber er rettete England das indische Kaiserreich, und das ist der beste Dienst, der den Indern selbst je erwiesen worden ist, diesen bedauernswerten Erben hundert Jahrhunderte alter unbarmherziger Unterdrückung und Schmach.

53. KAPITEL

> Wahre Ehrfurchtslosigkeit ist Mißachtung des Gottes eines anderen.
>
> *Querkopf Wilsons Neuer Kalender*

In Benares sah ich einen weiteren lebenden Gott. Das macht zusammen zwei. Ich glaube, ich habe die meisten der größeren und kleineren Weltwunder gesehen, aber ich erinnere mich nicht, daß eines von ihnen mich so überwältigend interessiert hätte wie dieses Paar Götter.

Wenn ich versuche, mir über diese Wirkung Rechenschaft abzulegen, so fällt mir das nicht schwer. Ich finde, es ist in der Regel so: Wenn wir etwas als ein Wunder ansehen, dann nicht dessenthalben, was *wir* darin sehen, sondern dessenthalben, was *andere* darin gesehen haben. Wir bekommen fast alle unsere Wunder aus zweiter Hand. Wir sind begierig, eine berühmte Sache zu sehen – und stets erhalten wir unseren Lohn; der tiefempfundene Vorzug, einen Gegenstand anstarren zu dürfen, der die Begeisterung oder Verehrung oder Liebe oder Bewunderung einer großen Zahl unseres Schlages erregt hat, ist einfach das, was wir schätzen; wir sind zutiefst beglückt darüber, daß wir ihn gesehen haben, wir fühlen uns für immer dadurch bereichert, daß wir ihn anschauen durften, wir würden uns um keinen Preis von der Erinnerung an dieses Erlebnis trennen. Und eben dieses Schauspiel könnte sogar der Tadsch sein. Du kannst deine Begeisterung nicht zurückhalten, du kannst deine Gefühle nicht zügeln, wenn dir dieser himmelstürmende Marmorballon plötzlich vor Augen steht. Aber das ist nicht *deine* Begeisterung und Ergriffenheit – es ist die summierte Begeisterung und Ergriffenheit Tausender glühender Schriftsteller, die sie dein ganzes Leben über Tag für Tag und Jahr für Jahr langsam und stetig in deinem Herzen aufgestapelt haben; und jetzt brechen sie in einer Flut los und überwältigen dich, und du könntest keinen Deut glücklicher sein, wenn es deine eigenen Empfindungen wären. Allmählich wirst du wieder nüchtern, und dann stellst du fest, daß du vom Geruch des Korkens eines anderen berauscht gewesen bist. Auf immer und ewig wird mich die Erinnerung an meinen ersten Blick aus der Ferne auf den Tadsch dafür entschädigen, daß ich um den ganzen Erdball gekrochen bin, um diesen großen Vorzug zu genießen.

Aber der Tadsch – bei all dem aufgeblähten Überschwang deiner illusionären Empfindungen, die du aus zweiter Hand von Leuten erworben hast, bei denen es sich in der Mehrzahl auch wieder um Illusionen aus zweiter Hand gehandelt hatte, etwas, woran du glücklicherweise nicht gedacht hast, sonst wärest du dem gegenüber mißtrauisch geworden, was du für deine eigenen Empfindungen hieltest –, was ist der Tadsch für ein Zauberwerk, für ein Schauspiel und überwältigendes Wunderding, verglichen mit einer lebenden, atmenden, sprechenden Persönlichkeit, die mehrere Millionen Menschen fromm und aufrichtig und ohne jeden Zweifel für einen Gott halten und demütig und dankbar als Gott verehren?

Als ich ihm begegnete, war er sechzig Jahre alt. Er heißt Sri 108 Swami Bhaskarananda Saraswati. Das ist nur eine Form. Ich glaube, so würde man ihn anreden, wenn man mit ihm spräche – weil es kurz ist. Aber man würde mehr von seinem Namen verwenden, wenn man einen Brief an ihn richtete; die Höflichkeit verlangte das. Selbst dann brauchte man nicht den ganzen Namen zu verwenden, sondern nur soviel:

Sri 108 Matparamahansapariorajakacharyaswamibhaskaranandasaraswati. Man setzt nicht „Wohlgeboren" dahinter, denn das ist nicht nötig. Das Wort, das die Salve einleitet, ist selbst schon ein Ehrentitel – „Sri". Die „108" steht für seine restlichen Namen, denke ich. Wischnu besitzt 108 Namen, die er im Geschäftsalltag nicht benutzt, und zweifellos ist es bei Göttern Sitte und ein ihrem Stande vorbehaltenes Privileg, 108 Extranamen auf Lager zu halten. Schon der oben niedergelegte gekürzte Name ist ein schöner Besitz, auch ohne die 108. Nach meiner Zählung enthält er achtundfünfzig Buchstaben. Das stellt die langen deutschen Wörter in den Schatten; sie scheiden endgültig aus dem Rennen aus.

Sri 108 S. B. Saraswati hat das erlangt, was die Hindus den Zustand der Vollkommenheit nennen. Es ist ein Zustand, den andere Hindus dadurch erlangen, daß sie immer und immer wieder neu in diese Welt hineingeboren werden, durch eine Wiedergeburt nach der anderen – ein langwieriges Geschäft, das sich über Jahrhunderte und Jahrtausende erstreckt und zudem mit Risiken gespickt ist, wie etwa dem Unglück, irgendwann einmal auf der falschen Seite des Ganges zu sterben und in der Gestalt eines Esels aufzuwachen, wonach ein neuer Anfang notwendig wäre und die zahlreichen Etappen alle noch einmal zurückgelegt werden müßten. Aber Sri 108 S. B. S. entzog sich all diesem, als er die Vollkommenheit erreichte. Er ist nicht länger mehr Bestandteil oder Wesensmal dieser Welt; seine Substanz hat sich gewandelt, alle Weltlichkeit ist daraus entschwunden; er ist absolut heilig, absolut rein; nichts kann diese Heiligkeit entweihen oder diese Reinheit beflecken; er ist nicht mehr von dieser Welt, ihre Angelegenheiten sind ihm fremd, ihre Schmerzen und Nöte und Kümmernisse können ihn nicht erreichen. Wenn er stirbt, ist sein das Nirwana; er wird in die Substanz der Höchsten Gottheit eingehen und den ewigen Frieden gewinnen.

Die Hinduschriften legen dar, wie man diesen Zustand erreichen könne, aber es geschieht vielleicht nur einmal in tausend Jahren, daß ein Kandidat das bewältigt. Dieser hier hat den vorgeschriebenen Lauf hinter sich gebracht. Stufe um Stufe, von Anfang bis Ende, und braucht nun nichts weiter zu tun, als den Ruf abzuwarten, der ihn von einer Welt erlösen soll, an der er nun keinen Anteil mehr hat. Zuerst machte er das Schülerstadium durch und wurde in den heiligen Büchern unterwiesen. Dann wurde er Bürger, Haushälter, Gatte und Vater. Das war die erforderliche zweite Stufe. Dann – wie John Bunyans Christian – sagte er seiner Familie auf immer Lebewohl, wie es gefordert war, und wanderte fort. Er zog weit in die Wüste hinaus und diente eine bestimmte Zeit als Einsiedler. Dann wurde er Bettler, entsprechend den in der Schrift niedergelegten Riten", und wanderte, das Brot der Barmherzigkeit essend, in Indien umher. Vor einem Vierteljahrhundert erreichte er die Stufe der Reinheit. Diese bedarf keiner Kleidung; ihr Symbol ist die Nacktheit; er legte das Lendentuch ab, das er zuvor getragen hatte. Er könnte es jetzt wieder aufnehmen, wenn er wollte, denn weder diese noch eine andere Berührung können ihn verunreinigen; aber es beliebt ihm nicht.

Es gibt noch mehrere andere Stufen, glaube ich, aber ich erinnere mich nicht mehr daran, was das für welche waren. Aber er hat sie durchgemacht. Den ganzen langen Weg über vervollkommnete er sich ständig in der heiligen Gelehrsamkeit und schrieb Kommentare zu den heiligen Büchern. Er meditierte auch über Brahma, und das tut er jetzt noch.

In ganz Indien werden weiße marmorne Reliefporträts von ihm verkauft. Er wohnt in einem ansehnlichen Hause inmitten eines prächtigen großen Gartens in Benares, wie es seinem ungeheuren Rang angemessen ist. Notwendigerweise geht er nicht auf die Straßen hinaus. Gottheiten wären in keinem Land in der Lage, sich unbehindert umherzubewegen. Wenn einer, den wir als Gottheit anerkennen und anbeten würden, in unseren Straßen umherzöge und der Tag, an dem das geschehen sollte, bekannt wäre, käme der ganze Verkehr zum Erliegen, und das Geschäftsleben käme zum Stillstand.

Dieser Gott ist behaglich untergebracht, und doch eigentlich bescheiden, denn wenn er in einem Palast leben wollte, brauchte er es nur zu sagen, und seine gläubigen Anhänger würden ihn mit Freuden errichten. Manchmal empfängt er Gläubige für einen Augenblick, tröstet sie und segnet sie, und sie küssen ihm die Füße und gehen beglückt von dannen. Rang gilt ihm nichts, da er ein Gott ist. Für ihn sind alle Menschen gleich. Er empfängt, wen er will, und versagt sich, wem er will. Manchmal empfängt er einen Fürsten und versagt sich einem Bettler; ein andermal empfängt er den Bettler und schickt den Fürsten fort. Aber er empfängt aus jeder Klasse nicht viele. Er muß seine Zeit für seine Meditationen sorglich einteilen. Ich glaube, Ehrwürden Mr. Parker würde er zu jeder Zeit empfangen. Ich glaube, Mr. Parker tut ihm leid, und ich glaube, er tut Mr. Parker leid; und zweifellos können sie beide dieses Mitgefühl gebrauchen.

Als wir eintrafen, mußten wir eine kurze Weile im Garten umherstehen und warten, und die Aussichten standen nicht günstig, denn an jenem Tag hatte er gerade Maharadschas fortgeschickt und empfing nur den Pöbel, und wir gehörten irgendwo dazwischen hinein. Aber dann kam ein Diener heraus und sagte, es ginge in Ordnung, er komme.

Und wirklich, er kam, und ich sah ihn – diesen Gegenstand der Anbetung von Millionen. Es war eine seltsame und aufwühlende Empfindung. Ich wünschte, ich könnte sie noch einmal durch meine Adern strömen fühlen. Und doch, für mich war er kein Gott, er war nur ein Tadsch. Die Erregung war nicht meine Erregung, sondern war mir aus zweiter Hand von jenen unsichtbaren Millionen Gläubigen zugegangen. Durch einen Händedruck mit ihrem Gott hatte ich ihren Draht geerdet und bekam die gesamte Entladung ihrer ungeheuren Batterie zu spüren.

Er war hochgewachsen und schlank, ja abgezehrt. Er hatte ein scharfgeschnittenes und auffällig vergeistigtes Gesicht und einen tiefen und freundlichen Blick. Er sah viele Jahre älter aus, als er wirklich war, aber das ließ sich durch vieles Studieren, Meditieren, Fasten und Beten erklären und durch das harte Leben, das er als Einsiedler und Bettler geführt hatte. Wenn er Einheimische, gleich, welchen Ranges, empfängt, ist er völlig nackt, aber jetzt hatte er ein weißes Tuch um die Lenden, zweifellos ein Zugeständnis an Mr. Parkers europäische Vorurteile.

Sobald ich mich ein bißchen ernüchtert hatte, kamen wir sehr gut miteinander aus, und ich fand, er sei eine sehr angenehme und freundliche Gottheit. Er hatte eine Menge über Chicago gehört und offenbarte ein Interesse daran, das für einen Gott ganz bemerkenswert war. Das rührte alles von der Weltausstellung und dem Religionsparlament her. Wenn Indien über nichts weiter aus Amerika unterrichtet ist, über diese Dinge weiß es Bescheid und wird sie eine Zeitlang im Gedächtnis behalten.

Er schlug einen Autogrammaustausch vor, eine zarte Aufmerksamkeit, die mich an ihn glauben ließ, aber ich hatte vorher gewisse Zweifel gehegt. Er schrieb das seine in sein Buch, und ich hege eine ehrfürchtige Hochachtung vor diesem Buch, obwohl die Worte von rechts nach links laufen und ich es deshalb nicht lesen kann. Es war ein Fehler, es so zu drucken. Es enthält seine umfangreichen Anmerkungen zu den heiligen Hinduschriften, und wenn ich sie entziffern könnte, würde ich selbst einen Versuch, die Vollkommenheit zu erlangen, unternehmen. Ich überreichte ihm ein Exemplar von „Huckleberry Finn". Ich dachte, es könnte ihn ein bißchen entspannen, wenn er es zwischen seine Meditationen über Brahma einschöbe, und ich wußte, wenn es ihm nicht nutzte, so würde es ihm auch nicht schaden

Er hat einen Schüler, der unter seiner Anleitung meditiert – Mina Bahadur Rana –, aber wir haben ihn nicht gesehen. Er trägt Kleidung und ist sehr unvollkommen. Er hat eine kleine Schrift über seinen Meister verfaßt, und ich besitze sie. Sie enthält einen Holzschnitt, auf dem der Meister und er auf einem Teppich im Garten sitzen. Das Bild des Meisters ist wirklich gut. Die Stellung ist genau diejenige, die Brahma selbst einnimmt, und sie erfordert lange Arme und biegsame Beine und kann eigentlich nur von Göttern und dem indischen Gummimenschen stufenweise errungen werden. Im Garten steht ein lebensgroßes Marmorrelief von Sri 108 S. B. S. Es bildet ihn in derselben Stellung ab.

Lieber Himmel! Ist das eine seltsame Welt! Besonders ihre indische Abteilung. Dieser Schüler, Mina Bahadur Rana, ist kein gewöhnlicher Mensch, sondern ein Mann von hervorragenden Gaben und Kenntnissen, der offenbar eine schöne weltliche Karriere vor sich hatte. Vor zwanzig Jahren diente er der Regierung von Nepal in bedeutender Position am Hofe des Vizekönigs von Indien. Er war ein fähiger Mann, gebildet, ein Denker, wohlhabend. Aber ihn überkam das Verlangen, sich dem religiösen Leben zu widmen, und er verzichtete auf seine Stellung, wandte den Eitelkeiten und Bequemlichkeiten der Welt den Rücken und ging in die Einöden, um in einer Hütte zu wohnen, die heiligen Schriften zu studieren, über Tugend und Heiligkeit zu meditieren und zu versuchen, sie zu erwerben. Diese Art Religion ähnelt der unseren. Christus empfahl den Reichen, all ihre Habe fortzugeben und ihm in Armut, nicht in weltlicher Bequemlichkeit zu folgen. Amerikanische und englische Millionäre tun das täglich und bezeugen und bestätigen dadurch der Welt die ungeheuren Kräfte, die in der Religion schlummern. Und viele Leute verspotten sie doch wegen ihrer Pflichttreue, und mancher wird Mina Bahadur Rana verspotten und ihn einen Narren nennen. Genau wie viele Christen überragenden Charakters und Intellekts hat er das Studium seiner heiligen Schriften und das Schreiben von Kommentaren zu seinem geliebten Lebenswerk gemacht. Wie jene glaubte er, daß das nicht eine müßige und törichte Vergeudung seines Lebens sei, sondern eine höchst würdige und ehrenwerte Beschäftigung. Und doch gibt es viele Leute, die in jenen anderen der Verehrung und tiefer Ehrfurcht werte Männer sehen, aber in ihm nur einen Narren. Aber ich nicht. Meine Hochachtung besitzt er. Und ich bringe sie nicht als etwas Gewöhnliches und Armseliges dar, sondern als etwas Ungewöhnliches und Wertvolles. Die übliche Ehrfurcht, die Ehrfurcht, die das Lexikon definiert und erläutert, kostet nichts. Ehrfurcht vor den eigenen Heiligtümern – Eltern, Religion, Flagge, Gesetzen – und der Respekt vor dem eigenen Glauben, das sind Gefühle, denen wir einfach nicht entgehen. Sie sind uns angeboren; sie sind unwillkürlich wie das Atmen. Es liegt kein persönliches Verdienst im Atmen. Aber die Ehrfurcht, die schwierig aufzubringen ist und ein persönliches Verdienst darstellt, ist die Achtung, die man ohne Zwang der politischen und religiösen Einstellung eines Mannes zollt, dessen Glaubenssätze man nicht teilt. Man kann eines anderen Götter oder politische Ansicht nicht verehren, und niemand erwartet das, aber man könnte den Glauben an sie respektieren, wenn man sich stark genug darum bemühte; und man könnte auch *ihn* persönlich respektieren, wenn man sich stark genug darum bemühte. Aber es ist sehr, sehr schwer; es ist fast unmöglich, und deshalb versuchen wir es kaum jemals. Wenn der Mann nicht so glaubt wie wir, sagen wir, er ist ein Narr, und damit ist alles erledigt. Ich meine, heutzutage ist damit alles erledigt, denn wir können ihn nicht mehr verbrennen.

Wir sprechen immer scheinheilig von der „Unehrerbietigkeit" der Leute, legen dieses Vergehen immer diesem und jenem zur Last und deuten damit an, daß wir besser als er seien und dieses Vergehen selbst nicht begingen. Wenn wir das tun, ist unsere Einstellung verlogen, und unsere Rede ist Heuchelei; denn niemand von uns ist ehrfürchtig – auf verdienstvolle Weise ehrfürchtig; tief im Grunde unserer Herzen sind wir alle nicht ehrfürchtig. Es gibt wahrscheinlich in der ganzen Welt keine Ausnahme von dieser Regel. Es gibt wahrscheinlich keinen einzigen Menschen, dessen Ehrfurcht sich höher erhebt als bis zur Achtung vor dem, was *ihm selbst* heilig ist; und deshalb ist sie nichts, womit man prahlen und worauf man stolz sein könnte, denn der niedrigstehende Wilde bringt sie auf – und bringt, wie die Besten unter uns, nichts Höheres auf. Um geradeheraus zu reden, wir verachten alle Ehrfurcht und alle Gegenstände der Verehrung, die nicht in der Liste unserer eigenen Heiligtümer verzeichnet sind. Und doch sind wir, mit eigenartiger Inkonsequenz, entsetzt, wenn andere Leute Dinge, die uns heilig sind, verachten und entweihen. Angenommen, wir würden in einer unserer Zeitungen einen Abschnitt wie den folgenden finden:

„Gestern hielt eine zu Besuch weilende Abordnung des britischen Adels auf dem Mount Vernon ein Picknick ab, und im Grabmal Washingtons nahmen sie ihren Imbiß ein, sangen Schlager, veranstalteten Gesellschaftsspiele und tanzten Walzer und Polka."

Wären wir entsetzt? Wären wir empört? Wären wir fassungslos? Würden wir den Vorfall eine Entweihung nennen? Ja, all das würde geschehen. Wir würden diese Leute in unmißverständlichen Ausdrücken anprangern und mit bösen Namen belegen.

Und angenommen, wir fänden diesen Abschnitt in den Zeitungen:

„Gestern hielt eine zu Besuch weilende Abordnung amerikanischer Schweinefleischmillionäre in der Westminsterabtei ein Picknick ab, und an diesem heiligen Ort nahmen sie ihren Imbiß ein, sangen Schlager, veranstalteten Gesellschaftsspiele und tanzten Walzer und Polka."

Wären die Engländer entsetzt? Wären sie empört? Wären sie fassungslos? Würden sie den Vorfall eine Entweihung nennen? Das alles würde geschehen. Man würde die Schweinefleischmillionäre in unmißverständlichen Ausdrücken anprangern und sie mit bösen Namen belegen.

Im Grabmal auf dem Mount Vernon ruht die Asche des geehrtesten Sohnes Amerikas; in der Abtei die Asche der größten Toten Englands; das Grabmal der Grabmäler, das kostbarste der Erde, das Weltwunder, der Tadsch, wurde von einem großen Kaiser errichtet, um das Andenken einer vollkommenen Gattin und vollkommenen Mutter zu ehren, einer Frau, an der kein Fleck oder Makel war, deren Liebe seine Stütze und sein Halt war, deren Leben für ihn das Licht der Welt bedeutete; in ihm ruht ihre Asche, und für die Millionen Mohammedaner Indiens ist es ein heiliger Ort; ihnen bedeutet er, was den Amerikanern Mount Vernon bedeutet oder den Engländern die Abtei.

Major Sleeman schrieb vor vierzig oder fünfzig Jahren (Hervorhebungen von mir):

„Ich möchte hier gern meinen bescheidenen Protest gegen die *Quadrillen-und Lunchgesellschaften* anmelden, die manchmal in diesem kaiserlichen Grabmal für europäische Damen und Herren der Garnison veranstaltet werden; Trinken und Tanzen sind zu ihrer Zeit zweifellos sehr angenehme Dinge, aber *in einem Grabmal* sind sie überaus fehl am Platze."

Waren bei diesen Lunchgesellschaften auch Amerikaner vertreten? Wenn man sie eingeladen hatte, waren sie da.

Wenn meine eingebildeten Lunchgesellschaften in Westminster und am Grabe Washingtons stattfinden sollten, würde der Vorfall einen ungeheuren Ausbruch bitterer Reden über Barbarei und Ehrfurchtslosigkeit auslösen; und der käme von zwei Menschengruppen, die am nächsten Tag hingehen und im Tadsch tanzen würden, wenn sie Gelegenheit dazu hätten.

Als wir uns von dem Gott in Benares verabschiedeten und aufbrachen, bemerkten wir eine Gruppe Inder, die respektvoll unmittelbar innerhalb des Tores warteten − ein Rádscha von irgendwo in Indien und einige Leute geringerer Bedeutung. Der Gott winkte sie heran, und als wir hinaustraten, kniete der Radscha gerade und küßte ihm demütig die heiligen Füße.

Wenn Barnum − aber Barnums Ehrgeiz ruht nun. Dieser Gott wird in dem heiligen Frieden und der Abgeschiedenheit seines Gartens ungestört bleiben. Barnum hätte ihn ohnehin nicht bekommen. Aber er hätte einen zweckdienlichen Ersatz gefunden.

54. KAPITEL

> Kopfschmerzen soll man nicht unterbewerten. Wenn sie auf ihrem Höhepunkt sind, scheinen sie eine schlechte Kapitalsanlage zu sein; aber wenn die Erleichterung beginnt, ist der noch nicht vergangene Rest pro Minute vier Dollar wert.
>
> *Querkopf Wilsons Neuer Kalender*

Eine bequeme, siebzehneinhalb Stunden dauernde Bahnfahrt brachte uns zur Hauptstadt Indiens, die gleichzeitig die Hauptstadt Bengalens ist − Kalkutta. Wie Bombay hat es eine Bevölkerung von beinahe einer Million Inder und einer kleinen Kolonie Weißer. Es ist eine riesengroße und schöne Stadt und wird „Stadt der Paläste" genannt. Es ist reich an historischen Erinnerungen; reich an britischen Errungenschaften − auf militärischem, politischem, wirtschaftlichem Gebiet; reich an den Früchten der Wundertaten, die jenes Paar mächtiger Zauberer, Clive und Hastings, vollbrachte. Und es besitzt ein himmelragendes Denkmal für einen gewissen Ochterlony.

Das ist ein zweihundertfünfzig Fuß hoher kannelierter Leuchter. Dieser Lingam ist, glaube ich, das einzige große Denkmal in Kalkutta. Es ist ein Schmuckstück und wird die Erinnerung an Ochterlony wachhalten.

Wo immer man sich in Kalkutta oder auf Meilen im Umkreis befindet, kann man es sehen; und immer, wenn man es sieht, denkt man an Ochterlony. Und deshalb gibt es keine Stunde am Tage, da man nicht an Ochterlony dächte und sich fragte, wer das wohl war. Es ist gut, daß Clive nicht zurückkehren kann, denn er würde denken, das Denkmal wäre für Plassey; und dann wäre dieser erhabene Geist verletzt, wenn die Entdeckung käme, daß das nicht der Fall ist. Clive würde feststellen, daß es für Ochterlony ist; und er würde denken, Ochterlony wäre eine Schlacht. Und er würde auch noch glauben, das wäre eine große Schlacht, und würde sagen: „Mit dreitausend habe ich sechzigtausend geschlagen und das Kaiserreich begründet – und es gibt kein Denkmal dafür; dieser andere Soldat muß eine Milliarde mit einem Dutzend vernichtet und die Welt gerettet haben."

Aber er würde sich irren. Ochterlony war ein Mann, keine Schlacht. Und auch er hat gute und ehrenvolle Dienste geleistet; so gute und ehrenhafte Dienste, wie sie noch fünfundsiebzig oder hundert weitere Engländer mit Mut, Redlichkeit und hervorragenden Fähigkeiten in Indien geleistet haben. Denn Indien war eine fruchtbare Wiege für solche Leute und ist es noch; für große Männer im Kriegs- wie im Zivildienst, und alle so bescheiden wie groß. Aber sie haben kein Denkmal und haben auch keins erwartet. Ochterlony hätte wohl auch keins erwartet, und es ist überhaupt nicht einmal wahrscheinlich, daß er sich eines gewünscht hätte – gewiß nicht, bevor Clive und Hastings versorgt wären. Täglich beugen sich Clive und Hastings über die Zinnen des Himmels, schauen hinab und fragen sich, wem von beiden das Monument gelte, und sie ärgern sich und grämen sich, weil sie es nicht herauskriegen können, und deshalb ist ihnen der Himmelsfrieden verdorben und verloren. Aber Ochterlony nicht. Ochterlony ist nicht beunruhigt. Er ahnt nicht, daß es sein Denkmal ist. Ihm ist der Himmel süß und friedvoll. Irgendwie ist das Ganze ungerecht.

Wahrhaftig, wenn man in Indien für große Ruhmestaten, rechtschaffen erfüllte Pflicht und makellose persönliche Führung stets Denkmäler vergäbe, würde die Landschaft vor lauter Denkmälern sehr eintönig. Die Handvoll Engländer in Indien regieren die indischen Myriaden offensichtlich mit Leichtigkeit und ohne merkliche Reibung, mit Takt, einer gediegenen Ausbildung und außerordentlichen Fähigkeiten für den Verwaltungsdienst, unterstützt durch gerechte und großzügige Gesetze – und indem sie jedes dem Einheimischen gegebene Wort halten.

England ist weit von Indien entfernt und weiß wenig über die hervorragenden Leistungen, die seine Bediensteten dort vollbringen, denn der Zeitungskorrespondent ist es, der den Ruhm macht, und der wird nicht nach Indien, sondern auf den Kontinent geschickt, um über das Treiben der kleinen Fürsten und Herzöge zu berichten und darüber, wo sie gerade Besuch machen und wen sie gerade heiraten. Oft verbringt ein britischer Beamter dreißig oder vierzig Jahre in Indien, klettert durch Leistungen, die ihn woanders berühmt machen würden, von Stufe zu Stufe und endet als Vizekönig, der ein großes Reich und Millionen Untertanen regiert; dann kehrt er nach England zurück, wo er praktisch unbekannt ist und man kaum etwas von ihm gehört hat, läßt sich in einem bescheidenen Winkel nieder und ist wie ausgelöscht. Zehn Jahre später steht in den Londoner Zeitungen ein Nachruf von zwanzig Zeilen, und der Leser erstarrt vor dem Glanz einer Laufbahn, von der er sich nicht ganz sicher ist, jemals vorher etwas gehört zu haben. Aber alles über die kleinen europäischen Fürsten und Herzöge hat er inzwischen erfahren.

Der Durchschnittsmensch hat fast überhaupt keine Ahnung von Ländern, die weit von seinem eigenen entfernt liegen. Wenn sie in seiner Gegenwart erwähnt werden, leuchten ein oder zwei Tatsachen und vielleicht ein paar Namen wie Fackeln in seinem Geist auf, erhellen ihn ein oder zwei Zoll weit und lassen den Rest ganz im Dunkeln. Die Erwähnung Ägyptens läßt an einige Begebenheiten in der Bibel und an die Pyramiden denken – weiter nichts. Die Erwähnung Südafrikas läßt Kimberly und die Diamanten aufleuchten, und damit Schluß. Früher löste die Erwähnung Amerikas einem Hindu gegenüber einen Namen aus, George Washington – damit war seine Vertrautheit mit unserem Land erschöpft. Neuerdings hat sich seine Kenntnis quantitativ verdoppelt; und so flammen, wenn Amerika erwähnt wird, jetzt zwei Fackeln in den dunklen Höhlen seines Geistes auf, und er sagt: „Aha, das Land jenes großen Mannes – Washington, und der heiligen Stadt – Chicago." Denn er weiß von dem Religionsparlament, und das hat ihm dazu verholfen, von Chicago einen irrigen Eindruck zu erhalten.

Wenn man Indien dem Bürger eines fernen Landes gegenüber erwähnt, wird er sogleich auf Clive, Hastings, den Aufstand, Kipling und eine Anzahl anderer großer Ereignisse kommen; und die Erwähnung Kalkuttas ruft unweigerlich das Schwarze Loch ins Gedächtnis. Und deshalb geht dieser Bürger, wenn er sich in der Hauptstadt Indiens befindet, zuallererst los, um sich das Schwarze Loch Kalkuttas anzusehen – und wird enttäuscht.

Das Schwarze Loch ist nicht erhalten; es ist verschwunden, schon seit langer, langer Zeit. Das ist merkwürdig. So, wie es dastand, war es in sich selbst ein Denkmal, ein fertiges Denkmal. Es war vollendet, es war vollständig, das Baumaterial war haltbar und dauerhaft, es brauchte nichts hergerichtet, nichts ausgebessert zu werden; man brauchte nur alles in Ruhe zu lassen. Es war der erste Stein, der Grundstein, auf dem ein mächtiges Reich errichtet wurde – das Indische Reich Großbritanniens. Es war der entsetzliche Zwischenfall mit dem Schwarzen Loch, der die Briten in Wut brachte und Clive, das junge militärische Wunder, zornig aus Madras herbeieilen ließ; das war die Saat, aus der Plassey entsprang; und es war diese außergewöhnliche Schlacht, derengleichen die Welt seit Azincourt nicht mehr gesehen hatte, die ein tiefes, starkes Fundament für Englands gewaltige Herrschaft in Indien legte.

Und doch wurde das Schwarze Loch zu Lebzeiten noch heute lebender Menschen niedergerissen und so achtlos beiseite geworfen, als wären seine Ziegel gewöhnlicher Lehm, nicht Barren historischen Goldes. Menschliche Wesen sind unberechenbar.

Der vermutliche Ort des Schwarzen Loches ist durch eine gravierte Platte gekennzeichnet. Ich habe sie gesehen, und besser dies als gar nichts. Das Schwarze Loch war ein Gefängnis – eine *Zelle* ist eher das richtige Wort – achtzehn Fuß im Quadrat, die Maße einer gewöhnlichen Schlafkammer; und in diesen Raum stopfte der siegreiche Nabob von Bengalen hundertsechsundvierzig seiner englischen Gefangenen. Sie hatten knapp Platz zum Stehen; es war kaum ein Atemholen möglich; es war Nacht und drückend heiß. Bevor der Morgen graute, waren alle Gefangenen tot bis auf dreiundzwanzig. Vor hundert Jahren war Mr. Holwells langer Bericht über den Vorfall der Öffentlichkeit vertraut, aber heutzutage sieht man selbst einen Auszug daraus nur selten im Druck. Unter den bestürzenden Dingen, die darin enthalten sind, findet sich folgendes: Mr. Holwell, der vor Durst verschmachtete, hielt sich am Leben, indem er den Schweiß von seinen Ärmeln saugte. Das vermittelt einem einen lebhaften Begriff von der Lage. Bei seiner Beschäftigung, aus einem seiner Ärmel Leben zu saugen, entdeckte er bald, daß ein junger englischer Herr an dem anderen Ärmel Mundraub verübte. Holwell war ein selbstloser Mann, ein Mann mit den großzügigsten Neigungen, er lebte und starb hochberühmt für diese schöne und seltene Eigenschaft; doch als er entdeckte, was mit jenem unbeobachteten Ärmel geschah, ergriff er die Vorsichtsmaßnahme, erst diesen trockenzusaugen. Die Leiden des Schwarzen Loches waren imstande, sogar eine Natur wie die seine zu verändern. Aber der junge Herr war einer der dreiundzwanzig Überlebenden, und er sagte, der gestohlene Schweiß sei es gewesen, der ihm das Leben gerettet habe. Ich werde einen kurzen Auszug aus Mr. Holwells Erzählung wiedergeben:

„Dann ein allgemeines Gebet zum Himmel, das Voranschreiten der Flammen rechts und links zu beschleunigen und unserer Qual ein Ende zu setzen. Aber da dies versagte, legten alle, deren Kraft und Mut gänzlich erschöpft waren, sich auf ihre Genossen nieder und verschieden lautlos; andere, denen noch etwas Kraft und Energie geblieben war, unternahmen eine letzte Anstrengung, zu den Fenstern zu gelangen, und mehrere hatten Erfolg, indem sie über Rücken und Köpfe der in der ersten Reihe Stehenden sprangen und kletterten und sich an den Gitterstäben festklammerten, von wo man sie nicht mehr fortbekam. Viele rechts und links sanken unter dem heftigen Druck zu Boden und erstickten bald; denn nun strömten die Lebenden und Toten einen Dunst aus, der mit allen seinen Begleitumständen so auf uns wirkte, als hielte man unsere Köpfe mit Gewalt über eine Schüssel mit konzentriertem Salmiakgeist, bis zum Ersticken; auch konnten die Ausdünstungen der einzelnen nicht mehr voneinander unterschieden werden, und häufig, wenn die Last auf Kopf und Schultern mich zwang, das Gesicht zu Boden zu richten, mußte ich, so nahe ich auch am Fenster stand, den Kopf sofort wieder heben, um nicht zu ersticken. Ich brauche Sie, mein lieber Freund, nicht um Ihr Mitgefühl zu bitten, wenn ich Ihnen erzähle, daß ich in dieser schrecklichen Lage von halb zwölf bis fast zwei Uhr morgens das Gewicht eines schweren Mannes trug, dessen Knie auf meinem Rücken und dessen ganze Körperlast auf meinem Kopfe ruhten; ein holländischer Wundarzt hatte auf meiner linken Schulter Platz genommen, und auf meiner rechten Schulter lastete ein Topaz (ein schwarzer christlicher Soldat); nichts hätte mich befähigen können, das alles zu ertragen, wenn ich nicht von allen Seiten gleichmäßig gedrückt und gestützt worden wäre, was wiederum mich aufrecht hielt. Die zwei letzteren verlagerte ich häufig, indem ich meinen Griff an den Stangen änderte und ihnen meine Ellbogen in die Rippen stieß; aber mein Freund oben saß fest, unbeweglich an zwei Stangen angeklammert.

Ich nahm erneut all meine Kraft und Standhaftigkeit zusammen; aber die wiederholten Versuche und Anstrengungen, die ich machte, um die unerträglichen Lasten auf mir zu verlagern, erschöpften mich schließlich ganz und gar, und gegen zwei Uhr, als ich bemerkte, daß ich das Fenster loslassen oder an Ort und Stelle umsinken müsse, entschloß ich mich zu ersterem, nachdem ich wirklich zugunsten anderer unendlich mehr um des Lebens willen ertragen hatte, als das Beste darin wert ist. In der Reihe dicht hinter mir stand ein Offizier eines der Schiffe, namens Cary, der während der Belagerung große Tapferkeit bewiesen hatte (seine Gattin, eine prächtige Frau, obwohl vom Lande, wollte ihn nicht verlassen, sondern begleitete ihn in das Gefängnis und war eine der Überlebenden). Dieser arme Elende hatte schon lange wütend nach Wasser und Luft verlangt; ich sagte ihm, ich sei entschlossen, mein Leben aufzugeben, und riet ihm, meinen Standort einzunehmen. Als ich diesen verließ, machte er einen furchtlosen Versuch, meinen Platz zu bekommen, aber der holländische Wundarzt, der auf meiner Schulter gesessen hatte, verdrängte ihn. Der arme Cary sprach seine Dankbarkeit aus und sagte, er wolle sein Leben ebenfalls aufgeben; aber nur mit der äußersten Mühe erzwangen wir uns unseren Weg vom Fenster fort (mehrere in den inneren Reihen schienen mir tot aufrecht zu stehen, da sie wegen des Gedränges und des gleichmäßigen Drucks von allen Seiten nicht umfallen konnten). Er legte sich nieder, um zu sterben, und sein Tod trat, glaube ich, sehr rasch ein, denn er war ein kleiner, dicker, heißblütiger Mann. Er war außerordentlich stark, und ich glaube, wenn er sich nicht mit mir zusammen zurückgezogen hätte, wäre ich niemals imstande gewesen, mir den Weg zu erzwingen. Zu dieser Zeit verspürte ich keinen Schmerz und nur wenig Unbehagen; ich kann Ihnen keine bessere Vorstellung von meiner Lage geben, als daß ich den Vergleich mit der Schüssel voll Salmiakgeist wiederhole. Ich fühlte langsam eine Betäubung nahen und legte mich neben jenem tapferen alten Mann, Ehrwürden Mr. Jervas Bellamy, nieder, der Hand in Hand mit seinem Sohn, dem Leutnant, dicht neben der Südwand des Gefängnisses tot dalag. Als ich dort eine kleine Weile gelegen hatte, besaß ich noch Überlegung genug, um einiges Unbehagen bei dem Gedanken zu verspüren, daß man, wenn ich tot wäre, auf mir herumtrampeln würde, wie ich es bei anderen getan hatte. Mit einiger Mühe richtete ich mich auf und erreichte ein zweites Mal die Plattform, wo ich bald alles Bewußtsein verlor; die letzte Spur von Empfindung, deren ich mich erinnern kann, nachdem ich mich niedergelegt hatte, war, daß mir die Schärpe um den Leib lästig wurde und ich sie losband und von mir warf. Von dem, was in der Zwischenzeit von da an bis zu meiner Auferstehung aus diesem Loch des Grauens geschah, kann ich Ihnen keinen Bericht geben."

Es gab in Kalkutta genug zu sehen, aber es war nicht genug Zeit dazu vorhanden. Ich sah das Fort, das Clive erbaut hatte, den Ort, wo Warren Hastings und der Autor der Juniusbriefe ihr Duell austrugen, den großartigen botanischen Garten, die elegante Nachmittagspromenade auf der Maidan, eine großartige Parade der Garnison auf einer weiten Ebene bei Sonnenaufgang und ein militärisches Manöver, bei dem starke Einheiten einheimischer Soldaten die Vollkommenheit ihrer Waffenbeherrschung unter Beweis stellten, ein eindrucksvolles und schönes Schauspiel, das mehrere Abende dauerte und mit der Vorführung eines Sturmes auf ein einheimisches Fort endete, die in ihrer ins einzelne gehenden und aufwühlenden Genauigkeit der Wirklichkeit gleichkam und hinsichtlich der Sicherheit und Bequemlichkeit besser war als sie. Die Gefälligkeit von Freunden verhalf uns zu einem Vergnügungsausflug auf der „Hoogly", und die übrige Zeit widmeten wir dem gesellschaftlichen Leben und dem indischen Museum. Man sollte einen Monat in dem Museum verbringen, diesem verzauberten Schloß indischer Altertümer. Wirklich, man könnte ein halbes Jahr unter den schönen und wunderbaren Dingen verbringen, ohne daß ihre Anziehungskraft nachließe.

Es war Winter. Wir gehörten zu Kiplings „Heerscharen von Touristen, die bei kühler Witterung Indien kreuz und quer durchreisen und zeigen, wie die Dinge gehandhabt werden müßten". Das ist hier ein gebräuchlicher Ausdruck, „kühle Witterung", und die Leute glauben, es gäbe so etwas. Das kommt daher, daß sie ihr halbes Leben hier verbracht haben und ihre Wahrnehmungskraft abgestumpft ist. Wenn jemand an 58° im Schatten gewöhnt ist, sind seine Vorstellungen von kühler Witterung nicht zu verwerten. Ich hatte in historischen Abhandlungen gelesen, daß die Junimärsche der britischen Streitkräfte zwischen Laknau und Kanpur zur Zeit des Aufstandes unter solchen Wetterbedingungen stattgefunden hatten – 58° im Schatten –, und hatte das für Ausschmückung gehalten. Ich hatte das erneut in dem Bericht des Oberwachtmeisters Forbes-Mitchell über seine militärischen Erlebnisse während des Aufstandes gelesen – wenigstens glaubte ich, das gelesen zu haben –, und in Kalkutta fragte ich ihn, ob das wahr sei, und er bestätigte es. Ein hoher Offizier, der den Aufstand im dicksten Gewühl miterlebt hatte, sagte das gleiche. Solange diese Leute darüber sprachen, was sie überschauen konnten, waren sie vertrauenswürdig, und ich glaubte ihnen; aber als sie sagten, jetzt herrschte „kühle Witterung", sah ich ein, daß sie über die Grenzen ihres Wissens hinausgeschossen waren und nun festsaßen. Ich glaube, daß in Indien „kühle Witterung" nur ein herkömmlicher Ausdruck ist, der deshalb gebraucht wird, weil man irgendeine Möglichkeit haben muß, zwischen Wetter zu unterscheiden, das eine Messingtürklinke zum Schmelzen bringt, und Wetter, das sie nur aufweicht. Es war zu beobachten, daß während meines Aufenthalts in Kalkutta Messingtürklinken in Gebrauch waren, was bewies, daß die Zeit noch nicht heran war, da man sie gegen Porzellanklinken auswechseln mußte; man sagte mir, der Übergang zu Porzellan werde gewöhnlich erst im Mai vollzogen. Aber diese kühle Witterung war uns zu warm; daher machten wir uns auf den Weg nach Dardschiling im Himalaja – eine Reise von vierundzwanzig Stunden.

55. KAPITEL

> Es gibt 869 verschiedene Formen der Lüge, aber nur eine von ihnen hat man rundweg verboten: Du sollst nicht falsch Zeugnis reden wider deinen Nächsten.
>
> *Querkopf Wilsons Neuer Kalender*

Aus dem Tagebuch:

14. Februar. Wir brachen um halb fünf Uhr nachmittags auf. Bis in die Dunkelheit fuhren wir durch wuchernden Pflanzenwuchs, stiegen dann in ein Schiff um und überquerten den Ganges.

15. Februar. Mit der Sonne aufgestanden. Ein strahlender und frostiger Morgen. Eine doppelte Garnitur Unterwäsche wird notwendig. Die Ebene ist vollkommen flach und scheint sich unendlich weit auszudehnen, immer verschwommener, immer verwischter, bis an die äußersten Grenzen des Nichts. Welch eine hochaufschießende, machtvolle, gischtende Fontäne zarten Grüns solch ein Büschel Bambus ist! Soweit das Auge reicht, zieren diese großartigen pflanzlichen Geysire das Landschaftsbild, wobei die Entfernung ihren Strahl zu Dampfwolken veredelt. Es tauchen Bananenpflanzungen auf, und das Sonnenlicht blitzt auf der lackähnlichen Oberfläche der herabhängenden riesigen Blätter. Und man bemerkt zahlreiche Palmenhaine; besonders aber durch einzeln stehende Vertreter dieser malerischen Familie erhält die Landschaft wirkungsvolle Akzente, hochaufragend, glattstämmig, wie sie sind, mit gebrochenem und zerfetzt aussehendem Gefieder, Nachbildungen eines Regenschirms in der Natur, eines Regenschirmes, der auszog, um zu sehen, was ein Zyklon sei, und nun versucht, sich seine Enttäuschung nicht anmerken zu lassen. Und überall auf diesen von sanftem Morgenlicht übergossenen Bildern erblicken wir Dörfer, zahllose Dörfer, Myriaden von Dörfern, strohgedeckt, aus sauberen, frischen Matten errichtet, zwischen Palmengruppen und Bambusschäften hingeschmiegt, Dörfer, Dörfer ohne Ende, alle keine dreihundert Yard auseinander, ständig viele Dutzende auf einmal in Sicht, eine mächtige Stadt, Hunderte von Meilen lang, Hunderte von Meilen breit, bestehend aus all diesen Dörfern, die größte Stadt der Erde und so volkreich wie ein europäisches Land. Ich habe noch nie eine solche Stadt gesehen. Zu beiden Seiten und voraus sieht man in ständiger Wiederholung und immer wieder erneut eine Vielzahl nackter Männer. Wir rasen Meile um Meile zwischen ihnen hindurch, aber dennoch sind sie immer da, zu beiden Seiten und voraus − braune, nackte Männer und Knaben, die auf den Feldern pflügen. *Aber keine einzige Frau.* In diesen zwei Stunden habe ich keine Frau und kein Mädchen auf den Feldern arbeiten sehen.

> Von Grönlands Eismoränen,
> Indiens Korallenstrand,
> Wo Afrikas Fontänen
> Benetzen gold'nen Sand;
> Von hehrer Ströme Rande,
> Aus manchem Palmenhain
> Ruft man uns auf, die Lande
> Vom Dunkel zu befrein.

Das sind schöne Verse, und sie sind mir mein Leben lang im Gedächtnis haftengeblieben. Aber falls die Schlußzeilen wahr sein sollten, lasset uns hoffen, daß wir, wenn wir dem Ruf folgen und die Lande vom Dunkel befreien kommen, einige der Bräuche unserer Hochzivilisation verheimlichen und gleichzeitig einige ihrer heidnischen Sitten ausborgen, um unser eigenes Sittengefüge damit zu bereichern. Wir haben ein Recht dazu. Wenn wir diese Leute auf die Höhe der Kultur emporheben, haben wir das Recht, auch uns selbst auf ihre Kosten um neun oder zehn Stufen höherzuschwingen. Vor einigen Jahren verbrachte ich mehrere Wochen in Tölz in Bayern. Das ist eine katholische Gegend, und nicht einmal Benares ist inniger oder allumfassender oder bewußter religiös. In meinem Tagebuch aus jener Zeit finde ich folgendes:

„Wir unternahmen gestern eine lange Spazierfahrt über die entzückenden Landstraßen. Aber es war eine Fahrt, deren Genuß in mehrerer Hinsicht getrübt war: durch die schrecklichen Bildstöcke und durch das beschämende Schauspiel, grauhaarige, ehrwürdige alte Großmütter auf den Feldern schuften zu sehen. Die Bildstöcke gab es längs der Straße in großer Zahl – Bildnisse des Erlösers am Kreuze, dem das Blut in Strömen aus den Nagel- und Dornenwunden floß.

Nehmen Missionare, die von hier aus in die Welt hinausziehen, an den heidnischen Götzenbildern Anstoß? Ich sah viele Frauen, die siebzig und sogar achtzig waren, auf den Feldern mähen und binden und die Ladungen auf die Wagen gabeln.“

Ich war später in Österreich und in München. In München sah ich grauhaarige alte Frauen Rollwagen schieben, bergab und bergauf, über weite Strecken, Rollwagen, mit Bierfässern beladen, unglaublichen Lasten. In meinem österreichischen Tagebuch finde ich folgendes:

„Auf den Feldern sehe ich oft eine Frau und eine Kuh vor den Pflug gespannt, und ein Mann kutschiert.

Heute sah ich in Marienbad in aller Öffentlichkeit eine alte, gebeugte, grauhaarige Frau *mit einem Hund zusammengespannt* einen beladenen Schlitten über schneefreie Lehmwege und nacktes Pflaster ziehen; und in aller Ruhe schritt der Kutscher nebenher und rauchte seine Pfeife, ein gesunder Bursche, keine dreißig Jahre alt.“

Vor fünf oder sechs Jahren kaufte ich ein offenes Boot, überspannte das Heck in der Art eines Wagenverdecks mit Segeltuch, um mich vor Sonne und Regen zu schützen, heuerte einen Reiseleiter und einen Ruderer an und ließ mich in zwölftägiger Fahrt vom See Bourget bis Marseille rhoneabwärts treiben. In meinem Tagebuch von jener Reise finde ich folgende Eintragung. Ich befand mich damals weit im Unterlauf der Rhone:

„An St. Etienne vorüber, 2.15 Uhr nachmittags. Auf einer fernen Hügelkuppe landeinwärts ein hohes, offenes Bauwerk in beherrschender Lage, darauf ein Standbild der Heiligen Jungfrau. Ein frommes Land. Wo immer es einen Felsvorsprung diesen ganzen Fluß entlang gibt, steht ein Standbild der Heiligen Jungfrau. Ich glaube, ich habe hundert dieser Art gesehen. Und doch scheint die Landbevölkerung in mancherlei Hinsicht einfach heidnisch zu sein und jedes nennenswerten Grades der Zivilisation zu ermangeln.

… Gegen vier Uhr erreichten wir ein nicht sehr vielversprechendes Dorf, und ich beschloß, für den Rest des Tages anzulegen; es war eintönig geworden, Obst zu kauen und die Luft unter der Plane mit Pfeifenrauch zu vernebeln; ich konnte die Plane nicht hochschlagen, weil die Regenfluten unaufhörlich niederrauschten. Das Gasthaus lag am Flußufer, wie es Brauch ist. Dort war es langweilig und trübsinnig, und es blieb mir nichts weiter zu tun, als aus dem Fenster in den durchweichenden Regen hinauszustarren und zu frösteln; das mußte man schon, denn es war rauh und kalt und windig, und im ländlichen Frankreich bekommt man kein Feuer. Wintermäntel halfen nicht sehr, man mußte sie durch Decken ergänzen. Die Regentropfen waren so groß und trafen mit solcher Wucht auf den Fluß, daß das Wasser aufspritzte, als fielen Kieselsteine hinein.

Außer ganz gelegentlich einem Landmann in Holzpantinen war niemand in diesem schlimmen Wetter draußen – ich meine niemand unseres Geschlechts. Aber für Frauen ist in diesen Ländern des Kontinents jedes Wetter einerlei. Für sie und die anderen Tiere ist das Leben ernst; nichts unterbricht ihre Fron. Drei von ihnen wuschen, als ich ankam, im Fluß unter dem Fenster ihre Wäsche, und sie setzten das fort, solange es zur Arbeit hell genug war. Eine war offenbar dreißig; eine andere – die Mutter! – über fünfzig; die dritte – die Großmutter! – so alt und abgearbeitet und grau, daß sie hätte für achtzig gehen können; ich hielt sie jedenfalls für so alt. Sie hatten natürlich keine Regenmäntel oder Gummischuhe an; sie trugen Jutesäcke über die Schultern gebreitet – einfach Leitvorrichtungen für wahre Ströme von Wasser; etwas von dem Wasser erreichte den Grund; der Rest wurde unterwegs aufgesogen.

Zuletzt kam ein kräftiger junger Mann von fünfunddreißig, saß trocken und behaglich unter einem großen Regenschirm auf einem offenen Eselwagen und schmauchte seine Pfeife – der Gatte, Sohn und Enkel dieser Frauen! Er richtete sich im Wagen auf, wobei er sich vor dem Regen wohl in acht nahm, und begann die Aufsicht zu führen; dabei erteilte er seine Anordnungen in herrischem Kommandoton und wurde zornig, wenn sie nicht schnell genug befolgt wurden. Ohne Klage oder Murren führten die durchnäßten Frauen die Anordnungen aus, hoben die gewaltigen Körbe mit nasser, ausgewrungener Wäsche in den Wagen und verstauten sie zur Zufriedenheit des Mannes. Es waren sechs große Körbe, und ein Mann von gewöhnlicher Kraft hätte keinen einzigen von ihnen heben können. Als der Wagen nun voll war, stieg der Franzose ab, immer noch von seinem Schirm geschützt, und betrat das Gasthaus, und die Frauen gingen erschöpft nach Hause, schleppten sich mühselig hinter dem Wagen her und waren bald von der Sintflut aufgesogen und aus der Sicht entschwunden.

Als ich in den Gastraum hinabging, hatte der Franzose seine Flasche Wein und seinen Teller Essen vor sich auf dem kahlen, vor Schmutz schwarzen Tisch und „mampfte" wie ein Gaul. Er hatte die kleine religiöse Zeitschrift in Händen, die an den Ufern der Rhone allgemein verbreitet ist, und erbaute sich an den Geschichten von französischen Heiligen, die im Mittelalter, um der Befleckung durch Frauen zu entgehen, in die Einöden zu fliehen pflegten. Seit zweihundert Jahren sendet Frankreich Missionare in andere wilde Länder aus. Es ist wahrlich wunderbare und echte Großzügigkeit, sich für den Bedürftigen etwas abzusparen, wenn man selbst so in Armut lebt."

Um aber auf Indien zurückzukommen, wo, wie mein Lieblingsgedicht sagt,

> jeder Blick bezaubert
> und nur der Mensch ist schlecht.

Das rührt daher, daß Bayern, Österreich und Frankreich ihn noch nicht mit ihrer Zivilisation bekannt gemacht haben. Aber Bayern, Österreich und Frankreich sind auf dem Wege. Sie kommen. Sie werden ihn erretten; sie werden ihm die Schlechtigkeit schon noch austreiben.

Als wir uns im Laufe des Vormittags den Bergen näherten, stiegen wir aus dem gewöhnlichen Zug um in einen anderen, der aus kleinen, mit Planen überdachten Wagen bestand. Sie glitten einen Fuß über die Erde dahin und schienen fünfzig Meilen in der Stunde zu fahren, während es in Wirklichkeit etwa zwanzig waren. Jeder Wagen enthielt Sitzplätze für ein halbes Dutzend Menschen; und wenn die Vorhänge zurückgeschlagen waren, befand man sich praktisch im Freien und konnte überallhin schauen, die Brise voll genießen und sich restlos wohl fühlen. Es war nicht nur dem Namen nach ein Vergnügungsausflug, sondern auch in Wirklichkeit.

Nach einer Weile hielten wir an einem kleinen, hölzernen Hühnerstall von Bahnhof, dicht hinter dem Vorhang des düsteren Dschungelrands gelegen, ein Ort, den ringsum tiefer und dichter Wald mit großen Bäumen, Gestrüpp und Rankenwerk umgibt. Der königliche Bengaltiger ist dort in großer Zahl vertreten und bewegt sich sehr dreist und ungezwungen. Von dieser einsamen kleinen Station ging einmal der Eisenbahndirektion in Kalkutta eine Blitznachricht zu: „Tiger frißt in Vorhalle Bahnhofsvorsteher; drahtet Anweisungen."

Hier erlebte ich meine erste Tigerjagd. Ich erlegte dreizehn. Danach fuhren wir bald weiter, und der Zug begann die Berge hinaufzuklettern. An einer Stelle kreuzten sieben wilde Elefanten die Gleise, aber zwei davon entkamen, bevor ich sie überwältigen konnte. Die Eisenbahnstrecke den Berg hinauf ist vierzig Meilen lang, und die Fahrt dauert acht Stunden. Sie ist so wild, fesselnd, aufregend und bezaubernd, daß sie eine Woche dauern sollte. Was die Pflanzenwelt angeht, ist das ein reines Museum. Der Dschungel schien Exemplare jedes seltenen oder merkwürdigen Baumes und Strauches zu enthalten, den wir je gesehen oder von dem wir je gehört hatten. Aus diesem Museum, nehme ich an, ist die Erde mit den Bäumen und Ranken und Sträuchern versorgt worden, die sie so schätzt.

Die Strecke ist unaufhörlich und bezaubernd gewunden. Sie biegt hierhin und dahin aus, um hohe, in Ranken und Laub erstickende Felsen herum und an den Rändern bodenloser Abgründe entlang, und den ganzen Weg über gleitet man an Rotten malerischer Einheimischer vorüber, von denen einige Lasten hinauftragen, andere von ihrer Arbeit in den Teeplantagen herabsteigen; und einmal sahen wir einen farbenfrohen Brautzug, einen Rausch buntglänzenden Flitters, und die Braut, anmutig und mädchenhaft, lugte zwischen den Vorhängen ihrer Sänfte hervor und stellte ihr Gesicht mit jenem ungetrübten Entzücken zur Schau, das die Jungen und Glücklichen an der Sünde um der Sünde willen empfinden.

Allmählich befanden wir uns weit oben in der Region der Wolken, und von dieser luftigen Höhe aus sahen wir hinab und hinaus auf ein wundervolles Bild – die Indische Ebene dehnte sich vor unseren Augen zum Horizont, zart und hell, platt wie ein Estrich, vor Hitze flimmernd, mit Wolkenschatten gesprenkelt und von schimmernden Flüssen durchfurcht. Unmittelbar unter uns und sich immer tiefer und tiefer ins Tal hinab ziehend, erblickten wir ein Gewirr kahler Hügelkuppen, bandähnlich umwunden von Straßen und umsponnen von gelblichweißen Pfaden, deren jede Kurve und Krümmung sich scharf und deutlich abzeichnete.

Bei einer Höhe von 6000 Fuß fuhren wir in eine dicke Wolke hinein, und sie sperrte die Welt aus und hielt sie ausgesperrt. Wir kletterten 1000 Fuß höher, begannen dann bergab zu fahren, und bald kamen wir nach Dardschiling hinab, das 6000 Fuß über der Ebene liegt.

Wir waren während der Fahrt hier herauf an manchem Bergdorf vorübergekommen und hatten manch einen neuen Schlag von Einheimischen gesehen, unter ihnen viele Vertreter der kriegerischen Gurkhas. Es sind keine großen Männer, aber sie sind stark und kühn. Unter Großbritanniens Eingeborenentruppen gibt es keine besseren Soldaten. Und wir hatten Scharen von Gurkhafrauen überholt, welche die vierzig Meilen des steilen Weges vom Tal zu ihren Bergdörfern emporklommen, mit einem hohen Korb auf dem Rücken, der mit einem Band um die Stirn befestigt war und eine Fracht im Gewichte von – ich werde nicht sagen, wie viele hundert Pfund er enthielt, denn die Summe ist unglaublich. Es waren junge Frauen, und sie schritten rasch unter dieser erstaunlichen Last dahin und taten dabei, als befänden sie sich auf einem Ferienausflug. Man sagte mir, daß eine Frau ein Klavier die ganze Strecke den Berg hinauf tragen würde und daß mehr als einmal eine Frau das getan habe. Wenn es sich um alte Frauen handelte, würde ich die Gurkhas für nicht zivilisierter als die Europäer halten.

Auf dem Bahnhof von Dardschiling findet man eine Menge Droschkenersatz – offene Särge, in denen man sitzt und auf Männerschultern die steilen Straßen in die Stadt hinaufgetragen wird.

Dort oben fanden wir ein recht bequemes Hotel, Eigentum eines faseligen und zerstreuten Wirtes, der sich um nichts kümmert, sondern alles seinem Heer indischer Diener überläßt. Nein, um die Rechnung kümmert er sich – das muß man ihm lassen –, und der Tourist kann nichts Besseres tun, als seinem Beispiel zu folgen. Ein Ansässiger erzählte mir, der Gipfel des Kangtschendsönga sei häufig von Wolken verborgen, ein Tourist habe manchmal zwanzig Tage gewartet und sei dann doch noch fortgefahren, ohne ihn gesehen zu haben. Und doch sei er nicht enttäuscht gewesen, denn als er seine Hotelrechnung erhielt, sei er sich dessen bewußt geworden, daß er nun das höchste Ding im Himalaja vor Augen habe. Aber das ist wahrscheinlich eine Lüge.

Nach meinem Vortrag ging ich an jenem Abend in den Klub, und das war eine behagliche Stätte. Er ist hoch gelegen und überblickt einen weiten Landschaftsstrich; von da aus kann man die Stelle sehen, wo die Grenzen dreier Länder zusammenstoßen, etwa dreißig Meilen entfernt; Tibet ist das eine, Nepal das andere, und ich glaube, das dritte hieß Herzegowina. Offenbar haben die Herren des britischen Militärs und der britischen Zivilverwaltung in jeder Kleinstadt und Großstadt Indiens ihren Klub; manchmal ist es ein wahrer Palast, immer ist er behaglich und heimelig. Die Hotels sind nicht immer so gut, wie sie sein könnten, und der Fremde, der zu den Klubs Zutritt hat, ist für dieses Vorrecht dankbar und weiß es zu schätzen.

Der nächste Tag war ein Sonntag. In der grauen Morgendämmerung kamen Freunde mit Pferden, und meine Begleitung ritt fort zu einem fernen Punkt, von wo aus der Kangtschendsönga und der Mount Everest am besten zur Wirkung kommen, aber ich blieb mit einer privaten Aussicht zu Hause; denn es war sehr kalt, und ich war ohnehin mit den Pferden nicht vertraut. Ich nahm eine Pfeife und ein paar Decken, setzte mich zwei Stunden lang ans Fenster und beobachtete, wie die Sonne die grauen Schleier vertrieb und die Schneegipfel einen nach dem anderen mit blaßrosigen Farbtupfen und

zartem Goldanstrich versah und endlich das ganze gewaltige, wild aufge-
wühlte Meer der Schneeberge in eine Flut gleißenden Lichtes tauchte.

Der Gipfel des Kangtschendsönga war immer nur flüchtig sichtbar, aber
zwischendurch zeichnete er sich ungeheuer scharf und lebendig gegen
den Himmel ab, hoch oben in dem blauen Gewölbe, mehr als 28 000 Fuß
über dem Meeresspiegel – 12 000 oder mehr Fuß höher als das höchste
Stück Erde, das ich je gesehen hatte. Er war 45 Meilen entfernt. Der
Mount Everest ist 1000 Fuß höher, aber er war nicht Teil des steinernen
Meeres, das sich da vor mir auftürmte, deshalb sah ich ihn nicht; aber
ich machte mir nichts daraus, denn ich finde derartig hohe Berge unangenehm.

Ich wechselte von der Hinter- zur Vorderfront des Hauses hinüber und
verbrachte den Rest des Morgens dort. Ich beobachtete die eigenartigen,
dunkelhäutigen Volksstämme, die von ihrer fernen Heimat im Himalaja her
in Scharen vorüberzogen. Alle Altersstufen und beide Geschlechter waren
vertreten, und die Menschentypen waren für mich ganz neuartig, obwohl die
Tibetaner auf Grund ihrer Trachten doch sehr wie Chinesen aussahen. Die
Gebetsmühle war sehr häufig zu sehen. Sie brachte mich diesen Leuten recht
nahe und ließ mich sie als verwandt empfinden. Mit Hilfe unseres Predigers
erledigen wir viele unserer Gebete durch Stellvertretung. Wir wirbeln ihn
nicht um einen Stock herum, wie sie es hier tun, aber das ist nur ein unterge-
ordnetes Merkmal. Der Schwarm zog rasch vorüber, Stunde um Stunde, eine
eigenartige und fesselnde Heerschau. Sie verpuffte hier, und das war schade.
Man hätte sie durch die Städte Europas oder Amerikas strömen lassen sollen, um die Augen derer zu laben, die der farblosen Eintönigkeit der Zirkus-
umzüge müde geworden sind. Diese Leute wollten zum Bazar, um einiges zu
verkaufen. Wir gingen später da hinunter und besahen uns diesen neuartigen
Aufmarsch wilder Volksstämme, durchpflügten ihn kreuz und quer und stellten fest, daß es sich lohnen würde, von Kalkutta herzukommen, um sich ihn
anzusehen, auch wenn es keinen Kangtschendsönga und Everest gäbe.

56. KAPITEL

> Im Leben des Menschen gibt es zwei Zeit-
> punkte, zu denen er nicht spekulieren sollte:
> wenn er es sich nicht leisten kann, und wenn
> er es kann. *Querkopf Wilsons Neuer Kalender*

Am Montag und Dienstag genossen wir bei Sonnenaufgang wieder eine
schöne bis mittelmäßige Aussicht auf die ungeheuren Berge; da wir uns inzwischen gut abgekühlt und erfrischt hatten, waren wir nunmehr bereit, es
wieder einmal mit dem Wetter der tieferen Regionen zu versuchen.

Mit dem gewöhnlichen Zug fuhren wir fünf Meilen bergauf bis zum Gipfel, dann stiegen wir für die fünfunddreißig Meilen lange Abfahrt in eine
kleine Draisine mit Segeltuchverdeck um. Sie hatte die Größe eines Schlit-
tens, enthielt sechs Plätze und war so niedrig, daß sie auf dem Boden zu ruhen
schien. Sie besaß keinen Motor oder eine andere Antriebskraft und bedurfte

auch keiner, um diese steilen Hänge hinabzufliegen. Es war nur eine starke Bremse erforderlich, um das Tempo zu mäßigen, und die besaß sie. Man erzählte sich eine Geschichte von einer verhängnisvollen Fahrt, die einst der Leutnantgouverneur von Bengalen in diesem kleinen Wagen unternommen habe: der Wagen sei aus den Schienen gesprungen und habe die Passagiere in den Abgrund geschleudert. Das war nicht wahr, aber die Geschichte besaß dennoch einen Wert für mich, denn sie machte mich nervös, und Nervosität macht einen wach, macht einen lebendig, setzt einen auf den Sprung und steigert die aufwühlende Spannung eines neuartigen und zweifelhaften Abenteuers. Der Wagen könnte natürlich wirklich aus den Schienen springen; ein Steinchen gelangte womöglich aus Zufall oder böser Absicht auf die Schienen, und in einer Kurve, wo man möglicherweise darüberfahren würde, ehe es auszumachen wäre, könnte es den Wagen zum Entgleisen bringen und nach Indien hinabsegeln lassen; die Tatsache, daß der Leutnantgouverneur mit dem Leben davongekommen war, bewies keinesfalls, daß ich dasselbe Glück haben würde. Und wenn man so dastand und von der luftigen Höhe der 7000 Fuß auf das Indische Kaiserreich hinabblickte, erschien es doch recht unangenehm fern, recht gefährlich fern, um von einer Draisine aus da hinabgeschleudert zu werden.

Aber immerhin, es bestand nur wenig Gefahr – für mich. Was an Gefahr vorhanden war, bedrohte Mr. Pugh, Inspekteur einer Abteilung der indischen Polizei, in dessen Gesellschaft und Schutz wir aus Kalkutta hergekommen waren. Er hatte einen langen Dienst als Artillerieoffizier hinter sich, war weniger nervös als ich und sollte deshalb in einem Lotsenwagen mit einem Gurkha und einem weiteren Einheimischen uns vorausfahren; und die Sache war so gedacht, daß wir, sobald wir seinen Wagen in einen Abgrund stürzen sähen, die Bremsen ziehen und nach einem neuen Lotsen schicken sollten. Es war so alles ganz gut arrangiert. Auch sollte Mr. Barnard, der Chefingenieur des Gebirgsnetzes der Eisenbahn, unseren Wagen in seine persönliche Obhut nehmen, und er war darin schon manches Mal den Berg hinabgefahren.

Alles sah nach Sicherheit aus. Wirklich, es blieb nur ein zweifelhafter Punkt: der reguläre Zug sollte uns sogleich nach unserer Abfahrt folgen, und er könnte uns womöglich überrennen. Heimlich dachte ich, das werde er bestimmt tun.

Die Strecke fiel steil vor uns ab und schlängelte sich in Korkenzieherkurven um Felsvorsprünge und Abgründe, abwärts, abwärts, immerzu abwärts und erinnerte an nichts so haargenau und unbehaglich wie an eine gewundene Schlittenbahn ohne Ende. Mr. Pugh winkte mit seiner Flagge und sauste los wie ein abgeschossener Pfeil, und bevor ich aussteigen konnte, waren auch wir auf und davon. Ich hatte zuvor nur ein einziges Mal ein Gefühl wie den Schock bei dieser Abfahrt erlebt, und das war der Schock, der mir den Atem nahm, als ich zum ersten Mal vom Gipfel einer Schlittenbahn abgeschossen wurde. Aber in beiden Fällen war die Empfindung angenehm – sogar sehr angenehm; es war eine plötzliche und überwältigende leidenschaftliche Erregung, eine Ekstase, gemischt aus tödlichem Schrecken und unvorstellbarer Freude. Ich glaube, diese Verbindung bringt das vollkommenste menschliche Entzücken hervor.

Die sausende Fahrt des Lotsenwagens den Berg hinab erinnerte an den Flug einer über den Boden streichenden Schwalbe, so rasch, glatt und elegant fegte er die langen Geraden hinunter, raste er in die Kurven hinein, aus den Kurven heraus und um die Ecken. Wir rasten hinterher und schienen an den Bergnasen und Felsvorsprüngen mit Lichtgeschwindigkeit vorbeizuhuschen, und gelegentlich überholten wir ihn beinahe – und hofften; aber er spielte nur mit uns, und wenn wir näher kamen, löste er die Bremse, machte einen Satz um die Ecke herum, und wenn er ein paar Sekunden später das nächste Mal in Sicht wirbelte, sah er so klein wie ein Schubkarren aus, so weit war er weg. Wir spielten in gleicher Weise mit dem Zug. Oft stiegen wir aus, um Blumen zu pflücken oder uns an einen Abgrund zu setzen und die Aussicht zu genießen, dann hörten wir bald ein dumpfes und immer lauter werdendes Grollen, und die langen Windungen des Zuges kamen über und hinter uns in Sicht; aber wir brauchten erst loszufahren, wenn die Lokomotive dicht hinter uns war – dann ließen wir ihn bald weit hinter uns. Er mußte an jeder Station halten, deshalb brachte er uns nicht in Bedrängnis. Unsere Bremse war eine vorzügliche Vorrichtung; sie konnte den Wagen auf einem Hang zum Stehen bringen, der so steil war wie ein Hausdach.

Die Landschaftsbilder waren großartig, mannigfaltig und schön, und es bestand kein Grund zur Eile; wir konnten immer anhalten und sie besichtigen. Wir hatten Zeit im Überfluß. Wir brauchten dem Zug nicht im Wege zu sein; wenn er die Strecke benötigte, konnten wir ausweichen und ihn vorüberlassen, ihn dann später überholen und hinter uns zurücklassen. Wir hielten an einer Stelle, um die Gladstoneklippe zu betrachten, einen großen Felsen, den Zeit und Naturgewalten zum erkennbaren Abbild des ehrwürdigen Mannes modelliert haben. Mr. Gladstone ist Aktionär der Bahnlinie, und die Natur begann vor zehntausend Jahren an seinem Porträt zu arbeiten, in der Absicht, das Ehrengeschenk zum Termin fertig zu haben.

Wir sahen einen Banyanbaum, der von Ästen sechzig Fuß über dem Boden Stützwurzeln herabschickte. Das heißt, ich nehme an, daß es ein Banyan war; seine Rinde glich der des großen Banyans im Botanischen Garten von Kalkutta, jenes spinnenbeinigen Dinges mit seinem Urwald pflanzlicher Säulen. Und man sah häufig einen völlig unbelaubten Baum, auf dessen zahllosen Zweigen und Ästen sich eine Wolke hochroter Schmetterlinge niedergelassen hatte – scheinbar. In Wirklichkeit waren diese roten Schmetterlinge Blüten, aber die Täuschung war gut gelungen. In Südafrika sah ich später wiederum ein durch rote Blumen hervorgebrachtes prachtvolles Bild. Diese Blume hieß vermutlich Fackelpflanze – hätte jedenfalls so heißen müssen. Sie besaß einen schlanken, mehrere Fuß hohen Stengel, und von dessen Spitze ragte eine einzige Flammenzunge empor, eine intensiv rote Blüte von der Größe und Gestalt eines kleinen Maiskolbens. Die Stengel standen im Abstand von drei oder vier Fuß über einen ganzen weiten Berghang verteilt, der eine Meile lang war, und erweckten die Vorstellung, wie der Place de la Concorde wohl aussähe, wenn seine Myriaden Lichter rot wären statt weiß und gelb.

Als wir ein paar Meilen bergab gefahren waren, hielten wir an, um uns eine tibetanische Theatervorstellung anzusehen. Sie fand an jenem Berghang im Freien statt. Das Publikum setzte sich aus Tibetanern, Gurkhas und anderen ungewöhnlichen Leuten zusammen. Die Kostüme der Darsteller wirkten im höchsten Grade fremdartig, und die Vorstellung paßte zur Kleidung. Zu einer Begleitung barbarischer Geräusche traten die Schauspieler nacheinander heraus und begannen, sich mit ungeheurer Schnelligkeit, Kraft und Heftigkeit um sich selbst zu drehen, wobei sie sangen, und bald kreischte die ganze Truppe und sang und wirbelte den Staub auf. Sie führten ein altehrwürdiges und berühmtes historisches Schauspiel vor, und ein Chinese erläuterte es mir während seines Verlaufes in Pidgin-Englisch. Die Handlung war ohne die Erklärung schleierhaft genug; mit der Erklärung dazu wurde sie völlig undurchsichtig. Als Drama besaß dieses altertümliche historische Kunstwerk seine Mängel, fand ich, aber als wildes und barbarisches Schauspiel war die Aufführung über alle Kritik erhaben.

Weiter unten am Berge stiegen wir aus, um uns ein Meisterwerk der Schleifentechnik anzusehen: Die Strecke bildet eine Spirale und kurvt so abrupt in sich selbst zurück, daß wir – als der reguläre Zug herabkam und wir über ihm standen, während er in die Schleife einfuhr – beobachteten, wie er unter unserer Brücke verschwand, in wenigen Augenblicken wieder auftauchte und seinen eigenen Schwanz jagte; wir sahen, wie die Lokomotive ihm näher kam, ihn einholte, an den Schlußwagen vorüberzog und dem Zugende ein Rennen lieferte. Es war wie eine Schlange, die sich selbst verschlingt.

Auf halbem Wege hielten wir etwa eine Stunde an Mr. Barnards Haus und nahmen Erfrischungen zu uns, und als wir auf der Veranda saßen und durch eine Waldlücke das ferne Bergpanorama betrachteten, hätten wir beinahe gesehen, wie ein Leopard ein Kalb riß.* Es ist ein wilder und zauberhafter Flecken Erde. Aus den Wäldern ringsumher erscholl der Gesang der Vögel – unter Mitwirkung einiger Arten, die ich damals noch nicht kannte: des Hirnfiebervogels und des Kupferschmieds. Der Gesang des Hirnfieberteufels beginnt in tiefer, aber stetig steigender Tonlage und entwickelt sich spiralförmig, nimmt mit jeder neuen Windung an Stärke und Heftigkeit zu, schärfer und schärfer, schmerzhafter und schmerzhafter, immer quälender, immer aufreizender, unerträglich, unausstehlich, wie er sich dem Zuhörer tiefer und tiefer und noch tiefer in das Hirn bohrt, bis schließlich als Erlösung das Hirnfieber eintritt und der Mensch stirbt. Ich bringe einige dieser Vögel mit heim nach Amerika. Sie dürften dort eine große Kuriosität sein, und man nimmt an, daß sie sich in unserem Klima wie Kaninchen vermehren werden.

Der Laut des Kupferschmiedvogels klingt aus einer gewissen Entfernung immer wie das Krachen eines großen Schmiedehammers auf Granit; aus einer gewissen anderen Entfernung hat das Hämmern einen eher metallischen Klang, und man könnte denken, der Vogel flickte gerade einen Kupferkessel; aus einer anderen Entfernung wiederum ist es eher ein hölzernes Pochen, aber es ist ein Pochen, hinter dem Kraft sitzt und das gerade so klingt, als schlage man einen Spund heraus. Deswegen ist es schwer, den Vogel mit einem einzigen Namen zu belegen; er ist der Steinbrecher, Kupferschmied und Spundvogel, und selbst dann ist er noch nicht vollständig benannt, denn wenn er dicht in der Nähe ist, stellt man fest, daß in seinem Pochen etwas

* Er riß es am Tag zuvor.

Sanftes, Tiefes, Melodisches schwingt, und dafür fällt einem kein befriedigender Name ein. Aus seinen anderen Tönen macht man sich nichts, aber wenn er sich nahe genug einnistet, um jene Laute vernehmen zu lassen, bemerkt man bald, daß ihre gleichmäßige und monotone Wiederholung einem lästig zu fallen beginnt; dann wird es ermüdend, danach quälend, und binnen kurzem trifft jedes Pochen schmerzend den eigenen Kopf; wenn das so weitergeht, verliert man vor Schmerz und Qual den Verstand und wird verrückt. Ich nehme einige dieser Vögel mit heim nach Amerika. Dort gibt es nichts dergleichen. Das wird eine große Überraschung sein, und es heißt, daß die Fruchtbarkeit der Vögel in einem Klima wie dem unseren alle Erwartungen übersteige.

Ich bringe auch einige Nachtigallen mit und einige Schwanzeulen. Ich habe sie aus Italien. Das Lied dieser Nachtigall ist das tödlichste, das in der Ornithologie bekannt ist. Dieses teuflische Gekreisch kann auf dreißig Yard töten. Der Ton der Schwanzeule ist unendlich sanft und süß – sanft und süß wie das Flüstern einer Flöte. Aber durchdringend – oh, einfach unglaublich; er bohrt sich sogar durch Kesseleisen. Es ist ein langgezogener Laut, der sich stets in Dreierfolgen wiederholt, immer auf dem einen unveränderlichen Ton: huu-u-u, huu-u-u, huu-u-u; dann eine Pause von fünfzehn Sekunden, dann wieder die Dreierfolge und so weiter, die ganze Nacht hindurch; zuerst ist es hinreißend, dann weniger, dann zermürbend, dann quälend, dann peinigend, dann marternd, und nach zwei Stunden ist der Zuhörer wahnsinnig.

Und so bestiegen wir bald wieder die Draisine und flogen weiter den Berg hinab; flogen und hielten, flogen und hielten, bis wir uns wieder in der Ebene und im regulären Zug nach Kalkutta befanden. Das war der schönste Tag, den ich auf Erden verbracht habe. Es gibt keinen anderen Ausflug, der annähernd soviel belebendes, prickelndes, stürmisches Vergnügen bereiten könnte wie dieser Vogelflug in der Draisine den Himalaja hinab. Es gibt daran keinen Fehler, keinen Makel, keinen Mangel, außer daß es nur fünfunddreißig Meilen sind statt fünfhundert.

57. KAPITEL

> Sie war nicht ganz, was man vornehm nennen
> würde. Sie war nicht ganz, was man gewöhn-
> lich nennen würde. Sie war die Art Mensch,
> die sich einen Papagei hält.
>
> *Querkopf Wilsons Neuer Kalender*

Soweit ich es beurteilen kann, haben sowohl Mensch als auch Natur nichts ungetan gelassen, um Indien zu dem außergewöhnlichsten Land zu machen, das die Sonne auf ihrer Runde besucht. Nichts scheint vergessen, nichts übersehen worden zu sein. Kaum glaubt man einmal wieder, man habe Indiens Reichtum an fesselnden Besonderheiten erschöpft und sei endlich damit fertig, ihm nacheinander die verschiedensten Etiketten anzuhängen: Land des Thag, Land der Pest, Land der Hungersnot, Land der riesigen Illusionen, Land der ungeheuren Berge und so weiter, schon taucht eine weitere Besonderheit auf, und ein neues Etikett ist erforderlich. Ich habe bisher die Tatsache übersehen, daß Indien als Land der mordlustigen wilden Tiere eine unantastbare Vorrangstellung besitzt. Es wird vielleicht das einfachste sein, die Etiketten fortzuwerfen und Indien mit einem allumfassenden Namen zu kennzeichnen als Land der Wunder.

Seit vielen Jahren versucht die britisch-indische Regierung, die mörderischen wilden Tiere zu vernichten, und gibt dafür eine Menge Geld aus. Die jährlich erscheinenden amtlichen Mitteilungen zeigen, daß das ein schwieriges Unterfangen ist.

Diese Berichte weisen ein merkwürdiges Gleichmaß der Jahresergebnisse auf; dieselbe Gleichförmigkeit, der man bei der jährlichen Ausbeute an Selbstmorden in den Großstädten der Welt begegnet und beim Anteil der einzelnen Krankheiten an den Todesfällen des Jahres. Man kann immer ziemlich genau voraussagen, wie viele Selbstmorde sich im nächsten Jahr in Paris, London und New York ereignen werden, und auch, wie viele Todesfälle durch Krebs, Schwindsucht, Tollwut, Fensterstürze, Verkehrsunfälle und so weiter zu erwarten sind, wenn man nur das diesbezügliche statistische Material für das gegenwärtige Jahr kennt. Genauso kann man nach Einsicht in die indische Statistik eines Jahres ziemlich treffsicher erraten, wie viele Leute in diesem Reich im Vorjahre durch Tiger gerissen worden sind, ebenso im vorvorigen Jahre und im Jahre davor, und wie viele in jedem dieser Jahre von Bären, Wölfen und Schlangen getötet worden sind; und man kann auch ziemlich genau erraten, wie viele Leute in den nächsten fünf Jahren jährlich durch jede dieser Ursachen umkommen werden. Man kann auch genau erraten, wie viele Tiere jeder Gattung die Regierung im Verlaufe der nächsten fünf Jahre jährlich umbringen wird.

Ich habe statistische Zahlen vor mir, die einen Zeitraum von sechs aufeinanderfolgenden Jahren umfassen. Hieraus weiß ich, daß der Tiger in Indien jährlich etwas mehr als 800 Personen tötet und daß die Regierung darauf antwortet, indem sie jährlich etwa doppelt so viele Tiger tötet. In vier der sechs erfaßten Jahre buchte der Tiger 800 und etliche; in einem der zwei übrigen Jahre hatte er nur 700, aber in dem verbleibenden Jahr sicherte er sich seinen Durchschnitt, indem er sich 917 anschreiben ließ. Er kann seines Durchschnitts stets sicher sein. Jeder, der eine Wette eingeht, daß der Tiger innerhalb dreier beliebiger aufeinanderfolgender Jahre in Indien 2400 Menschen umbringen werde, hat sein Geld todsicher angelegt; jeder, der wettet, daß er in drei beliebigen aufeinanderfolgenden Jahren 2600 umbringen werde, verliert ganz sicher sein Geld.

So verblüffend gleichförmig die Selbstmordstatistiken sind, so sind sie doch durchaus nicht gleichförmiger als des indischen Tigers Jahresbetrag gemordeter Menschenwesen. Die Leistung der Regierung ist ebenfalls ganz gleichbleibend; sie nimmt den Durchschnitt des Tigers doppelt. In sechs Jahren tötete der Tiger 5000 Personen, weniger 50. In denselben sechs Jahren wurden 10 000 Tiger getötet, weniger 400.

Der Wolf tötet fast so viele Menschen wie der Tiger – 700 im Jahr gegenüber des Tigers 800 und etwas –, aber gleichzeitig werden mehr als 5000 seiner Gattung erlegt.

Der Leopard tötet im Durchschnitt 230 Menschen im Jahr, verliert aber dabei 3300 seiner eigenen Gesellschaft.

Der Bär tötet 100 Menschen im Jahr zum Preise von 1250 seines eigenen Stammes.

Wie die Zahlen zeigen, ficht der Tiger einen sehr guten Kampf gegen den Menschen. Aber das ist nichts gegen den Kampf des Elefanten. Der König der Tiere, der Herr des Dschungels verliert im Jahr vier seiner Gesellschaft, aber zum Ausgleich tötet er *fünfundvierzig* Menschen.

Aber wenn es darum geht, Tiere zu reißen, so ist der Herr des Dschungels uninteressant. Er tötet in sechs Jahren nur 100 – zweifellos Pferde der Jäger –, aber in derselben Zeit reißt der Tiger mehr als 84 000, der Leopard 100 000, der Bär 4000, der Wolf 70 000, die Hyäne mehr als 13 000, andere wilde Tiere töten 2000 und die Schlangen 19 000, eine gewaltige Summe von mehr als 300 000, ein Durchschnitt von 50 000 Stück Vieh im Jahr.

Zur Antwort tötet die Regierung in den sechs Jahren insgesamt 3 201 232 wilde Tiere und Schlangen. Zehn zu eins.

Man wird bemerkt haben, daß die Schlangen an Vieh nicht sehr interessiert sind; sie töten nur etwas über 3000 pro Jahr. Die Schlangen sind viel mehr am Menschen interessiert. Indien wimmelt von tödlichen Schlangen. An ihrer Spitze steht die Kobra, die gefährlichste, die der Welt bekannt ist, eine Schlange, deren Biß so tödlich wirkt, daß der Biß der Klapperschlange bloß eine Neckerei dagegen ist.

In Indien ist die Anzahl der jährlichen Todesfälle durch Schlangen so gleichförmig, so regelmäßig und so voraussagbar wie der Tigerdurchschnitt und der Selbstmorddurchschnitt. Jeder, der eine Wette eingeht, daß in Indien die Schlangen in drei beliebigen aufeinanderfolgenden Jahren 49 500 Menschen umbringen werden, gewinnt seine Wette; und jeder, der eine Wette eingeht, daß die Schlangen in Indien in drei beliebigen aufeinanderfolgenden Jahren 53 500 Menschen töten, verliert seine Wette. In Indien töten die Schlangen 17 000 Menschen im Jahr; sie unterschreiten kaum jemals diese Zahl; ebenso selten überschreiten sie sie. Ein Versicherungsstatistiker könnte sich die indische Bevölkerungsstatistik und die Schlangenstatistik der Regierung vornehmen und auf den Sixpence genau sagen, wieviel es kosten würde, dort einen Menschen gegen Schlangenbiß zu versichern. Wenn ich für jeden der jährlich in Indien getöteten Menschen einen Dollar bekäme, würde ich das jedem anderen Besitz vorziehen, da es der einzige Besitz in der Welt wäre, der nicht der Wertminderung unterläge.

Ich hätte auch gern einen Anteil an der Regierungsseite des Schlangengeschäfts, und ich bin jetzt in London und versuche ihn zu bekommen; aber wenn ich ihn erhielte, würde das kein so regelmäßiges Einkommen bedeuten wie das andere; ich habe mich darum beworben. Die Schlangen wickeln ihren Teil des Geschäftes ordentlicher und systematischer ab als die Regierung den ihren, denn die Schlangen haben lange Erfahrung und kennen das Geschäft gründlich. Man kann sicher sein, daß die Regierung niemals weniger als 110 000 Schlangen im Jahr tötet und daß sie niemals ganz die 300 000 erreicht – eine zu große Schwankungsbreite; gutes Spekulationskapital, für Hausse- und Baisse-Spekulation und zum lang- oder kurzfristigen Kauf oder

Verkauf und all diese Sachen bestens geeignet, aber nicht wie das andere als Anlage zu empfehlen. Der Mann, der auf den Schlangenertrag der Regierung spekuliert, sollte vorsichtig sein. Ich würde niemandem raten, einen einzelnen Jahresertrag zu kaufen – ich meine eine Ernte auf dem Halm –, denn die mögliche Schwankung ist außerordentlich groß. Wenn er *sechs* künftige Ernten zusammengenommen kaufen könnte, wobei der Verkäufer insgesamt 1 500 000 Stück zu liefern hätte, wäre das etwas anderes. Ich weiß nicht, was Schlangen jetzt wert sind, aber ich weiß, was sie dann wert wären, wenn die Statistik zeigt, daß der Verkäufer seine Verflichtung um 427 000 nicht erfüllen könnte. Aber ich finde, ein Mensch, der in Schlangen spekuliert, ist ohnehin ein Narr. Stets bereut er es hinterher.

Um mit der Statistik zu Ende zu kommen. In sechs Jahren töten die wilden Tiere 20 000 Menschen, und die Schlangen töten 103 000. In denselben sechs Jahren tötet die Regierung 1 073 546 Schlangen. Es bleiben genug übrig.

In Indien kommt man oft nur um Haaresbreite mit dem Leben davon. In demselben Dschungel, wo ich sechzehn Tiger und alle die Elefanten erlegte, biß mich eine Kobra, aber ich erholte mich; jedermann war überrascht. Das kommt in zehn Jahren womöglich nicht zweimal vor. Gewöhnlich tritt binnen fünfzehn Minuten der Tod ein.

Von Kalkutta aus brachen wir in westlicher oder nordwestlicher Richtung auf und folgten dabei einem Zickzackkurs, der uns im Laufe der Zeit quer durch Indien in seine nordwestliche Ecke und zur Grenze Afghanistans bringen sollte. Der erste Teil der Reise führte uns durch eine großartige Gegend, einen endlosen Garten – Meilen um Meilen die wunderschönen Blumen, deren Saft das Opium entstammt, und in Mussafarpur befanden wir uns im Zentrum des Indigoanbaus. Von dort aus ging es auf einer Seitenstrecke zu einem Punkt am Ganges nahe Dinapur, und zwar in einem Zug, mit dem wir den Anschluß um eine Woche verpaßt hätten, wenn uns nicht die Umsicht einiger britischer Offiziere, die mitfuhren, gerettet hätte: sie kannten die Bräuche auf Zügen, die von Einheimischen ohne weiße Aufsicht geführt werden. Dieser Zug hielt an jedem Dorf, offenbar aus keinem dienstlichen Grunde. Wir luden nichts ab, wir nahmen nichts auf. Die Zugmannschaft stieg aus und tratschte eine Viertelstunde lang mit Freunden, dann fuhren sie ab und wiederholten das in den folgenden Dörfern. Wir hatten fünfunddreißig Meilen zu fahren und hatten sechs Stunden Zeit dafür, aber es war klar, daß wir es nicht schaffen würden. Da geschah es, daß die englischen Offiziere sagten, es wäre nun geboten, diese Kiesfuhre in einen Expreß zu verwandeln. Also gaben sie dem Lokomotivführer eine Rupie und befahlen ihm zu fliegen. Es war ein einfaches Mittel. Danach machten wir neunzig Meilen in der Stunde. Wir überquerten den Ganges gerade in der Dämmerung, bekamen unseren Anschluß und fuhren nach Benares, wo wir vierundzwanzig Stunden blieben und erneut diesen seltsamen und fesselnden Bienenstock der Frömmigkeit besichtigten; dann fuhren wir nach Laknau ab, einer Stadt, die vielleicht das überragendste der vielen über die Erde verstreuten Denkmäler britischer Standhaftigkeit und Tapferkeit ist.

Die Hitze sengte erbarmungslos, die flachen Ebenen standen kahl ohne einen Grashalm. Von der Sonne ausgedörrt, mangelten sie der Farbe wie der

bleiche Staub, der in Wolken dahertrieb. Aber damals war es noch viel heißer, als zur Zeit des Aufstandes die Entsatztruppen nach Laknau marschierten. Das waren damals die Tage der 58° im Schatten.

58. KAPITEL

> Tue grundsätzlich jeden Tag etwas, das du
> nicht gerne machst. Das ist die goldene Regel,
> um die Fähigkeit zu erwerben, deine Pflicht
> mühelos zu tun.
>
> *Querkopf Wilsons Neuer Kalender*

Nunmehr scheint festzustehen, daß die wichtigsten der vielen Ursachen, die
zum Indischen Aufstand führten, die Annexion des Königreiches Audh durch
die Ostindische Kompanie war – ein Vorgehen, das Sir Henry Lawrence als
„die unrechtmäßigste Handlung, die je begangen wurde", bezeichnet hat. Im
Frühjahr 1857 machte sich in vielen Garnisonen einheimischer Soldaten ein
aufrührerischer Geist bemerkbar, der von Tag zu Tag wuchs und immer weiter um sich griff. Die jüngeren Offiziere hielten ihn für sehr schwerwiegend
und wären gern energisch dagegen vorgegangen, um ihn im Keime zu erstik-
ken; aber sie besaßen nicht die Befehlsgewalt. Die Kommandohöhen der Armee hatten alte Männer inne – Männer, die schon längst altershalber hätten
pensioniert werden müssen –, und diese hielten die Angelegenheit für bedeutungslos. Sie liebten ihre einheimischen Soldaten und wollten nicht glauben, daß irgend etwas sie zum Aufruhr bewegen könne. Überall lauschten
diese eigensinnigen Veteranen gelassen dem Grollen der Vulkane unter ihren
Füßen und sagten, es habe nichts zu bedeuten.

Und so hatten die Aufwiegler freie Hand. Sie zogen unbehindert von
einem Lager zum anderen, hielten dem einheimischen Soldaten die Unbill vor
Augen, die sein Volk in der Gewalt der Engländer erleide, und pflanzten ihm
den Durst nach Rache ins Herz. Sie konnten auf zwei Umstände hinweisen,
die in ungeheurem Maße ihren Überredungskünsten Nachdruck verliehen:
Zu Clives Zeiten waren die einheimischen Heere zusammengewürfelte Haufen ohne inneren Zusammenhalt und ohne wirksame Bewaffnung; deshalb
kamen sie gegen Clives festformierte Handvoll gutbewaffneter Männer nicht
auf, aber jetzt hatte sich das Blatt gewendet. Die britischen Streitkräfte bestanden aus Einheimischen; sie waren von den Briten ausgebildet, von den
Briten formiert, von den Briten bewaffnet worden, alle Macht lag in ihren
Händen – sie waren eine Keule, von britischen Händen geschaffen, um britische Köpfe damit einzuschlagen. Es gab nichts, was sich ihrer großen Anzahl
hätte entgegenstellen können, nichts als ein paar über ganz Indien verstreute
schwache Bataillone britischer Soldaten, eine Streitmacht, die gar nicht der
Rede wert war. Dieses Argument hätte alleingenommen vielleicht nicht überzeugt, denn die tapfersten und besten indischen Truppen hegten einen gesunden Respekt vor dem weißen Soldaten, ob er nun schwach oder stark war;
aber die Agitatoren untermauerten dieses Argument mit ihrem zweiten und
besten Trumpf: der *Weissagung* – einer hundert Jahre alten Weissagung.

Weissagungen gegenüber ist der Inder jederzeit aufgeschlossen; Argumente mögen ihn vielleicht nicht überzeugen, aber Weissagungen immer. Es existierte eine Weissagung, daß hundert Jahre nach jener Schlacht Clives, die das Britische Kaiserreich Indien begründete, die Bewohner des Landes die britische Macht stürzen und beseitigen würden.

Der Aufstand brach am 10. Mai 1857 in Mirat aus und entfesselte eine Reihe ungeheurer historischer Explosionen. Im Juni ereignete sich Nana Sahibs Massaker unter der Garnison von Kanpur, die sich ergeben hatte, und die lange Belagerung Laknaus begann. Die Kriegsgeschichte Englands ist alt und ruhmreich, aber ich glaube, man muß zugeben, daß die Niederwerfung des Aufstandes das ruhmreichste Kapitel darin darstellt. Der Aufstand traf die Briten schlafend und unvorbereitet. Sie waren ein paar tausend Mann, die sich in einem Ozean feindlich gesinnter Völkerschaften verloren. Es mußte Monate dauern, bis England die Nachricht erhalten und zu Hilfe eilen könnte, aber die Briten zögerten nicht und hielten sich nicht damit auf, die Übermacht zu zählen, sondern gingen mit englischem Mut und englischer Entschlossenheit an ihre Aufgabe und verfolgten sie beharrlich, über Erfolge und Mißerfolge hinweg, fochten den aussichtslosesten Kampf, von dem in der Dichtung oder anderweitig je zu lesen war, und gewannen ihn vollständig.

Der Aufstand brach so plötzlich aus und griff so rasch um sich, daß den Besatzungen schwacher, entfernt liegender Stützpunkte kaum Zeit blieb, an sichere Orte zu fliehen. Natürlich wurden Versuche dazu unternommen, aber sie glückten nur in wenigen Fällen, und sie gingen mit Strapazen einher, die bitter waren wie der Tod; denn die Hitze schwankte zwischen 48° und 58° im Schatten; der Weg führte durch eine feindselige Bevölkerung, und Nahrung und Wasser waren kaum zu bekommen. Für Frauen und Kinder, die Muße, Luxus und Fülle gewohnt waren, muß eine solche Reise ein grausames Erlebnis gewesen sein. Sir G. O. Trevelyan führt ein Beispiel an:

„Folgendes erlebte Mrs. M., die Gattin des Wundarztes eines gewissen Standortes am südlichen Rand des Aufstandsgebietes. ‚Ich hörte‘, so sagte sie, ‚mehrere Schüsse, und als ich hinausschaute, sah ich meinen Mann in rasendem Galopp von der Messe herüberfahren und die Peitsche schwingen. Ich lief zu ihm, und als ich einen Träger mit meinem Töchterchen in den Armen sah, riß ich es an mich und stieg in das Wägelchen. An der Messe fanden wir alle Offiziere versammelt, außerdem sechzig Sepoys, die treu geblieben waren. Während das, was eben noch unsere Wohnungen gewesen waren, in einer allgemeinen Feuersbrunst aufging, machten wir uns als geschlossene Gruppe auf den Weg. Am nächsten Morgen erreichten wir die Karawanserei von Tschattapur und brachen von dort nach Callinger auf. Hier ließ uns das Sepoygeleit im Stich. Musketenschützen beschossen uns und trafen einen Offizier tödlich. Wir hörten, daß auch in Callinger die Leute sich empört hatten, also kehrten wir um und gingen an dem Tage zu Fuß zehn Meilen zurück. M. und ich trugen das Kind abwechselnd. Dann starb Mrs. Smalley an Hitzschlag. Wir hatten alle nichts zu essen. Ein Offizier lieh uns gütigerweise sein Pferd. Wir waren sehr geschwächt. Der Major starb und wurde begraben. Auch der Oberwachtmeister und einige Frauen. Am 19. Juni verließen uns die Musiker. Wieder beschossen uns Musketenschützen, und wir änderten unsere Richtung auf Allahabad zu. Unsere Gruppe bestand aus neun

Herren, zwei Kindern, dem Sergeanten und seiner Frau. Am Morgen des 20. nahm Hauptmann Scott Lottie mit auf sein Pferd. Ich saß auf dem Pferd hinter meinem Mann, und sie wurde zwischen uns so gedrückt. Am Ersten des Monats war sie zwei Jahre alt geworden. Wir waren beide durch Nahrungsmangel und Sonnenhitze geschwächt. Lottie und ich hatten keine Kopfbedeckung. M. trug eine Sepoymütze, die ich auf der Erde gefunden hatte. Bald nach Sonnenaufgang verfolgten uns mit Keulen und Speeren bewaffnete Dorfbewohner. Einer traf Hauptmann Scotts Pferd am Bein. Er galoppierte mit Lottie davon, und mein armer Mann hat sein Kind nie wieder gesehen. Wir ritten mehrere Meilen weiter, wobei wir uns von den Dörfern fernhielten, und überschritten dann den Fluß. Unser Durst war unerträglich. M. hatte entsetzliche Krämpfe, so daß ich ihn auf dem Pferd festhalten mußte. Ich machte mir große Sorgen um ihn. Am Tag zuvor hatte ich die Frau des Trompeters Tschapatis essen sehen und sie gebeten, dem Kind ein Stück abzugeben, was sie auch tat. Ich sah nun in einer Schlucht Wasser. Der Abstieg war steil, und unser einziges Trinkgefäß war M.s Kappe. Unser Pferd bekam Wasser, und ich badete mir Hals und Nacken. Ich hatte keine Strümpfe an, und meine Füße waren wund und voller Blasen. Zwei Bauern kamen in Sicht, und wir erschraken und ritten fort. Der Sergeant hielt unser Pferd und M. hob mich hinauf und stieg selbst auf. Ich nehme an, er muß einen Schwächeanfall erlitten haben, denn als das Pferd sich in Gang setzte, stürzte ich, und er über mich, auf den Weg. Kurze Zeit vorher hatten er und auch Barber gesagt, er habe nicht mehr viele Stunden zu leben. Noch bevor wir die Schlucht erreichten, hatte ich gefühlt, daß er sterben werde. Er teilte mir seine letzten Wünsche, die Kinder und mich betreffend, mit und nahm Abschied. Mein Hirn war wie leergebrannt. Es kamen keine Tränen. Als wir stürzten, hatte der Sergeant das Pferd losgelassen, und es war davongelaufen; so war diese Fluchtmöglichkeit vereitelt. Wir setzten uns auf den Boden und erwarteten den Tod. Armer Mann! er war sehr geschwächt; sein Durst war fürchtbar, und ich ging ihm Wasser holen. Einige Dorfleute kamen und nahmen mir meine Rupien und meine Uhr fort. Ich zog meinen Ehering ab, flocht ihn in mein Haar ein und übernahm wieder die Wache. Ich riß den Rock meines Kleides ab, um Wasser darin zu holen, aber es war zwecklos, denn als ich zurückkam, waren die Augen meines Geliebten starr, und obwohl ich ihn anrief und zu sich zu bringen versuchte und ihm Wasser in den Mund goß, rasselte es nur in seinem Rachen. Er konnte kein Wort mehr zu mir sagen. Ich hielt ihn in den Armen, bis er allmählich niedersank. Ich brannte vor Schmerz, konnte aber nicht weinen. Ich war allein. Ich wand ihm mein Kleid um Kopf und Gesicht, denn es war keine Erde da, ihn zu bestatten. Die Schmerzen an meinen Händen und Füßen waren fürchterlich. Ich ging in die Schlucht hinab und setzte mich auf einen Stein im Wasser, mit der Hoffnung, nachts wegzukommen und Lottie suchen zu können. Als ich vom Wasser zurückkam, entdeckte ich, daß sie ihre kleine Uhr mit Kette und Anhängern nicht genommen hatten, so band ich diese unter meinem Unterrock fest. Nach einer Stunde kamen etwa dreißig Dorfbewohner; sie zerrten mich aus der Schlucht herauf, dann zogen sie mir die Jacke aus und fanden die kleine Kette. Dann schleppten sie mich in ein Dorf, verhöhnten mich den ganzen Weg über und stritten sich, wem ich gehören solle. Die ganze

Einwohnerschaft kam, mich anzustarren. Ich bat um ein Bett und legte mich vor der Tür einer Hütte nieder. Sie hatten ein Dutzend Kühe, dennoch gaben sie mir keine Milch. Als die Nacht kam und das Dorf still war, brachte mir eine alte Frau ein Blatt voll Reis. Ich war zu ausgedörrt, um essen zu können, und sie gaben mir Wasser. Am Morgen danach ließ mich ein Radscha aus der Umgebung mit einer Sänfte und einem Reiter abholen, der mir sagte, daß ein kleines Kind und drei Sahibs in das Haus seines Herren gekommen seien.' Und so fand die arme Mutter ihr verlorenes Kind wieder, ‚sehr zerschunden', das arme kleine Wesen. Europäer in Indien haben keinen Anlaß, darum zu beten, ihre Flucht möge nicht in den Winter fallen."

In den ersten Junitagen wurde der bejahrte General Sir Hugh Wheeler, der die Truppen in Kanpur befehligte, von seinen einheimischen Truppen im Stich gelassen; daraufhin rückte er aus dem Fort aus, bezog einen ungeschützten, offenen, ebenen Geländestrich und errichtete ringsherum eine vier Fuß hohe Lehmmauer. Er hatte ein paar hundert weiße Soldaten und Offiziere und offenbar mehr Frauen und Kinder als Soldaten bei sich. Es mangelte ihm an Vorräten, an Waffen, an Munition, an taktischer Klugheit, es mangelte ihm an allem außer Tapferkeit und Pflichttreue. Die Verteidigung dieses freiliegenden Fleckens über einundzwanzig Tage und Nächte voll Hunger, Durst, indischer Hitze und unter einem ununterbrochenen Hagel von Flintenkugeln, Granaten und Kanonenkugeln – eine Verteidigung, die nicht der bejahrte und kranke General, sondern ein junger Offizier namens Moore leitete – ist eine der heldenhaftesten Episoden der Geschichte. Als der Nana schließlich die Unmöglichkeit einsah, diese ausgehungerten Männer und Frauen mit Pulver und Blei zu überwinden, nahm er Zuflucht zur Hinterlist, und diese führte zum Ziel. Er erklärte sich bereit, sie mit Nahrung zu versehen und sie in Booten nach Allahabad schaffen zu lassen. Ihre Lehmmauer und ihre Baracken lagen in Trümmern, ihre Vorräte waren nahezu erschöpft, sie hatten alles getan, was Tapferkeit vermag, sie hatten einen ehrenvollen Ausgleich erkämpft, Krankheiten und blutige Verluste hatten ihre Streitmacht erschreckend zusammenschrumpfen lassen, sie konnten den Kampf nicht mehr fortsetzen. Sie kamen heraus, wehrlos, aber keines Hinterhalts gewärtig, die Heerscharen des Nana nahmen sie in die Mitte, und auf ein Trompetensignal setzte das Gemetzel ein. Etwa zweihundert Frauen und Kinder wurden – einstweilen – verschont, aber alle Männer bis auf drei oder vier machte man nieder. Unter einigen Episoden aus diesem Massaker, die Sir G. O. Trevelyan anführt, findet sich die folgende:

„Als nach etwa zwanzig Minuten die Zahl der Toten die der Lebenden zu übersteigen begann, als das Feuer abebbte, da die Ziele immer vereinzelter und weiter auseinander standen, sprangen die Reiter, die an der rechten Seite des Tempels aufgezogen waren, in den Fluß, den Säbel zwischen den Zähnen und die Pistole in der Hand. Daraufhin wurden zwei weibliche Mischlinge, christliche Ehefrauen von Musikern des 56. Regiments, Augenzeugen eines Vorgangs, den man möglichst nicht aus zweiter Hand schildern sollte. ‚In dem Boot, dem ich zugeteilt war', sagt Mrs. Bradshaw, und Mrs. Setts bestätigt ihre Aussage voll und ganz, ‚saßen die Lehrerin und zweiundzwanzig junge Mädchen. Zuletzt kam General Wheeler in einer Sänfte. Sie trugen ihn ins Wasser hinein bis in die Nähe des Bootes. Ich stand dicht daneben. Er sagte: „Tragt mich ein bißchen näher an das Boot heran." Aber ein Reiter sagte: „Nein, steigen Sie hier aus." Als der General, den Kopf voran, aus der Sänfte stieg, schlug der Reiter ihm das Schwert in den Nacken, und er fiel ins Wasser. Gleich daneben töteten sie meinen Sohn. Ich habe es mit angesehen, ach! ach! Einige wurden mit Bajonetten erstochen, andere niedergesäbelt. Kleine Kinder wurden in Stücke gerissen. Wir haben es gesehen, wirklich, und berichten Ihnen nur, was wir gesehen haben. Andere Kinder wurden erstochen und in den Fluß geworfen. Die Schulmädchen wurden lebendig verbrannt. Ich sah ihre Kleidung und ihr Haar Feuer fangen. Ein paar Schritte von uns ab neben dem nächsten Boot sahen wir die jüngste Tochter Oberst Williams' im Wasser stehen. Ein Sepoy machte Anstalten, sie mit seinem Bajonett niederzumachen. Sie sagte: „Mein Vater war zu Sepoys immer freundlich." Er wandte sich ab, und in diesem Augenblick schlug ihr ein Dörfler seine Keule über den Kopf, und sie fiel ins Wasser.' Diese Leute sahen auch, wie der gute Mr. Moncrieff, der Geistliche, ein Buch aus der Tasche nahm, ohne jemals noch Zeit zu finden, es zu öffnen, und sie hörten ihn ein Gebet anstimmen und um Gnade bitten, ohne sein Gebet beschließen zu können. Ein anderer Zeuge beobachtete, wie ein Europäer gleich einer verängstigten Wasserratte auf ein Abflußrohr zulief, als einige mit Knüppeln bewaffnete Ruderer ihm den Fluchtweg abschnitten und auf ihn einschlugen, bis er tot im Schlamm liegenblieb."

Die Frauen und Kinder, die bei dem Massaker verschont geblieben waren, wurden vierzehn Tage lang in einem kleinen einstöckigen Gebäude gefangengehalten – einem engen Raum, einem leicht abgewandelten Schwarzen Loch von Kalkutta. Sie warteten voller Bangen. Niemand konnte ihr Schicksal voraussagen. Inzwischen war die Kunde von dem Massaker weit herumgekommen, und eine Befreiungsarmee mit Havelock an der Spitze war auf dem Marsch – wenigstens hofften sie, Befreier zu werden. Sie durchquerten das Land in Gewaltmärschen und ließen die eigenen Toten am Wegrand zurück – Männer, hingerafft von Cholera und Hitze, einer Hitze, die 57° erreichte. Die Truppe glühte vor Rachedurst, und nichts konnte sie aufhalten – weder Hitze noch Erschöpfung, Krankheit oder menschlicher Widerstand. Ungestüm brach sie sich Bahn durch feindliche Kräfte, erfocht Sieg auf Sieg, aber stürmte unverwandt vorwärts und verweilte auch nicht, um sich Rechenschaft über ihre Erfolge abzulegen. Und endlich langten sie nach diesem außergewöhnlichen Marsch vor den Mauern Kanpurs an, trafen auf die massierte Streitmacht des Nana, erteilten ihr eine vernichtende Niederlage und drangen in die Stadt ein.

Aber zu spät – nur wenige Stunden zu spät. Denn im letzten Moment hatte der Nana die Niedermetzelung der gefangenen Frauen und Kinder beschlossen und drei Mohammedaner und zwei Hindus mit der Ausführung beauftragt. Sir G. O. Trevelyan schreibt:

„Daraufhin traten die fünf Männer ein. Es herrschte die kurze Dämmerung Hindustans – die Stunde, wenn Damen ihre abendliche Spazierfahrt machen. Die Frau, die den Offizier angesprochen hatte, stand in der Tür. Bei ihr waren der indische Arzt und zwei Hindudiener. Soviel war von der Veranda aus zu erkennen, aber alles andere verbarg die im Innern herrschende Dunkelheit. Angstschreie und Getümmel verkündeten denen draußen, daß die Tagelöhner sich ihren Sold verdienten. Bald trat Survur Khan heraus, sein Schwert war am Heft abgebrochen. Er beschaffte sich aus des Nanas Haus ein anderes und erschien wenige Minuten später zu dem gleichen Zweck. Die dritte Klinge war besser, oder vielleicht war die Hauptarbeit bereits vorüber. Als die Dunkelheit hereingebrochen war, kamen die Männer heraus und schlossen das Haus über Nacht ab. Dann hörten die Schreie auf, aber das Stöhnen dauerte an bis zum Morgen.

Die Sonne ging auf wie gewöhnlich. Fast drei Stunden nach Sonnenaufgang kehrten die fünf zum Schauplatz ihrer Arbeit des Vorabends zurück. Einige Kehrer kamen mit und gingen daran, den Inhalt des Hauses in einen ausgetrockneten Brunnen zu schaffen, der hinter einigen Bäumen dicht in der Nähe lag. ‚Die Leichen‘, sagte einer, der die ganze Zeit über dabei war, ‚wurden herausgezerrt, größtenteils an den Haaren. Diejenigen, deren Kleidung den Raub lohnte, wurden ausgezogen. Einige Frauen lebten noch. Ich kann nicht sagen, wie viele, aber drei *konnten sprechen*. Sie baten inständig, um Gottes willen ihren Leiden ein Ende zu machen. Ich bemerkte eine sehr dicke Frau, einen Mischling, die an beiden Armen schwer verletzt war und flehentlich bat, getötet zu werden. Sie und zwei oder drei andere wurden an die Böschung des Grabens gelehnt, den die Ochsen beim Wasserziehen entlangschreiten. Die Toten wurden zuerst hineingeworfen. Ja, eine große Menschenmenge schaute zu; sie standen längs der Umfassungsmauern des Grundstücks. Es waren hauptsächlich Stadtleute und Dörfler. Ja, Sepoys waren auch da. *Drei Knaben lebten noch.* Es waren hübsche Kinder. Der Älteste muß wohl sechs oder sieben, der Jüngste fünf Jahre alt gewesen sein. Sie rannten immer um den Brunnen herum (wo sollten sie sonst hin?), und keiner war da, sie zu retten. Nein, keiner sagte ein Wort oder versuchte, sie zu retten.‘

Schließlich machte der kleinste von ihnen einen kindlichen Versuch davonzulaufen. Der kleine Kerl war infolge der Ermordung einer der überlebenden Damen zu Tode erschrocken. Dadurch machte er einen Inder auf sich aufmerksam, der ihn und seine Gefährten in den Brunnen hinabschleuderte.“

Die Soldaten hatten einen Marsch von achtzehn Tagen beinahe ohne Rast hinter sich gebracht, um die Frauen und Kinder zu retten, und nun kamen sie zu spät – alle waren tot und der Mörder geflohen. Trevelyan zögerte, in Worte zu fassen, was dann geschah. „Je weniger von dem gesagt wird, was dann stattfand, desto besser ist es.“

Dann fährt er fort:

„Aber es bot sich ein Anblick, der vieles zu entschuldigen vermöchte. Die Männer, geradenwegs vom Schlachtfeld herbeigeeilt, schritten schluchzend durch die Räume des Frauenhauses und mußten mit eigenen Augen sehen, was die zornige Erde besser sogleich verborgen hätte. Das innere Gemach stand knöcheltief von Blut. Schwertstreiche hatten den Putz zerfurcht; nicht so weit oben, wo Männer hätten kämpfen können, sondern weit unten und in den Ecken, als hätte ein Mensch sich hingekauert, um dem Streich zu entgehen. Stoffstreifen, aus Kleidern herausgerissen, hingen an den Türklinken; man hatte sie vergeblich darangebunden, und sie bezeugten nur, auf welche Weise die Frauen in ihrer Verzweiflung versucht hatten, die Mörder fernzuhalten. Zerbrochene Kämme lagen herum, die Rüschen von Kinderhöschen, abgerissene Manschetten und Schürzen, kleine runde Hüte, ein oder zwei Schuhe mit gerissener Schnalle und ein oder zwei Bilderrähmchen mit gesprungenen Scheiben. Ein Offizier hob ein paar Locken auf, die in einem Stückchen Karton aufbewahrt waren und die Inschrift trugen: „Neds Haar, in Liebe“; aber ringsumher waren Locken verstreut, manche fast ein Yard lang, die ganz andere Scheren und nicht als Andenken abgeschnitten hatten.“

Die Schlacht bei Waterloo fand am 18. Juni 1815 statt. Ich teile diese Tatsache dem Leser nicht als Gedächtnisstütze mit, sondern als Neuigkeit. Denn eine vergessene Tatsache *ist* eine Neuigkeit, wenn sie wieder auftaucht. Viele Schriftsteller pflegen an bedeutenden und berühmten historischen Begebenheiten mit der Bemerkung vorüberzuschwirren: „Die Einzelheiten dieses gewaltigen Ereignisses sind dem Leser allzu vertraut, um hier erneut wiedergegeben werden zu müssen.“ Dabei wissen sie ganz genau, daß das nicht stimmt. Es ist eine Schmeichelei niedrigster Art. Sie wissen, daß der Leser jede Einzelheit vergessen hat und daß von dem bedeutenden Ereignis weiter nichts in seinem Gedächtnis zurückgeblieben ist als ein verschwommener und formloser grauer Fleck. Neben dem Wunsch, dem Leser zu schmeicheln, haben sie einen weiteren Grund für diese Bemerkung – sogar zwei Gründe. Sie erinnern sich selbst nicht an die Einzelheiten und wollen sich nicht die Mühe machen, sie ausfindig zu machen und herauszuschreiben; außerdem fürchten sie, wenn sie Einzelheiten heraussuchen und abdrucken, den Spott der Rezensenten, daß sie dieses abgedroschene alte Zeug wieder auftischen. Aber der Hohn des Kritikers sollte sie nicht kümmern; *dieser* erinnert sich erst wieder an das abgedroschene alte Zeug, wenn das Buch, das er bespricht, es ihm neu mitgeteilt hat.

Ich habe selbst hin und wieder die erwähnte Bemerkung gemacht, aber nicht, um dem Leser zu schmeicheln; ich tat es einfach, um Arbeit zu sparen. Wenn ich die Einzelheiten gekannt hätte, ohne sie auffrischen zu müssen, hätte ich sie angeführt; aber das war nicht der Fall, und ich wollte mir nicht die Mühe machen, mich zu informieren; deshalb schrieb ich: „Die Einzelheiten dieses gewaltigen Ereignisses sind dem Leser allzu vertraut, um hier erneut wiedergegeben werden zu müssen.“ Ich mag diese Art Lüge nicht. Immerhin, sie spart Arbeit.

Ich versuche nicht aus Furcht vor dem Kritiker, mich um die Wiederholung der Einzelheiten der Belagerung Laknaus herumzudrücken; ich lasse sie nicht etwa aus, weil ich befürchtete, sie könnten den Leser nicht interessieren; ich lasse sie aus, teils um Arbeit zu sparen, hauptsächlich aber aus Platzmangel. Aber es ist schade, denn in dieser ganzen großartigen Geschichte gibt es nicht eine langweilige Stelle.

Zehn Tage vor Ausbruch des Aufstandes (10. Mai) herrschte völlige Ruhe in Laknau, der riesengroßen Hauptstadt des Königreichs Audh, das die Ostindische Kompanie kurz zuvor in Besitz genommen hatte. Es enthielt eine große Garnison, bestehend aus etwa 7000 Mann einheimischer Truppen und 700 bis 800 Weißen. Diese weißen Soldaten und ihre Familien waren dort wahrscheinlich die einzigen Menschen ihrer Rasse; dicht an dicht mit ihnen lebten die wimmelnden Massen eines kriegerischen Menschenschlages, eines

Volkes geborener Soldaten, tapfer, kühn und kämpferisch. Auf erhöhtem Grund ein wenig außerhalb der Stadt lag der Palast jener erhabenen Persönlichkeit, des Residenten, Repräsentanten britischer Macht und Obrigkeit. Er lag mit seinem gebührenden Anhang von Nebengebäuden inmitten weiträumiger Parkanlagen, und rings um das Grundstück zog sich eine Mauer – nicht zu Verteidigungszwecken, sondern um der Zurückgezogenheit willen. Der Geist des Aufruhrs lag in der Luft, aber die Weißen fürchteten sich nicht und waren auch nicht besonders beunruhigt.

Dann kam der Ausbruch in Mirat und bald darauf die Eroberung Delhis durch die Aufständischen; im Juni ereignete sich die dreiwöchige Belagerung Sir Hugh Wheelers in dem offenen Gelände bei Kanpur – vierzig Meilen von Laknau entfernt –, dann die hinterhältige Niedermetzelung dieser tapferen kleinen Garnison; und nun war der große Aufruhr in vollem Gange, und die behagliche Situation in Laknau änderte sich mit einem Schlage.

Auch hier brachen Unruhen aus, und am 30. Juni rückte Sir Henry Lawrence aus der Residenz aus, um sie zu ersticken, wurde aber unter schweren Verlusten geschlagen und hatte Mühe zurückzukommen. In jener Nacht begann die denkwürdige Belagerung der Residenz – die Belagerung Laknaus genannt. Drei Tage später fiel Sir Henry, und Brigadier Inglis übernahm das Kommando.

Jenseits der die Residenz umgebenden Mauer stand ein ungeheures Heer feindseliger und siegessicherer indischer Belagerer; innerhalb derselben befanden sich 480 loyal gebliebene Sepoys, 730 weiße Soldaten und 500 Frauen und Kinder. In jenen Tagen brachten die englischen Garnisonen es immer zuwege, sich erheblich mit Frauen und Kindern zu belasten.

Die Einheimischen setzten sich in einigen Häusern dicht in der Nähe fest und begannen, Gewehr- und Kanonenschüsse auf die Residenz hageln zu lassen, und das setzten sie bei Tag und Nacht über viereinhalb Monate fort, und die ganze Zeit über gab ihnen die kleine Garnison fleißig Antwort. Bald waren die Frauen und Kinder den Geschützdonner so sehr gewöhnt, daß er ihren Schlaf nicht mehr störte. Die Kinder spielten Belagerung und Verteidigung. Die Frauen wagten sich unter dem geringsten Vorwand oder auch ganz ohne Grund in das sturmdurchtoste Gelände hinaus.

Die Verteidigung wurde mit verbissener Standhaftigkeit Woche auf Woche fortgesetzt, ungeachtet des Todes, der die Verteidiger in mancherlei Gestalt heimsuchte – durch Kugeln, Pocken, Cholera und verschiedene andere Krankheiten infolge unbekömmlicher und ungenügender Nahrung, anstrengender, die Kräfte verzehrender Überforderung bei dem täglichen und nächtlichen Kampf in der bedrückenden indischen Hitze, und der unerträglichen Plage der Moskitos, Fliegen, Mäuse, Ratten und Flöhe, die ständig den Schlaf störten.

Sechs Wochen nach Beginn der Belagerung waren mehr als die Hälfte der weißen Soldaten gefallen und beinahe drei Fünftel der einheimischen.

Aber es wurde dennoch weitergekämpft. Der Feind minierte, die Engländer minierten dagegen, und abwechselnd sprengten sie einander die Posten in die Luft. Der Grund und Boden der Residenz war von den Tunnels des Gegners durchsetzt wie eine Honigwabe. Fortwährend tauschte man tödliche Komplimente aus – nächtliche Ausfälle der Engländer, nächtliche Überfälle des Feindes, bei denen er die Mauern zu durchbrechen oder zu überklettern suchte – und alle diese Überfälle kosteten schwere Verluste und schlugen stets fehl.

Die Damen gewöhnten sich an alle Schrecknisse des Krieges – an die Schreie verstümmelter Männer, an den Anblick von Blut und Tod. Lady Inglis erwähnt in ihrem Tagebuch folgendes:

„Heute wurde uns Mrs. Brueres Kindermädchen hereingebracht, am Auge verwundet. Um die Kugel zu entfernen, erwies es sich als notwendig, das Auge herauszunehmen – eine entsetzliche Operation. Ihre Herrin hielt sie dabei fest."

Der ersten Entsatztruppe gelang der Entsatz nicht. Sie stand unter dem Kommando Havelocks und Outrams und traf drei Monate nach Beginn der Belagerung ein. Sie focht sich verwegen bis Laknau durch, dann arbeitete sie sich unter fortwährendem Kampf gegen eine hundertfache Übermacht durch die Stadt und zog in die Residenz ein; aber mittlerweile war nicht mehr genug von der Truppe übrig, um von großer Hilfe zu sein. Bei ihrem letzten Kampf verlor sie mehr Leute, als sie bei ihrer Ankunft in der Residenz vorfand, nachdem sie hineingelangt war. Sie wurde selbst mit eingeschlossen.

Der Kampf, der Hunger und der Tod durch Kugeln und Seuchen gingen beständig weiter. Beide Seiten kämpften mit Nachdruck und Tatkraft. Hauptmann Birch berichtet folgenden eindrucksvollen Vorfall. Er spricht vom dritten Monat der Belagerung:

„Als Beispiel für den starken Beschuß, dem unsere Stellung in diesem Monat ausgesetzt war, ließe sich erwähnen, daß das obere Stockwerk eines Ziegelbaues einfach durch *Musketenbeschuß* abrasiert wurde. Dieser Bau stand besonders exponiert. Alle Schüsse, die knapp über die Mauerkrone hinwegstrichen, trafen die fensterlose Wand in ziemlich gerader Linie, schnitten sie schließlich völlig durch und brachten dadurch das obere Stockwerk zum Einsturz. Auch das Obergeschoß der Mannschaftsmesse stürzte ein. Das Residenzgebäude war eine Ruine. Hauptmann Andersons Posten war bereits vor langer Zeit zusammengeschlagen worden, und Innes' Posten stürzte ebenfalls ein. Diese zwei Objekte waren von Kanonenkugeln durchlöchert. Oberst Masters sammelte nicht weniger als zweihundert Stück auf."

Die erschöpfte Garnison kämpfte auch den ganzen nächsten Monat – Oktober – hindurch verbissen weiter. Dann, am 2. November, kamen Nachrichten – Sir Colin Campbells Entsatztruppe werde bald von Kanpur her anrükken.

Am 12. war der Donner seiner Kanonen zu hören.

Am 13. kam der Schlachtenlärm näher – Sir Colin brach sich langsam, aber sicher Bahn und stürmte ein Bollwerk nach dem anderen.

Am 14. nahm er das College Martinière ein und hißte dort die englische Flagge. Man konnte sie von der Residenz aus sehen.

Dann nahm er das Dilkuscha ein.

Am 17. besetzte er die frühere Messe des 32. Regiments – ein befestigtes, sehr starkes Bauwerk. „Ein überaus aufregender, banger Tag", schreibt Lady Inglis in ihrem Tagebuch. „Gegen 4 Uhr nachmittags schritten zwei fremde Offiziere über unseren Hof und führten ihre Pferde am Zügel" – und daran erkannte sie, daß die Verbindung zwischen den Truppen hergestellt war, diesmal war es ein echter Entsatz, die lange Belagerung Laknaus war vorüber.

Sir Colin Campbells Marsch führte auf den letzten acht oder zehn Meilen durch Meere von Blut. Die Hauptwaffe war das Bajonett, der Kampf war verzweifelt. Einzelnstehende befestigte Steingebäude mit starker Besatzung säumten seinen Weg wie Meilensteine und mußten im Sturm genommen werden. Keine Seite verlangte, keine gab Pardon. An dem Sikandrabagh, wo in einem Garten beinahe zweitausend Gegner ein großes, aus Steinen errichtetes Gebäude besetzt hielten, nahm das Gemetzel seinen Fortgang, bis der letzte Mann niedergemacht war. Dieses Beispiel kennzeichnet den mörderischen Vormarsch.

Zu diesem Zeitpunkt standen nur noch wenige Bäume in der Ebene, und von der Residenz war das Vorrücken des Heerzuges Schritt um Schritt, Sieg auf Sieg zu beobachten; die vom Schlachtfeld aufsteigenden Rauchwolken bezeichneten den Weg für das Auge, der Kanonendonner für das Ohr.

Sir Colin Campbell war nicht nach Laknau gekommen, um es zu halten, sondern um die Besatzung der Residenz zu retten und fortzuführen. Vier oder fünf Tage nach seinem Eintreffen erfolgte die geheime Evakuierung der Truppen mitten in einer dunklen Nacht, und zwar zum Haupttor (die Bailie Guard) hinaus. Die zweihundert Frauen und zweihundertfünfzig Kinder hatte man schon vorher fortgebracht. Hauptmann Birch sagt:

„Und nun nahm eine Truppenbewegung ihren Anfang, die vollkommen durchorganisiert war und ein Musterbeispiel erfolgreicher militärischer Führungstätigkeit darstellte – die Zurücknahme sämtlicher verschiedener Truppenteile, ein komplexes Manöver, das größte Vorsicht und Geschicklichkeit erforderte. Zuerst ließ man die Gruppe ausrücken, die am äußersten Ende des Residenzgebäudes in unmittelbarer Feindberührung gestanden hatte. Alle anderen Besatzungsgruppen schlossen sich nacheinander an und marschierten durch das Tor der Bailie Guard heraus, bis unser ganzer Stützpunkt evakuiert war. Dann wurde Havelocks Truppe in gleicher Weise zurückgezogen, Posten um Posten, und sie marschierte hinter unserer Garnison her. Nach ihr kam die Reihe an die Truppen des Oberbefehlshabers, die sich hinter Havelocks Gruppe eingliederten. Regiment um Regiment wurde in größter Ordnung und Planmäßigkeit zurückgezogen. Die ganze Operation glich der Bewegung eines Teleskops. Alles vollzog sich in tiefster Stille, und der Feind schöpfte keinen Verdacht."

Lady Inglis schildert, unter Bezugnahme auf ihren Gatten und auf General Sir James Outram, die Schlußszene dieses packenden mitternächtlichen Rückzuges in Dunkel und Heimlichkeit, der dieses Schattenheer zu dem Tor hinausführte, das es so lange und so erfolgreich verteidigt hatte:

„Punkt zwölf Uhr marschierten sie hinaus, John und Sir James Outram verharrten an Ort und Stelle, bis alle durch waren, und dann zogen sie den Hut vor der Bailie Guard, dem Schauplatz einer so vortrefflichen Verteidigung, wie sie meiner Meinung nach die Geschichte kaum je zu berichten haben wird."

59. KAPITEL

> Gib deine Illusionen nicht auf. Wenn du sie
> verloren hast, existierst du wohl noch, aber du
> hast aufgehört zu leben.
>
> *Querkopf Wilsons Neuer Kalender*

> Der sicherste Weg, eine falsche Vorstellung
> hervorzurufen, ist es oft, die reine Wahrheit
> zu sagen.
>
> *Querkopf Wilsons Neuer Kalender*

Ein britischer Offizier fuhr mit uns Sir Colin Campbells Route ab, und als ich in der Residenz anlangte, war mir der Weg so vertraut, daß ich selbst einen Rückzug auf ihm hätte leiten können; aber der Kompaß in meinem Kopf ist von Geburt an nicht in Ordnung, und sobald ich innerhalb der zerschossenen Bailie Guard stand und mich umdrehte, um auf den Marschweg zurückzuschauen und mir vorzustellen, wie dort die Entsatztruppe vorwärts stürmte, stand im Nu alles auf dem Kopf und verkehrt herum, und es gelang mir nicht wieder, klarzukommen. Und wenn ich mir jetzt den Schlachtplan ansehe, besteht die Verwirrung noch immer. In mir liegt der Osten von Geburt an im Westen; Schlachtpläne, auf denen der Osten rechts liegt, sind für mich unbrauchbar.

Die Ruinen der Residenz schmücken Girlanden blühender Ranken, ein ergreifendes und schönes Bild. Die Ruine und das ganze Gelände sind jetzt heiliger Boden, und solange die Briten Herr in Indien bleiben, wird er nicht vernachlässigt noch durch unwürdige Verwendung oder geschäftliche Ausbeutung entweiht werden. Auf dem Grundstück liegen die Toten begraben, die während der langen Belagerung ihr Leben ließen.

In gewissem Grade war ich imstande, mir den Feuersturm vorzustellen, der so viele Monate lang bei Nacht und bei Tage an diesem Ort getobt hatte, und ich konnte mir in gewissem Grade vorstellen, wie die Männer sich darin bewegt hatten, aber es gelang mir nicht so recht, die zweihundert Frauen unterzubringen, und mit den zweihundertfünfzig Kindern konnte ich überhaupt nichts anfangen. Aus Lady Inglis' Tagebuch wußte ich, daß die Kinder sich mit ihren kleinen Dingen beschäftigten, fast so, als wären Blut und Gemetzel und das Krachen und Donnern einer Belagerung natürliche und angemessene Begleitumstände der Kinderstube, und ich versuchte, mir das vorzustellen; aber als ihr kleiner Johnny in heller Aufregung durch das Getöse und den Rauch angestürzt kam und rief: „O Mama, die weiße Henne hat ein Ei gelegt!", sah ich ein, daß es mir einfach nicht möglich war. Johnnys Platz war unter dem Bett. Dort konnte ich ihn mir vorstellen, weil ich mir mich selbst in der Lage vorstellen konnte; und ich glaube, eine Henne, die Eier legte, hätte mich bestimmt nicht interessiert; mein Interesse hätte sich auf Wesen konzentriert, die Bomben legten. Mit einem Kind von damals saß ich im indischen Palast des Klubs zu Tisch, und ich wußte, daß der nun Erwachsene während der ganzen Belagerung gezahnt und sprechen gelernt hatte; und obwohl er nächst den Ruinen der Residenz von allen Dingen in Laknau den größten Eindruck auf mich machte, konnte ich mir einfach nicht vorstellen, wie sein Leben während seiner stürmischen Kindheit ausgesehen hatte, noch welche seltsame Überraschung es für ihn gewesen sein muß, plötzlich in eine unbekannte, stumme Welt hinausgeführt zu werden, wo kein Lärm herrschte und nichts passierte. Als ich ihm begegnete, war er erst einundvierzig, ein sonderbar jugendliches Verbindungsglied zwischen der Gegenwart und einer altehrwürdigen Begebenheit wie dem indischen Aufstand.

Später sahen wir Kanpur und das freie Gelände, das der Schauplatz von Moores denkwürdiger Verteidigung gewesen war, die Stelle am Ufer des Ganges, wo das Massaker an der hintergangenen Besatzung stattgefunden hatte, und den kleinen indischen Tempel, von dem aus das Hornsignal ertönt war, das den Mördern das Zeichen zum Überfall gab. Letzterer stand einsam und verlassen da. Der träge Fluß schlich fast ohne Strömung daran vorbei. Es war tiefstes Niedrigwasser, von einem Ufer des weiten Flußbetts zum anderen zogen sich zwischen breiten Sandbänken schmale Kanäle hin; und das einzige sichtbare lebendige Wesen war jener groteske und feierliche kahlköpfige Vogel, der Adjutant, der auf seinen sechs Fuß hohen Stelzen einsam auf einer fernen Sandbank stand, den Kopf zwischen die Schultern gesenkt, und nachdachte, vermutlich über seinen Fund – den toten Hindu, der zu seinen Füßen angespült lag, und ob er ihn allein fressen oder Freunde dazu einladen solle. Er und seine Beute verliehen diesem traurigen Ort den rechten Nachdruck. Sie harmonierten mit ihm, sie unterstrichen seine Verlassenheit und seinen feierlichen Ernst.

Und wir sahen den Schauplatz der Ermordung der hilflosen Frauen und Kinder und auch das kostbare Mahnmal über dem Brunnen, der ihre Überreste enthält. Das Schwarze Loch von Kalkutta ist nicht mehr, aber nun ist ein pietätvolleres Zeitalter angebrochen, und jegliches Erinnerungszeichen, das noch von den erschütternden und heroischen Taten und Leiden der Garnisonen von Laknau und Kanpur existiert, wird behütet und erhalten werden.

In Agra und seiner Umgebung und später auch in Delhi besichtigten wir Festungen, Moscheen und Grabmäler, die aus den großen Tagen der mohammedanischen Großmoguln stammen und die an Aufwand, Größe und Kostbarkeit der Materialien und der Ausschmückung Zauberschöpfungen sind, überwältigend herrliche Schöpfungen, Wunderdinge, mit denen verglichen derlei Bauwerke in der übrigen Welt nichtig und bedeutungslos wirken. Ich habe nicht vor, sie zu beschreiben. Zum Glück hatte ich nicht viel über sie gelesen und konnte sie daher mit einer natürlichen und vernünftigen Einstellung betrachten, mit dem Ergebnis, daß sie mich erregten, beglückten, begeisterten. Aber hätte ich meine Einbildungskraft schon vorher durch das Trinken übermäßig vieler schädlicher literarischer Grogs überhitzt, dann hätte ich Enttäuschung und Kummer erlitten.

Ich möchte nur von einem dieser vielen weltberühmten Gebäude sprechen, dem Tadsch Mahal, dem berühmtesten Bauwerk der Erde. Ich hatte viel zuviel darüber gelesen. Ich habe es bei Tage gesehen, ich habe es bei Nacht gesehen, ich habe es aus der Nähe gesehen, ich habe es aus der Ferne gesehen, und die ganze Zeit über wußte ich: In seiner Art war es *das* Weltwunder ohne derzeitigen und wahrscheinlich ohne zukünftigen Konkurrenten; und doch war es nicht *mein* Tadsch. Meinen Tadsch hatten leicht entflammbare Literaten gebaut; er stand fest und massiv vor meinem geistigen Auge, und ich konnte ihn nicht wegsprengen.

Ich möchte dem Leser einige der üblichen Schilderungen des Tadsch vorlegen und ihn bitten, auf die Eindrücke zu achten, die sie hinterlassen. Diese Schilderungen geben wirklich die Wahrheit wieder – soweit die begrenzten Möglichkeiten der Sprache das gestatten. Aber die Sprache ist ein trügerisches Etwas, ein höchst unzuverlässiges Mittel der Verständigung, und selten vermag sie beschreibende Wörter so anzuordnen, daß sie die Tatsachen nicht aufblähen – mit Hilfe der Einbildungskraft des Lesers, der stets bereit ist, umsonst mitzuarbeiten und den größten Teil selbst zu besorgen.

Ich beginne mit einigen Sätzen aus Mr. Satya Tschandra Mukerdschis ausgezeichnetem kleinem Wegweiser durch den Tadsch. Ich entnehme sie hier und da seiner Schilderung:

„Die Einlegearbeiten am Tadsch und die Blumen und Blütenblätter, die man allenthalben an der Oberfläche des Marmors erblickt, zeugen von feinster Bearbeitung."

Das ist wahr.

„Die Einlegearbeit, der Marmor, die Blüten, die Knospen, die Blätter und die Lotosblumen finden in der ganzen zivilisierten Welt kaum ihresgleichen...

Die Edelsteininkrustation ist im Tadsch in höchster Vollendung zu sehen."

Edelsteine, eingelegte Blumen, Knospen und Blätter, wohin das Auge fällt. Was sehen Sie vor sich? Wächst das Märchenschloß empor? Wird es allmählich zu einem Juwelenkästchen?

„Der Tadsch als Ganzes bietet einen wundervollen Anblick, der gleichermaßen erhaben und schön ist."

Dann Sir William Wilson Hunter:

„Der Tadsch Mahal mit seinen wunderschönen Kuppeln, ‚ein Traum in Marmor‘, ragt am Flußufer auf.

Baumaterialien sind weißer Marmor und roter Sandstein.

Die komplizierte Anlage und die sorgfältige schwierige Handwerksarbeit sind über jede Beschreibung erhaben."

Sir William fährt fort. Ich werde einige seiner Worte durch Kursivdruck hervorheben:

„Das Mausoleum steht auf einer erhöhten Marmorplattform, an deren Ecken jeweils ein hohes, schlankes Minarett von beglückender Gestalt und erlesener Schönheit aufragt. Hinter der Plattform erstrecken sich die zwei Flügel, deren einer selbst eine architektonisch vortreffliche Moschee enthält. Im Mittelpunkt der ganzen Anlage steht das Mausoleum. Es bedeckt eine Quadratfläche von 168 Fuß, deren Ecken erheblich abgestumpft sind, so daß ein ungleichseitiges Achteck entsteht. Das charakteristische Merkmal dieses Hauptgebäudes ist die großartige Kuppel, die sich zunächst kugelförmig aufwölbt, aber nur bis zu zwei Drittel der Kugelhöhe, und sich oben zu einem halbmondgekrönten Spitzturm verjüngt. Unter der Kuppel umgibt eine Einfriedung aus marmornem Gitterwerk das Grab der Fürstin und ihres Gatten, des Großmoguls. Jede Ecke des Mausoleums krönt eine ähnliche, aber viel kleinere Kuppel über einem Giebel, der in anmutigen sarazenischen Bögen durchbrochen ist. Eine Doppelkanzelle aus durchbrochenem Marmor läßt

Licht in das Innere, sie filtert den grellen Schein des indischen Himmels, verhindert aber dank ihrer weißen Farbe, daß das gedämpfte Licht zur Dunkelheit wird. Die Zierate im Innern bestehen aus Einlegearbeiten in *Edelsteinen wie Achat, Jaspis etc., mit denen jede Bogenmauerung und jeder vorspringende Punkt der Struktur reichlich bedeckt sind.* Auch ist bei Girlanden, Schnecken und Oberbalken brauner und violetter Marmor großzügig eingesetzt, um die Eintönigkeit der weißen Wand zu durchbrechen. *In Farbgebung und Zeichnung dürfte das Innere des Tadsch in der Kunst der Dekoration den ersten Platz in der ganzen Welt einnehmen,* während man die vollkommene Symmetrie seines Äußeren, wenn man sie einmal gesehen hat, nie mehr vergessen kann, genau wie die aufstrebende Anmut seiner Kuppeln, die sich gleich marmornen Seifenblasen in den Himmel wölben. Der Tadsch repräsentiert die höchstentwickelte Stufe der Ornamentik, die indo-mohammedanische Baumeister je erreichten, die Stufe, wo der Architekt aufhört und der *Juwelier* beginnt. An seinem prachtvollen Eingangstor ist die diagonal verlaufende Verzierung an den Ecken, mit der sich die Schöpfer der Tore für die Mausoleen Itimad-uddoulah und Sikandra noch zufriedengaben, durch Marmorgirlanden mit kühnen und ausdrucksvollen Schwüngen ersetzt. Die dreieckigen eingelegten Verzierungen aus weißem Marmor und großen Blumen sind in gleicher Weise *feiner Einlegearbeit* gewichen. Kräftige senkrechte Linien aus schwarzem Marmor mit wohlausgewogenen Simsen aus dem gleichen Material fanden im Innern der Toreinfahrt wirkungsvolle Verwendung. Über dem Eingangstor sind die indischen Tragsteine und monolithischen Architrave von Sikandra in den Kiosken und Pavillons, die das Dach schmücken, maurischen Stalaktitengewölben gewichen, gewöhnlich jeweils aus einem einzigen Block roten Sandsteins gehauen. Von den pfeilergetragenen Pavillons aus bietet sich eine herrliche Aussicht über die Gärten des Tadsch mit dem breiten Fluß Dschamna als hinterer Begrenzung und der Stadt und Festung Agra in der Ferne. Von dieser schönen und prachtvollen Toreinfahrt aus erreicht man auf einer geraden, von immergrünen Bäumen beschatteten und in der Mitte von einem breiten, flachen, Kühlung spendenden Wasserlauf begleiteten Allee den Tadsch selbst. *Der Tadsch besteht vollkommen aus Marmor und Edelsteinen.* Der rote Sandstein der anderen mohammedanischen Bauwerke ist gänzlich verschwunden, oder vielmehr ist der rote Sandstein, der sonst stets durch und durch die Wände bildete, im Tadsch vollständig mit weißem Marmor verkleidet, und der weiße Marmor selbst ist *inkrustiert mit kostbaren, in reizenden Blumenmustern angeordneten Edelsteinen.* Ein Gefühl der Reinheit teilt sich Seele und Auge mit, weil das gröbere Material fehlt, das in der Architektur Agras durchweg verwendet ist. Den weißen Marmor der Mauersockel und -paneele überzieht ein Basrelief von Tulpen, Oleandern und aufgeblühten Lilien; und obwohl *die Edelsteininkrustation der Blumen* aus der Nähe betrachtet *geradezu leuchtet,* tritt doch im ganzen die Farbe zurück, und der vorherrschende Eindruck ist weiße Makellosigkeit, Stille und Schweigen. Nur die schöne Farbe der eingelegten Edelsteine, der Linien in schwarzem Marmor und der zierlichen Inschriften aus dem Koran, ebenfalls schwarz, unterbrechen das Weiß. Unter der Kuppel *des riesigen Mausoleums* umgibt eine hohe und schöne Gitterschranke aus weißem Marmor die beiden Gräber oder vielmehr Kenotaphe des Kaisers und seiner Fürstin; und in diesem

Wunderwerk aus Marmor ist die Steinmetzarbeit über die alten geometrischen Muster hinausgewachsen zu einem sehr frei und geistreich ausgeführten Maßwerk aus Blumen und Laub. Die zwei Kenotaphe inmitten der *wundervollen* Schranke zeigen außer dem schlichten Kalamdan oder länglichen Pennal auf dem Grabmal des Großmoguls Shah Dschehan keinerlei Bildhauerarbeit. Aber beide Kenotaphe sind mit *Blumen aus kostbaren Edelsteinen geschmückt* und mit der immer wieder bezaubernden Oleanderschnecke."

Nachdem Bayard Taylor den Tadsch bis ins einzelne beschrieben hat, fährt er fort: „Zu beiden Seiten vermischen die Palme, der Banyan und der federartige Bambus ihr Laub; das Ohr vernimmt den Gesang der Vögel, und der süße Duft der Rosen und Zitronenblüten erfüllt die Luft. Am Ende eines solchen Durchblicks und über einem solchen Vordergrund ragt der Tadsch auf. Es gibt nichts Geheimnisvolles am Tadsch, und man hat nicht die Empfindung, daß irgend etwas an ihm mißlungen wäre. In jeder Einzelheit *ein Gebilde vollkommener Schönheit und absoluter Vollendung*, könnte er als das Werk hilfreicher Geister gelten, die nichts von den Schwächen und Mängeln wissen, mit denen das Menschengeschlecht behaftet ist."

Alle diese Angaben sind wahr. Aber zusammengenommen erwecken sie eine falsche Vorstellung – bei Ihnen. Sie, der Leser, sind nicht in der Lage, sie richtig zusammenzufügen. Die Verfasser kennen die Wertigkeit ihrer eigenen Worte und Redewendungen, aber Ihnen vermitteln die Worte und Redewendungen andere und ungewisse Wertungen. Für diese Verfasser besitzen ihre Redewendungen Werte, die ich jetzt zu kennen glaube; und zur Unterstützung des Lesers will ich hier bestimmte Worte und Redewendungen wiederholen und ihnen Ziffern beifügen, welche diese Werte darstellen sollen – dann werden wir den Unterschied zwischen der Rechnung eines Schriftstellers und der eines im Irrtum befangenen Lesers erkennen:

Edelsteine wie Achat, Jaspis etc. – 5.

Mit denen jeder vorspringende Punkt reichlich bedeckt ist – 5.

In der Kunst der Dekoration den ersten Platz in der ganzen Welt – 9.

Der Tadsch repräsentiert die Stufe, wo der Architekt aufhört und der Juwelier beginnt – 5.

Der Tadsch besteht vollkommen aus Marmor und Edelsteinen – 7.

Inkrustiert mit kostbaren, in reizenden Blumenmustern angeordneten Edelsteinen – 5.

Die Edelsteininkrustation der Blumen leuchtet geradezu (es folgt eine überaus wichtige Einschränkung, die der Leser bestimmt zu flüchtig liest) – 2.

Das riesige Mausoleum – 5.

Dieses Wunderwerk aus Marmor – 5.

Die wundervolle Schranke – 5.

Mit Blumen aus kostbaren Edelsteinen geschmückt – 5.

Ein Gebilde vollkommener Schönheit und absoluter Vollendung – 5.

Diese Angaben sind richtig; die Zahlen, die ich hinter sie gesetzt habe, entsprechen ziemlich genau ihrer Wertigkeit. Warum also vermitteln sie, als Ganzes genommen, dem Leser einen falschen Eindruck? Weil der Leser – im Banne seiner erhitzten Phantasie – sie falsch zusammenfaßt. Der *Verfasser* selbst würde die drei ersten Zahlen folgendermaßen verbinden – und dann drückten sie die Wahrheit aus:

$$\begin{array}{r} 5 \\ 5 \\ 9 \\ \hline \end{array}$$

Insgesamt 19

Aber der Leser faßt sie so zusammen – und dann vermitteln sie eine Lüge – 559.

Der Verfasser würde alle seine zwölf Zahlen addieren, und dann gäbe die Summe die ganze Wahrheit und nur die Wahrheit über den Tadsch wieder – 63.

Aber der Leser würde – immer von seiner Phantasie beflügelt – die Zahlen in eine Reihe hintereinander bringen und folgende Summe erhalten, die ihm einen riesengroßen Bären aufbinden würde:

559575255555.

Sie müssen die Dreiergruppen selbst bilden; meine Arbeit drängt.

Der Leser verbindet die Zahlen unvermeidlich immer auf diese falsche Art, und ebenso unvermeidlich steht ein edelsteinbedeckter, in der Sonne funkelnder Tadsch von der Größe des Matterhorns vor seinem geistigen Auge.

Ich mußte den Niagara fünfzehnmal besuchen, ehe es mir gelang, den Wasserfall meiner Phantasie der Wirklichkeit anzupassen, und ehe ich beginnen konnte, ihn vernünftig und sachlich als das zu bestaunen, was er war, nicht als das, was ich erwartet hatte. Als ich ihn das erste Mal aufsuchte, geschah das mit zum Himmel erhobenem Gesicht, denn ich dachte, ich würde dort von wolkenverhangenen Himalajahöhen einen Atlantischen Ozean herabstürzen sehen, eine meergrüne Wassermauer von sechzig Meilen Länge und sechs Meilen Höhe, und als mir plötzlich die spielzeugähnliche Wirklichkeit vor Augen kam – jene kleine, rüschenbesetzte Schürze, naß zum Trocknen aufgehängt – war der Schock zu groß, und ich ging mit dumpfem Knall zu Boden.

Doch langsam, sicher und stetig paßten sich im Verlauf meiner fünfzehn Besuche die Proportionen den Tatsachen an, und schließlich wurde mir klar, daß ein 165 Fuß hoher und eine Viertelmeile breiter Wasserfall etwas Beeindruckendes sei. Verglichen mit meiner dahingeschwundenen großartigen Vision war es keine Kelle voll, aber es genügte auch.

Ich weiß, daß ich es mit dem Tadsch halten sollte wie mit dem Niagara – ich müßte ihn mir fünfzehnmal ansehen, um allmählich den Tadsch aus meinem Geiste zu verdrängen, den seine Schilderer unter Beihilfe meiner Phantasie da errichtet haben, und ihn durch den wirklichen Tadsch ersetzen. Dann wäre er stattlich und schön und ein Wunder; nicht das Wunder, an dessen Stelle er träte, aber immerhin ein Wunder und sehr schön. Ich bin ein flüchtiger Leser, nehme ich an – ein *impressionistischer* Leser; der impressionistische Leser einer *nicht* impressionistischen Beschreibung; ein Leser, der die sachlichen Einzelheiten übersieht oder sie falsch summiert und nur einen großzügigen, schemenhaften, allgemeinen Eindruck gewinnt – einen Eindruck, der nicht richtig ist und den die einzelnen Daten, die mir vorgesetzt werden, nicht rechtfertigen – Daten, die ich nicht geprüft und deren Inhalt ich nicht vorsichtig und sorgfältig abgewogen habe. Es ist ein Eindruck, der an die fünfunddreißig- oder vierzigmal schöner und deshalb sehr viel besser und wertvoller ist als die Wirklichkeit, und deshalb dürfte ich nie der Wirklichkeit nachjagen, sondern einen meilenweiten Bogen um sie schlagen; dann könnte ich mir meinen eigenen, privaten, mächtigen, vom Himmelsgewölbe herabdonnernden Niagara unversehrt bewahren und auch meinen eigenen unvergleichlichen Tadsch, aus zartgetöntem Nebeldunst errichtet auf einem von Mondlichtkolonnaden getragenen Gewölbe juwelenfunkelnder Regenbogen. Ein Mensch mit ungehemmter Einbildungskraft begeht einen Fehler, wenn er sich ein berühmtes Weltwunder ansehen geht.

Ich nehme an, daß in mir vor vielen, vielen Jahren die Vorstellung entstanden ist, der Tadsch nehme unter den Schöpfungen des Menschen dieselbe Stelle ein wie der Eissturm unter den Schöpfungen der Natur; der Tadsch stelle das Höchste dar, was der Mensch an Wohlgestalt, Schönheit, Erlesenheit und Pracht hervorbringen könne, gerade wie der Eissturm das Höchste darstellt, was die Natur in dieser Richtung vermag. Ich weiß nicht, wie lange es her ist, daß diese Vorstellung in mir entstand, aber ich weiß, daß ich mich an keine Zeit zurückerinnern kann, da der Gedanke an eines dieser Symbole begnadeter und unerreichter Vollkommenheit nicht sogleich das andere beschworen hätte. Wenn ich an den Eissturm dachte, stieg der Tadsch in himmlischer Schönheit vor mir auf; wenn ich an den Tadsch mit seinen inkrustierten und eingelassenen Edelsteinen dachte, stieg die Vision des Eissturms auf. Und deshalb besaß für mich der Tadsch in allen diesen Jahren keinen Rivalen unter den Tempeln und Palästen des Menschen, keinen, der ihm auch nur entfernt nahegekommen wäre – er war des Menschen architektonischer Eissturm.

Hier in London unterhielt ich mich neulich abends mit einigen schottischen und englischen Freunden, und ich erwähnte den Eissturm, indem ich ihn als Gleichnis gebrauchte – ein Gleichnis, das nicht verstanden wurde, denn keiner hatte etwas vom Eissturm gehört. Ein Herr, der die amerikanische Literatur sehr gut kannte, sagte, er habe ihn niemals in einem Buch erwähnt gefunden. Das ist merkwürdig. Und ich selbst konnte nicht sagen, daß ich jemals in einem Buch davon gelesen hätte; dabei hat doch das Herbstlaub, wie jedes andere Merkmal des amerikanischen Landschaftsbildes, volle Würdigung gefunden.

Es ist seltsam, daß man den Eissturm übersehen hat, denn in Amerika ist das ein Ereignis. Und es ist kein Ereignis, das man gleichgültig abtut. Wenn er naht, eilt im Haus die Nachricht von Zimmer zu Zimmer, man hört Türenschlagen und Rufe: „Der Eissturm! Der Eissturm!", und selbst die faulsten Schläfer werfen die Decken zurück und stürzen wie alle anderen an die Fenster. Der Eissturm tritt im tiefsten Winter auf, und gewöhnlich bereitet sich seine Zauberwelt in der Stille und Dunkelheit der Nacht vor. Stunde um Stunde fällt ein feiner Nieselregen auf die kahlen Zweige und Äste der Bäume, und noch im Fallen gefriert er zu Eis. Mit der Zeit sind der Stamm und jeder Zweig und Ast von hartem, reinem Eis umschlossen, so daß der Baum wie ein Baumskelett aus Glas aussieht, aus kristallklarem Glas. Die Unterseite jedes Astes und Zweiges entlang läuft ein Kamm kleiner Eiszapfen – die gefrorene Traufe. Manchmal bestehen diese Gehänge nicht aus vollständigen Eiszapfen, sondern aus runden Perlen – gefrorene Tränen.

Kurz vor Morgengrauen klart das Wetter auf und hinterläßt eine frische, reine Luft und einen Himmel ohne jeden Wolkenfetzen – und alles ist still, kein Lüftchen regt sich. Die Dämmerung bricht an, und die Helligkeit breitet sich aus, die Nachricht vom Sturm geht durch das ganze Haus, und klein und groß stürzt in Morgenröcken und Decken ans Fenster, drängt sich dort zusammen und starrt gespannt hinaus auf die große, weiße Geistererscheinung dort draußen, und niemand sagt ein Wort, niemand rührt sich. Alle warten; sie wissen, was bevorsteht, und sie warten – warten auf das Wunder. Die Minuten verstreichen eine nach der anderen, ohne einen anderen Laut als das Ticken der Uhr; schließlich schießt die Sonne jäh ein Strahlenbündel in den geisterhaften Baum und verwandelt ihn in eine weiße Herrlichkeit glitzernder Diamanten. Jedem stockt der Atem, jeder fühlt einen Druck in der Kehle aufsteigen und die Augen feucht werden – aber jedermann wartet aufs neue; denn man weiß, was bevorsteht – es geht noch weiter. Die Sonne steigt höher und noch höher, überflutet den Baum vom höchsten bis zum niedrigsten Zweig, verwandelt ihn in eine wahre Pracht weißen Feuers; dann tritt unvermittelt, ohne Vorboten, das Wunder ein, daß große Wunder, das allesüberschattende Wunder, das auf Erden nicht seinesgleichen hat; ein Windstoß bringt jeden Ast und Zweig zum Schwanken und verwandelt im Augenblick den ganzen weißen Baum in ein sprudelndes und sprühendes Feuerwerk blitzender Edelsteine jeder erdenklichen Farbe; und da steht er und schwankt hierhin und dahin, Blitz auf Blitz! eine einzige glimmernde und schimmernde Masse von Rubinen, Smaragden, Diamanten, Saphiren, das strahlendste Schauspiel, das blendendste Schauspiel, die göttlichste, köstlichste, berauschendste Vision von Feuer und Farbe und unerträglichem, unvorstellbarem Glanz, auf der in dieser Welt je ein Auge geruht hat und außerhalb des Himmelstores je ruhen wird.

Alle meine Sinne, alle meine Wahrnehmungen machen es mir zur Gewißheit, daß der Eissturm das Höchste ist, was die Natur an Schönem und Großartigem hervorbringt; und zumindest der Verstand sagt mir, der Tadsch sei des Menschen Eissturm.

Beim Eissturm ist jede der Myriaden von Eisperlen, die an Zweigen und Ästen hängen, ein Edelstein für sich und wechselt die Farbe mit jeder Bewegung, die der Wind verursacht; jeder Baum trägt eine Million, und ein Waldrand zeigt die Herrlichkeit des einzelnen Baumes vertausendfacht.

Jetzt fällt mir auf, daß ich nie den Eissturm im Bild gesehen habe, und ich habe auch nicht gehört, daß ein Maler versucht hätte, ihn auf die Leinwand zu bannen. Ich frage mich, warum. Etwa, weil die Palette die intensive Glut eines sonnendurchfluteten Edelsteins nicht nachahmen kann? Es muß wohl ein Grund geben, und zwar einen triftigen Grund, wieso der Pinsel den bestrickendsten Anblick, den die Natur schuf, außer acht gelassen hat.

Der sicherste Weg, eine falsche Vorstellung hervorzurufen, ist es oft, die reine Wahrheit zu sagen. Die Schilderer des Tadsch haben das Wort *Edelstein* in seinem strengsten Sinne verwendet – in seinem wissenschaftlichen Sinne. In diesem Sinne ist es ein mildes Wort und verspricht dem Auge nur wenig – nichts Leuchtendes, nichts Strahlendes, nichts Funkelndes, nichts Farbensprühendes. Es beschreibt *zutreffend* den nüchternen und unaufdringlichen Edelsteinzierat des Tadsch; das heißt, beschreibt es dem einen sehr gebildeten Menschen unter tausend; aber den anderen 999 gibt es ein falsches Bild. Doch die 999 sind gerade die Leute, auf die man besonders eingehen sollte, und ihnen bedeutet das Wort nicht farblich zurückhaltende Muster, aus Karneolen oder Achaten oder solchen Sachen gearbeitet; sie kennen das Wort nur in seiner verbreitetsten und gewöhnlichen Bedeutung, und so bedeutet es für sie Diamanten, Rubine, Opale und dergleichen, und sobald sie ihm im Druck begegnen, sehen sie eine Vision strahlender, feuergetränkter Farben vor sich.

Diese Schilderer schreiben für die Allgemeinheit, und deshalb sollten sie, um sicherzugehen, daß man sie versteht, alle Worte in ihrer gewöhnlichen Bedeutung verwenden oder aber Erläuterungen geben. Das Wort *Brunnen* hat in Syrien, wo man nur eine Handvoll Menschen findet, eine bestimmte Bedeutung; es bedeutet etwas ganz anderes in Nordamerika, wo es fünfundsiebzig Millionen gibt. Wenn ich eine syrische Landschaft beschriebe und ausriefe: „Auf dem engen Raum einer Viertelmeile im Quadrat erblickte ich im Strahlenglanz des flutenden Mondlichts zweihundert prächtige Brunnen – stellen Sie sich den Anblick vor!", hätte der Nordamerikaner eine Vision von Gruppen hochaufschießender Wassersäulen, die sich in anmutigen Bögen abwärtsneigen, zu perlendem Gischt versprühen und im Mondlicht weißes Feuer regnen lassen – und wäre irregeführt. Aber der Syrer ließe sich nicht irreführen; er sähe bloß zweihundert Quellen – zweihundert träge Pfützen, ebenso flach hingebreitet, anspruchslos und phlegmatisch wie Türmatten, und selbst unter Beihilfe des Mondlichts würde er vor diesem Schauspiel seine Fassung nicht verlieren. Mein Wort „Brunnen" wäre richtig; es spräche die reine Wahrheit; aber es würde der Handvoll Syrer die reine Wahrheit vermitteln und den amerikanischen Millionen die reinste Unwahrheit. Mit ihren Edelsteinen – und Edelsteinen – und noch mehr Edelsteinen – und wieder Edelsteinen – und noch anderen Edelsteinen – sind die Schilderer des Tadsch zwar noch formal, aber nicht mehr moralisch im Recht; im strengsten wissenschaftlichen Sinne sind es Wahrheiten, was sie verkaufen; und gerade dadurch gelingt es ihnen bewundernswert, vorzuspiegeln, „was nich so is".

60. KAPITEL

> Satan (mürrisch) zu Neuankömmling: Der Ärger mit euch Leuten aus Chicago ist, daß ihr glaubt, hier unten die hervorragendsten Leute zu sein; dabei seid ihr nur die zahlreichsten.
>
> *Querkopf Wilsons Neuer Kalender*

Zufrieden streiften wir hier und da in Indien umher; unter anderem kamen wir auch nach Lahor, wo der Leutnantgouverneur mir einen Elefanten borgte. Dieser Akt der Gastfreundschaft ragt unter meinen Erlebnissen in einsamer Größe heraus. Es war ein vortrefflicher Elefant, umgänglich, vornehm, gebildet, und ich hatte keine Angst vor ihm. Ich ritt ihn sogar zuversichtlich durch die wimmelnden Gassen der Inderstadt, wo er alle Pferde wahnsinnig erschreckte und wo dauernd Kinder knapp seinen Füßen entgingen. Er nahm stolz und selbstbewußt die Straßenmitte ein und überließ es der Allgemeinheit, aus dem Wege zu gehen oder die Folgen zu tragen. Gewöhnlich fürchte ich mich beim Reiten oder Fahren vor Zusammenstößen, aber wenn man oben auf einem Elefanten sitzt, fehlt dieses Gefühl. Ich hätte ganz gemütlich durch ein ganzes Regiment durchgehender Gespanne reiten können. Ich könnte mich sehr schnell daran gewöhnen, einen Elefanten jedem anderen Fahrzeug vorzuziehen, teils wegen der Immunität gegenüber Zusammenstößen, teils wegen der schönen Aussicht, die man von dort oben genießt, teils wegen des Gefühls der Würde, das man in so hoher Position verspürt, und teils, weil man in die Fenster hineinschauen und sehen kann, was privat in der Familie vorgeht. Die Pferde in Lahor waren an Elefanten gewöhnt, aber dennoch hatten sie irrsinnige Angst vor ihnen. Ich fand das merkwürdig. Möglicherweise respektieren sie den Elefanten um so mehr auf diese seltsame Weise, je besser sie ihn kennen. Was uns betrifft, so fürchten wir uns ja auch erst vor Dynamit, wenn wir mit ihm Bekanntschaft gemacht haben.

Wir trieben hinüber bis nach Rawalpindi, weit oben an der afghanischen Grenze – ich glaube, daß es die afghanische Grenze war, aber es kann auch die der Herzegowina gewesen sein, dort herum lag es irgendwo –, und wieder hinunter nach Delhi, um dort und in Alt Delhi die uralten architektonischen Wunder zu besichtigen und nicht zu schildern, und auch, um den Schauplatz des berühmten Angriffs aus den Tagen des Aufstandes kennenzulernen, als die Briten Delhi im Sturm nahmen, eines der geschichtlichen Wunder an dreistem Wagemut und unsterblicher Tapferkeit.

Dort in Delhi hielten wir erholsame Rast in einem großen alten Wohnsitz von historischem Interesse. Ihn hatte ein reicher Engländer erbaut, der sich zum orientalischen Wesen bekehrt hatte – und zwar so sehr, daß er eine Zenana besaß. Aber er war ein toleranter Mensch und blieb es auch. Seinem Harem zuliebe baute er eine Moschee; sich selbst zuliebe baute er eine englische Kirche. Ein Mensch dieser Art bringt es immer zu etwas. In den Tagen des Aufstands war der Wohnsitz das Hauptquartier des britischen Generals. Er steht in einem großen Garten orientalischen Stils und ist rings von vielen hohen Bäumen umgeben. In den Bäumen hausen Affen, und das sind Affen von wachsamem und unternehmungslustigem Schlage, die nicht gerade von Furcht bedrückt werden. Sie fallen in das Haus ein, sobald sich eine Gelegenheit bietet, und schleppen alles fort, was sie nicht brauchen. Eines Morgens war der Hausherr im Bad, und das Fenster stand offen. Dicht daneben befanden sich ein Topf mit gelber Farbe und ein Pinsel. Im Fenster tauchten einige Affen auf; um sie zu verscheuchen, warf der Herr seinen Schwamm nach ihnen. Sie erschraken keineswegs; sie kamen in das Badezimmer gesprungen, bespritzten ihn aus dem Pinsel über und über mit gelber Farbe und vertrieben ihn; dann strichen sie die Wände, den Fußboden, den Wassertank, die Fenster und die Möbel gelb an und waren mittlerweile schon im Ankleidezimmer und bemalten dieses, als Hilfe kam und sie hinausjagte.

Zwei dieser Kreaturen kamen am frühen Morgen durch ein Fenster, dessen Läden ich offengelassen hatte, in mein Zimmer, und als ich erwachte, stand einer vor dem Spiegel und bürstete sich das Haar, und der andere hatte mein Notizbuch erwischt, las eine Seite mit humoristischen Skizzen und weinte. Der mit der Haarbürste störte mich nicht, aber das Benehmen des anderen verletzte mich; es tut mir heute noch weh. Ich warf etwas nach ihm, und das war verkehrt, denn mein Gastgeber hatte mir erzählt, daß man die Affen am besten in Ruhe lasse. Sie warfen alles nach mir, was sie heben konnten, dann gingen sie in das Bad, um noch mehr Sachen zu holen, und ich schloß hinter ihnen ab.

In Dschaipur, Radschastan, hielten wir uns lange auf. Wir wohnten nicht in der Inderstadt, sondern mehrere Meilen davon entfernt in der kleinen Vorstadt der europäischen Beamten. Es gab nur wenige Europäer dort – nur vierzehn –, aber sie waren alle entgegenkommend und gastfreundlich, und man fühlte sich wie zu Hause. In Dschaipur stellten wir wieder fest, was wir in ganz Indien festgestellt hatten – daß der indische Diener zwar in seiner Art eine wahre Perle ist, aber manchmal doch Kontrolle benötigt, und der Engländer kontrolliert ihn. Schickt er ihn auf einen Botengang, kann er sich nicht einfach auf das Wort des Mannes verlassen, daß er den Gang erledigt habe. Wenn man uns Früchte und Gemüse schickte, kam ein Tschit mit – eine Quittung, die wir zu unterschreiben hatten; sonst wären die Sachen womöglich nicht eingetroffen. Wenn uns ein Herr seinen Wagen zur Verfügung stellte, gab der Tschit an, „von" dann und dann „bis" dann und dann – was es dem Kutscher und seinen zwei oder drei Untergebenen erschwerte, uns mit einem Teil der zugemessenen Zeit abzuspeisen und den Rest einem eigenen Bummel zu widmen.

Wir waren angenehm untergebracht in einem kleinen, zweistöckigen Gasthaus auf einem großen, leeren Grundstück, das eine mannshohe Lehmmauer umgab. Den Gasthof führten neun Hindubrüder, seine Besitzer. Sie wohnten mit ihren Familien in einem einstöckigen Gebäude innerhalb des Grundstücks, aber etwas abseits, und stets war ein Haufen ihrer kleinen, reizenden braunen Kinder lose in der Veranda aufgestapelt, und eine Abteilung Eltern saß zwischen ihnen eingekeilt und rauchte die Hukah oder Hauda oder wie das nun heißt. Neben der Veranda stand eine Palme, und ein Affe wohnte darin, führte ein einsames Leben, sah immer traurig und müde aus, und die Krähen ärgerten ihn sehr.

Die Gasthauskuh tappte auf dem Grundstück umher und unterstrich den zurückgezogenen und ländlichen Charakter des Ortes, und dann gab es noch einen Hund von keiner besonderen Rasse, der immer auf dem Grundstück herumlag und immer schlief, immer ausgestreckt in der Sonne schmorte und zu dem Bilde tiefer Stille und tiefen Friedens beitrug, der hier herrschte, wenn die Krähen in Geschäften unterwegs waren. Weißgewandete Diener kamen und gingen immerzu, aber sie schienen nur Geister zu sein, denn ihre bloßen Füße machten kein Geräusch. Ein Stückchen die Straße entlang wohnte im Schatten eines stattlichen Baumes ein Elefant, er schaukelte hin und her, hin und her und schwenkte den Rüssel, um bei seiner braunen Herrin zu betteln oder mit den Kindern zu tändeln, die zu seinen Füßen spielten. Und Kamele gab es ringsumher, aber sie gehen auf Samtfüßen und paßten in die Stille und heitere Gelassenheit der Umgebung.

Der am Kopf dieses Kapitels erwähnte Satan war nicht unser Satan, sondern der andere. Unser Satan war uns verlorengegangen. Kürzlich war er aus unserem Leben geschieden – von mir aufrichtig beklagt. Ich vermißte ihn;

und ich vermisse ihn noch immer, nach diesen vielen Monaten. Er war einfach erstaunlich, wenn er umherflitzte und etwas tat. Er tat es nicht immer ganz richtig, aber er tat es und tat es rasch. Es gab keine Zeitverschwendung. Man sagte etwa:

„Packe die Koffer und Taschen, Satan.“

„Sähr gut.“

Dann folgte ein kurzes Fegen und Jagen, ein Sausen und Brausen, es sah aus, als kreiselte ein Wirbelwind Kleider, Jacken, Mäntel, Schuhe und alles mögliche durch die Luft, und dann – mit Verneigung und Stirnberührung: „Fertig, Herr.“

Es war wunderbar. Es machte einen schwindlig. Kleidungsstücke zerknüllte er ziemlich stark und hatte keinen besonderen Arbeitsplan – anfangs –, ausgenommen den, jeden Gegenstand in den Koffer zu packen, in den er nicht gehörte. Aber in diesem Punkt besserte er sich bald. Nicht gänzlich; denn bis zuletzt stopfte er in die der Literatur geweihte Tasche jeden Krempel hinein, für den er anderswo keinen geeigneten Platz fand. Drohte man ihm dafür die Todesstrafe an, beunruhigte ihn das nicht; er schaute bloß freundlich drein, grüßte mit soldatischer Eleganz, sagte „sähr gut“ und tat es am nächsten Tag wieder.

Er war immer geschäftig; stets waren die Zimmer aufgeräumt, die Schuhe blank, die Kleider ausgebürstet, die Waschschüssel voll sauberen Wassers, stets lag mein Abendanzug für den Vortragssaal eine Stunde vor der Zeit bereit, und er zog mich von Kopf bis Fuß an, trotz meiner Entschlossenheit, es nach lebenslanger Gewohnheit selbst zu tun.

Er war der geborene Chef und liebte es sehr, zu kommandieren, mit Untergebenen zu schelten und zu streiten, sie zu schikanieren und zu beschimpfen. Auf dem Bahnhof war er großartig, ja, dort war er in Hochform. Er brach sich mit Schulter, Faust und Ellbogen gewaltsam Bahn durch die dichte Menge der Landeskinder und zog einen Schweif von neunzehn Kulis hinter sich her, deren jeder ein Stückchen Gepäck trug – einer einen Koffer, ein anderer einen Sonnenschirm, ein anderer einen Schal, ein anderer einen Fächer und so fort; pro Träger einen Gegenstand, und je länger die Prozession war, desto besser gefiel es ihm – und man konnte sich darauf verlassen, daß er auf einen bestellten Schlafwagen zuging und anfing, die Sachen des Eigentümers hinauszuschleudern, wobei er beschwor, das sei unserer und es liege ein Versehen vor. In unserem eigenen Schlafwagen angekommen, hatte er binnen zwei Minuten die Bündel mit Bettzeug geöffnet, die Betten gemacht und alles tipptopp hergerichtet; dann steckte er den Kopf aus dem Fenster und verschaffte sich eine nette Abwechslung, indem er seine Bande Kulis anschnauzte und ihre Forderungen anfocht, bis wir eintrafen und ihn veranlaßten, sie zu entlohnen und mit seinem Lärm aufzuhören.

Da ich gerade von Lärm spreche – er war bestimmt der lauteste kleine Krakeeler in ganz Indien, und das will viel, wirklich viel heißen. Ich liebte ihn seines Lärms wegen, aber die Familie verabscheute ihn aus dem gleichen Grunde. Sie konnten den Krach nicht ertragen; sie konnten sich nicht damit abfinden. Er war ihnen peinlich. In der Regel brach, sobald wir uns auf sechshundert Yard einem der großen Bahnhöfe genähert hatten, ein ungeheurer Krawall mit Geschrei und Gekreisch und Gerufe und Gebrüll über uns herein, und ich freute mich innerlich, und die Familie sagte beschämt: „Da – das ist Satan. Warum behältst du ihn bloß?"

Und tatsächlich, dort im wirbelnden Mittelpunkt fünfzehnhundert staunender Menschen entdeckten wir diesen kleinen Wicht: er gestikulierte wie eine Spinne, die Kolik hat, seine schwarzen Augen sprühten Funken, seine Fezquaste hüpfte, sein Mund goß Ströme ordinärster Redensarten über seine Horde demütiger und verblüffter Kulis aus.

Ich liebte ihn, ich konnte mir nicht helfen, aber die Familie – sie konnten ja kaum die Fassung bewahren, wenn sie von ihm sprachen. Bis heute beklage ich seinen Verlust und wünsche, ich hätte ihn wieder; aber sie – bei ihnen ist es anders. Er war ein Landeskind und stammte aus Surat. Zwanzig Breitengrade liegen zwischen seinem und Manuels Geburtsort, und fünfzehnhundert zwischen beider Art, Charakter und Veranlagung. Manuel hatte ich nur gern, aber Satan liebte ich einfach. Sein richtiger Name war intensiv indisch. Ich kriegte den Dreh nicht ganz heraus, aber er klang wie Bunder Rao Ram Tschunder Clam Tschauder. Er war ohnehin zu lang für den Hausgebrauch; deshalb kürzte ich ihn.

Als er zwei oder drei Wochen bei uns war, fing er an, Fehler zu machen, die ich nur mit Mühe vertuschen konnte. Eines Tages, als wir schon kurz vor Benares waren, stieg er aus dem Zug, um zu sehen, ob er irgendwo einen Streit vom Zaun brechen könne, denn es war eine lange, ermüdende Fahrt gewesen, und er wollte sich erfrischen. Er fand, was er suchte, zog aber sein Palaver eine Idee zu lange hin und blieb zurück. Da waren wir nun in einer fremden Stadt und hatten kein Zimmermädchen. Es war für uns sehr unbequem, und wir sagten ihm, das dürfe er nicht wieder tun. Er grüßte und sagte in seiner lieben, netten Art „sähr gut". In Laknau dann betrank er sich. Ich sagte, es sei ein Fieber und erweckte dadurch das Mitleid und die Besorgnis der Familie; so gaben sie ihm einen Teelöffel Chinintinktur ein, und das setzte seine Eingeweide in Brand. Er schnitt mehrere Grimassen, die mir eine bessere Vorstellung von dem Erdbeben in Lissabon vermittelten als jede, die ich mir auf Grund von Gemälden und Schilderungen gemacht hatte. Am nächsten Morgen war sein Rausch immer noch bedrohlich stark, aber ich hätte ihn vor der Familie durchgekriegt, wenn er nur noch einen weiteren Löffel dieser Medizin genommen hätte; aber nein, wenn er auch völlig benommen war, sein Gedächtnis flackerte doch noch gelegentlich auf; und so brachte er ein hinreißend blödes Lächeln zustande, grüßte täppisch und sagte: 'zeihung, Mem Sahib, 'zeihung, Missy Sahib; Satan zieht es nicht vor, bitte."

Da verriet ihnen in Instinkt, daß er betrunken war. Sie kündigten ihm sofort an, wenn das noch einmal vorkomme, müsse er gehen. Er brachte ein weinerliches und sehr kleinlautes „Sähr gut" heraus und grüßte fahrig.

Schon eine knappe Woche später strauchelte er wieder. Und, o Jammer, diesmal nicht in einem Hotel, sondern im Privathaus eines englischen Herrn. Und ausgerechnet in Agra. Er mußte also gehen. Als ich ihm kündigte, sagte er ergeben: „Sähr gut", führte seinen Abschiedsgruß aus und ging von uns, um nie wiederzukehren. Lieber Himmel! Ich hätte lieber hundert Engel verloren als diesen einen armen, bezaubernden Teufel. Wie fabelhaft er sich immer herausputzte in einem vornehmen Hotel oder in einem Privathaus –

schneeweißer Musselin vom Kinn bis zu den bloßen Füßen, eine hochrote, mit Goldfäden bestickte Schärpe um den Leib, und auf dem Kopf ein gewaltiger, meergrüner Turban wie der des Großtürken.

Er war kein Lügner, aber er wird einer werden, wenn er so weitermacht. Einmal erzählte er mir, er habe als Junge die Kokosnüsse immer mit den Zähnen aufgeknackt; und als ich fragte, wie er sie in den Mund bekommen habe, sagte er, damals sei er über sechs Fuß groß gewesen und habe einen ungewöhnlichen Mund gehabt. Und als ich nachstieß und fragte, was aus dem fehlenden Fuß geworden sei, sagte er, ein Haus sei auf ihn gefallen, und es sei ihm nicht wieder gelungen, seine Statur zurückzugewinnen. Derartige Abschweifungen vom strikten Pfad der Wahrheit locken einen wahrheitsliebenden Menschen oft weiter und immer weiter, bis er schließlich zum Lügner wird.

Sein Nachfolger war ein Mohammedaner, Sahadat Mohammed Khan; sehr dunkel, sehr hochgewachsen, sehr ernst. Er war immer von fließendem Weiß umwallt, von der Spitze seines großen Turbans bis hinab zu den bloßen Füßen. Er sprach leise. Er glitt geräuschlos umher und sah aus wie ein Geist. Er war tüchtig und stellte uns zufrieden. Aber wo er sich aufhielt, schien immer Sonntag zu sein. Zu Satans Zeiten war das nicht so.

Dschaipur ist ausgesprochen indisch, aber zwei oder drei Merkmale besitzt es, welche auf die Anwesenheit europäischer Wissenschaft und europäischer Anteilnahme am öffentlichen Wohl hinweisen, wie die großzügige Wasserversorgung durch umfangreiche, auf Staatskosten erbaute Wasserwerke; gute sanitäre Anlagen, die einen für Indien ungewöhnlich hohen Gesundheitsstandard zur Folge haben; einen herrlichen Park, der an bestimmten Tagen den Frauen vorbehalten ist; Schulen, in denen die einheimische Jugend in den verschiedenen Handwerkszweigen sowohl künstlerischer wie praktischer Art gefördert wird, und einen neuen schönen Palast, ausgestattet mit einem außerordentlich interessanten und wertvollen Museum. Ohne des Maharadschas wohlwollende Anteilnahme und seine finanzielle Unterstützung hätte man diese Wohltaten nicht schaffen können; aber er ist ein Mann mit weitem Gesichtskreis und einem großzügigen Wesen, und all solche Dinge finden bei ihm großen Anklang.

Wie fuhren oft vom Hotel Kaiser-i-Hind aus in die Stadt, eine Fahrt, die immer sehr interessant war, bei Tage wie bei Nacht, denn diese Landstraße lag niemals still, niemals leer da, sondern war stets bewegtes Indien, stets eine brausende Flut brauner Leute, in Fetzen gehüllt, die sie dem Regenbogen abgerissen hatten, eine wogende und quirlende Flut, fröhlich, lärmend, ein bezauberndes und beglückendes Gewirr fremdartigen menschlichen und tierischen Lebens und ebenso fremdartiger und ausgefallener Fahrzeuge.

Und die Stadt selbst ist eine Kuriosität. Jede indische Stadt ist das, aber diese hier gleicht keiner anderen, die wir sahen. Sie wird von einer hohen, mit Türmchen besetzten Mauer eingeschlossen; vollkommen gerade, mehr als hundert Fuß breite Straßen teilen die Hauptmasse der Stadt in sechs Stadtviertel auf. Die Häuserblocks bilden eine lange Front fesselnder baulicher Wunderlichkeiten; überall unterbrechen hübsche kleine pfeilergetragene und reichverzierte Balkone und andere raffinierte, gemütliche und einladende hohe Sitzecken und Vorsprünge die geraden Linien; viele Fronten hat der Pinsel merkwürdig bebildert, und allen gemeinsam ist der gedämpfte, satte Farbton von Erdbeereis. Wenn man die ganze Länge der Hauptstraße hinabschaut, kann man sich einfach nicht einreden, es seien richtige Häuser und alles stehe im Freien – der Eindruck, alles sei unwirklich, alles sei ein Gemälde, ein Bühnenbild im Theater, ist das einzige, was einem eingehen will.

Dann kam ein großer Tag, da diese Illusion noch stärker als je hervortrat. Ein reicher Hindu hatte ein Vermögen für die Anfertigung einer Menge Götzen und der zugehörigen Ausstaffierung ausgegeben, um Szenen aus dem Leben seines besonderen Gottes oder Heiligen zu illustrieren, und diese prächtige Schau sollte um zehn Uhr vormittags im Prunkzug durch die Stadt geführt werden. Als wir auf dem Weg in die Stadt durch den großen öffentlichen Park fuhren, wimmelte er von Indern. Das war schon eine Sehenswürdigkeit. Dann kam die nächste. Inmitten der weiträumigen Rasenflächen steht der Palast, in dem sich das Museum befindet – ein schöner Steinbau mit Bogenkolonnaden, die sich, eine über der anderen terrassenartig zurückweichend, in den Himmel recken. Jede einzelne dieser Terrassen bis hinauf zur obersten war dicht mit den Bewohnern des Landes vollgestopft und bepackt. Man muß versuchen, sich diese dichte Massierung leuchtender Farben vorzustellen, eine über der anderen, hoch und höher vor dem blauen Himmel, allesamt von der indischen Sonne in Feuer- und Flammenbeete verwandelt.

Später, als wir in die Stadt kamen und die in ihrem Erdbeerrosa erglühende Hauptallee entlangschauten, wiederholte sich dieser glanzvolle Effekt; denn jeder Balkon, jeder launische Vogelkäfig von behaglicher Nische an den Häuserfronten und all die langen Reihen der Dächer waren von Menschen überfüllt, und jede Gruppe bildete eine wahre Feuersbrunst strahlender Farben.

Die breite Straße selbst, die sich weit und immer weiter in die Ferne erstreckte, wimmelte von farbenfroh gekleideten Menschen – keiner stillstehend, alle in Bewegung, alle hin und her treibend, wogend, flutend, eine rauschhafte Entfaltung aller Farben und Farbschattierungen, zart, lieblich, blaß, gedämpft, kräftig, blendend, lebhaft, leuchtend, gewissermaßen ein Sturm von Wickenblüten, der auf den Flügeln eines Hurrikans vorüberweht; und dann wogten und schaukelten die majestätischen Elefanten durch diesen Farbensturm, alle in ihrem prunkendsten Sonntagsstaat, darauf folgte die lange Prozession wunderlicher Frachtwagen, beladen mit Gruppen kurioser und kostspieliger Bildnisse, und dann die lange Nachhut stolzer Kamele mit ihren pittoresken Reitern.

An Farbigkeit, malerischem Reiz, Neuartigkeit, Fremdartigkeit und unerschöpflicher Anziehungskraft war es das befriedigendste Schauspiel, das ich je gesehen habe, und ich nehme an, daß ich den Vorzug nicht noch einmal genießen werde, seinesgleichen zu sehen.

61. KAPITEL

> Zuerst schuf Gott die Idioten. Zur Übung.
> Dann schuf er die Schulbehörden.
>
> *Querkopf Wilsons Neuer Kalender*

Angenommen, wir brächten für die Unterrichtung tauber, stummer und blinder Kinder nicht mehr methodischen Scharfsinn auf, als es oftmals an unseren amerikanischen Volksschulen bei der Unterrichtung von Kindern der Fall ist, die aller ihrer Sinne mächtig sind. Die Folge wäre, daß die Tauben, Stummen und Blinden nichts lernen würden. Sie lebten und stürben so unwissend wie Steine und Felsen. Die Methoden, die man in den Sonderschulen anwendet, sind sinnvoll. Der Lehrer ergründet zuallererst die Fähigkeiten des Kindes, und von da an paßt er die gestellten Aufgaben sorgfältig der allmählichen Entwicklung dieser Fähigkeiten an; die Aufgaben halten Schritt mit dem Tempo, in dem das Kind voranschreitet, sie jagen nicht in sinnlosen, launischen Sprüngen voraus, um im leeren Raum zu landen – wie es dem durchschnittlichen Lehrplan der Volksschulen entspricht. In der Volksschule lehrt man offenbar das Kind, „Katze" zu buchstabieren, dann fordert man es auf, eine Sonnenfinsternis zu berechnen; wenn es zweisilbige Wörter lesen kann, soll es den Blutkreislauf erläutern; wenn es das Ziel der ersten Klasse erreicht hat, bringt man es mit Scherzrätseln in Verlegenheit, die das ganze Reich der Allgemeinbildung umfassen. Das klingt übertrieben – ist es auch; und doch schießt es gar nicht so weit über die Tatsachen hinaus.

Ich erhielt einmal einen merkwürdigen Brief aus dem Pandschab. Die Handschrift war ausgezeichnet und der Wortlaut englisch – englisch, und doch nicht eigentlich englisch. Der Stil war gewandt, glatt, flüssig, und doch klang etwas Fremdartiges darin an – etwas tropisch Verschnörkeltes, Gefühlvolles und Rhetorisches. Es stellte sich als das Werk eines jungen Hindus heraus, des Inhabers einer bescheidenen Schreiberstelle in einem Büro bei der Eisenbahn. Er hatte eines der zahlreichen Colleges Indiens besucht. Auf meine Erkundigung erfuhr ich, das Land sei voller Burschen dieser Art. Man hatte sie bis hoch zu den Schneegipfeln der Gelehrsamkeit hinauf erzogen – und der Markt für alle diese vollendete Geistesbildung stand in seiner Winzigkeit in überhaupt keinem Verhältnis zum ungeheuren Umfang der Produktion. Dieser Markt bestand aus einigen tausend kleinen Schreiberstellen bei der Regierung – die Materialanlieferung war übergroß. Wenn dieser junge Mann mit dem flüssigen Stil und dem blumenreichen Englisch ein kleiner Schreiber bei der Bahn war, bedeutete dies, daß Hunderte und aber Hunderte dieselbe Fähigkeit besaßen, sonst hätte er einen hohen Posten erhalten; und es bedeutete ganz gewiß, daß es Tausende gab, deren Ausbildung und Fähigkeiten ein kleines bißchen darunterlagen und daß sie keine Anstellung zu erwarten hatten. Also bewirkten die Colleges Indiens dasselbe, was unsere Schulen schon seit langem tun – sie überschwemmten den Markt für Arbeitskräfte mit hoher Bildung; und damit schädigten sie nicht nur die Schüler, sondern indirekt auch ihr Land.

Zu Hause habe ich einmal eine Rede gehalten, in der ich das Unheil beklagte, das die höhere Schule anrichtet. Sie nimmt nämlich Jungen den Geschmack an praktischen Berufen, die sich gern ihren Lebensunterhalt mit einem Handwerk oder in der Landwirtschaft verdienen würden, wenn sie nur das Glück gehabt hätten, nach der Grundschule auszuscheiden. Aber ich bekehrte niemanden. Nicht einen aus einer Gemeinde, wenn sie auch überschwemmt war mit gebildeten Nichtstuern, die sich zu gut dünkten, dem praktischen Beruf ihrer Väter nachzugehen, und doch für ihr Buchwissen keinen Absatz fanden. Dieselbe Post, die mir den Brief aus dem Pandschab bescherte, brachte mir auch ein kleines Buch, erschienen bei Thacker, Spink & Co. in Kalkutta, das mich interessierte, denn sein Vorwort und auch sein Inhalt behandelten dieses Problem der über das Ziel hinausschießenden Ausbildung. Im Vorwort kommt folgender Absatz aus der Kalkuttaer „Review" vor. Statt „Regierungsdienststelle" lies „Posten als kaufmännischer Angestellter", und es paßt auf mehr als eine Gegend Amerikas:

„Die Bildung, die wir vermitteln, macht die Jungen ein bißchen weniger bäurisch in ihrem Gehaben und gewandter im Umgang mit Fremden. Auf der anderen Seite hat dies zur Folge, daß sie sich mit ihrem Lebenslos weniger leicht abfinden und weniger geneigt sind, Handarbeit zu verrichten. Die Form, die in diesem Land die Unzufriedenheit annimmt, ist ungesund; denn die Inder finden, die einzige eines gebildeten Mannes würdige Beschäftigung sei eine Schreiberstellung in irgendeinem Regierungsamt. Der Schüler aus dem Dorf kehrt mit großem Widerwillen zum Pflug zurück, und der Schüler aus der Stadt nimmt dieselbe Unzufriedenheit und mangelnde Eignung in die Werkstatt seines Vater mit. Manchmal weigern sich diese ehemaligen Schüler zuerst einmal kategorisch, überhaupt zu arbeiten, und mehr als einmal haben Eltern offen ihr Bedauern darüber ausgesprochen, daß sie jemals ihren Sohn in die Schule locken ließen."

Das kleine Buch, aus dem ich zitiere, heißt „Indisch-englische Literatur" und ist reichgespickt mit „Babu-Englisch" – Schreiberenglisch, Lehrbuchenglisch, wie man es hier auf der Schule erwirbt. Manches ist sehr drollig – vielleicht fast so drollig wie das, was Sie und ich hervorbringen, wenn wir in einer Sprache zu schreiben versuchen, die nicht unsere eigene ist; aber vieles ist überraschend korrekt und geläufig. Wenn ich *gutes* Englisch zitieren wollte – aber das will ich nicht. Indien ist wohlversehen mit Landeskindern, die es sprechen und schreiben wie die Besten unter uns. Ich möchte nur einige der ungeschickten, unbeholfenen Versuche im Gebrauch unserer Sprache vorführen. Das Buch enthält viele Briefe; Armut, die um Hilfe fleht, um Brot, Geld, Gefälligkeiten, eine Stellung – meistens um eine Anstellung, eine Schreiberstelle, irgendeine Möglichkeit, aus der unverkäuflichen Bildung des Bewerbers Nahrung und einen Tuchfetzen herauszuschlagen; und Nahrung nicht nur für ihn allein, sondern manchmal noch für ein Dutzend hilfloser Verwandter außer der eigenen Familie, denn diese Leute sind erstaunlich selbstlos und den Verwandtschaftsbanden bewundernswert treu. Bei uns gibt es, glaube ich, nichts Ähnliches. So seltsam, wie manche dieser Klage- und Bittbriefe klingen, so demütig und sogar kriecherisch, wie manche, und so wunderlich drollig und verdreht, wie eine ganze Anzahl von ihnen sind, in der Regel liegt etwas Ergreifendes in ihnen, das das aufsteigende Lachen erstickt und beschämt. Im folgenden Brief ist „Vater" nicht wörtlich zu verstehen. In Ceylon brachte mich ein kleines indisches Bettlermädchen in Verlegenheit, indem sie mich „Vater" nannte, obwohl ich wußte, daß sie sich irrte. Weil ich so unerfahren war, wußte ich nicht, daß sie nur dem Brauch der Abhängigen und der Bittsteller folgte.

Sir,
Ich flehe bitte mir etwas Verrichtung (Arbeit) zu geben denn ich bin sehr armer Junge ich habe keinen zum mir helfen so Vater denn so es schiene deinem guten Blick Ihr gebt das Telegrafenbüro und eine andere Arbeit was ist Euer Wunsch ich bin sehr armer Junge das versteht was ist Euer Wunsch Ihr mein Vater ich bin Euer Sohn das versteht was ist Euer Wunsch.

Euer Diner P. C. B.

Infolge der jahrhundertealten entwürdigenden Unterdrückung, die diese Leute seitens ihrer einheimischen Herrscher erlitten, flüchten sie in Verhalten und Sprache ganz legitim zu Kriecherei und Schmeichelei, und man muß das als mildernden Umstand berücksichtigen, wenn man über den Charakter der Inder urteilt. Häufig findet man in diesen Briefen, daß der Bittsteller verstohlen versucht, die schwache, nämlich die religiöse Seite des weißen Mannes zu treffen; selbst dieser arme Junge steckt seinem Haken als Köder einen ausgelaugten Bibeltext auf, in der Hoffnung, daß dieser noch etwas fange, wenn alles andere versagt.

Hier folgt eine Bewerbung um die Stellung als Englischlehrer für irgendwelche Kinder:

„Mein sehr geehrter Herr oder Gentleman, dieser Ihr Antragsteller hat viel Befähigung in der Sprache Englisch um die jungen Knaben zu unterrichten; mir wurde zu verstehen gegeben, daß Ihre von passenden Kindern muß die Kenntnis der englischen Sprache erwerben."

Als Beispiel für den blumigen orientalischen Stil werde ich einen oder zwei Sätze aus einem langen Brief herausgreifen, den ein junger Inder dem Leutnantgouverneur von Bengalen schrieb – eine Bewerbung um Anstellung:

VEREHRTER UND SEHR HOCHACHTBARER HERR!

Ich hoffe, Euer Gnaden werden sich herablassen, die Geschichte dieses armen Wesens anzuhören. Ich werde angesichts dieses Zeichens Eurer fürstlichen Herablassung vor Dankbarkeit überfließen. Das vogelgleiche Glück ist aus meinem nestgleichen Herzen entflohen und bisher nicht zurückgekehrt, seit der Zeit, da meines Vaters Lebensrose dem herbstlichen Hauch des Todes erlag; in schlichtem Englisch, er durchschritt das Tor zum Grabe, und seit jener Zeit hat das Phantom des Entzückens nie wieder vor mir getanzt.

Sehen Sie, das ist Schulenglisch, Lehrbuchenglisch; und alles in allem ganz gut. Hätte der indische Junge nur dieses eine Fach zu bewältigen, würde er zweifellos glänzen, ja blenden. Aber das ist nicht der Fall. Er ist in derselben Lage wie unsere Volksschüler – die Überlastung mit anderen Fächern drückt ihn zu Boden; und häufig gehen sie so weit über den Rahmen des von ihm tatsächlich erreichten Fortschrittes und der ihm angemessenen Entwicklungsstufe hinaus, wie es sich die verrückteste Phantasie nur ausdenken kann. Offenbar muß er – wie unser Volksschüler – arbeiten, arbeiten, arbeiten, in der Schule und zu Hause, und darf nur wenig spielen. Offenbar besteht – wie bei unserem Volksschüler – seine „Bildung" darin, *Dinge* zu lernen, nicht, ihre Bedeutung zu erfassen; man speist ihn mit Hülsen, nicht mit Mais. Aus verschiedenen Aufsätzen indischer Schuljungen über die Frage, wie sie den Tag verbringen, greife ich einen heraus – den, der am ausführlichsten darauf eingeht:

„66. Bei Anbruch des Tages stehe ich von meinem eigenen Bett auf und beendige meine tägliche Pflicht, dann beschäftige ich mich bis acht Uhr, wonach ich mich beschäftige zu baden, dann nehme ich für meinen Leib etwas Zuckerwerk, und gerade um halb zehn kam ich zur Schule um meine Klassenpflicht zu erfüllen, dann um halb drei nachmittags kehre ich nach Hause zurück und beschäftige mich meine natürliche Pflicht zu tun, dann beschäftige ich mich für ein Viertel mein Frühstück zu nehmen, dann lerne ich bis fünf Uhr nachmittags, wonach ich anfing zu spielen was mir in den Kopf kommt. Nach halb neun halb nach vor acht sind wir zu schlafen begannen, vor dem Schlafen erzählte ich einem Konstabler genau um elf er kam und erhob uns von halb nach elf wir begannen zu lesen noch morgens."

Es ist nicht vollkommen klar, wenn ich mir das jetzt ausrechne. Er steht gegen fünf Uhr morgens oder irgendwann um diese Zeit auf und geht etwa fünfzehn oder sechzehn Stunden später zu Bett – bis dahin scheint es in Ordnung zu sein; aber warum er drei Stunden später wieder aufsteht, um seine Studien bis zum Morgen fortzusetzen, das ist rätselhaft.

Ich glaube, es kommt daher, weil er Geschichte lernt. Geschichte beansprucht unendlich viel Zeit und schwere, harte Arbeit, wenn deine „Bildung" nicht entwickelter ist als die einer Katze, wenn du dich bloß mit einem Durcheinander nichtssagender Namen, willkürlich herausgegriffener Episoden und ewig dem Griff entfliehender Zahlen vollstopfst, die zu deuten niemand dich lehrt und die dir ohne Deutung keinen Heller Gegenwert für deine Zeitvergeudung einbringen. Ja, ich glaube wohl, er mußte um halb zwölf in der Nacht aufstehen, um seine Geschichtsaufgabe bis mittags sicher zu beherrschen. Mit folgenden Ergebnissen – aus einem Schulexamen in Kalkutta:

Frage: Wer war Kardinal Wolsey?
Kardinal Wolsey war ein Herausgeber einer Zeitung namens „North-Briton". No. 45 seiner Schrift beschuldigte er den König, vom Thron aus eine Lüge gesagt zu haben. Er wurde verhaftet und ins Gefängnis geworfen; und nach der Freilassung ging er nach Frankreich.
3. Als Bischof von York aber starb in Abweichung in einer Kirche auf dem Weg zur Holzköpfung.
8. Kardinal Wolsey war der Sohn Eduards IV., nach dem Tod seines Vaters stieg er selbst auf den Thron im Alter von nur (10) zehn, aber als er überschritt oder als er gefallen wurde in seinem zwanzig Jahre alt damals wünschte er eine Reise in seine Länder unter ihm zu machen, aber er wurde von seiner Mutter widerstanden Reise zu machen, und entsprechend dem Beispiel seiner Mutter blieb er im Haus und wurde dann König. Nach vielen öfteren Hindernissen und viel Verwirrung wurde er König und später sein Bruder.

Vermutlich ist kein Wort davon wahr.

Frage: Was bedeutet Ich Dien?

10. Eine Ehre, die den ersten oder ältesten Söhnen englischer Herrscher verliehen wird. Es ist weiter nichts als ein paar Federn.

11. Ich Dien war das Wort, das auf den Federn des blinden Königs stand, der zu kämpfen kam, verschlungen mit den Zügeln des Pferdes.

13. Ich Dien ist ein Titel, den Heinrich VII. von dem Papst von Rom bekam, als er die Reformation von Kardinal Wolsey nach Rom schickte, und aus diesem Grund hieß er Gebieter des Glaubens.

In dem Buch wird etwa ein Dutzend solcher verrückter Antworten aus jener Prüfung zitiert. Jede Antwort ist in sich selbst ein schlagender Beweis dafür, daß man denjenigen, von dem sie stammt, weit über den Punkt, auf den er gehörte, hinausgeschoben hatte, als man ihn an das Geschichtsstudium gehen ließ; ein Beweis dafür, daß man ihn an die Aufgabe, Geschichte zu lernen, gesetzt hatte, bevor er die geringsten Hinweise über die *Methode* des Geschichtsstudiums erhalten hatte; das wäre dasselbe, als würfe man einem Schüler die Geometrie an den Kopf, ehe er die aufeinanderfolgenden Stufen kennengelernt hätte, die zu ihr hinführen und es erst ermöglichen, sie zu begreifen. Diese Neulinge aus Kalkutta hatten mit Geschichte nichts zu schaffen. Es gab keine Entschuldigung dafür, sie darin zu prüfen, keine Entschuldigung dafür, sie und ihre Lehrer bloßzustellen. Sie waren absolut leer; es gab nichts zu „prüfen".

Helen Keller ist stumm, stocktaub und stockblind, seit sie ein kleines Kind von anderthalb Jahren war; und jetzt, mit sechzehn Jahren, besteht dieses Wunderkind, das erstaunlichste Phänomen aller Zeiten, das Examen der Harvard-Universität in Latein, Deutsch, französischer Geschichte, Literatur und derlei Dingen, und zwar glänzend, nicht bloß durchschnittlich. Sie weiß nicht bloß *Dinge,* sie ist glänzend vertraut mit ihrem *Sinn.* Wenn sie einen Essay über eine Gestalt Shakespeares schreibt, ist ihr Englisch gediegen und kraftvoll, die Art, wie sie das Thema anpackt, beweist, daß sie sich ihrer Sache *sicher* ist, und ihre Seiten knistern vor erleuchtendem Geist. Hat Miss Sullivan sie nach den Methoden Indiens und der amerikanischen Volksschule unterrichtet? Nein, o nein; denn dann wäre sie tauber und stummer und blinder denn je. Es ist schade, daß wir nicht alle Kinder in den Sonderschulen ausbilden können.

Um die Bloßstellung aus Kalkutta fortzusetzen:

Frage: Was ist ein Sheriff?

25. Sheriff ist ein Posten, eröffnet in der Zeit Johanns. Die Pflicht des Sheriffs hier in Kalkutta, aufzupassen und jene Wagen fangen der vom Kutscher rasch ausgefahren wird; aber es ist ein hoher Posten in England.

26. Sheriff war das englische Gebetbuch-Gesetz.

27. Der Mann, bei dem die Akkusativpersonen untergebracht werden, heißt Sheriff.

28. Sheriff – lateinische Bezeichnung für „Strauch" den wir „Besen" nannten, getragen von dem ersten Graf von Enjue als Emblem der Demut als sie

auf die Wallfahrt gingen, und von diesem nahmen ihre Erbsen ihren Helm und Zu Namen.

29. Sheriff ist eine Art betitelter Sekte von Leuten, wie Barone, Edle etc.

30. Sheriff, ein Tittel jenen Personen verliehen die respektlich und fromm in England waren.

Die Schüler wurden in folgenden gewichtigen Themen geprüft: Geometrie, das Sonnenspektrum, die Habeaskorpusakte, das Britische Parlament, und in Metaphysik forderte man sie auf, die Spur des Skeptizismus von Descartes bis Hume zu verfolgen. Man darf mit Fug und Recht sagen, daß die Ergebnisse frappierend waren. Zweifellos waren Schüler dabei, welche den Weitblick ihrer Lehrer rechtfertigten, sie in diese Fächer eingeführt zu haben; aber es ist auch offensichtlich, daß man andere zu diesen Studien gedrängt hatte, die nur ihre Zeit damit vergeudeten; sie hätte man mit besserem Erfolg zur Jagd auf kleineres Wild angesetzt. Unter der Rubrik Geometrie lautet eine der Antworten so:

„49. Das ganze BD = das ganze CA, und so-so-so-so-so-so − so.“

Mir ist das schleierhaft, aber ich war nie gut in Geometrie. Das war alles, was bei fünf Schülern, die zur Prüfung in Geometrie erschienen, herauskam; die anderen vier fingen an zu jammern und ergaben sich kampflos. Es waren herzbewegende Klagen, Klagen der Verzweiflung, und eine davon ist ein beredter Vorwurf; er stammt von einem armen Kerl, den ein einfältiger Lehrer über seine Kraft beansprucht hat, und spricht Bände, trotz der Armseligkeit seines Englisch. Der arme Kerl sieht sich vor der Aufgabe, Probleme zu erläutern, die selbst Sir Isaac Newton nicht zu verstehen vermochte.

50. Oh mein lieber Vater Prüfer du mein Vater, und gib mir gütigst eine Note zur Versetzung du mein großer Vater.

51. Ich bin ein armer Junge und habe keine Mittel, meine Mutter und zwei Brüder zu unterstützen, die sehr unter Mangel an Nahrung leiden. Ich bekomme vier Rupien monatlich vom Wohltätigkeitsfonds am Ort, von denen ich zwei Rupien zu ihrem Unterhalt schicke und zwei für meinen eigenen Unterhalt behalte. Vater, wenn ich die unglücklichen Umstände berichte, unter denen ich stehe, dann, glaube ich, wirst du die milde Träne nicht unterdrücken können.

52. Sir, was Sir Isaac Newton und andere erfahrene Mathematiker nicht verstehen können, ich, als dritter der Anfangsklasse, kann es verstehen, was man sich unmöglich vorstellen kann. Und mein Prüfer hat mir auch sehr lästige und schwierige Behauptungen zu beweisen gestellt.

Wir müssen berücksichtigen, daß diese Schüler in der einen Sprache denken und sich in einer anderen, fremden ausdrücken mußten. Das war eine bedeutende Erschwernis. Ich habe gerade „Englisch, wie es gelehrt wird“ neben mir – eine Blütenlese aus amerikanischen Prüfungen, die eine der Lehrerinnen an den Volksschulen Brooklyns zusammengetragen hat, Miss Caroline B. Le Row. Ein paar Auszüge werden beweisen, daß die Leistungen des amerikanischen Schülers, obwohl er nur eine Sprache gebraucht, und noch dazu seine eigene, um keinen Deut besser sind als die seines indischen Bruders:

Christoph Kolumbus wurde der Vater seines Landes genannt. Königin Isabella von Spanien verkaufte ihre Taschenuhr, ihre Uhrkette und anderen Putz, damit Kolumbus Amerika entdecken konnte.

Die Indianerkriege waren für das Land sehr entweihend.

Die Indianer verfolgten ihre Kriegführung, indem sie sich in den Büschen versteckten und sie dann skalpierten.

Kapitän John Smith ist als Vater seines Landes bezeichnet worden. Seine Tochter Pochahantas rettete ihm das Leben.

Die Puritaner fanden ein Irrenasyl in der Wildnis Amerikas.

Das Stempelgesetz sollte jedermann veranlassen, alle Materialien zu stempeln, damit sie null und nichtig wären.

Washington starb in Spanien mit fast gebrochenem Herzen. Seine sterbliche Hülle wurde nach der Kathedrale in Havanna gebracht.

Gorillakrieg war, wo Leute auf Gorillas ritten.

In Brooklyn wie in Indien prüft man einen Schüler, und wenn man entdeckt, daß er überhaupt nichts weiß, bringt man ihn in der Literatur oder in der Geometrie oder in der Astronomie oder in der Regierung oder dergleichen unter, damit er die Eselhaftigkeit des ganzen Systems so recht zur Schau stellen kann.

LITERATUR

„Bracebridge Hall" hat Henry Irving geschrieben.

Edgar A. Poe war ein sehr gerinnender Schriftsteller.

Beowulf schrieb die Bibel.

Ben Johnson überlebte Shakespeare in mancher Hinsicht.

In der „Canterbury-Geschichte" gibt es Rechenschaft über König Alfred auf dem Weg zum Schrein Thomas Buckets.

Chaucer war der Vater der englischen Dichtungskunst.

Auf Chaucer folgte H. Wads. Longfellow nach.

Wir wollen mit ein paar Beispielen für „Literatur" schließen – eines aus Amerika, das andere aus Indien. Das erste ist der Versuch eines Schuljungen aus Brooklyn, ein paar Verse aus der „Dame vom See" in Prosa zu verwandeln. Sie werden zugeben müssen, daß ihm das gelungen ist:

„Der Mann, der auf dem Pferd ritt, führte die Peitsche vor und ein Instrument, das aus Stahl allein gemacht war, mit starker Inbrunst unverwandt, denn, da er von der mit harter Arbeit verbrachten Zeit müde war, überanstrengt vor Zorn und ignorant vor Müdigkeit, während er jeden Atemzug für die Arbeit mit Schreien voller Jammer einsog, sickerte der junge Hirsch, unvollständig gemacht, der schwer arbeitete, in Sicht."

Der folgende Absatz stammt aus einem Büchlein, das in Indien berühmt ist – der Biographie eines hervorragenden Hindurichters, Anukul Tschander Mukkerdschi; geschrieben hat es sein Neffe, und es ist unfreiwillig komisch – wirklich, sehr komisch. Ich stelle hier die Schlußszene vor. Wenn Sie es mit dem übrigen Buch versuchen möchten, es ist auf Anforderung bei den Verlegern Thacker, Spink & Co. in Kalkutta zu haben:

„Und nachdem er diese Worte gesprochen hatte, verschloß er hermetisch die Lippen, um sie nicht wieder zu öffnen. Alle wohlbekannten Ärzte Kalkuttas, die für einen Mann seiner Stellung und seines Reichtums beschafft werden konnten, wurden geholt – die Doktoren Payne, Fayrer, Nilmadhub Mukerdschi und andere; sie taten, was sie konnten, mit der Kraft und den Tricks medizinischen Wissens, aber es erwies sich schließlich, als wolle man den Bock melken! Sein Weib und Kinder hatten nicht den trauervollen Trost, seine letzten Worte zu hören; er blieb ein paar Stunden lang sotto voce und wurde dann um 6.12 nachmittags von uns genommen, nach der Laune Gottes, die unser Verständnis übersteigt."

62. KAPITEL

> Niemand ist ganz so ungesittet wie die Über-
> vornehmen.
> *Querkopf Wilsons Neuer Kalender*

Gegen Ende März dampften wir von Kalkutta ab, machten einen Tag in Madras halt, zwei oder drei Tage in Ceylon, dann traten wir eine lange Fahrt in westlicher Richtung nach Mauritius an. Aus meinem Tagebuch:

7. April. Jetzt sind wir weit draußen auf dem ruhigen Wasser des Indischen Ozeans; es ist schattig, behaglich und friedvoll unter den weit ausgebreiteten Sonnensegeln, und das Leben ist wieder vollkommen – ideal.

Der Unterschied zwischen einem Fluß und einem Meer ist der, daß der Fluß flüssig aussieht und das Meer fest – es sieht gewöhnlich so aus, als könnte man hinaustreten und darauf gehen.

Der Kapitän besitzt folgende Eigentümlichkeit – er kann die Wahrheit nicht in glaubhafter Form vorbringen. Darin ist er das genaue Gegenteil des ernst blickenden Schotten, der an der Tafel etwa in der Mitte sitzt; *der* kann keine *Lüge* in *un*glaubhafter Form vorbringen. Wenn der Kapitän etwas erzählt hat, blicken die Reisenden einander verstohlen an, als wollten sie sagen: ,Glauben Sie das?' Wenn der Schotte etwas zum besten gegeben hat, sagt der Blick: ,Wie merkwürdig und interessant'. Das ganze Geheimnis liegt in der Art dieser beiden Männer. Der Kapitän ist ein bißchen schüchtern und unsicher, und er bringt die einfachste Tatsache vor, als fürchtete er sich ein bißchen vor ihr, während der Schotte die unverschämteste Lüge mit einer derart strengen Wahrhaftigkeit von sich gibt, daß man gezwungen ist, ihm zu glauben, obwohl man weiß, daß es nicht stimmt. Zum Beispiel erzählte der Schotte von einem zahmen fliegenden Fisch, den er einmal besessen habe und der in einem kleinen Springbrunnen in seinem Gewächshaus gewohnt und sich davon ernährt habe, daß er in den umliegenden Feldern Vögel, Frösche und Ratten fing. Es war ganz offensichtlich, daß niemand aus der ganzen Tafelrunde an dieser Behauptung zweifelte.

Später einmal, im Verlaufe einer Unterhaltung über Zollschikanen, trug der Kapitän folgenden simplen, alltäglichen Vorfall vor, aber infolge seines unsicheren Gehabens brachte er es fertig, ihn so zu erzählen, daß er keinen Glauben fand. Er sagte:

„Ich ging einmal in Neapel an Land, als ich jene Linie befuhr, stand herum und half meinen Passagieren, denn ich konnte ein bißchen Italienisch. Zwei- oder dreimal in gewissen Abständen fragte mich der Beamte, ob ich etwas zu verzollen hätte, und jedesmal, wenn ich nein sagte, sah er enttäuschter und verdrießlicher drein. Schließlich lud mich ein Reisender, dem ich durchgeholfen hatte, zu einem Glase ein. Ich dankte ihm, entschuldigte mich aber und sagte, ich hätte unmittelbar, bevor ich an Land ging, einen Whisky getrunken.

Das war ein verhängnisvolles Eingeständnis. Der Beamte nahm mir sofort sechs Pence als Einfuhrzoll für den Whisky ab – bloß vom Schiff zum Ufer, verstehen Sie; und er erlegte mir eine Geldstrafe von fünf Pfund auf, weil ich die Ware nicht deklariert hatte, weitere fünf Pfund, weil ich geleugnet hatte, etwas Zollpflichtiges bei mir zu haben, weitere fünf Pfund, weil ich die Ware versteckt hatte, und fünfzig Pfund wegen Schmuggels, die Höchststrafe für ungesetzliche Einfuhr von Waren im Werte unter siebeneinhalb Pence. Insgesamt fünfundsechzig Pfund und sechs Pence für eine solche Kleinigkeit."

Dem Schotten glaubt man immer, und doch erzählt er ausschließlich Lügen; während man dem Kapitän niemals glaubt, obwohl er niemals lügt, soweit ich es beurteilen kann. Wenn er sagen würde, sein Onkel sei eine männliche Person, brächte er es wahrscheinlich so vor, daß niemand es glaubte; gleichzeitig könnte der Schotte behaupten, er hätte einen weiblichen Onkel, und würde bei niemandem Zweifel erregen. Mein eigenes Geschick war mein ganzes literarisches Leben hindurch merkwürdig: nie konnte ich eine Lüge erzählen, die jemand bezweifelt, noch eine Wahrheit, die jemand geglaubt hätte.

Sehr viele zahme Tiere an Bord – Vögel und solches Zeug. In diesen fernen Ländern hängen die Weißen offenbar in ganz ungewöhnlichem Maße an Schoßtieren. Unser Gastgeber in Kanpur besaß eine sehr schöne Vogelsammlung – die schönste, die uns in Indien in einem Privathaus begegnete. Und in Colombo waren Dr. Murrays großes Grundstück und geräumiger Bungalow mit gezähmter Gesellschaft aus den Wäldern reich bevölkert: ausgelassene kleine Eichhörnchen; ein ceylonesischer Mina, der gesellig im ganzen Haus umhertrippelte; ein kleiner grüner Papagei, der, ohne den Schnabel zu bewegen, einen einzigen gebieterisch rufenden Laut ausstieß und auch lachte; ein Affe in einem Käfig auf der rückwärtigen Veranda und ein paar weitere draußen in den Bäumen; auch ein paar schöne Aras in den Bäumen und verschiedene Vögel und Tiere, deren Gattung ich nicht kannte. Aber keine Katze. Dabei hätte es einer Katze dort so gut gefallen.

9. April. Teeanbau ist jetzt in Ceylon das große Geschäft. Ein Mitreisender sagt, er bringe oft vierzig Prozent der Investitionskosten ein. Er sagt, es herrsche eine Hausse.

10. April. Die See ist mittelmeerblau; und ich glaube, das ist die köstlichste Farbe, die die Natur kennt.

Sie ist seltsam und schön – der Natur verschwenderische Großzügigkeit ihren Geschöpfen gegenüber. Zumindest gegenüber allen außer dem Menschen. Denen, die fliegen, hat sie eine äußerst geräumige Heimstatt zugewiesen – eine Heimstatt, die vierzig Meilen tief ist, den ganzen Erdball umhüllt und kein einziges Hindernis aufweist. Denen, die schwimmen, hat sie ein mehr als fürstliches Reich eingerichtet – ein Reich, das meilentief ist und vier Fünftel des Erdenrunds bedeckt. Aber den Menschen, den hat sie mit dem abgespeist, was bei der Schöpfung übrigblieb. Sie hat ihm die dünne Haut, die magere Haut gegeben, die das restliche Fünftel überzieht – an den meisten Stellen ragen die nackten Knochen hervor. In der Hälfte dieses Reiches kann er Schnee, Eis, Sand und Felsen anbauen, weiter nichts. So besteht der brauchbare Anteil seines Erbes in Wirklichkeit nur aus einem einzigen Fünftel des Familienbesitzes; und er muß schwer wühlen, damit er da genug herausholt, um sein Leben fristen und um sich Könige, Soldaten und Pulver leisten und mit ihrer Hilfe die Segnungen der Zivilisation verbreiten zu können. Doch der Mensch, in seiner Einfalt, Selbstzufriedenheit und Unfähigkeit zu rechnen, glaubt, die Natur betrachte ihn als das wichtigste Glied der Familie – sogar als ihren Liebling. Sicherlich muß es doch sogar seinem dummen Kopf manchmal aufstoßen, daß sie eine merkwürdige Art hat, das zu zeigen.

Nachmittags. Der Kapitän erzählte, auf einer seiner Reisen in die Arktis war es so kalt, daß der Schatten des Ersten Offiziers an Deck festfror und mit aller Gewalt losgerissen werden mußte. Und auch dann bekam er nur etwa zwei Drittel davon zurück. Niemand sagte etwas, und der Kapitän ging davon. Ich glaube, er verliert allmählich den Mut... Um gerecht zu sein, verdient auch die Schiffsbibliothek noch ein Wort des Lobes: Sie enthält kein Exemplar des „Landpredigers von Wakefield", jener seltsamen Menagerie selbstzufriedener Scheinheiliger und Idioten, billiger Theaterhelden und -heldinnen, die sich immerzu spreizen, schlechter Leute, die uninteressant sind, und guter Leute, die einen anöden. Ein einzigartiges Buch. Nicht eine aufrichtige Zeile darin und nicht eine Gestalt, die einem Achtung abnötigt; ein Buch, das ein einziger langer, schleimiger Schwall läppischer Frömmeleien und öder Moralpauken ist; ein Buch voller Pathos, das einen anwidert, und voller Humor, der das Herz bedrückt. In der Literatur gibt es nur wenig, was jämmerlicher, armseliger wäre als die berühmte „humoristische" Episode von Moses und der Brille.

Jane Austens Bücher fehlen in dieser Bibliothek ebenfalls. Allein diese eine Auslassung würde eine Bibliothek, die überhaupt kein Buch enthielte, zu einer recht guten Bibliothek machen.

Bräuche in tropischen Meeren. Um fünf Uhr früh ertönt das Pfeifsignal, die Decks zu schrubben, und sogleich stehen die Damen auf, die dort schlafen, und ziehen mit ihrem Bettzeug nach unten. Dann kommen nacheinander die Männer in ihren Pyjamas aus dem Bad herauf und spazieren eine oder zwei Stunden lang mit bloßen Beinen und bloßen Füßen auf Deck umher. Es wird Kaffee und Obst gereicht. Jetzt erscheinen die Schiffskatze und ihr Kätzchen und machen sich an die Morgentoilette; danach kommt der Barbier und schindet uns auf dem luftigen Deck. Um halb zehn Frühstück, und der Tag beginnt. Ich wüßte nicht, wie ein Tag geruhsamer sein könnte: keine Bewegung, eine flache blaue See, nichts in Sicht von einem Horizont zum anderen, die Geschwindigkeit des Schiffes liefert eine erfrischende Brise, keine Post zu lesen und zu beantworten, keine Zeitungen regen dich auf, keine Telegramme ärgern oder erschrecken dich, die Welt ist fern, so fern, für dich hat sie aufgehört zu existieren – schon in den ersten Tagen war sie wie ein verblassender Traum, jetzt ist sie vollends unwirklich geworden; sie ist dir mit all ihrer Geschäftigkeit und ihrem Ehrgeiz, ihrem Wohlergehen und ihrem Mißgeschick, ihrem Triumph und ihrer Verzweiflung, ihrer Freude, ihrem Kummer, ihrer Sorge und ihrer Not aus dem Sinn entschwunden. Das alles geht dich nichts mehr an; es ist aus deinem Leben gewichen; es ist ein Sturm, der überstanden ist und eine tiefe Stille hinterlassen hat. Die Leute verteilen sich in ihrem schneeweißen Leinen über die Decks und lesen, rauchen, nähen, spielen Karten, unterhalten sich, schlummern und so weiter. Auf anderen Schiffen rechnen die Reisenden immerzu aus, wann sie wohl ankommen werden; hier draußen auf diesen Meeren erlebt man es selten, sehr selten, daß dieses Thema aufkommt. Auf anderen Schiffen gibt es mittags stets einen Ansturm auf das Anschlagbrett, um zu erfahren, wie groß die zurückgelegte Strecke war; in diesen Meeren erregen die Anschläge offenbar kein Interesse; ich habe nie jemanden davor stehen gesehen. Ich selbst bin in dreizehn Tagen nur einmal hingegangen. Dabei fiel mir die Angabe über die zurückgelegte Strecke ins Auge. Am selben Tag kam beim Essen die Rede zufällig auf die Geschwindigkeit moderner Schiffe. Ich war der einzige Anwesende, der das Tempo unseres Schiffes kannte. Infolgedessen ist auch der atlantische Brauch, Wetten über die Geschwindigkeit des Schiffes abzuschließen, hier nicht bekannt – niemand spricht auch nur davon.

Mir selbst ist es völlig gleichgültig, wann wir „einlaufen" werden; wenn jemand anderes ein Interesse daran verspürt, hat er es jedenfalls nicht in meiner Hörweite verkündet. Wenn es nach mir ginge, würden wir überhaupt nicht einlaufen. Ein Seeleben dieser Art birgt einen unzerstörbaren Zauber. Es gibt keine Müdigkeit, keine Erschöpfung, keine Sorgen, keine Verantwortung, keine Arbeit, keine seelische Depression. An Land gibt es einfach nichts, was dieser heiteren Gelassenheit, dieser Behaglichkeit, dieser Stille, dieser tiefen Zufriedenheit gleichkäme. Wenn es nach mir ginge, würde ich immer weiterfahren und nie wieder auf festem Land leben.

Eine der Balladen Kiplings hat Anblick und Stimmung dieses bezaubernden Meeres treffend wiedergegeben:

> Das Weltmeer Indiens lächelt stumm
> In strahlendblauem, lichtem Traum,
> Und keine Woge weit ringsum
> Als nur der Schraube Kräuselschaum.

14. April. Es stellt sich heraus, daß der astronomische Lehrling mir einen Abschnitt der Milchstraße als Magellanwolken angedreht hat. Ein in diesem Fach beschlagenerer Mann hat mir gestern abend eine gezeigt. Sie war klein, blaß und zart und sah aus wie der Geist einer weißen Rauchwolke, den eine explodierende Granate am Himmel schwebend hinterlassen hat.

Mittwoch, 15. April. Mauritius. Kamen um zwei Uhr früh vor Port Louis an und gingen vor Anker. Zerklüftete Felsenberge und bis zum Gipfel hinauf grüne Kuppen, von ihrem Fuß bis zum Meer eine grüne Ebene, die gerade genug Neigung aufweist, um das Wasser ablaufen zu lassen. Ich glaube, es liegt unter 56° östlicher Länge und 22° südlicher Breite – ein heißes, tropisches Land. Die grüne Ebene sieht einladend aus; verstreute Wohnhäuser kuscheln sich in das Grün. Schauplatz des gefühlvollen Abenteuers von Paul und Virginia.

Insel unter französischer Kontrolle – was ein Gemeinwesen bedeutet, das sich in puncto Gesundheit auf Quarantänen, nicht auf Hygiene verläßt.

Donnerstag, 16. April. Gingen am Vormittag in Port Louis an Land, einem kleinen Städtchen, aber mit der größten Mannigfaltigkeit von Nationalitäten und Hautfarben, der wir bisher je begegnet sind. Franzosen, Engländer, Chinesen, Araber, Afrikaner mit Kraushaar, Schwarze mit glattem Haar, Inder, Halbweiße, Quarteronen – und die verschiedenartigsten Trachten und Farben.

Fuhren um halb zwei mit dem Zug nach Curepipe ab – eine Fahrt von zwei Stunden, die allmählich bergauf führte. Diese hektisch-üppige Vegetation – welch ein Kontrast zu den dürren Ebenen Indiens; diese malerisch gestalteten Felszacken, Kuppen und Miniaturgebirge – und die Monotonie der absolut flachen Ebenen Indiens.

Ein Einheimischer deutete auf einen gutaussehenden, dunkelhäutigen Mann von ernster und würdiger Haltung und sagte in ehrfürchtigem Ton: „Das ist Soundso; seit siebenunddreißig Jahren hat er unter dieser Regierung ständig dieses oder jenes Amt inne, er ist auf dieser ganzen Insel bekannt – und vielleicht auch in anderen Ländern der Welt, wer weiß? Eines ist gewiß: man kann seinen Namen auf der Insel nennen, wo man will, und wird keinen Erwachsenen finden, der nicht schon von ihm gehört hätte. Es ist etwas Wunderbares, so berühmt zu sein; doch schauen Sie ihn an: er bleibt immer der alte, er scheint es nicht einmal zu wissen."

Curepipe (bedeutet wahrscheinlich Nadelkissen oder Pflockstadt). Sechzehn Meilen (zwei Stunden) mit der Bahn von Port Louis. An jedem Ende jeden Daches und auf dem Scheitel jeden Dachfensters ragt ein hölzerner, zwei Fuß hoher Pflock auf; manchmal ist seine Spitze stumpf, manchmal ist der Pflock zugespitzt und sieht aus wie ein Zahnstocher. Hier herrscht eine allgemeine Vorliebe für dieses bescheidene Ornament.

Offenbar gab es nur ein hervorstechendes Ereignis in der Geschichte von Mauritius, und das hat nicht stattgefunden. Ich beziehe mich auf Pauls und Virginias romantischen vorübergehenden Aufenthalt hier. Das war die Geschichte, die Mauritius weltbekannt gemacht hat, die bewirkt hat, daß jedermann mit seinem Namen vertraut ist, nicht aber mit seiner geographischen Lage.

Ein Geistlicher wurde aufgefordert zu erraten, was sich in einer Schachtel auf dem Tisch befinde. Es war ein Velinfächer mit einer Darstellung des Schiffbruches, „eines der Hochzeitsgeschenke Virginias".

18. April. Es ist das einzige Land der Welt, wo der Fremde nicht gefragt wird: „Wie gefällt es Ihnen hier?" Das ist wirklich ein großer Vorzug. Hier bestreitet der Bürger selbst das Gespräch über sein Land; der Fremde wird nicht zur Unterstützung aufgefordert. Man bekommt alle möglichen Auskünfte. Der eine Einwohner vermittelt einem die Vorstellung, zuerst sei Mauritius geschaffen worden und dann der Himmel; und zwar der Himmel nach dem Vorbild von Mauritius. Ein anderer sagt, das sei eine Übertreibung; die zwei Hauptdörfer, Port Louis und Curepipe, erreichten keineswegs himmlische Vollkommenheit; niemand wohne in Port Louis, wenn er nicht dazu gezwungen sei, und Curepipe sei der feuchteste und verregnetste Ort der Welt. Ein englischer Einwohner erzählte:

Zu Anfang dieses Jahrhunderts benutzten die Franzosen Mauritius als Stützpunkt, um von hier aus gegen Englands Indienfahrer vorzugehen; deshalb eroberte England die Insel und auch die benachbarte Insel Bourbon, um dieser Belästigung ein Ende zu setzen. England gab Bourbon zurück; die Regierung in London wünschte keine weiteren Besitzungen „in Westindien". Hätte die Regierung eine bessere Geographie auf Lager gehabt, hätte sie Bourbon nicht so töricht verschleudert. Eines Tages wird ein großer Krieg den Suezkanal vorübergehend ausschalten, und die englischen Schiffe werden nach Indien wieder um das Kap der Guten Hoffnung herumfahren müssen; dann wird England Bourbon brauchen und es sich nehmen.

Mauritius war bis vor zwanzig Jahren eine Kronkolonie mit einem Gouverneur, den die Krone ernannte und dem ein von ihm berufener Rat zur Seite stand. Aber dann kam Pope Hennesey als Gouverneur hierher; er setzte sich stark dafür ein, daß ein Teil des Rates wählbar gemacht werde, und hatte Erfolg. Daher ist jetzt der ganze Rat französisch, und in allen gewöhnlichen Gesetzgebungsfragen stimmen sie einhellig im französischen Sinne, nicht im englischen. Die englische Bevölkerung ist sehr gering an Zahl; sie besitzt nicht genug Stimmen, um ein Mitglied der gesetzgebenden Körperschaft zu wählen. Ein halbes Dutzend reiche französische Familien wählen die Legislative. Pope Hennesey war als Ire, Katholik, Homeruler, Unterhausabgeordneter, Englandhasser und Engländerfresser in Westminster eine sehr unbequeme und ausgesprochen lästige Persönlichkeit; also beschloß man, ihn auszuschicken, um ungesunde Länder zu regieren, in der Hoffnung, es werde ihm etwas passieren. Aber ihm passierte nichts. Der erste Versuch schlug nicht nur fehl, er schlug mehr als fehl. Er erwies sich als eine schlimmere Seuche als jede, der zu begegnen man ihn ausgesandt hatte. Der nächste Versuch fand hier statt. Der dunkle Plan schlug wieder fehl. Es war Sauregurkenzeit. Damals herrschten gerade nur die Masern. Pope Henneseys Gesundheit litt nicht. Er arbeitete mit den Franzosen und für die Franzosen gegen die Engländer, er zermürbte die Engländer und machte die Franzosen glücklich, und er durfte noch die Freude erleben, die Flagge, der er diente, offiziell gehißt zu sehen. Die Franzosen halten sein Andenken in glühender Verehrung und Liebe wach.

Es ist ein Land mit einer ungewöhnlichen Quarantänepraxis. Sie stellen jedes Schiff aus irgendeinem oder auch keinem Grund unter Quarantäne; für zwanzig oder sogar dreißig Tage. Einmal haben sie ein Schiff in Quarantäne genommen, weil der Kapitän als Junge die Pocken hatte. Deshalb, und weil er Engländer war.

Die Bevölkerung ist sehr gering an Zahl; gering bis zur Unerheblichkeit. Die Mehrheit besteht aus Indern; dann kommen Mischlinge, dann Neger (Nachkommen der Sklaven aus der französischen Zeit), dann Franzosen, dann Engländer. Es gab auch einen Amerikaner, aber er ist tot oder abhanden gekommen. Die Mischlinge sind das Produkt aller möglichen Kreuzungen: zwischen Schwarzen und Weißen, Mulatten und Weißen, Quarteronen und Weißen, Okteronen und Weißen. Und so gibt es jede Schattierung der Hautfarbe: Ebenholz, Altmahagoni, Kastanie, Rotfuchs, Kandiszucker, trüber Bernstein, klarer Bernstein, Altelfenbein, Hellelfenbein, Fischbauchweiß – letztere ist die aussatzähnliche Hautfarbe, die bei den lange in tropischen Zonen wohnenden Angelsachsen häufig auftritt.

Sie würden nun wohl nicht erwarten, daß jemand darauf stolz wäre, Mauritier zu sein, oder? Aber doch ist es so. Die meisten sind niemals von ihrer Insel fortgekommen und haben nicht viel gelesen oder gelernt, und sie glauben, die Welt bestünde hauptsächlich aus drei Ländern – Judäa, Frankreich und Mauritius; deshalb sind sie sehr stolz darauf, einem der drei großen Teile des Erdballs anzugehören. Sie glauben, Rußland und Deutschland lägen in England, und mit England wäre nicht viel los. Sie haben gerüchtweise von den Vereinigten Staaten und dem Äquator gehört, halten aber beide für Monarchien. Sie glauben, Mount Peter Botte wäre der höchste Berg der Welt, und wenn man einem Mauritier ein Bild des Mailänder Doms zeigt, bläht er sich vor Befriedigung und sagt, die Idee dieses Gewirrs von Türmchen sei von dem Wald aus Pflockspitzen und Zahnstochern gestohlen, der die Dächer von Curepipe so schön und stachlig macht.

Das Büchergeschäft geht sehr flau. Die Zeitungen bilden und unterhalten die Leute. Hauptsächlich letzteres. Sie haben zwei Seiten großgedruckten Lesestoffs – eine in englisch, die andre in französisch. Die englische Seite ist eine Übersetzung der französischen. Die Druckqualität ist superextra primitiv; darin hat sie nirgendwo ihresgleichen. Jetzt ist kein Korrektor mehr da; er ist tot.

Wo kriegen sie auf dieser kleinen, in den Weiten des Indischen Ozeans verlorenen Insel das Material her, um eine Seite zu füllen? Oh, Madagaskar. Sie erörtern Madagaskar und Frankreich. Das ist die Hauptmasse. Dann stopfen sie den Rest voll mit Ratschlägen für die Regierung. Außerdem mit Ausfällen gegen die englische Verwaltung. Die Zeitungen sind sämtlich im Besitz und in der Regie von Kreolen – Franzosen.

Die Landessprache ist Französisch. Jeder spricht es – muß es sprechen. Man muß Französisch können – besonders Bastardfranzösisch, das Patois, das Hinz und Kunz mit den vielerlei Hautfarben sprechen –, sonst kommt man nicht durch. .

Früher war es ein blühendes Land, denn es stellte damals und stellt noch heute den besten Zucker der Welt her; aber zuerst schnitt der Suezkanal es von der Welt ab und ließ es auf dem trocknen sitzen, und dann eroberte der Rübenzucker, von Prämien unterstützt, die europäischen Absatzgebiete. Zucker ist für Mauritius das Leben, und er verliert allmählich an Boden. Die Abwertung der Rupie bremste seinen Abstieg – denn der Pflanzer zahlt die Löhne in Rupien, aber verkauft die Ernte gegen Gold –, und der Aufstand in Kuba und die Lähmung der dortigen Zuckerindustrie haben den Preisen hier einen lebensrettenden Auftrieb gegeben; aber die Aussichten versprechen auf die Dauer nichts Günstiges. Es dauert ein Jahr, bis das Rohr reif ist – in höheren Lagen drei und sechs Monate länger –, und es besteht immer die Aussicht, daß der jährliche Zyklon den ganzen Gewinn einer Ernte zerfetzt. Vor gar nicht langer Zeit nahm ein Zyklon die ganze Ernte mit, wie man sagen könnte, und die Insel hatte noch niemals eine bessere erlebt. Einige der stattlichsten Zuckerplantagen auf der Insel stecken tief in Schwierigkeiten. Ein Dutzend davon sind englische Kapitalsanlagen; und die Gesellschaften, denen sie gehören, bemühen sich gerade, zu liquidieren und wenigstens die Hälfte des hineingesteckten Geldes zu retten. Wissen Sie, wenn heutzutage ein Land anfängt, Tee anzubauen, bedeutet das, daß seine eigene Spezialität es im Stich gelassen hat. Sehen Sie sich Bengalen an; sehen Sie sich Ceylon an. Nun, man hat *hier* angefangen, Tee anzubauen.

In Mauritius werden jährlich viele Exemplare von „Paul und Virginia" verkauft. Mit Ausnahme der Bibel ist kein anderes Buch so beliebt. Viele halten es für einen Teil der Bibel. Alle Missionare polieren daran ihr Französisch auf, wenn sie herkommen, um den katholischen Mischling zu verderben. Es ist die großartigste Geschichte, die je über Mauritius geschrieben wurde, und die einzige.

63. KAPITEL

> Der wesentlichste Unterschied zwischen einer Katze und einer Lüge besteht darin, daß eine Katze nur neun Leben hat.
>
> *Querkopf Wilsons Neuer Kalender*

20. April. Der Zyklon von 1892 tötete und verstümmelte Hunderte von Menschen; er war von einem sintflutartigen Regen begleitet, der Port Louis überschwemmte und *eine Wassernot hervorbrachte*; ganz recht – denn er brachte das Reservoir und die Wasserleitungen zum Platzen; und nachdem sich die Flut verlaufen hatte, herrschte noch einige Zeit große Not wegen des Wassermangels.

Hier ist der einzige Ort der Welt, wo *keine* Sorte Streichhölzer der Feuchtigkeit standhalten kann. Nur ein Streichholz von sechzehn brennt an.

Die Straßen sind fest und glatt; einige Grundstücke sind weitläufig, einige Bungalows geräumig, und hohe Bambushecken, rank, grün und schön, säumen rechts und links die Landstraßen; es gibt auch Azaleenhecken, weiße und rote; diese hatte ich noch nie gesehen.

Zur Frage der Gesundheit: ich übersetze aus der heutigen (20. April) „Kaufmanns- und Pflanzengazette" aus dem Artikel eines ständigen Mitarbeiters, Carminge, der dem Ableben des Neffen eines prominenten Bürgers gewidmet ist:

„Wie traurig und kummervoll ist doch dieses unser Dasein auf Mauritius; ich glaube, es gibt kein anderes Land auf Erden, wo man dem Tode näher wäre als bei uns. Die geringste Unpäßlichkeit wird zur tödlichen Krankheit; ein simpler Kopfschmerz entwickelt sich zur Hirnhautentzündung, eine Erkältung zur Lungenentzündung, und dann, wenn wir es am wenigsten erwarten, kehrt der Tod bei uns ein."

Diese Tageszeitung bringt einen Wetterbericht, der einem mitteilt, was vorgestern für Wetter herrschte.

Soweit ich sehen kann, wird man in dieser Stadt nie von einem Bettler oder Straßenhändler belästigt. Das ist ein angenehmer Unterschied gegenüber Indien.

22. April. Denen, die glauben, das wunderliche Produkt, das man französische Zivilisation nennt, bedeute einen Fortschritt gegenüber der Zivilisation

Neuguineas und solcher Länder, wird die Einverleibung Madagaskars berechtigt erscheinen, weil man jetzt dort die französische Kultur einführt. Aber warum haben die Engländer zugelassen, daß sich die Franzosen Madagaskar nehmen? Haben sie auf einen vor Jahrhunderten verübten Diebstahl Rücksicht genommen? Du lieber Himmel, daß sich die europäischen Nationen gegenseitig die Besitzungen rauben, ist noch nie eine Sünde gewesen, ist auch heute noch keine. Für die einzelnen Regierungen sind die einzelnen politischen Machtbereiche der Welt einfach Wäscheleinen, und ein Großteil der Amtspflichten dieser Regierungen besteht darin, die Wäsche der anderen im Auge zu behalten und davon soviel wie möglich zu ergattern, wenn sich die Gelegenheit ergibt. Sämtlicher Territorialbesitz sämtlicher politischen Machtbereiche der Erde – natürlich einschließlich Amerikas – besteht aus gemauster Wäsche anderer Leute. Kein Stamm, wie unbedeutend er auch sei, und keine Nation, wie mächtig sie auch sei, bewohnt einen Fuß Land, der nicht gestohlen wäre. Als die Engländer, die Franzosen und die Spanier in Amerika eintrafen, hatten die Indianerstämme einander schon seit Urzeiten die territorialen Wäscheleinen geplündert und war jeder Acre Boden auf dem Kontinent fünfhundertmal gestohlen und wiedergestohlen worden. Die Engländer, die Franzosen und die Spanier gingen an die Arbeit und stahlen alles noch einmal; und als das zufriedenstellend erledigt war, machten sie sich fleißig daran, einander zu bestehlen. In Europa und Asien und Afrika ist jeder Acre Boden mehrere Millionen Male gestohlen worden. Ein Verbrechen, das tausend Jahrhunderte lang beharrlich verübt wird, hört auf, ein Verbrechen zu sein, und wird eine Tugend. Dies ist das Gewohnheitsrecht, und die Gewohnheit hebt alle anderen Gesetzesnormen auf. Christliche Regierungen erörtern heute ebenso freimütig, offen und aufrichtig ihre Pläne, einander die Wäscheleinen zu plündern, wie sie es je taten, bevor die Goldene Regel lächelnd in diese ungastliche Welt kam und nirgends für eine Nacht Obdach finden konnte. In hundertfünfzig Jahren hat England wohltätig Stück für Stück von den indianischen Leinen abgenommen, so daß kaum noch ein Fetzen der ursprünglichen Wäsche irgendwo herumbaumelt. In achthundert Jahren hat ein obskurer Stamm moskowitischer Wilder sich zu der blendenden Stellung eines Oberlandräubers heraufgearbeitet; er fand auf hundert Breitengraden ein Viertel der Welt zum Trocknen aufgehängt und ramschte die ganze Wäsche ein. Er hält ein wachsames Auge auf eine Unmenge kleiner Leinen gerichtet, die sich entlang der Nordgrenze Indiens hinziehen, und klaut immer wieder einmal ein Lendentuch oder ein Paar Pyjamas. Diese hat sich schon England zum Eigentum ausersehen, und Rußland weiß es; aber Rußland kümmert sich nicht darum. Wirklich, Landräuberei, Einbruch in fremde Claims, ist heutzutage eine Leidenschaft der europäischen Regierungen geworden. An den Grenzen Chinas, in Burma, in Siam und unter den Inseln des Meeres waren einige von ihnen eifrig am Werk, und in Afrika haben sie es *alle* betrieben. Afrika schnitten sie so kaltschnäuzig in Stücke und teilten es unter die Bande auf, als hätten sie es gekauft und dafür bezahlt. Und jetzt fangen sie flugs das alte Spiel von neuem an – sich gegenseitig den Raub zu stehlen. Deutschland machte einen weiten Abschnitt Zentralafrikas ausfindig, wo sich die englische Flagge, der englische Missionar und der englische Kaufmann stark ausgebreitet hatten, wo aber bestimmte Formalitäten vernachlässigt worden waren – es standen keine Schilder „Betreten des Rasens verboten", „Zutritt verboten" und so weiter da –, und Deutschland trat gelassen und kaltlächelnd ein, stellte die Schilder selbst auf und fegte diese englischen Pioniere prompt aus dem Land hinaus.

Das ist ein ungeheuer wichtiger Punkt. Man kann ihn in Form einer Maxime ausdrücken: Bringe deine Formalitäten in Ordnung – kümmere dich nicht um die Moral.

Es war eine Frechheit; aber England mußte sich damit abfinden. Nun, im Falle Madagaskars hatte man die Formalitäten zwar ursprünglich erfüllt, aber aus Nachlässigkeit hatte man sie schon vor langer Zeit verfallen lassen. England hätte Madagaskar von der französischen Wäscheleine reißen sollen. Es hätte diese unschuldigen Eingeborenen mühelos vor dem Unheil der französischen Zivilisation bewahren können und hat es nicht getan. Jetzt ist es zu spät.

Die Zeichen der Zeit lassen deutlich genug erkennen, was geschehen wird. Alle unzivilisierten Länder der Welt werden den christlichen Regierungen Europas unterworfen werden. Es tut mir nicht leid, es freut mich. Vor zweihundert Jahren hätte dieses bevorstehende Geschick für die wilden Völker eine Katastrophe bedeutet; aber jetzt wird es in manchen Fällen ein Segen sein. Je eher die Besitznahme durchgeführt wird, desto besser für die Wilden. Die langen, langen Jahrhunderte des Blutvergießens, der Unordnung und der Unterdrückung werden dem Frieden, der Ordnung und der Gesetzlichkeit weichen. Wenn man bedenkt, was Indien unter seinen Hinduherrschern und seinen mohammedanischen Herrschern war, und was es heute ist; wenn man sich des Elends seiner Millionen seinerzeit erinnert und des Schutzes und der Menschlichkeit, die sie heute genießen, muß man zugeben, daß das glücklichste Ereignis, das diesem Reiche jemals zugestoßen ist, die Begründung der britischen Herrschaft war. Die unzivilisierten Länder der Welt werden in fremden Besitz übergehen, ihre Völker der Gnade fremder Herrscher ausgeliefert sein. Lasset uns hoffen und glauben, daß sie alle aus dem Wechsel Vorteil ziehen werden.

23. April. „Im ersten Jahr sammeln sie Muscheln; im zweiten Jahr sammeln sie Muscheln und trinken; im dritten Jahr sammeln sie keine Muscheln." (Heißt es von den Einwanderern nach Mauritius.)

Bevölkerung 375 000 Menschen. 120 Zuckerfabriken.

Bevölkerung im Jahre 1851 185 000 Menschen. Das Wachstum ist hauptsächlich auf die Einführung indischer Kulis zurückzuführen. Diese bilden anscheinend jetzt die große Mehrheit der Bevölkerung. Sie sind bewunderungswürdig fruchtbar; ihre Häuser sind stets von Kinderscharen verschleiert. Hervorragende Sparer. Ein britischer Offizier erzählte mir, daß er in Indien seinem Diener zehn Rupien monatlich zahle, und der habe elf von ihm abhängige Vettern, Onkel, Eltern und so weiter und erhalte sie von seinem Lohn. Diese sparsamen Kulis erwerben, wie es heißt, stückchenweise Land und bearbeiten es; und mit der Zeit wird ihnen vielleicht die ganze Insel gehören.

Die indischen Frauen leisten sehr schwere Arbeit für Löhne, die zwischen vierzig und fünfzig Hundertsteln einer Rupie für zwölf Stunden Arbeit liegen. Für eine halbe Rupie tragen sie den ganzen Tag lang Zuckersäcke (siebzig Pfund) auf dem Kopf und beladen Schiffe, und für weniger arbeiten sie den ganzen Tag im Garten.

Der Camaron ist ein Süßwassertier, dem Flußkrebs ähnlich. Man hält ihn hier für die erlesenste Delikatesse der Welt – und er ist wirklich gut. Wächter schreiten die Flüsse ab, um der Wilddieberei vorzubeugen. Wilderer zahlen Geldbußen von 200 bis 300 Rupien (so heißt es). Man wirft einen Köder ins Wasser; der Camaron nimmt ihn an; der Fischer senkt seine Schlinge hinab und fährt mit ihr um den ins Auge gefaßten Camaron herum, bis er sie über seinen Schwanz bekommt; dann folgt ein Ruck oder so etwas, um dem Camaron anzukündigen, daß er nun dran sei; er weicht jäh zurück, was die Schlinge noch höher an seinem Leibe hinaufbefördert und sie straffzieht, und seine Tage sind zu Ende.

Ein anderes Gericht, das sogenannte Palmiste, sieht aus wie rohe geraspelte Rüben und schmeckt wie grüne Mandeln; sehr delikat und gut. Kostet einer zwölf- bis zwanzigjährigen Palme das Leben – denn es ist das Mark.

Ein anderes Gericht – sieht wie Küchenkräuter oder ein Gewirr feinen Seetangs aus – ist eine Zubereitung aus dem tödlichen Nachtschatten. Ganz gut.

Die Affen wohnen in den dichten Wäldern an den Flanken der Spielzeugberge, und nachts kommen sie in Scharen herab und suchen die Zuckerrohrfelder heim. Sie fallen auch in andere Güter ein und zerstören ganze Felder einer Bohnenart – offenbar bloß zum Spaß –, reißen die Schoten ab und werfen sie zu Boden.

Der Zyklon von 1892 brachte im Zentrum von Port Louis zwei große Blocks steinerner Gebäude – die wesentlichsten architektonischen Anziehungspunkte – zum Einsturz und ließ die häßlichen und offensichtlich baufälligen Blocks stehen. Überall auf seiner Spur zerstörte er Häuser, riß er Dächer ab, vernichtete er Bäume und Ernten. Die Männer befanden sich in den Städten, die Frauen und Kinder waren zu Hause auf dem Land, und sie wurden verstümmelt, getötet, bis zum Irrsinn erschreckt, und der Regen überflutete sie, der Wind heulte, der Donner krachte, grelle Blitze zuckten. Das ging etwa eine Stunde lang. Dann Windstille und Sonnenschein; viele wagten sich aus sicherem Unterschlupf hervor; dann kam es jäh wieder aus der Gegenrichtung und erneuerte und vollendete die Verwüstung. Es heißt, die Chinesen hätten die Betroffenen tagelang kostenlos mit Reis gespeist.

Ganze Straßen in Port Louis wurden dem Erdboden gleichgemacht. Anderthalb Minuten lang raste der Wind mit 123 Meilen Stundengeschwindigkeit; danach wurde keine offizielle Aufzeichnung mehr gemacht, als er womöglich 150 erreichte. Er riß einen Obelisken um. Er trug ein amerikanisches Schiff in die Wälder, nachdem er zwei Ankerketten zerrissen hatte. Jetzt benutzt man vier – zwei voraus, zwei achtern. Es heißt allgemein, er habe binnen einer halben Stunde allein in Port Louis zwölfhundert Menschen getötet. Dann kam die Windstille des Sturmzentrums – die Leute wußten nicht, daß das Barometer immer noch sank – und unvermittelt brach erneut die Hölle los, während die Leute noch umherhasteten, um Freunde zu suchen und die Verletzten zu bergen. Der Lärm war mit nichts zu vergleichen; nur Donner und Kanonen ähneln ihm, und die sind ein schwacher Vergleich.

Das bißchen Mauritius ist wunderschön. Man sieht weite, wellige, mit Zuckerrohr bestandene Flächen – ein schönes, frisches, dem Auge wohltuendes Grün, und überall sonst findet man die regellose Üppigkeit der tropischen Vegetation mit ihrem grellen Grün verschiedener Schattierung, ein wildes Gewirr von Unterholz und anmutige Palmen, die ihre verstümmelten Wedel hoch darüber erheben; und es gibt da Strecken dichten, schattigen Waldes, durch den ein paar klare Bäche tollen; ständig kommen sie zum Vorschein und verschwinden wieder in reizendem Versteckspiel; und auch ein paar winzige Berge gibt es hier, ein paar wunderliche und malerische Spielzeugmassive und ein niedliches kleines Matterhorn im Westentaschenformat; und hier und da drängt sich dann und wann ein Streifen Meer mit der weißen Rüsche der Brandungswellen ins Blickfeld.

Das ist Mauritius; es ist doch recht hübsch. Es sind nur wenige einzelne Züge, aber die Gesamtwirkung ist reizend, wenn auch nicht ehrfurchtgebietend, nicht überwältigend, nicht erregend; es ist eine Sonntagslandschaft. Es fehlt die Perspektive, es fehlt der Zauber, den die Ferne verleiht. Es gibt keine Entfernungen; es gibt eigentlich keine Perspektive. Fünfzehn Meilen Luftlinie ist der übliche Umfang des Blickfelds. Mauritius ist Garten und Park in einem. Es spricht unsere Empfindungen so an, wie es Gärten und Parks tun. Die Oberfläche des Gemüts wird angenehm bewegt, die Tiefe selbst wird nicht angesprochen, nicht aufgerührt. Weiträumigkeit, ferne Höhen, das Gefühl des Geheimnisvollen, das um scheinbar unzugängliche, im Himmel ruhende Berggipfel schwebt, diese Dinge sind es, die das Gemüt aufwühlen und es bewegen, Visionen zu schauen und Träume zu träumen.

Was tropische Inseln betrifft, so bleiben die Sandwichinseln mein Vollkommenheitsideal. Wenn ich nur könnte, würde ich den sechzehntausend Fuß des Mauna Loa ein weiteres Stockwerk hinzufügen und ihn besonders kühn, steil, felsig, abweisend und schneeig machen; und ich würde den Vulkan seine Lavaströme am Gipfel statt an den Seiten ausspeien lassen; aber bis auf diese unwesentlichen Dinge habe ich keine weiteren Verbesserungen vorzuschlagen. Ich hoffe, daß sie berücksichtigt werden; ich möchte nicht noch einmal davon anfangen müssen.

64. KAPITEL

> Wenn deine Taschenuhr entzweigeht, kannst du zweierlei tun: sie ins Feuer werfen oder sie zum Uhrmacher bringen. Das erstere geht schneller.
>
> *Querkopf Wilsons Neuer Kalender*

Die „Arundel Castle" ist das prächtigste Schiff, das ich in diesen Meeren gesehen habe. Es ist durch und durch modern, und diese Aussage bedeutet eine ganze Menge. Es hat den üblichen Mangel, den gewöhnlichen Mangel, den allgemeinen Mangel, den Mangel, der noch auf keinem Schiff, das je zur See fuhr, gefehlt hat – es hat unbefriedigende Betten. Viele Schiffe haben gute Betten, aber kein Schiff hat *sehr* gute. Was Betten betrifft, waren alle Schiffe von Urbeginn an schlecht ausgerüstet, stümperhaft ausgerüstet. Die Auswahl der Betten wird irgendeinem kernigen Emporkömmling mit starkem Rücken übertragen, wenn man sie eigentlich einer schwächlichen Frau überlassen sollte, die von Jugend auf an Rückenschmerzen und Schlaflosigkeit leidet. Nichts ist beiderseits des Ozeans so rar wie ein ausgezeichnetes Bett; nichts ist so schwer herzustellen. Einige Hotels auf beiden Seiten sind mit ihnen ausgestattet, aber kein Schiff, weder früher noch heute. In der Arche Noah waren die Betten einfach ein Skandal. Noah hat die Mode eingeführt, und sie wird bis zur nächsten Flut mit dieser oder jener Abwandlung bestehen bleiben.

Acht Uhr vormittags. Passieren Isle de Bourbon. In der Mitte zerklüftete Silhouette vulkanischer Berge. Es dürfte doch wohl nicht allzu teuer sein, sie zu reparieren, und es ist offensichtlich eine unentschuldbare Nachlässigkeit, sie so zu belassen.

Ich finde es dumm, abgearbeitete Menschen zur Erholung nach Europa zu schicken. Es ist nicht die rechte Entspannung, in Staub und Asche von Stadt zu Stadt zu rasseln, Galerien und Bauwerke zu besichtigen, immerzu Leute kennenzulernen, Gabelfrühstücke, Fünfuhrtees, festliche Dinners mitzumachen und beunruhigende Kabel und Briefe zu bekommen. Und eine Seereise auf dem Atlantik ist nutzlos – Reise zu kurz, See zu rauh. Die friedlichen Meere, der Indische und der Stille Ozean, und die viele Zeit dort bringen wahre Genesung.

2. Mai, vormittags. Ein schönes, großes Schiff in Sicht, beinahe das erste, das wir in diesen Wochen einsamer Seefahrt gesehen haben. Wir befinden uns jetzt im Kanal von Mozambique zwischen Madagaskar und Südafrika und fahren genau westlich nach der Delagoa-Bai.

Gestern abend erzählte der stämmige Erste Ingenieur, ein Mann mittleren Alters, eine packende Seegeschichte und hatte gerade die aufregendste Stelle erreicht, wo ein über Bord gegangener Mann von den hohen Wogen nach achtern gerissen wurde und Verzweiflungsschreie ausstieß, während alles in einem Taumel der Aufregung und schwindender Hoffnung zum Heck jagte, als die Kapelle, die eine Weile pausiert hatte, feierlich ihre Schlußnummer anstimmte, die englische Nationalhymne. So einfach, als wäre er sich seiner Handlung unbewußt, unterbrach er seine Geschichte, nahm die tressenbesetzte Mütze ab, hielt sie vor die Brust und neigte leicht das graue Haupt. Nachdem die wenigen Takte verklungen waren, setzte er die Mütze auf und fuhr in seiner Erzählung so natürlich fort, als wäre diese musikalische Einlage ein Teil davon gewesen. Es lag etwas Ergreifendes und Erhabenes darin, und es war bewegend, sich vorzustellen, daß er einer der unzähligen, über den ganzen Erdball verstreuten Menschen war, die nacheinander, alle vierundzwanzig Stunden hindurch, dasselbe taten wie er – wenn die einen schliefen, taten es andere, die wachten –, daß diese feierlichen Töne ohne Unterlaß irgendwo in den verschiedenen Zonen der Erde aufklangen, niemals verebbten und nie andächtiger Hörer ermangelten.

Alles, was ich von Madagaskar noch weiß, ist, daß Thackerays kleiner Billee zur Mastspitze hinaufstieg, sich dort auf ein Knie niederließ und sagte:

Ich seh
Jerusalem und Madagaskar
und Nord- und Süd-Amerikeh.

3. Mai. Sonntag. Fünfzehn oder zwanzig Afrikaander, die heute ihre Seereise beenden und morgen von Delagoa-Bai aus nach ihren verschiedenen Heimatorten aufbrechen, blieben bis drei Uhr morgens im Mondlicht auf dem Achterdeck sitzen und sangen. Das machte uns viel Freude und tat allen gut. Und die Lieder waren saubere Lieder, manche von ihnen durch zärtliche Gedankenverbindungen geheiligt. Schließlich fragte in einer Pause ein Mann: „Haben Sie von dem Burschen gehört, der bei der Fahrt über den Atlantik Tagebuch führte?" Es war ein Mißklang, eine kalte Dusche. Die Männer waren nicht zu schmutzigen Witzen aufgelegt. Die Lieder hatten sie in ihre Heime versetzt, und im Geiste saßen sie an jenen fernen Kaminen und sahen andere Gesichter und hörten andere Stimmen als die, die sie umgaben. Und so fand dieser Versuch, einen alten unanständigen Witz zum besten zu geben, keinen Anklang; niemand antwortete. Der arme Mann hatte nicht genug Verstand, um zu merken, daß er einen Schnitzer gemacht hatte, sondern fragte noch einmal. Wieder keine Antwort. Es war peinlich für ihn. In seiner Verwirrung schlug er den falschen Weg ein, tat etwas Verkehrtes – er begann den Witz zu erzählen. Begann unter tiefem und feindseligem Schweigen, wo vorher soviel Leben und Bewegung und warme Kameradschaft geherrscht hatten. Er gab die knappen Bemerkungen vom ersten Tag des Tagebuches von sich, und zwar mit einiger Zuversicht und ziemlichem Eifer. Sie fielen durch. Peinliche Pause. Die zwei Reihen Männer saßen wie Steinbilder da. Keine Bewegung, kein Laut. Er *mußte* fortfahren; es gab keinen anderen Weg, wenigstens keinen, der einem Hornvieh seines Kalibers hätte einfallen können. Am Schluß jeden Tages des Tagebuches folgte stets dasselbe unangenehme Schweigen. Als er schließlich seine Geschichte abschloß und die unanständige Pointe steigen ließ, die gewöhnlich eine Lachsalve hervorruft, kam kein Ton. Es war, als hätte man den Witz Toten vorgetragen. Nach scheinbar langer, langer Zeit seufzte jemand, ein anderer rückte auf seinem Platz herum; dann verfielen die Männer in das leise Gemurmel einer vertraulichen Unterhaltung, jeder mit seinem Nachbarn, und der Zwischenfall war erledigt. Alles deutete darauf hin, daß dieser Mann seinen Witz sehr gern hatte, daß dieser Witz sein Liebling, sein Beistand, sein nie fehlender Schuß, das Unterpfand seines Ansehens war. Aber er wird ihn nie wieder erzählen. Zweifellos wird er manchmal daran denken, denn das läßt sich nicht gut vermeiden, und dann wird er ein Bild vor sich sehen, immer dasselbe Bild – die Doppelreihe toter Männer; das leere Deck dehnt sich in einen verschwimmenden Hintergrund, ringsum die weite Verlassenheit des unbewegten Meeres; der Rand des Mondes späht hinter einer schwarzen Wolke hervor; die ferne Spitze des Besanmastes mäht einen Zickzackpfad durch die Sternenfelder in den Tiefen des Weltraumes; und dieses sanfte Bild wird ihn an die Zeit erinnern, da er mitten darin saß, seine arme kleine Geschichte erzählte und sich *so* einsam fühlte, als er damit fertig war.

Fünfzig Inder und Chinesen schlafen in einem großen Zelt voraus auf dem Mitteldeck; sie liegen ohne Abstand Seite an Seite; erstere bis über den Kopf eingewickelt, wie auf den indischen Straßen, die Chinesen unbedeckt; die Lampe und das Zubehör zum Opiumrauchen in der Mitte.

Ein Mitreisender sagte, es habe sich um zehn Wagenladungen von je zwei Tonnen Dynamit gehandelt, die kürzlich in Johannesburg in die Luft gegangen seien. Hunderte Tote; er weiß nicht, wie viele; in meilenweitem Umkreis wurden Gliedmaßen aufgesammelt. Glas splitterte noch in zweihundert Yard Entfernung, dort wurden auch Dächer hinweggefegt oder stürzten ein. Eisenstäbe schleuderte es dreieinhalb Meilen weit.

Das geschah um drei Uhr nachmittags; um sechs lagen Spenden von insgesamt 65 000 Pfund vor. Als dieser Passagier abreiste, hatten die Stadt- und die Staatsbehörden 35 000 Pfund, Einzelbürger und Firmen 100 000 Pfund gespendet. Als die Nachricht von der Katastrophe telefonisch die Börse erreichte, wurden in den ersten fünf Minuten 35 000 Pfund gespendet. Es liefen noch ständig Spenden ein, als er abreiste; die Zeitungen hatten die Namen fortgelassen, nannten nur die Beträge – zu viele Namen; nicht genug Platz. 100 000 Pfund von Gesellschaften und Bürgern gespendet; wenn das wahr ist, muß es das sein, was man in Australien einen „Rekord" nennt – das bedeutendste Beispiel einer spontanen Spendenflut in der Geschichte, wenn man die Größe der Bevölkerung bedenkt, von der sie stammt, 8 oder 10 Dollar pro Weißen, Säuglinge eingeschlossen.

Montag, 4. Mai. Dampfen langsam in der ungeheuren Delagoa-Bai dahin, deren verschwimmende Ausläufer sich zu beiden Seiten in die Ferne erstrekken und der Sicht entschwinden. Sie könnte reichlich Platz für alle Schiffe der Welt bieten, aber sie ist flach. Das Blei hat uns mehrmals dreieinhalb Faden angezeigt, und soviel haben wir Tiefgang, abzüglich sechs Zoll.

Ein schroffes Vorgebirge – senkrechte Wand, hundertfünfzig Fuß hoch, sehr kräftige rote Farbe, zieht sich etwa eine Meile hin. Ein Mann sagte, es sei portugiesisches Blut – im vorigen Jahr fand hier eine Schlacht mit den Eingeborenen statt. Ich halte das für zweifelhaft. Hübsche Häusergruppen auf dem Tafelland über dem Rot – und wellige Grasflächen mit Baumgruppen, wie in England.

Den Portugiesen gehört die Eisenbahnlinie (ein Personenzug am Tag) bis zur Grenze – siebzig Meilen; von da ab gehört sie der Niederländischen Handelskompanie. Tausende Tonnen Fracht an der Küste – kein Schutzdach. Das ist typisch portugiesisch – Trägheit, Frömmigkeit, Armut, Unfähigkeit.

Die Besatzungen kleiner Boote und Schlepper: lauter pechschwarze Krausköpfe, sehr muskulös.

Winter. Der südafrikanische Winter fängt gerade an, aber nur ein Kenner kann ihn vom Sommer unterscheiden. Aber ich habe den Sommer satt; wir haben ihn ununterbrochen elf Monate lang genossen. Den Nachmittag verbrachten wir an Land, Delagoa-Bai. Eine kleine Stadt – keine Sehenswürdigkeiten. Keine Wagen. Drei Rikschas, aber wir bekamen sie nicht – offenbar privat. Diese Portugiesen sind tiefbraun, wie ein Teil der Inder. Ein Teil der Schwarzen hat den langen Pferdekopf und das sehr lange Kinn der Neger aus den Bilderbüchern, aber die meisten gleichen genau den Negern unserer Südstaaten – runde Gesichter, platte Nasen, gutmütig, zum Lachen aufgelegt.

Scharen schwarzer Frauen gingen vorüber und trugen schändlich schwere Frachtballen auf dem Kopf – das Beben der Beine beim Aufsetzen der Füße und die Anspannung ihrer Leiber bewiesen, wie sehr die Last ihre letzte Kraft beanspruchte. Sie waren Stauerinnen und leisteten die volle Arbeit eines Stauers. Ohne Last hielten sie sich sehr gerade – weil sie ihre Lasten auf dem Kopf tragen –, genau wie die indischen Frauen. Es verleiht ihnen eine stolze, schöne Haltung.

Manchmal sah man eine Frau einen beladenen, kopflastigen Korb auf dem Haupte tragen, das Oberteil im Format eines Suppentellers, die Basis mit dem Durchmesser einer Teetasse. Das erforderte saubere Balancierkunst – und die war da.

Keine leuchtenden Farben, und doch gab es eine Menge Hindus.

Der Zweite-Klasse-Passagier kam wie gewöhnlich bei „Licht aus" (elf Uhr) herüber, und wir schlenderten in der weiträumigen Einsamkeit der dunklen Decks umher, rauchten die friedliche Pfeife und plauderten. Er erzählte mir eine Begebenheit aus Mr. Barnums Leben, die für·diesen hervorragenden Schausteller offenbar in mehrerer Hinsicht charakteristisch war:

Das war Barnums Kauf des Geburtshauses Shakespeares vor einem Vierteljahrhundert. Der Zweite-Klasse-Passagier war damals bei Jamrach angestellt und kannte Barnum gut. Er sagte, die Sache habe so angefangen. Eines Morgens saßen Barnum und Jamrach nach einer schwierigen geschäftlichen Verhandlung in Jamrachs kleiner gemütlicher Privatbude hinter dem Durcheinander eingesperrter Affen, Schlangen und anderer Alltäglichkeiten aus Jamrachs Warenlager und erfrischten sich, Jamrach mit etwas Orthodoxem, Barnum mit etwas Heterodoxem – denn Barnum war Abstinenzler. Die Verhandlungen betrafen Elefanten. Jamrach hatte sich vertraglich verpflichtet, Barnum rechtzeitig zur Eröffnung der nächsten Saison achtzehn Elefanten für 360 000 Dollar zu liefern. Dann fiel es Mr. Barnum ein, daß er einen „Knüller" brauche. Er schlug Jumbo vor. Jamrach sagte, er müsse sich etwas anderes einfallen lassen – Jumbo sei nicht zu haben; der Zoo würde sich von diesem Elefanten nicht trennen. Barnum sagte, er sei bereit, für Jumbo ein Vermögen zu zahlen, wenn er ihn bekommen könne. Jamrach sagte, es sei sinnlos, überhaupt daran zu denken; Jumbo sei so beliebt wie der Prinz von Wales, und der Zoo würde es nicht wagen, ihn zu verkaufen; bei dem bloßen Gedanken daran würde sich ganz England empören; Jumbo sei eine englische Institution, er sei ein Teil des nationalen Ruhmes; man könnte ebensogut daran denken, das Nelsondenkmal zu kaufen. Barnum wurde lebendig und sagte:

„Das ist eine erstklassige Idee. *Ich werde das Denkmal kaufen.*"

Eine Sekunde lang war Jamrach sprachlos. Dann sagte er wie beschämt: „Sie haben mich erwischt. Ich hatte gedöst. Ich glaubte einen Moment, Sie hätten im Ernst gesprochen."

Barnum sagte freundlich: „Ich *habe* im Ernst gesprochen. Ich weiß, daß sie es nicht verkaufen, aber das ist egal, ich werfe doch deshalb nicht eine gute Idee fort. Ich will weiter nichts als eine große Reklame. Ich werde mir die Sache jedenfalls merken, und wenn sich nichts Besseres ergibt, erbiete ich mich, es zu kaufen. Das erfüllt in jeder Hinsicht seinen Zweck. Es verschafft mir ein paar Monate lang ein paar Spalten kostenloser Reklame in jeder englischen und amerikanischen Zeitung und wird meiner Schau den größten Auftrieb geben, den jemals eine Schau in dieser Welt besaß."

Jamrach wollte gerade einen Ausbruch der Bewunderung anbringen, wurde aber von Barnum unterbrochen, der sagte: „Zustände sind das! England müßte eigentlich erröten!"

Sein Blick war in der Zeitung auf eine Notiz gefallen. Er überflog sie für sich, dann las er sie laut vor. Es hieß darin, das Geburtshaus Shakespeares in Stratford-on-Avon verfalle infolge Vernachlässigung zusehends; der Raum, in dem der Dichter das Licht der Welt erblickte, diene jetzt als Schlächterladen; alle Appelle an England, Geld beizusteuern (es folgte die erforderliche Summe), um das Haus kaufen, instand setzen und der Obhut angestellter, zuverlässiger Kustoden anvertrauen zu können, seien ergebnislos verlaufen.

Da sprach Barnum: „Hier ist meine Chance. Lassen wir Jumbo und das Denkmal zunächst einmal links liegen – sie halten sich. Ich kaufe Shakespeares Haus. Ich stelle es in meinem Museum in New York auf, baue einen Glaskasten darum herum und mache ein Heiligtum daraus; und Sie werden erleben, wie ganz Amerika sich zur Andacht da versammelt; ja, und Pilger aus der ganzen Welt; und ich sorge dafür, daß sie den Hut abnehmen. In Amerika wissen wir alles zu schätzen, was Shakespeares Berührung geweiht hat. Sie werden schon sehen."

Abschließend sagte der Z.-K.-P.: „So kam die Sache zustande. Barnum kaufte tatsächlich Shakespeares Haus. Er bezahlte den geforderten Preis und empfing die ordnungsgemäß beglaubigten Verkaufsdokumente. Dann gab es eine Explosion. Ich kann Ihnen sagen! England erhob sich! Was, das Geburtshaus des Meistergenius aller Zeitalter und aller Erdteile – dieses unbezahlbare Besitztum Britanniens – sollte wie altes Bauholz aus dem Land gefahren und in einer Yankee-Schaubude aufgestellt und gegen einen Sixpence ungeniert entweiht werden dürfen – sogar der bloße Gedanke war keinen Augenblick zu dulden. England erhob sich in seiner Empörung, und Barnum ließ seine Beute mit Freuden fahren und entschuldigte sich. Aber er bestand auf einem Kompromiß; er verlangte ein Zugeständnis – England mußte ihm Jumbo überlassen. Und England willigte ein, aber nicht gerade gern."

Das zeigt, wie sich eine Geschichte mit Hilfe der Zeit auswachsen kann, sogar noch, nachdem sie Barnum die ersten Male selbst erzählt hatte. Mr. Barnum hat mir die Geschichte vor Jahren selbst erzählt. Er sagte, die Erlaubnis, Jumbo zu kaufen, sei kein Zugeständnis gewesen; man habe den Kauf abgeschlossen und das Tier übergeben, ehe die Öffentlichkeit etwas davon erfuhr. Und der Erwerb Jumbos sei alle Reklame gewesen, die er brauchte. Er hatte spaltenlange Zeitungskommentare zur Folge, die Barnum nichts kosteten, und er war zufrieden. Hätte er Jumbo nicht bekommen, so sagte er, dann hätte er dafür gesorgt, daß seine Idee, das Nelsondenkmal zu kaufen, heimlich durch einen zuverlässigen Freund in die Presse geschmuggelt worden wäre, und wenn er dann ein paar hundert Seiten kostenloser Reklame herausgeschlagen hätte, wäre er mit einem tölpelhaften, dummen, aber warmherzigen Entschuldigungsbrief angekommen und hätte sich in einem Nachsatz naiv erboten, das Denkmal fahrenzulassen und statt dessen zum gleichen Preis Stonehenge zu nehmen.

Er war der Ansicht, daß ein solcher Brief, mit gutgespielter eselhafter Arglosigkeit und Schwärmerei geschrieben, seitens der Zeitungen eine Flut von Beschimpfungen auf seine Unwissenheit und Dummheit herabbeschworen hätte, die ihm sechs Vermögen wert und nicht für das Doppelte zu kaufen gewesen wäre.

Ich kannte Mr. Barnum gut und vertraute dem Bericht vollkommen, den er mir von der Episode mit dem Geburtshaus Shakespeares gab. Er sagte, er habe das Haus vernachlässigt und im Zustand des Verfalls vorgefunden, Erkundigungen eingezogen und erfahren, daß sehr oft ernstliche Versuche unternommen worden seien, um Geld für eine ordentliche Reparatur und für Erhaltungsarbeiten aufzubringen, aber ohne Erfolg. Daraufhin erbot er sich, es zu kaufen. Das Angebot wurde angenommen und ein Preis genannt – ich glaube, fünfzigtausend Dollar; aber wie der Betrag auch lautete, Barnum zahlte das Geld bar auf den Tisch, ohne zu murren, und die Papiere wurden ausgefertigt und unterschrieben. Er sagte, er habe die Absicht gehegt, das Haus in seinem Museum aufzustellen, zu pflegen, vor Namenskritzlern und anderen Schändern zu schützen und es testamentarisch der sicheren und ständigen Vormundschaft des Smithson-Instituts in Washington zu vermachen.

Aber sobald herauskam, daß Shakespeares Geburtshaus in ausländische Hände übergegangen war und über den Ozean gebracht werden sollte, wurde England aufgewühlt, wie kein Appell der Kustoden des Denkmals je zuvor England aufgewühlt hatte, und Proteste strömten herein – und auch Geld –, um die Schmach zu verhüten. Es kamen Angebote auf Rückkauf – Angebote auf den doppelten Betrag, den Mr. Barnum für das Haus gezahlt hatte. Er gab das Haus zurück, nahm jedoch nur die Summe, die es ihn selbst gekostet hatte – aber unter der Bedingung, daß eine Stiftung errichtet werde, die für die zukünftige Sicherung und Erhaltung des denkwürdigen Hauses ausreiche. Diese Bedingung wurde erfüllt.

Das war Barnums Schilderung des Vorfalls; und bis ans Ende seiner Tage behauptete er mit Stolz und Befriedigung, daß nicht England, sondern Amerika – durch ihn – das Geburtshaus Shakespeares vor der Vernichtung bewahrt habe.

Am 6. Mai um drei Uhr nachmittags verlangsamte das Schiff in Landnähe seine Fahrt und schlängelte sich bedächtig und vorsichtig in den geschützten Hafen von Durban, Südafrika.

65. KAPITEL

> Als Staatsmann bringe die Formalitäten in Ordnung, kümmere dich nicht um die moralische Seite.
> *Querkopf Wilsons Neuer Kalender*

Aus dem Tagebuch:

Hotel Royal. Bequem, gute Küche, gute Bedienung durch Eingeborene und Madrasi. Kurioses Durcheinander aus moderner Stadt und uraltem Dorf, aus Primitivität und ihrem Gegenteil. Elektrische Klingeln, aber sie läuten nicht. Auf die Frage, warum sie nicht läuteten, sagte der Diensthabende im Büro, er nehme an, sie müßten defekt sein; er glaube es deshalb, weil einige läuteten, die meisten aber nicht. Wäre es nicht eine gute Idee, sie zu reparieren? Er zögerte – wie jemand, der nicht ganz überzeugt ist –, dann gestand er es zu.

7. Mai. Um sechs ein Schlag gegen die Tür. Wünschte ich die Schuhe putzen zu lassen? Fünfzehn Minuten später ein weiterer Schlag. Wünschten wir Kaffee? Fünfzehn Minuten danach wieder ein Schlag, das Bad meiner Frau sei bereit; fünfzehn später, mein Bad sei bereit. Zwei weitere Schläge; ich weiß nicht mehr, worum es ging. Dann großes Geschrei hin und her zwischen dem Dienstpersonal, gerade wie in den indischen Hotels.

Abends. Um vier Uhr nachmittags war es unangenehm warm. Eine halbe Stunde nach Sonnenuntergang brauchte man einen Übergangsmantel; ab acht einen Wintermantel.

Durban ist eine ordentliche und saubere Stadt. Man bemerkt das, auch ohne darauf aufmerksam gemacht zu werden.

Rikschas, von prachtvoll gebauten schwarzen Zulus gezogen, die offensichtlich so vor Kraft überschäumen, daß es eine Freude, keine Qual ist, zu beobachten, wie sie eine Rikscha dahinjagen lassen. Sie lächeln, lachen und zeigen die Zähne – eine gutmütige Gesellschaft. Dürfen nicht trinken; zwei Schilling pro Stunde für eine Person, drei Schilling für zwei; drei Pence für eine Fahrt, eine Person.

Das Chamäleon im Hotelhof. Es ist dick und träge und beschaulich veranlagt; ist aber hellwach und der Situation gewachsen, sobald sich eine Fliege einstellt – es streckt eine Zunge wie einen Teelöffel heraus und holt die Fliege ein. Zuvor gummiert es die Zunge. Es schaut immer fromm drein. Und schaut ebenso fromm wie dankbar drein, wenn die Vorsehung oder einer von uns ihm eine Fliege sendet. Es hat einen froschähnlichen Kopf und einen Rücken wie ein frisches Grab – der Form nach, und Hände wie angefrorene Vogelklauen. Aber seine Augen sind sein Prunkstück. Ein Paar häutige Kegel ragen ihm rechts und links aus dem Kopf heraus, und in der Spitze jedes Kegels sitzt ein winziges, glänzendes Glasperlchen von Auge; und diese Kegel drehen sich buchstäblich wie Pivotgeschütze, blicken in jede beliebige Richtung und sind voneinander unabhängig; jedes hat sein eigenes Getriebe. Wenn ich hinter ihm stehe und C. vor ihm, kurbelt es ein Auge nach hinten und eines nach vorn – was ihm einen überaus kongreßmäßigen Ausdruck verleiht (ein Auge auf der Wählerschaft und ein Auge auf dem Zaster); und wenn dann etwas über oder unter ihm geschieht, stößt es ein Auge wie ein Teleskop aufwärts und das andere nach unten – das verändert seinen Ausdruck, verschönert ihn aber nicht.

Eingeborene dürfen sich nach dem Abendläuten ohne Paß nicht draußen aufhalten. In Natal kommen zehn Schwarze auf einen Weißen.

Kräftige, füllige Wesen sind die Frauen. Sie kämmen ihre Haarwolle nach oben zu einer Spitze und fixieren das Ganze, indem sie es mit braunroter Tonerde versteifen – wenn die Hälfte dieses Turmes gefärbt ist, handelt es sich um eine Verlobte; wenn er ganz gefärbt ist, bedeutet es eine Verheiratete.

Nur heidnische Zulus in der Polizei; christliche sind nicht zugelassen.

9. Mai. Gestern eine Spazierfahrt mit Freunden durch die Berea. Sehr schöne, hochgelegene Straßen, blicken über die ganze Stadt, den Hafen, auf das Meer hinaus – wunderschöne Aussicht. Den ganzen Weg entlang Häuser inmitten grüner Rasenflächen,umgeben von Sträuchern und gewöhnlich einem oder zwei intensiv rot flammenden Poinsettiabüschen – der feurige Fleck blendenden Rots in atemberaubendem Kontrast zu der grünen Welt der Umgebung. Der Kaktusbaum – kandelaberartig; ein anderer wie graue, sich ringelnde Schlangen gekrümmt. Die „Flachkrone" (müßte eigentlich

Flachdach heißen) – ein halbes Dutzend kahler Äste voller Ellbogen laufen wie künstliche Streben schräg nach oben und recken ein Dach aus zartem Laub empor, das eine waagerechte Plattform bildet, eben wie ein Fußboden, und man sieht durch diesen dünnen Boden hindurch wie durch ein grünes Spinnennetz oder einen Schleier. Die Zweige sind japanisch im Stil. Ringsumher eine verwirrende Vielfalt unbekannter und schöner Bäume; eine Art hat wunderbar dichtes und sehr dunkelgrünes Laub – so dunkel, daß es einem sogleich auffällt, obwohl es so viele Orangenbäume gibt. Der „Flammende" – jetzt nicht in Blüte, aber wenn er blüht, wird er seinem Namen gerecht, sagt man uns. Ein anderer Baum mit einer reizenden, aufrechtstehenden Quaste zwischen seinem satten Grün, rot und feurig wie eine glühende Kohle. Hier und da ein Gummibaum; ein halbes Dutzend hohe Norfolk-Fichten recken ihre wedelartigen Arme himmelwärts. Gruppen hoher Bambusstauden. Sah einen einzigen Vogel. Nicht viele Vögel hier, und die singen nicht – und die Blumen haben nicht viel Duft, sie wachsen so schnell.

Alles ordentlich, nett und sauber wie die Stadt. Die reizvollsten Bäume und die mannigfaltigsten Arten, die ich irgendwo gesehen habe, außer auf der Fahrt nach Dardschiling. Habe niemanden Natal als den Garten Südafrikas bezeichnen hören, aber das ist es wahrscheinlich.

Colenso war Bischof von Natal, als er einen solchen Sturm in der religiösen Welt hervorrief. Die Belange der Religion sind hier noch immer Lebensfragen. Der Sonntag wird streng eingehalten. Museen und andere gefährliche Zufluchtsstätten dürfen nicht öffnen. Man darf in der Bucht segeln, aber Kricket spielen ist lasterhaft. Eine Zeitlang duldete man Sonntagskonzerte unter der Bedingung, daß der Eintritt frei war und das Geld durch eine Kollekte eingenommen wurde. Aber die Kollekte fiel bestürzend hoch aus, und das machte der Sache ein Ende. Mit den Babys sind sie sehr eigen. Ein Geistlicher würde sich weigern, ein Kind nach den heiligen Riten zu beerdigen, wenn es nicht getauft worden ist. Der Hindu ist großzügiger. Er verbrennt kein Kind unter drei Jahren, weil er behauptet, daß es nicht der Reinigung bedürfe.

Der König der Zulus, ein stattlicher Bursche von dreißig Jahren, wurde vor sechs Jahren auf die Dauer von sieben Jahren verbannt. Er bewohnt Napoleons einstigen Standort – St. Helena. Die Leute sind ein bißchen nervös in der Frage, ihn zurückkommen zu lassen, und sie haben Grund dazu, denn Zulukönige sind manchmal furchtbare Leute gewesen – wie Tschaka, Dingaan und Cetawayo.

Zwei Stunden auf der Landstraße von Durban entfernt steht ein großes Trappistenkloster, und zusammen mit Mr. Milligan und Mr. Hunter, Generaldirektor der Staatlichen Eisenbahn von Natal, fuhren wir zur Besichtigung hinaus.

Alles war dort genau so, wie man es in den Büchern beschrieben liest, ohne es wirklich glauben zu können – ich meine die schwere, harte Arbeit, die unmögliche Arbeitszeit, das spärliche Essen, die grobe Kleidung, die Maryborough-Betten, das Tabu auf menschliche Rede, geselligen Verkehr, Entspannung, Belustigung, Unterhaltung, Gegenwart eines Weibes in dieser Männerwelt. Es war alles da. Es war kein Traum, es war keine Lüge. Und doch, die Tatsache stand einem vor Augen und war immer noch unglaublich.

Es ist eine solche allumfassende Unterdrückung menschlicher Instinkte, eine solche Auslöschung des Menschen als Individuum.

La Trappe muß das Menschengeschlecht gut gekannt haben. Das von ihm erdachte System stöbert alles auf, was ein Mensch begehrt und schätzt – und versagt es ihm. Offenbar hat man jede Einzelheit ausfindig gemacht, die dazu beitragen könnte, das Leben lebenswert zu machen, und dem Trappisten aus der Reichweite gerückt. La Trappe muß gewußt haben, daß es Männer gibt, die an einem derartigen Jammerdasein Gefallen finden, aber wie hat er es herausgekriegt?

Hätte er Sie oder mich befragt, dann hätte er zu hören bekommen, daß seinem System allzu viele Anziehungspunkte mangelten, daß es unwirklich wäre, daß es nie zu realisieren wäre. Aber dort im Kloster lag der Beweis vor, daß er das Menschengeschlecht besser gekannt hatte, als es sich selbst kannte. Er trat jedes Verlangen mit Füßen, das ein Mensch empfindet – und doch brachte er sein Projekt in Gang, und es gedeiht seit nunmehr zweihundert Jahren und wird zweifellos immer weiter gedeihen.

Der Mensch liebt die persönliche Auszeichnung – dort im Kloster ist sie ausgelöscht. Er ißt gern schmackhafte Speise – dort bekommt er Bohnen, Brot und Tee, und nicht genug. Er liegt gern weich – dort liegt er auf einer Sandmatratze, hat ein Kissen und eine Decke, aber kein Laken. Wenn er in einem großen Freundeskreise tafelt, lacht und schwatzt er gern – dort liest ein Mönch während der Mahlzeiten aus einem heiligen Buch vor, und niemand spricht oder lacht. Wenn der Mensch abends hundert Freunde um sich her sieht, treibt er gern Kurzweil und bleibt lange auf – dort geht er wie alle übrigen um acht Uhr schweigend zu Bett; noch dazu im Dunkeln; es ist nur ein loses braunes Gewand abzulegen, es ist keine Nachtkleidung anzuziehen, Licht ist nicht nötig. Der Mensch bleibt gern lange im Bett – dort erhebt er sich in der Nacht ein- oder zweimal, um einen religiösen Dienst zu verrichten, und steht schließlich um zwei Uhr morgens endgültig auf. Der Mensch bevorzugt leichte Arbeit oder gar keine – dort müht er sich den ganzen Tag auf dem Feld, in der Schmiede oder in den anderen Werkstätten der verschiedenen Handwerke wie Schuhmacherei, Sattlerei, Tischlerei und so weiter. Der Mensch befindet sich gern in Gesellschaft von Mädchen und Frauen – dort genießt er sie nie. Er hat gern seine Kinder um sich, liebkost sie und spielt mit ihnen – dort hat er keine. Er spielt gern Billard – dort ist kein Tisch vorhanden. Er hat den Sport im Freien gern und dramatische, musikalische und gesellige Unterhaltungen im Hause – dort gibt es nichts von alledem. Er schließt gern Wetten ab – man sagt mir, das Wetten sei dort verboten. Wenn der Mensch in Zorn gerät, läßt er ihn gern an jemandem aus – dort ist das nicht erlaubt. Der Mensch besitzt gern Tiere, Schoßtiere – dort gibt es keine; er raucht gern – dort darf er es nicht. Er liest gern die Nachrichten – dort kommen keine Zeitungen oder Magazine hin. Der Mensch möchte, wenn er von zu Hause fort ist, gern wissen, wie es seinen Eltern und Brüdern und Schwestern geht und ob er ihnen fehlt – dort erfährt er es nicht. Der Mensch hat ein hübsches Haus, hübsche Möbel, hübsche Sächelchen und hübsche Farben gern – dort sieht er nur nackte Kahlheit und düstere Farben. Der Mensch hat gern – nennen Sie selbst etwas: was es auch sei, dort fehlt es.

Soweit ich in Erfahrung bringen konnte, ist der einzige Lohn, den er dafür erhält, das Heil seiner Seele.

Es wirkt alles so seltsam, unglaublich, unmöglich. Aber La Trappe kannte das Geschlecht. Er kannte die mächtige Anziehungskraft des Abstoßenden: er wußte, daß man sich kein noch so trostloses und abschreckendes Leben vorstellen könnte, mit dem es nicht jemand versuchen wollte.

Dieses Stammhaus deutscher Brüder begann seine Arbeit vor fünfzehn Jahren; sie waren fremd, arm und ohne Unterstützung; jetzt besitzt das Kloster fünfzehntausend Acres Land, baut Getreide und Obst an, keltert Weine, fabriziert alles mögliche, bildet in den Werkstätten eingeborene Lehrlinge aus, und wenn es diese entläßt, können sie lesen und schreiben und sind wohlausgerüstet, mit ihrem Handwerk ihren Lebensunterhalt zu verdienen. Und diese junge Institution hat in Südafrika elf Zweigstellen eingerichtet, und darin werden zwölfhundert Jungen und Mädchen zum Christentum erzogen, geschult und in lohnbringenden Gewerben ausgebildet. In der Regel betrachten die im Wirtschaftsleben stehenden weißen Kolonisten in der ganzen heidnischen Welt die protestantische Missionsarbeit recht kühl, und die Früchte dieser Arbeit nennen sie spöttisch „Reis-Christen" (beschäftigungslose lebensuntüchtige Menschen, die nur der Einkünfte halber der Kirche beitreten), aber ich meine, es dürfte schwerfallen, an der Arbeit dieser katholischen Mönche einen Makel zu entdecken, und soviel ich weiß, hat noch niemand die Neigung erkennen lassen, das zu versuchen.

Dienstag, 12. Mai. Die politischen Verhältnisse in Transvaal befinden sich in einem verworrenen Zustand. Zuerst überraschte das Urteil über die Johannesburger Reformer England durch seine Strenge; dazu kam Krügers Enthüllung der chiffrierten Korrespondenz, die zeigte, daß Cecil Rhodes und Beit den Einfall in Transvaal geplant hatten, um dieses Land in Besitz zu nehmen und dem Britischen Reich einzuverleiben – was einen Umschlag der englischen Stimmung hervorrief und einen Sturm gegen Rhodes und die Englisch-Südafrikanische Gesellschaft entfesselte, weil sie die britische Ehre beleidigt hätten. Eine ganze Zeit lang konnte ich kein klares Bild gewinnen, alles war so verwickelt. Aber wie ich glaube, ist es mir durch geduldiges Studium schließlich doch gelungen. Soweit ich es verstehe, waren die Uitlander und andere Holländer unzufrieden, weil die Engländer ihnen nicht gestatten wollten, sich in irgendeiner Form an der Regierung zu beteiligen, ausgenommen durch Entrichtung von Steuern. Daraufhin fielen, soweit ich es verstehe, Dr. Krüger und Dr. Jameson, da es ihnen nicht gelungen war, den medizinischen Beruf einträglich zu gestalten, in Matabeleland ein, mit der Absicht, die Hauptstadt Johannesburg einzunehmen und die Frauen und Kinder als Geiseln zu behalten, bis die Uitlander und die anderen Buren ihnen und der Englisch-Südafrikanischen Gesellschaft die politischen Rechte einräumten, die sie ihnen vorenthalten hatten. Dieser große Plan wäre ihnen gelungen, soweit ich es verstehe, wenn sich nicht Cecil Rhodes und Mr. Beit und andere Häuptlinge der Matabele eingeschaltet hätten, die ihre Landsleute überredeten, sich zu empören und ihre Lehnspflicht gegenüber Deutschland abzuwerfen. Das hat wiederum, soweit ich es verstehe, den König von Abessinien veranlaßt, die italienische Armee zu vernichten und auf Johannesburg zurückzuweichen, angestiftet durch Rhodes, der die Börsenkurse hochtreiben wollte.

66. KAPITEL

*Jeder Mensch ist ein Mond und besitzt eine
dunkle Seite, die er niemals jemandem zeigt.*

Querkopf Wilsons Neuer Kalender

Als ich vor einem Jahr den Absatz in mein Notizbuch kritzelte, der das vorige Kapitel beschließt, sollte er in übertriebener Form zweierlei andeuten: die Widersprüchlichkeit der Auskünfte, die der Ansässige dem Fremden über die politischen Verhältnisse Südafrikas erteilte, und die Verwirrung, die das im Geiste des Fremden hervorrief.

Aber jetzt erscheint das gar nicht mehr so sehr übertrieben. Auf keine Weise konnte in jener Zeit der Unruhen und der Erregung ein Bürger des Landes ein klares und einleuchtendes Bild der südafrikanischen Politik gewinnen, weil seine persönlichen Interessen und seine politischen Vorurteile ihm im Wege standen; und auf keine Weise konnte ein Fremder ein klares und einleuchtendes Bild der politischen Verhältnisse gewinnen, da ihm nun einmal nur solche Informationsquellen zur Verfügung standen.

Ich war nur kurze Zeit in Südafrika. Als ich dort eintraf, war der politische Topf heftig am Sieden. Vier Monate vorher war Jameson mit etwa sechshundert bewaffneten Reitern hinter sich in Transvaal eingefallen, um „den Frauen und Kindern Johannesburgs zu Hilfe" zu eilen; am vierten Tage seines Marsches hatten ihn die Buren in offener Feldschlacht besiegt und ihn und seine Leute als Gefangene nach der Hauptstadt Pretoria gebracht; die Burenregierung hatte Jameson und seine Offiziere der britischen Regierung zur Aburteilung ausgeliefert und sie nach England geschickt; dann hatte sie vierundsechzig maßgebende Bürger Johannesburgs als Mitverschworene verhaftet, ihre vier Anführer zum Tode verurteilt, dann begnadigt, und jetzt warteten die vierundsechzig im Gefängnis das Weitere ab. Noch vor dem Mittsommer waren sie alle auf freiem Fuß, zwei ausgenommen, die sich weigerten, die Gnadengesuche zu unterzeichnen; achtundfünfzig waren zu Geldstrafen von je 10 000 Dollar verurteilt und freigelassen worden, und die vier Anführer waren mit Geldstrafen von je 125 000 Dollar freigekommen – in einem Falle war zusätzlich lebenslängliche Verbannung verfügt worden.

Für einen Fremden waren das wundervoll interessante Tage, und ich freute mich, alles am Brennpunkt der Erregung mitzuerleben. Jedermann redete, und ich erwartete, in sehr kurzer Zeit den Standpunkt *einer Seite* zu verstehen.

Ich wurde enttäuscht. Es traten sonderbare, widersprüchliche, unerklärliche Dinge zutage, mit denen ich einfach nicht fertig wurde. Ich hatte keine persönlichen Beziehungen zu den Buren – ihr Standpunkt in dieser Angelegenheit blieb mir ein Geheimnis, abgesehen von dem, was ich öffentlichen Erklärungen entnehmen konnte. Meine Sympathie galt bald den Reformern im Gefängnis von Pretoria, ihren Freunden und ihrer Sache. Durch fleißige Erkundigungen in Johannesburg bekam ich – scheinbar – alles über ihren Standpunkt in diesem Streit heraus, bis auf eines – *was sie durch einen bewaffneten Aufstand erreichen zu können glaubten.*

Das wußte anscheinend niemand.

Der Grund, warum die Reformer unzufrieden waren und einige Änderungen verlangten, schien ganz klar zu sein. In Johannesburg behauptete man, die Uitlander (Fremde, Ausländer) entrichteten dreizehn Fünfzehntel des Steueraufkommens von Transvaal, aber erhielten wenig oder nichts dafür. Ihre Stadt besaß keine Verfassung; keine selbständige Stadtverwaltung; sie durfte keine Steuern für die Kanalisation, die Wasserversorgung, die Pflasterung, die Stadtreinigung, die öffentliche Hygiene und die Polizei erheben. Es existierte eine Polizeimacht, aber die bestand aus Buren; sie wurde von der Landesregierung gestellt, und die Stadt hatte keine Kontrolle über sie. Der Bergbau war sehr kostspielig; die Regierung vermehrte die Kosten noch unmäßig, indem sie die Bergwerke, die Produktion, den Maschinenpark, die Gebäude mit drückenden Steuern belegte, drückende Einfuhrzölle auf importiertes Material erhob, drückende Frachtsätze für den Eisenbahntransport verlangte. Das unerträglichste von allem war, daß die Regierung sich selbst das Monopol für das unabdingbare Dynamit vorbehielt und es mit einem übermäßig hohen Preis belastete. Der verabscheute Holländer aus Übersee hatte alle öffentlichen Ämter inne. Die Regierung war durch und durch korrupt. Der Uitlander hatte kein Stimmrecht und mußte zehn oder zwölf Jahre im Staat leben, bevor er es bekommen konnte. Er war nicht im „Raad" (gesetzgebende Körperschaft) vertreten, der ihn unterdrückte und ausplünderte. Die Religionsausübung war nicht frei. Es gab keine Schulen mit Englisch als Unterrichtssprache, und doch kannte die große Mehrheit der weißen Bevölkerung gar keine andere Sprache. Der Staat wollte kein Branntweingesetz erlassen, ließ es aber zu, daß unter den Schwarzen ein schwunghafter Handel mit billigem, minderwertigem Branntwein getrieben wurde, mit der Folge, daß fünfundzwanzig Prozent der fünfzigtausend Schwarzen, die in den Minen arbeiteten, gewöhnlich betrunken und arbeitsunfähig waren.

Da – es war vollkommen klar, daß es zahlreiche und vernünftige Gründe dafür gab, einige Veränderungen zu wünschen, wenn diese Aufstellung der vorhandenen Mißstände zutraf.

Was die Uitlander verlangten, waren Reformen – *innerhalb der bestehenden Republik.*

Was sie vorhatten, war, diese Reformen durch *Bitten, Gesuche und Überzeugungsarbeit* durchzusetzen.

Sie reichten Gesuche ein. Sie erließen auch ein Manifest, dessen allererster Satz ein Fanfarenstoß der Loyalität ist: „Wir wollen die Umwandlung dieser Republik in eine echte Republik."

Konnte irgend etwas klarer sein als die Erklärung der Uitlander über die Mißstände und Bedrängnisse, denen sie ausgesetzt waren? Konnte man sich eine loyalere, staatsbürgerlich korrektere, gesetzestreuere Haltung vorstellen, als sie in dem Manifest zum Ausdruck kommt? Nein. Das war alles absolut klar, absolut verständlich.

Aber an dieser Stelle tauchen Unklarheiten, Rätsel, Ungereimtheiten auf. Man ist an einem Punkte angelangt, wo man nicht mehr alles versteht.

Denn man erfährt, daß die Uitlander als Vorbereitung zu diesem loyalen, gesetzlichen und in jeder Hinsicht untadelhaften Versuch, die Regierung zur Beseitigung ihrer Nöte zu bewegen, ein oder zwei Maximgewehre und fünfzehnhundert Gewehre, in Öltanks und Kohlenwagen versteckt, in die Stadt schmuggelten; daß sie begannen, aus Angestellten, Kaufleuten und sonstigen Bürgern militärische Formationen zusammenzustellen und auszubilden.

Was stellten sie sich vor? Nahmen sie an, die Buren würden über sie herfallen, *wenn sie um Abhilfe bäten?* Das doch wohl nicht. Nahmen sie an, die Buren würden schon über sie herfallen, wenn sie nur ein Manifest erließen, das Abhilfe unter dem herrschenden Regime *verlangte?*

Ja, das glaubten sie offenbar, denn allenthalben redete man davon, man müsse die Regierung, wenn sie es nicht auf friedlichem Wege gewähre, *zwingen,* die Mißstände abzustellen.

Die Reformer waren sehr intelligente Leute. Sollte es ihnen ernst damit gewesen sein, so setzten sie außerordentlich viel aufs Spiel. Sie hatten ungeheuer wertvolles Eigentum zu verteidigen; ihre Stadt war voller Frauen und Kinder; ihre Bergwerke und Liegenschaften waren mit Tausenden und aber Tausenden stämmiger Schwarzer vollgestopft. Wenn die Buren angriffen, müßten die Bergwerke den Betrieb einstellen, die Schwarzen würden ausschwärmen und sich betrinken; Aufruhr, Feuersbrünste und die Buren zusammen könnten den Reformern an einem Tage mehr Verluste an Geld und Blut abverlangen und mehr Leiden zufügen, als die gewünschte politische Lockerung in zehn Jahren wiedergutmachen könnte, wenn sie den Kampf gewinnen und die Reformen durchsetzen sollten.

Jetzt haben wir Mai 1897; ein Jahr ist vergangen, und die Verwirrung jener Tage ist weitgehend beseitigt. Mr. Cecil Rhodes, Dr. Jameson und andere, die für den Einfall verantwortlich waren, haben vor dem parlamentarischen Untersuchungsausschuß in London ausgesagt, ebenso Mr. Lionel Phillips und andere Johannesburger Reformer, Ammen der totgeborenen Revolution. Diese Aussagen haben einiges Licht gebracht. Darüber hinaus haben drei Bücher einiges erhellt: „Südafrika, wie es ist" von Mr. Statham, einem fähigen Schriftsteller, der mit den Buren sympathisiert; „Die Geschichte einer afrikanischen Krise" von Mr. Garrett, einem glänzenden Schriftsteller, der mit Rhodes sympathisiert; und „Eine Frau in der Revolution" von Mrs. John Hayes Hammond, der Verfasserin eines lebendigen, kraftvoll geschriebenen Tagebuches, die mit den Reformern sympathisiert. Indem ich die Angaben der voreingenommenen Bücher und der voreingenommenen parlamentarischen Zeugen auflöste, alles durcheinanderrührte und es in meine eigenen (voreingenommenen) Gußformen brachte, bin ich zum wahren Kern jener verwirrenden südafrikanischen Situation durchgedrungen, und das ist folgender:

1. Die Kapitalisten und andere führende Männer Johannesburgs waren mit verschiedenen politischen und finanziellen Lasten unzufrieden, die ihnen der Staat (die Südafrikanische Republik, manchmal „Transvaal" genannt) auferlegte, und wünschten auf friedlichem Wege eine Änderung der bestehenden Gesetze zu erzielen.

2. Mr. Cecil Rhodes, Premierminister der britischen Kapkolonie, Millionär, Schöpfer und leitender Direktor der an Grundbesitz ungeheuer vermögenden und finanziell wenig ertragreichen Südafrikanischen Gesellschaft, geistiger Vater weitreichender Pläne zur Vereinigung und Verschmelzung aller südafrikanischen Staaten zu einem einzigen gewaltigen Gemeinwesen oder Reich unter Schutz und Schirm der englischen Flagge, glaubte eine Ge-

legenheit zu sehen, sich die oben erwähnte Unzufriedenheit der Uitlander zunutze zu machen – und sich von der Johannesburger Katze helfen zu lassen, eine der Vereinigungskastanien aus dem Feuer zu holen. In dieser Absicht machte er sich zum Anliegen, die gesetz- und rechtmäßigen Gesuche und Eingaben der Uitlander bis zu aufrührerischen Reden, ihre gereizten Äußerungen bis zu Drohungen aufzuheizen – im Endergebnis sollte es Aufruhr und eine bewaffnete Rebellion werden. Wenn er einen blutigen Zusammenstoß zwischen diesen Leuten und der Burenregierung herbeiführen könnte, wäre England zum Einschreiten gezwungen; seinem Einschreiten würden die Buren Widerstand entgegensetzen; es würde sie züchtigen und Transvaal seinem südafrikanischen Besitz hinzufügen. Es war keine dumme Idee, sondern ein sehr gut durchdachter und durchführbarer Plan.

Nach einigen Jahren geschickten Intrigierens erntete Mr. Rhodes seinen Lohn; in Johannesburg war der revolutionäre Kessel in Wallung, und die Anführer der Uitlander stützten ihre Appelle an die Regierung – jetzt zu Forderungen versteift – durch Drohung mit Gewalt und Blutvergießen. Mitte Dezember 1895 schien die Explosion dicht bevorzustehen. Mr. Rhodes half von seinem fernen Standort in Kapstadt aus fleißig nach. Er half Waffen für Johannesburg beschaffen. Auch arbeitete er darauf hin, daß Jameson mit sechshundert Berittenen hinter sich über die Grenze nach Johannesburg durchbrechen könne. Jameson verlangte – vielleicht auf Anweisung Rhodes' – von den Reformern einen Brief, in dem sie ihn bitten sollten, ihnen zu Hilfe zu kommen. Das war eine gute Idee. Das würde einen beträchtlichen Teil der Verantwortung an dem bewaffneten Einfall den Reformern aufhalsen. Er erhielt den Brief – den berühmten Brief, der ihn drängte, zur Rettung der Frauen und Kinder herbeizueilen. Er bekam ihn *zwei Monate*, bevor er losjagte. Anscheinend hatten die Reformer es sich noch einmal überlegt und waren zu dem Schluß gelangt, unklug gehandelt zu haben; denn am Tage, nachdem sie Jameson das verhängnisvolle Dokument ausgehändigt hatten, wollten sie es zurückziehen und die Frauen und Kinder der Gefahr überlassen; aber man sagte ihnen, es sei nun zu spät. Das Original war Mr. Rhodes am Kap zugegangen. Jameson hatte jedoch eine Abschrift behalten.

Von da an bis zum 29. Dezember wandten die Reformer einen großen Teil ihrer Zeit an energische Anstrengungen, Jameson davon abzuhalten, ihnen zu Hilfe zu kommen. Jamesons Einfall war auf den 26. festgesetzt worden. Die Reformer waren nicht genügend vorbereitet. Die Stadt war sich nicht einig. Manche wollten Kampf, manche wollten Frieden; manche wollten ein neues Regime, manche wollten nur das herrschende reformieren; offenbar wollten nur sehr wenige, daß die Revolution letztlich im Interesse und unter dem Schutze der Flagge des Empires, der britischen Flagge, erfolge; doch begann sich ein Gerücht auszubreiten, wonach Mr. Rhodes' unbequemer Beistand letzteres zum Ziel haben sollte.

Jameson stand schon an der Grenze, zerrte an der Leine und brannte darauf, über die Grenze zu preschen. Nach harter Anstrengung erreichten die Reformer, daß das Datum seines Aufbruchs ein wenig verschoben wurde, und sie wollten es um elf Tage verschoben haben. Offenbar unterstützten Rhodes' Agenten ihre Bemühungen – tatsächlich nutzten sie bei dem Versuch, ihn zurückzuhalten, die Telegrafendrähte ab. Rhodes selbst war der einzige Mensch, der Jameson wirklich zum Aufschub hätte veranlassen können, aber das wäre seinen Plänen nachteilig gewesen; es hätte seine ganze zweijährige Arbeit zunichte machen können.

Jameson ertrug drei Tage Aufschub, dann beschloß er, nicht länger zu warten. Ohne jeden Befehl – ausgenommen Mr. Rhodes' vielsagendes Schweigen – schnitt er am 29. die Telegrafendrähte durch und stürzte in jener Nacht los, um die Frauen und Kinder zu retten, auf dringende Bitten in einem jetzt – dem Datum nach – neun Tage alten, in Wirklichkeit ein paar Monate alten Brief. Er las den Brief seinen Leuten vor, und er rüttelte sie auf. Aber nicht alle in gleicher Richtung. Manche sahen darin ein Piratenstück zweifelhafter Klugheit und entdeckten mit Bedauern, daß man sie versammelt hatte, um befreundetes Gebiet zu verletzen, statt Eingeborenenkraale zu überfallen, wie sie eigentlich vermutet hatten.

Jameson hatte einen Ritt von hundertfünfzig Meilen vor sich. Er wußte, daß viele in Transvaal einen Verdacht gegen ihn hegten, aber er erwartete, nach Johannesburg zu gelangen, ehe sich der Verdacht ausbreitete und damit hinderlich würde. Aber einen Telegrafendraht hatte man übersehen und durchzuschneiden versäumt. Er verkündete die Nachricht seines Einfalls weit und breit, und wenige Stunden nach seinem Aufbruch kamen die Burenfarmer aus allen Richtungen angaloppiert, um sich ihm den Weg zu stellen.

Sobald in Johannesburg bekannt wurde, daß er unterwegs war, um die Frauen und Kinder zu retten, setzten die dankbaren Leute die Frauen und Kinder in einen Zug und schickten sie schleunigst nach Australien. Wirklich, das Nahen des Retters Johannesburgs rief dort Panik und Bestürzung hervor, und eine gewaltige Schar friedfertig veranlagter Männer brauste wie ein Sandsturm zu den Zügen. Wer zuerst kam, fuhr am besten; sie sicherten sich Plätze – indem sie sich darauf setzten – acht Stunden, bevor der erste Zug abfahren sollte.

Mr. Rhodes verlor keine Zeit. Er gab der Londoner Presse per Kabel das berühmte Johannesburger Hilfeersuchen durch – das eisgraueste Stück uralter Geschichte, das jemals durch ein Kabel lief.

Der neue Hofpoet verlor keine Zeit. Er brachte ein begeisterndes Poem heraus, in dem er Jamesons glanzvolles Heldentum rühmte, der so prompt den Frauen und Kindern zu Hilfe geeilt sei; denn der Dichter konnte nicht wissen, daß er erst zwei Monate nach der Aufforderung geeilt war. Er ließ sich von dem falschen Datum des Briefes täuschen, das auf den 20. Dezember lautete.

Am Neujahrstag stellten sich die Buren Jameson in den Weg, und am nächsten Tag streckte er die Waffen. Er hatte seine Kopie des Briefes mitgeführt, und falls seine Instruktionen dahin gelautet hatten, er solle im Notfalle dafür sorgen, daß sie den Buren in die Hände falle, so führte er sie getreulich aus. Mrs. Hammond verpaßt ihm für seine vermeintliche Unvorsichtigkeit einen scharfen Rüffel und hebt ihre Gefühle noch durch glühende Kursivschrift hervor: „Man fand den Brief auf dem Schlachtfeld in einem ledernen Beutel, den man für Mr. Jamesons Satteltasche hielt. *Warum, im Namen der Verschwiegenheit und Ehrenhaftigkeit, hat er ihn nicht verschluckt?*"

Sie verlangt zuviel. Er stand nicht im Dienste der Reformer – nur nach außen hin; er stand im Dienste Mr. Rhodes'. Es war das einzige in klarem Englisch abgefaßte, unchiffrierte und nicht in geheimnisvolles Dunkel gehüllte, das einzige von verantwortlicher Seite unterzeichnete und beglaubigte Dokument, das eindeutig die Reformer in die Verantwortung für den Einfall einbezog, und es lag nicht in Mr. Rhodes' Interesse, daß es verschluckt würde. Außerdem war dieser Brief nicht das Original, sondern die Kopie. Mr. Rhodes war im Besitz des Originals – und verschluckte es nicht. Er kabelte es an die Londoner Presse. Man hatte es bereits in England, in Amerika und in ganz Europa gelesen, bevor Jameson es auf dem Schlachtfeld fallen ließ. Wenn der Untergebene einen Rüffel verdiente, verdiente der Prinzipal unbedingt mehrere.

Die Sache mit diesem Brief ist ein saftiger dramatischer Zwischenfall und ganz zu Recht so berühmt, weil er so seltsame und mannigfaltige Auswirkungen hervorrief. Im Zeitraum einer Woche machte er aus Jameson in England einen strahlenden Helden, in Pretoria einen Piraten und in Johannesburg einen Esel ohne Diskretion und Ehre; er rief auch einen hofpoetischen Ausbruch farbiger Feuerspiele hervor, die den Weltenhimmel mit blendendem Glanz übergossen, und die Nachricht, daß Jameson mit dem Brief nahe, um die Frauen und Kinder zu retten, entblößte Johannesburg dieses Teiles der Bevölkerung. Für einen alten Brief war das viel. Für einen zwei Monate alten Brief wirkte er Erstaunliches; wäre er ein Jahr alt gewesen, hätte er Wunder gewirkt.

67. KAPITEL

Fange erst deinen Buren, ehe du ihn trittst.

Querkopf Wilsons Neuer Kalender

Das waren damals Tage bitterer Sorge und schwerer Bedrängnis für die geplagten Reformer.

Von Mrs. Hammond erfahren wir, daß am 31. (dem Tag, nachdem Johannesburg Kenntnis von der Invasion bekommen hatte) „das Reformkomitee sich von Dr. Jamesons Einmarsch distanziert".

Auch gibt es seine Absicht kund, dem Manifest treu zu bleiben.

Auch äußert es den dringenden Wunsch, die Einwohnerschaft möge sich offener Feindseligkeit gegenüber der Burenregierung enthalten.

Auch „verteilt es Waffen" im Gerichtsgebäude und rüstet die „neu geworbenen Freiwilligen" mit Pferden aus.

Auch bringt man die Flagge Transvaals in den Sitzungssaal des Komitees mit, und „mit unbedecktem Haupt und erhobener Hand" schwört ihr das Reformkomitee Treue.

Auch sind „tausend Lee-Mitford-Gewehre ausgegeben worden" – an die Rebellen.

Auch teilt in einer Rede der Reformer Lionel Phillips der Öffentlichkeit mit, daß die Delegation des Reformkomitees „von der Regierungskommission höflich empfangen worden ist" und „ihnen versichert wurde, daß man ihre Vorschläge ernsthaft prüfen werde". Daß, „während das Reformkomitee Jamesons überstürzte Handlung bedaure, es doch zu ihm stehen werde".

Auch befindet sich die Volksmenge in einem Zustand „wilder Begeisterung" und „läßt sich kaum halten; sie will Jameson entgegenziehen und mit Triumphgeschrei einholen".

Auch hat der britische Hohe Kommissar in einer Erklärung Jameson und alle seine britischen Helfershelfer verurteilt. Sie trifft am 1. Januar ein.

Für die Reformer ist das eine kniffelige Situation voller Engpässe und Widersprüchlichkeiten. Ihre Aufgabe ist schwer, aber klar umrissen:

1. Sie müssen sich von dem Einmarsch distanzieren und zu dem Manne halten, der ihn verübt.

2. Sie müssen der Burenregierung Treue schwören und Kavalleriepferde an die Rebellen verteilen.

3. Sie müssen offene Feindseligkeiten gegenüber der Burenregierung verbieten und Waffen an deren Gegner verteilen.

4. Sie müssen eine Kollision mit der britischen Regierung vermeiden und dennoch zu Jameson halten, aber auch zu ihrem Treueid, den sie jüngst der Burenregierung entblößten Hauptes angesichts der Staatsflagge geleistet haben.

Sie verwirklichten davon, soviel sie konnten; sie versuchten, alles zu verwirklichen; tatsächlich verwirklichten sie alles, aber nur nacheinander, nicht gleichzeitig. Der Natur der Dinge nach ließ sich nicht alles gleichzeitig besorgen.

Blufften die Reformer, als sie den bewaffneten Aufstand vorbereiteten und von Revolution sprachen, oder meinten sie es ernst? Sollten sie es ernst gemeint haben, dann setzten sie viel aufs Spiel – wie bereits dargelegt. Ein Herr in maßgebender Stellung in Johannesburg erzählte mir, daß er im Besitz eines gedruckten Dokuments sei, in dem eine *neue* Regierung ausgerufen und ihr Präsident mit Namen genannt wurde – einer der Führer der Reformer. Er sagte, dieser Aufruf sei zur Ausgabe fertig gewesen, aber zurückgezogen worden, als der Einmarsch zusammenbrach. Vielleicht habe ich ihn falsch verstanden. Wirklich, ich muß ihn falsch verstanden haben, denn ich habe diesen wichtigen Vorfall nirgends im Druck erwähnt gesehen.

Außerdem hoffe ich, daß ich mich irre; denn wenn ich mich irre, läßt sich immerhin annehmen, daß die Reformer es insgeheim nicht ernst gemeint, sondern nur versucht hätten, der Burenregierung einen Schrecken einzujagen, um sie zur Bewilligung der gewünschten Reformen zu bewegen.

Die Burenregierung *war* erschrocken, und zu Recht. Denn wenn Mr. Rhodes' Plan dahin lautete, einen Zusammenstoß zu provozieren, der die Einmischung Englands erzwänge, so wäre das eine schwerwiegende Angelegenheit. Wenn sich zeigen ließe, daß das auch Ziel und Zweck der Reformer wäre, so bewiese das, daß sie jedenfalls einen realisierbaren Plan ins Auge gefaßt hätten, wenn er ihnen auch verheerend teuer zu stehen käme, ehe England eintreffen könnte. Aber es scheint klar zu sein, daß sie solches weder planten noch wünschten. Wenn sie, falls es zum Schlimmsten käme, die Regierung zu stürzen gedachten, so gedachten sie doch zweifellos, selbst das Erbe anzutreten.

Dieses Projekt hätte kaum gelingen können. Mit einem Burenheer vor den Toren und fünfzigtausend aufrührerischen Schwarzen in ihrer Mitte wären die Erfolgschancen zu gering gewesen – selbst wenn die ganze Stadt bewaffnet gewesen wäre. Mit nur zweitausendfünfhundert Gewehren hatten sie wirklich keinerlei Aussichten.

Für mich sind die militärischen Gesichtspunkte der Situation interessanter als die politischen, denn aus Veranlagung hatte ich von jeher viel für den Krieg übrig. Nein, ich meine, für Gespräche über den Krieg; und ich habe von jeher gern militärische Ratschläge erteilt. Wäre ich am Morgen, nachdem Jameson aufgebrochen war, bei ihm gewesen, hätte ich ihm umzukehren geraten. Das war am Montag; da ging ihm von Burenseite die erste Warnung zu, das befreundete Territorium Transvaals nicht zu verletzen. Das bewies, daß sein Einmarsch bekannt war. Wäre ich Dienstag morgens oder nachmittags bei ihm gewesen, als er weitere Warnungen empfing, hätte ich meinen Rat wiederholt. Wäre ich am nächsten Morgen bei ihm gewesen – am Neujahrstag –, als ihm Nachricht zukam, daß ihn einige Meilen voraus „ein paar hundert" Buren erwarteten, hätte ich ihm nicht geraten, sondern befohlen umzukehren. Und wäre ich zwei oder drei Stunden später bei ihm gewesen – etwas, das ich mir überhaupt nicht vorstellen kann –, hätte ich ihn gewaltsam zurückgeschleift; denn zu diesem Zeitpunkt erfuhr er, daß die paar hundert Mann inzwischen auf 800 angewachsen waren; und das hieß, daß ihre Zahl noch weiter anwachsen würde.

Denn auf Grund des Zeugnisses Mr. Garretts weiß man, daß Jamesons 600 Mann höchstens 530 waren, wenn man seine eingeborenen Treiber und so weiter nicht mitzählt; und daß die 530 Mann größtenteils aus „grünen" Jungen bestanden, „unerfahrenen jungen Burschen", nicht aus ausgebildeten und kriegserfahrenen britischen Soldaten; und ich hätte Jameson gesagt, daß seine Jungs nicht imstande sein würden, im Trubel und Gewirr der Schlacht wirkungsvoll vom Pferderücken aus zu schießen, und daß sie sowieso außer Felsen nichts zu beschießen hätten; denn die Buren würden hinter den Felsen sitzen und sich nicht im freien Feld blicken lassen. Ich hätte ihm gesagt, daß 300 burische Scharfschützen hinter Felsen seinen 500 unerfahrenen jungen Burschen zu Pferde weit überlegen sein würden.

Wenn Schneid das einzig Entscheidende wäre, um Schlachten zu gewinnen, verlören die Engländer keine Schlachten. Aber wenn man gegen Buren und Indianer kämpft, ist Verstand ebenso notwendig wie Schneid. In Südafrika hat der Brite stets darauf bestanden, tapfer ohne jegliche Deckung dem Buren in seinem Versteck gegenüberzutreten und die Folgen hinzunehmen. Jameson und seine Leute wollten unbedingt der Tradition folgen. Jameson hätte nicht auf mich gehört – er wäre eifrig darauf bedacht gewesen, die Geschichte vorbildgetreu zu wiederholen. Die Amerikaner sind mit dem Britisch-Burischen Krieg von 1881 nicht vertraut; aber seine Geschichte ist interessant und hätte für Jameson lehrreich sein können, wenn er dafür nur aufgeschlossen gewesen wäre. Ich möchte einige Einzelheiten aus zuverlässigen Quellen zitieren – hauptsächlich aus Russells „Natal". Mr. Russell ist kein Bure, er ist Brite. Er ist Schulinspektor, und sein Geschichtswerk ist ein Lehrbuch, das für den Unterricht der englischen Jugend Natals bestimmt ist.

Nach der Annexion Transvaals und der Absetzung der Burenregierung durch England im Jahre 1877 nährten die Buren drei Jahre lang ihren Zorn und richteten an England mehrfach den Appell, ihre Rechte wiederherzustellen, aber ohne Erfolg. Dann versammelten sie sich in Krügersdorp zu einem großen Massentreffen, besprachen ihre Nöte und beschlossen, die Befreiung vom britischen Joch zu erkämpfen. (Krügersdorp – der Ort, wo die Buren den Einfall Jamesons abfingen.) Die kleine Handvoll Buren erhob sich gegen das mächtigste Reich der Welt. Sie riefen das Kriegsrecht und die Wiedergründung ihrer Republik aus. Sie formierten ihre Kräfte und schickten sie den britischen Bataillonen entgegen. Und das, obwohl Sir Garnet Wolseley erst kürzlich verkündet hatte, „solange die Sonne am Himmel stände", würde Transvaal britisches Gebiet sein und bleiben. Und auch trotz der Tatsache, daß der Kommandeur des 94. Regiments – bereits auf dem Marsch zur Niederschlagung des Aufstandes – gesagt haben sollte, „die Buren würden beim ersten Schlag der großen Trommel Fersengeld zahlen".*

Vier Tage nach der Flaggenhissung traf die burische Streitmacht, die man ausgesandt hatte, um den Einfall der britischen Truppen zu verhindern, bei Bronkhorst Spruit auf die Engländer – 246 Mann des 94. Regiments unter dem Kommando eines Obersten, die mit Trommelwirbel und klingendem Spiel dahinmarschierten –, und die erste Schlacht fand statt. Sie dauerte zehn Minuten. Ergebnis:

Britische Verluste: über 150 Offiziere und Mannschaften von den 246. Kapitulation der übrigen.

Burische Verluste – falls es welche gab – nicht genannt.

Gute Schützen sind sie, diese Buren. Von Kindesbeinen an leben sie auf dem Pferderücken und jagen mit der Flinte wilde Tiere. Sie hegen eine Leidenschaft für die Freiheit und die Bibel, nichts anderes interessiert sie.

„General Sir George Colley, Leutnantgouverneur und Oberbefehlshaber in Natal, hielt es für seine Pflicht, sogleich den Treugesinnten und den Soldaten zu Hilfe zu eilen, die in den verschiedenen Städten Transvaals belagert wurden." Er rückte aus mit 1000 Mann und etwas Artillerie. Er fand die Buren in einer starken und geschützten Stellung auf erhöhtem Grund bei Laings-Nek verschanzt vor – jeder Bure hinter einem Felsen. Früh am Morgen des 28. Januar 1881 ging er zum Angriff über „mit dem 58. Regiment unter dem Kommando Oberst Deanes, einer 70 Mann starken Reiterschwadron, den 60. Schützen, der Marinebrigade mit 3 Raketenwerfern und der Artillerie mit 6 Geschützen". Zwanzig Minuten lang setzte er die Buren unter Artilleriebeschuß, dann wurde der Angriff vorgetragen, wobei die 58er *in geschlossener Formation* den Hang angingen. Die Schlacht war bald vorüber, mit folgender Bilanz nach Russell:

Britische Verluste an Toten und Verletzten: 174.

Burische Verluste: „unbedeutend".

Oberst Deane fiel, und offenbar war jeder Offizier über dem Rang eines Leutnants gefallen oder verwundet, denn die 58er zogen sich *unter dem Kommando eines Leutnants* in ihr Lager zurück. („Afrika, wie es ist.")

Damit war die zweite Schlacht beendet.

Am 7. Februar entdeckte General Colley, daß die Buren seine Stellung von der Flanke her bedrohten. Am nächsten Morgen verließ er sein Lager am Mount Pleasant, rückte aus und überschritt mit 270 Mann den Ingogo, ging die Ingogohöhen an und focht dort eine Schlacht aus, die vom Mittag bis zum Einbruch der Nacht dauerte. Dann trat er den Rückzug an, ließ seine

* „Südafrika, wie es ist" von F. Reginald Statham, S. 82. London, T. Fisher Unwin, 1897.

Verwundeten mit dem Militärkaplan zurück und verlor bei der erneuten Überschreitung des inzwischen angeschwollenen Flusses mehrere Leute durch Ertrinken. Das war der dritte Sieg der Buren. Bilanz laut Mr. Russel:

Britische Verluste: 150 von 270 Beteiligten.

Burische Verluste: 8 gefallen, 9 verwundet – zusammen 17.

Nun folgte eine ruhige Zeitspanne, aber nach etwa drei Wochen faßte Sir George Colley den Plan, mit einer Abteilung Infanterie und Artillerie bei Nacht den steilen und zerklüfteten Majubaberg zu erklimmen – eine bitterschwere Aufgabe, aber er bewältigte sie. Unterwegs ließ er etwa 200 Mann zur Bewachung eines strategischen Punktes zurück und nahm etwa 400 mit sich den Berg hinauf. Als morgens die Sonne aufging, erlebten die Buren eine unangenehme Überraschung; drüben waren die britischen Truppen in zwei oder drei Meilen Entfernung auf dem Gipfel des Berges zu sehen, und nun war ihre eigene Stellung der englischen Artillerie ausgeliefert. Der Kommandeur der Buren entschloß sich zum Rückzug – jenen Berg hinauf. Er rief nach Freiwilligen und bekam sie.

Die Sturmkolonne durchquerte das Tal und begann die Hänge emporzukriechen, „und hinter Felsen und Büschen hervor schossen sie auf die Soldaten vor dem hellen Hintergrund des Himmels, als beschlichen sie Wild", sagt Mr. Russell. „Unaufhörlich knatterte Gewehrfeuer, von der einen Seite her stetig und mit verheerenden Folgen, von der anderen Seite her planlos und ohne Wirkung." Die Buren erreichten den Gipfel und begannen ihr Vernichtungswerk. Bald „wichen die Briten zurück und flohen ums liebe Leben den zerklüfteten Hang hinab". Die Buren hatten die Schlacht gewonnen. Bilanz an Gefallenen und Verwundeten, wobei sich unter den Gefallenen der britische General befand:

Britische Verluste: 226 von 400 Beteiligten.

Burische Verluste: 1 Gefallener, 4 Verwundete.

Das machte dem Krieg ein Ende. England ließ sich überzeugen und erkannte die Burenrepublik an – eine Regierung, die sich seither in keiner wirklich ernsten Gefahr befunden hat, bis Jameson mit seinen 500 „unerfahrenen jungen Burschen" gegen sie auszog.

Um zu rekapitulieren: Die Burenfarmer und die britischen Soldaten fochten untereinander vier Schlachten aus, und die Buren gewannen sie alle. Bilanz der vier Schlachten an Gefallenen und Verwundeten:

Britische Verluste: 700 Mann.

Burische Verluste: soweit bekannt, 23 Mann.

Es ist nun interessant festzustellen, wie getreulich Jameson und seine ausgebildeten britischen Offiziere versuchten, ihre Schlachten nach dem Muster der vorausgegangenen zu gestalten. Mr. Garretts Bericht über den Einfall ist bei weitem der beste, den ich gelesen habe, und meine Eindrücke von diesem Unternehmen habe ich auf Grund dieser Quelle gewonnen.

Als Jameson erfuhr, daß ihn bei Krügersdorp 800 Buren erwarteten, die ihm den Durchzug streitig machen würden, war er nicht im geringsten beunruhigt. Er fühlte noch genauso wie zwei oder drei Tage vorher, als er seinen Feldzug mit einer historischen Bemerkung eröffnet hatte, gleichen Sinnes wie die, mit welcher der Befehlshaber der 94er vierzehn Jahre vorher den damaligen Britisch-Burischen Krieg eröffnet hatte. Jener Kommandant hatte geäußert, die Buren „würden beim ersten Schlag der großen Trommel Fersengeld zahlen". Jameson äußerte, daß er mit seinen „unerfahrenen jungen Burschen" die Buren mit -tritten durch ganz Transvaal jagen könnte. Er hielt sich eng an das historische Vorbild.

Jameson traf auf die Buren. Sie waren – dem Vorbild entsprechend – unsichtbar. Es war eine Gegend voller Hügel, Senken, Felsen, Rinnen, Abraumhalden – für einen Kavalerieeinsatz noch schlechter geeignet als einst Laings-Nek in jenen verlustreichen Tagen. Jameson schoß mit seiner Artillerie auf die Hügel und Felsen ein, genau wie es General Colley am Nek getan hatte, fügte ihnen keinen Schaden zu und veranlaßte keinen Buren, sich blicken zu lassen. Dann formierten sich etwa 100 seiner Leute, um den Hügel zu stürmen – entsprechend dem Vorbild der 58er am Nek; aber während sie vorwärtsjagten, zogen sie sich zu einer langen Kette auseinander, was eine erhebliche Verbesserung gegenüber der Taktik der 58er war; als sie bis auf zweihundert Yard an den Hügel herangekommen waren, eröffneten die Buren das Feuer und leerten zwanzig Sättel. Die Unverletzten saßen ab und feuerten über die Pferderücken hinweg auf die Felsen; aber das Gegenfeuer war zu heftig, und sie saßen wieder auf „und galoppierten zurück oder gingen hinter einem Streifen Rohr in Deckung, wo sie kurz darauf, im Rohr liegend, gefangengenommen wurden. Etwa dreißig Gefangene wurden auf diese Weise gemacht, und während der folgenden Nacht holten sich die Buren weitere dreißig Mann an Toten und Verwundeten – die Verwundeten in das Krügersdorper Hospital." Sechzig Prozent der angreifenden Streitmacht ausgeschaltet – nach Mr. Garretts Schätzung.

Das entsprach dem Vorbild am Majubaberg, wo die britischen Verluste 226 von 400 Beteiligten betragen hatten.

Außerdem lagen an jenem Abend in Jamesons Lager „etwa dreißig Verwundete oder anderweitig kampfunfähig gewordene Männer". Weiterhin wurden während der Nacht „an die dreißig oder vierzig junge Burschen vom Kommando versprengt und schlugen sich nach Johannesburg durch". Insgesamt womöglich 150 Mann von seinen 530 ausgefallen. Seine Jungs hatten tapfer gekämpft, hatten aber nicht nahe genug an einen Buren herankommen können, um ihn mit Tritten durch ganz Transvaal zu jagen.

Bei Anbruch des nächsten Morgens nahm die Kolonne von knapp 400 Weißen ihren Marsch wieder auf. Jameson war in seiner Verbissenheit hartnäckig; tatsächlich, so war er stets. Er hatte immer noch Hoffnung. Es folgte ein langer, mühseliger Zickzackmarsch über unebenes Gelände und unter ständiger Störung durch die Buren; und zuletzt ging die Truppe „gewissermaßen in die Falle", und die Buren „umzingelten sie. Auf allen Seiten brachen Männer und Pferde zusammen. In der Kolonne wuchs das Gefühl, daß sie erledigt wären, wenn es ihnen an dieser Stelle nicht gelänge, die Linien der Buren zu durchbrechen. Die Maximgewehre wurden abgefeuert, bis sie zu heiß wurden, und da es kein Wasser für den Kühlmantel gab, hatten fünf von ihnen Ladehemmung und wurden unbrauchbar. Der Siebenpfünder wurde abgefeuert, bis nur noch Munition für eine halbe Stunde übrig war. Man unternahm einen letzten Vorstoß, er mißlang, dann kam die Staats-Artillerie an der linken Flanke heran, und das Spiel war aus."

Jameson hißte die weiße Flagge und streckte die Waffen.

Es gibt eine Anekdote, die möglicherweise nicht den Tatsachen entspricht, über einen unwissenden Burenfarmer dort, der glaubte, diese weiße Flagge sei die Staatsflagge Englands. Er war bei Bronkhorst,. Laings-Nek, Ingogo und Majuba dabeigewesen und nahm an, die Engländer hißten ihre Flagge immer erst am Schluß eines Kampfes.

Das Folgende ist (wie ich es auffasse) Mr. Garretts Schätzung über Jamesons Gesamtverlust an Gefallenen und Verwundeten an den zwei Tagen: „Als sie sich ergaben, fehlten ihnen etwa 20 Prozent der Kämpfer. 76 Mann wurden vermißt. In den Wagen lagen 30 Verletzte oder Kranke. Gefallen oder tödlich verwundet waren 27." Insgesamt 133 von den ursprünglichen 530. Es sind genau 25 Prozent.* Das ist eine große Verbesserung gegenüber den Vorbildern von Bronkhorst, Laings-Nek, Ingogo und Majuba und scheint darauf hinzudeuten, daß die Buren heute nicht mehr so gute Schützen sind wie damals. Aber in einem Punkt wiederholt die Episode des Einfalls die Geschichte haargenau. Durch die Niederlage bei Bronkhorst verschwand die ganze britische Streitmacht vom Kriegsschauplatz; das war auch mit Jamesons Streitmacht der Fall.

Hinsichtlich der Verluste der Buren wiederholt sich das historische Vorbild ebenfalls recht getreulich. In den vier obengenannten Schlachten betrugen die Verluste der Buren, soweit bekannt, durchschnittlich sechs Mann pro Schlacht, gegenüber den britischen Durchschnittsverlusten von 175 Mann. In Jamesons Schlachten betrugen laut amtlichem Bericht der Buren die Verluste an Gefallenen vier. Zwei davon wurden versehentlich von den Buren selbst getötet, die anderen von Jamesons Armee – einer absichtlich, der andere infolge eines tragischen Irrtums. „Ein junger Bure namens Jacobz schlich sich nach dem ersten Angriff vor, um einem der verwundeten Reiter (Jamesons) etwas zu trinken zu geben, als ein anderer Verwundeter, der seine Absicht mißverstand, ihn erschoß." Drei oder vier verwundete Buren lagen im Krügersdorper Hospital, und offenbar sind keine weiteren gemeldet worden. Mr. Garrett „akzeptiert bei Abwägung der Wahrscheinlichkeiten die offizielle Lesart voll und ganz und dankt dem Himmel, daß die Zahl der Gefallenen nicht größer war".

Als militärischer Sachverständiger möchte ich herausstellen, welche taktischen Fehler, wie mir scheint, bei diesem Feldzug begangen wurden. Ich habe aktiv im Felde gestanden, und meine Ausbildung sowie das Recht mitzureden habe ich inmitten der Wirklichkeit des Krieges erworben. Zu Beginn unseres Bürgerkrieges habe ich zwei Wochen gedient und während dieser ganzen Zeit eine Batterie Infanterie von zwölf Mann geführt. General Grant kannte die Geschichte meiner Kriegstaten, denn ich habe ihm davon erzählt. Ich habe ihm auch das Prinzip mitgeteilt, von dem ich mich leiten ließ; und zwar lautete das, den Gegner zu erschöpfen. Viele Bataillone habe ich der Erschöpfung nahegebracht und kampfunfähig gemacht, hatte jedoch selbst nie einen Ausfall, noch verlor ich auch nur einen Mann. Komplimente

---

* Aber ich schätze, daß die Gesamtzahl in Wirklichkeit 150 betrug; denn die Anzahl der Verwundeten, die in das Krügersdorper Hospital übergeführt wurden, war 53, nicht 30, wie Mr. Garrett berichtet. Die Dame, deren Gast ich in Krügersdorp war, nannte mir die Zahlen. Sie war von Beginn der Kampfhandlungen an (1. Januar) dort Oberschwester, bis die Berufsschwestern am 8. Januar kamen. Von den 53 „waren drei oder vier Buren"; ich zitiere ihre Worte.

lagen General Grant gewiß nicht, aber er sagte aufrichtig, wenn ich den ganzen Krieg geführt hätte, wäre viel Blutvergießen vermieden worden, und was die Armee an begeisternden Erfolgen bei Zusammenstößen im Felde eingebüßt hätte, hätte die Erweiterung des Horizonts durch das Reisen reichlich wettgemacht. Weitere Zeugnisse dürften sich wohl erübrigen.

Nun wollen wir also die Geschichte untersuchen und sehen, was sie lehrt. In den vier Schlachten, die 1881, und den zweien, die von Jameson ausgetragen wurden, betrug der britische Verlust an Gefallenen, Verwundeten und Gefangenen praktisch 1300 Mann; der Verlust der Buren, soweit er sich feststellen läßt, betrug etwa 30 Mann. Diese Zahlen zeigen, daß irgendwo ein Fehler steckte. Es lag nicht an mangelndem Mut. Ich möchte eher annehmen, es lag an mangelnder Besonnenheit. Der Brite hätte eines oder das andere tun sollen: die britische Taktik beiseite lassen und mit den Buren auf Burenart kämpfen oder die eigene Streitmacht so vergrößern, daß sie auch unter Beibehaltung der britischen Taktik im Endergebnis mit den Buren gleichgezogen hätte.

Um die britische Taktik beizubehalten, bedürfte es gewisser Voraussetzungen, die sich rechnerisch ermitteln lassen. Wenn wir einmal als Diskussionsgrundlage annehmen wollen, die Gesamtzahl von 1716 britischen Soldaten, die an den vier ersten Schlachten beteiligt waren, hätte der gleichen Gesamtzahl Buren gegenübergestanden, kommen wir zu folgendem Schluß: die britischen Verluste von 700 und die burischen von 25 Mann sprechen dafür, daß man, um gleichzuziehen, in zukünftigen Schlachten die britische Streitmacht dreißigmal so stark halten muß wie die burische. Mr. Garrett zeigt, daß die Streitmacht der Buren, die Jameson unmittelbar gegenüberstand, 2000 Mann betrug und daß am Abend des zweiten Tages weitere 6000 Mann bereitstanden. Die Arithmetik zeigt, daß Jameson, um den 8000 Buren gleichwertig zu sein, 240 000 Mann hätte haben müssen, während er bloß 530 Jungs hatte. Vom militärischen Standpunkt aus, den geschichtliche Tatsachen bekräftigen, ist mir klar, daß Jameson kein besonders gutes militärisches Urteilsvermögen besaß.

Noch etwas. Jameson beschwerte sich mit Artillerie, Munition und Gewehren. Das Kampfgeschehen zeigt, daß er nichts von alledem hätte bei sich führen dürfen. Sie waren schwer, sie waren ihm im Wege, sie behinderten seinen Marsch. Es gab nur Felsen zu beschießen – er wußte sehr wohl, daß es nur Felsen zu beschießen geben würde –, und er wußte, daß Artillerie und Gewehre auf Felsen keine Wirkung ausüben. Er war arg mit Nebensächlichkeiten überladen. Er hatte acht Maximgewehre mit – ein Maximgewehr ist eine Art Mitrailleuse, glaube ich, und gibt etwa 500 Schuß pro Minute ab; er hatte eine zwölfeinhalbpfündige Kanone und zwei Siebenpfünder mit; außerdem 145 000 Schuß Munition. Er setzte die Maximgewehre so stark gegen die Felsen ein, daß fünf davon ausfielen – fünf Maxims, nicht Felsen. Man schätzt, daß im Verlaufe der vierundzwanzigstündigen Schlacht mehr als 100 000 Schuß Munition der verschiedenen Arten abgefeuert wurden. *Ein Mann gefallen.* Er muß furchtbar verstümmelt gewesen sein. Es war sehr bedauerlich, daß man die wirkungslosen Maximgewehre mitführte. Jameson hätte sich lieber mit einer Batterie von Querkopf Wilsons Maximen versehen sollen. Sie sind viel tödlicher als jene anderen und leicht mitzuführen, weil sie nicht viel wiegen.

Mr. Garrett gibt sich nicht allzuviel Mühe, sein Lächeln zu verbergen, wenn er die Anwesenheit der Maximgewehre mit der Feststellung entschuldigt, sie hätten einen sehr wesentlichen Zweck erfüllt, indem ihr Geknatter das Zielvermögen der Buren beeinträchtigte und auf diese Weise Menschenleben rettete.

Drei Kanonen, acht Maxims und fünfhundert Gewehre ergaben ein Resultat, das einer bereits feststehenden Tatsache Nachdruck verlieh – daß das britische System, sich frei und offen hinzustellen und Buren zu bekämpfen, die hinter Felsen hockten, einfach unklug, unentschuldbar ist und gegen etwas Wirksameres eingetauscht werden sollte. Denn das Ziel des Krieges ist es, zu töten, nicht bloß, Munition zu vergeuden.

Wenn man mir die Leitung eines dieser Feldzüge übertragen würde, wüßte ich, was ich zu tun hätte, denn ich habe den Buren studiert. Die Bibel schätzt er über alles. Das köstlichste Nahrungsmittel in Südafrika ist „Biltong". Sie werden es in Olive Schreiners Büchern erwähnt gefunden haben. Es ist das, was unsere Landsleute in der Ebene „Trockenfleisch" nennen. Das ist des Buren wesentlichster Kraftspender. Er hegt eine Leidenschaft dafür, und mit Recht.

Wenn ich den Feldzug befehligte, nähme ich nur Gewehre mit, keine hinderlichen Maximgewehre und Kanonen, die bloß gute Felsen verderben. Ich würde nachts verstohlen bis auf etwa eine Viertelmeile an das Burenlager vorrücken, dort eine fünfzig Fuß hohe Pyramide aus Biltong und Bibeln errichten und meine Leute ringsherum verstecken. Am Morgen würden die Buren Kundschafter aussenden, und dann würden die übrigen angestürmt kommen. Ich würde sie umzingeln, und dann müßten sie unter gleichen Bedingungen in offenem Gelände gegen meine Leute kämpfen. Majuba-Resultate gäbe es dann nicht.*

*Gerade während ich dieses Buch abschließe, ist ein unglücklicher Streit zwischen Dr. Jameson und seinen Offizieren auf der einen Seite und Oberst Rhodes auf der anderen entstanden, und zwar betreffend den Wortlaut einer Mitteilung, die Oberst Rhodes kurz vor Beginn der Feindseligkeiten an jenem denkwürdigen Neujahrstag von Johannesburg aus durch einen Radfahrer an Jameson sandte. Nach dem Kampf fand man ein paar Fetzen dieser Mitteilung auf dem Schlachtfeld und setzte diese zusammen; der Streit dreht sich darum, welche Worte auf den fehlenden Fetzen standen. Jameson sagt, die Mitteilung habe ihm 300 Mann Verstärkung aus Johannesburg versprochen. Oberst Rhodes bestreitet das und sagt, er habe bloß versprochen, „Ihnen einige Leute entgegenzuschicken."

Es ist doch sehr bedauerlich, daß diese guten Freunde sich über eine solche Kleinigkeit entzweien sollten. Wenn die 300 wirklich abgesandt worden wären, was hätte das genützt? In einundzwanzig Stunden fleißigen Kämpfens hatten Jamesons 530 Leute mit 8 Maximgewehren, 3 Kanonen und 145 000 Schuß Munition insgesamt 1 Buren getötet. Diese Zahlen zeigen, daß eine Verstärkung von 300 Johannesburgern, bloß mit Musketen bewaffnet, höchstens etwas mehr als einen halben weiteren Buren getötet hätte. Das hätte die Lage nicht gerettet. Es hätte nicht einmal das Gesamtergebnis wesentlich beeinflußt. Die Zahlen beweisen klar und mit mathematischer Eindringlichkeit, daß es der einzige Weg, Jameson zu retten oder ihm auch nur eine gerechte und gleiche Chance wie dem Feind zu geben, gewesen wäre, wenn Johannesburg ihm 240 Maximgewehre, 90 Kanonen, 600 Wagenladungen Munition und 240 000 Mann geschickt hätte. Johannesburg war dazu nicht in der Lage. Man ist sehr über Johannesburg hergefallen, weil es Jameson nicht unterstützt habe. Aber in jedem Falle haben das zweierlei Leute getan – Leute, die keine Geschichtswerke lesen, und Leute, die nichts davon begreifen, wenn sie welche lesen.

68. KAPITEL

Keiner von uns besitzt so viele Tugenden wie
ein Füllfederhalter oder auch nur halb soviel
Niederträchtigkeit; aber wir können uns
darum bemühen.

Querkopf Wilsons Neuer Kalender

Der Herzog von Fife hat Zeugnis abgelegt, daß Mr. Rhodes ihn getäuscht
habe. Das hat Mr. Rhodes auch den Reformern angetan. Er brachte sie in
Schwierigkeiten und hielt sich dann selbst heraus. Ein umsichtiger Mann.
Das ist er immer gewesen. Einmal sind diesbezüglich flüchtige Zweifel aufge-
taucht. Das geschah auf seinem letzten Piratenzug ins Matabeleland. Das
Kabel verkündete lauthals, er sei unbewaffnet eine Gruppe feindlicher
Häuptlinge besuchen gegangen. Das stimmte auch; und diese tollkühne Tat
hätte dem Hofpoeten beinahe eine weitere Indiskretion entrissen. Das wäre
schlimm gewesen, denn als alle Umstände bekannt wurden, stellte sich heraus, daß eine ebenfalls unbewaffnete Dame dabei war.

Nach Ansicht vieler Leute ist Mr. Rhodes Südafrika; andere glauben, er
sei nur ein großer Teil davon. Letztere sind der Ansicht, Südafrika bestehe
aus dem Tafelberg, den Diamantminen, den Johannesburger Goldfeldern
und Cecil Rhodes. Die Goldfelder sind in jeder Hinsicht wunderbar. Binnen
sieben oder acht Jahren hat man mitten in der Wüste eine Stadt von
hunderttausend Einwohnern errichtet, Weiße und Schwarze zusammen-
gerechnet; und nicht die gewöhnliche Minenstadt aus hölzernen Buden,
sondern eine Stadt aus dauerhaftem Material. Nirgends in der Welt kommt
eine solche Konzentration reicher Minen vor wie in Johannesburg. Mr.
Bonamici, mein dortiger Manager, gab mir ein kleines Goldstück mit ein-
gravierten statistischen Daten, die den Goldertrag von der Anfangszeit bis
Juli 1895 angeben und die Fortschritte deutlich machen, welche bei der Entwicklung dieser Industrie erzielt worden sind; 1888 belief sich der Ertrag
auf 4 162 440 Dollar; der Ertrag der nächsten fünfeinhalb Jahre betrug
insgesamt 17 585 894 Dollar; für das einzige Jahr bis Juni 1895 betrug er
45 553 700 Dollar.

Das Kapital, mit dem der Bergbau entwickelt wurde, kam aus England,
die Bergingenieure stammten aus Amerika. Das ist auch bei den Diamant-
bergwerken der Fall. Südafrika scheint der Himmel des amerikanischen wis-
senschaftlich ausgebildeten Bergingenieurs zu sein. Er bekommt die besten
Posten und hält sie. Sein Gehalt gründet sich nicht darauf, was er in Amerika
bekommen würde, sondern darauf, was eine ganze Familie seiner Art erhielte.

Die ertragreichen Bergwerke schütten hohe Dividenden aus, und doch ist
das Erz, vom kalifornischen Standpunkt aus gesehen, nicht reichhaltig. Gestein, das zehn bis zwölf Dollar pro Tonne bringt, betrachtet man als durchaus reichhaltig genug. Es ist in einem solchen Maße mit unedlen Metallen
verunreinigt, daß es vor zwanzig Jahren nur etwa halb so wertvoll gewesen
wäre wie heute; denn damals existierte keine lohnende Methode, aus solchem
Gestein mehr herauszuholen als das grobkörnige „Freigold"; aber das neue

Zyanidverfahren hat das alles geändert, und die Goldfelder der ganzen Welt bringen heute jährlich für fünfzig Millionen Dollar Gold, das unter früheren Bedingungen auf die Abfallhalde gewandert wäre.

Das Zyanidverfahren war für mich neu und sehr interessant; und unter den kostspieligen und komplizierten Bergbaumaschinen gab es schöne Apparaturen, die für mich neu waren, aber mit den übrigen Einzelheiten des Goldgewinnungsprozesses war ich bereits vertraut. Zu meiner Zeit war ich selbst Goldgräber gewesen und wußte praktisch alles darüber, was diese Leute darüber wissen, nur nicht, wie man Geld damit verdient. Aber ich erfuhr dort eine ganze Menge über die Buren, und das war ein frisches Thema. Was ich dort hörte, hat man mir später in anderen Teilen Südafrikas wiederholt. Zusammengefaßt – nach der auf diese Weise eingesammelten Information – ist der Bure so:

Er ist tief religiös, äußerst ungebildet, schwer von Begriff, dickköpfig, bigott, unreinlich in seinen Gewohnheiten, gastfreundlich, ehrlich bei Geschäften mit Weißen, ein strenger Herr seinen schwarzen Dienstboten gegenüber, faul, ein guter Schütze, guter Reiter, ein Liebhaber der Jagd, ein leidenschaftlicher Verfechter politischer Unabhängigkeit, ein guter Gatte und Vater, wohnt nicht gern in Städten zusammengedrängt, sondern schätzt die Abgeschiedenheit, Zurückgezogenheit, Einsamkeit, leere Unermeßlichkeit und Stille des Veldts; ein Mann von gewaltigem Appetit und nicht wählerisch hinsichtlich dessen, womit er ihn stillt – durchaus zufrieden mit Schweinefleisch, Mais und Biltong, wobei er nur verlangt, daß die Quantität nicht knapp bemessen sei; reitet bereitwillig eine weite Strecke, um die ganze Nacht durch bei einem derben Tanzvergnügen mit eingeschobenen handfesten Mahlzeiten und lärmender Fröhlichkeit mitzumachen, ist aber bereit, doppelt soweit zu einer Gebetsversammlung zu reiten; ist stolz auf seine holländische und hugenottische Abstammung und ihre religiöse und militärische Geschichte; stolz auf die Errungenschaften seines Volkes in Südafrika, auf die kühnen Vorstöße in feindselige und unerforschte Einöden, die sein Volk auf der Suche nach einsamen, nicht von den lästigen und verhaßten Engländern heimgesuchten Plätzen unternahm, auch auf seine Siege über die Eingeborenen und Briten; am stolzesten aber auf die unmittelbare und überschwengliche persönliche Anteilnahme, die Gott stets den Angelegenheiten seines Volkes gewidmet hat. Er kann nicht lesen, er kann nicht schreiben, er hat eine oder zwei Zeitungen, ist sich dessen aber offenbar nicht bewußt; bis vor kurzer Zeit besaß er keine Schulen und lehrte seine Kinder nichts; Nachrichten ist ein Begriff, der ihm nichts sagt, und aus der Sache selbst macht er sich gar nichts. Er haßt es, besteuert zu werden, und nimmt es übel. Er ist seit zweieinhalb Jahrhunderten in Südafrika auf dem Fleck stehengeblieben und würde gern bis ans Ende aller Zeiten stehenbleiben, denn er hat für die Fortschrittsbegriffe der Uitlander nichts übrig. Er hungert nach Reichtum, denn er ist ein Mensch; aber seine Vorliebe hat stets Reichtum an Vieh gegolten, nicht feinen Kleidern, schönen Häusern, Gold und Diamanten. Gold und Diamanten haben ihm die gottlosen Fremden ins Land gebracht, befleckten es damit und zerstörten seinen Frieden, und er wünschte, sie wären nie entdeckt worden.

Ich glaube, den größten Teil dieser Angaben kann man in Olive Schreiners Büchern finden, und sie kann man wohl nicht beschuldigen, das Porträt des Buren mit unfairer Hand zu zeichnen.

Nun, was würden Sie von diesem wenig versprechenden Material erwarten? Was können Sie davon erwarten? Gesetze, die der Religionsfreiheit feindlich gegenüberstehen? Ja. Gesetze, die dem Eindringling politische Vertretung und Wahlrecht vorenthalten? Ja. Gesetze, die Bildungseinrichtungen unfreundlich gegenüberstehen? Ja. Gesetze, die die Goldproduktion behindern? Ja. Behinderung des Ausbaues des Eisenbahnnetzes? Ja. Gesetze, die den Eindringling schwer besteuern und den Buren übersehen? Ja.

Der Uitlander scheint etwas ganz anderes erwartet zu haben. Ich weiß nicht, warum. Nichts anderes war vernunftgemäß zu erwarten. Man darf nicht erwarten, daß ein runder Mann von vornherein in ein viereckiges Loch paßt. Er braucht Zeit, um seine Gestalt zu verändern. Die Veränderung hatte in einem oder zwei Punkten schon vor dem bewaffneten Einfall begonnen und machte gewisse Fortschritte. Seither hat sie noch weitere Fortschritte gemacht. Es gibt in der Burenregierung kluge Männer, und das erklärt die Veränderung; die Veränderung in der Masse der Buren hat wahrscheinlich noch gar nicht begonnen. Wenn die führenden Köpfe der Burenregierung keine klugen Leute gewesen wären, hätten sie Jameson gehenkt und so einen sehr gewöhnlichen Piraten zu einem heiligen Märtyrer gemacht. Aber selbst ihre Klugheit hat Grenzen, und sie werden Mr. Rhodes hängen, wenn sie ihn erwischen. Das wird seiner Gestalt den letzten Schliff geben und ihn zum Heiligen machen. Man hat ihn bereits mit allen anderen Titeln benannt, die menschliche Größe symbolisieren, und er sollte auch noch zu diesem aufrücken, dem höchsten von allen. Es wird von seiner jetzigen Position aus ein schwindelerregender Sprung sein, aber das hat nichts zu sagen, es wird ihn in gute Gesellschaft bringen und eine angenehme Abwechslung für ihn bedeuten.

Einigen Forderungen des Johannesburger Manifests ist seit den Tagen des Einfalls stattgegeben worden, und die anderen werden zweifellos mit der Zeit folgen. Es war für die Bergbauunternehmer Johannesburgs überaus günstig, daß die Burenregierung die Steuern erhob, über die sie so sehr stöhnten, und nicht ihr Freund Rhodes und seine Englisch-Südafrikanische Gesellschaft von Straßenräubern, denn letztere nehmen die *Hälfte* von allem, was ihre Bergbau treibenden Opfer finden, sie halten sich nicht mit einem bloßen Prozentsatz auf. Wenn die Bergbauunternehmer Johannesburgs ihrer Rechtsprechung unterständen, fänden sie sich binnen zwölf Monaten im Armenhaus wieder.

Ich hatte die ganze Zeit den Eindruck, daß irgendwo in meinem Notizbuch eine unerfreuliche Bemerkung über die Buren gestanden habe und auch eine erfreuliche. Jetzt habe ich sie gefunden. Die unerfreuliche ist in einem Dorf im Innern geschrieben und lautet:

„Mr. Z. besuchte mich. Er ist Englisch-Afrikaander; wohnt seit langem hier und hat eine Burin zur Frau. Er beherrscht die Sprache und hat beruflich ausschließlich mit Buren zu tun. Er erzählte mir, daß die alten Burenfamilien in dem großen Gebiet, dessen wirtschaftliches Zentrum dieses Dorf ist, in dem materialistischen Wettrennen und Existenzkampf der heutigen Zeit allmählich ihrer ererbten Trägheit und Schwerfälligkeit zum Opfer fallen und nacheinander dem Geldverleiher in die Fänge laufen, hoffnungslos verschulden, ihre führende Stellung verlieren und auf den zweiten Platz oder noch tiefer absteigen. Wenn der Bure seine Farm verliert, geht sie nicht an einen anderen Buren über, sondern an einen Ausländer. Manche sind so tief gesunken, daß sie ihre Töchter an die Schwarzen verkaufen."

„In einer anderen südafrikanischen Stadt datiert, finde ich diese Notiz, die den Buren zur Ehre gereicht:

„Dr. X. erzählte mir, im Kaffernkrieg hätten sich fünfzehnhundert Kaffern in eine große Höhle in den Bergen, etwa neunzig Meilen nördlich Johannesburgs, geflüchtet, und die Buren hätten den Eingang versperrt und sie durch Rauch erstickt. Dr. X ist in der Höhle gewesen und hat die große Menge gebleichter Skelette gesehen – eines eine Frau, die das Skelett eines Kindes an die Brust gedrückt hielt."

Die große Masse der Wilden muß fort. Der Weiße braucht ihre Ländereien, und alle müssen fort, ausgenommen ein kleiner Prozentsatz, den er braucht, weil sie ihm die Arbeit abnehmen sollen, natürlich zu Bedingungen, die er bestimmt. Seit die Geschichte alle vagen Vermutungen in dieser Frage beseitigte und Gewißheit schuf, sollte man den humansten Weg benutzen, um die schwarze Bevölkerung zu verringern, nicht die alten grausamen Methoden der Vergangenheit. Mr. Rhodes und seine Bande folgen den alten Methoden. Sie besitzen das Privileg, zu rauben und zu erschlagen, und sie tun es getreu den Gesetzen, aber nicht im Geiste des Mitleids und des Christentums. Sie berauben die Maschona und die Matabele eines Teiles ihres Gebietes im alten, geheiligten Stil des „Kaufes" um einen Pappenstiel, dann brechen sie einen Streit vom Zaun und nehmen den Rest mit Gewalt. Sie berauben die Eingeborenen ihres Viehs unter dem Vorwand, daß alles Vieh im Lande dem König gehört habe, den sie überlistet und ermordet haben. Sie geben „Verordnungen" heraus, welche die aufgebrachten und bedrängten Eingeborenen verpflichten, für die weißen Siedler zu arbeiten und dadurch ihre eigenen Angelegenheiten zu vernachlässigen. Das ist Sklaverei und um ein Vielfaches schlimmer, als es die amerikanische Sklaverei war, die England immer so sehr bekümmerte; denn wenn dieser rhodesische Sklave krank, alt oder sonstwie arbeitsunfähig wird, muß er für sich selbst sorgen oder verhungern – sein Herr hat keinerlei Verpflichtung, für ihn zu sorgen.

Die Senkung der Bevölkerungszahl auf das gewünschte Maß mit rhodesischen Methoden bedeutet eine Rückkehr zu dem früheren System langsamer Verelendung und schleppenden Todes aus einer verrufenen Zeit mit roher „Zivilisation". Wir beseitigen einen Überschuß an Hunden humanerweise durch das raschwirkende Chloroform; die Buren beseitigten den Überschuß an Schwarzen humanerweise durch den raschwirkenden Erstickungstod; der namenlose, aber rechtschaffene australische Pionier beseitigte seinen Überschuß an eingeborenen Nachbarn humanerweise durch einen versüßten, raschwirkenden Tod, der in einem vergifteten Pudding versteckt war. Sie alle sind bewunderungswürdig und verdienen hohes Lob; Sie und ich würden lieber jede dieser Todesarten dreißigmal an dreißig Tagen hintereinander erleiden, als an einem der rhodesischen Zwanzigjahrestode hinzuschmachten, verbunden mit einer täglichen Bürde an Beschimpfungen und Erniedrigungen und an Zwangsarbeit für einen Mann, dessen ganze Rasse das Opfer

haßt. Rhodesien ist ein glücklich gewählter Name für dieses Land der Frei-
beuterei und Plünderung und verleiht ihm das passende schmutzige Etikett.

Mehrere lange Reisen machten uns mit den Eisenbahnen der Kapkolonie
vertraut; weichfahrende schöne Wagen, alle Bequemlichkeiten, gründliche
Sauberkeit, bequeme Betten in den Nachtzügen. Es war in den ersten Junitagen, im Winter; bei Tag war es angenehm, bei Nacht erfrischend kühl. Wenn
man den ganzen Tag in den Wagen dahinsauste, war es hinreißend, die belebende Luft zu atmen und in die weite braune Verlassenheit der samtigen
Ebenen hinauszublicken, so zart und lieblich in der Nähe, noch zarter und
lieblicher in größerem Abstand, am zartesten und lieblichsten in der weiten
Ferne, wo undeutliche Berginseln wie auf einem Meer zu treiben schienen −
einem Meer aus Traumstoff, mit matten, satten Farben überhaucht. Und
ach! die Tiefe des Himmels, die Schönheit der fremdartigen, neuen Wolkenbildungen und die Herrlichkeit des Sonnenscheins, der so überreichlich, so
verschwenderisch herabströmte! Die Kraft und die belebende Frische der
Luft und der Sonne − wirklich, es war genau so, wie Olive Schreiner es in
ihren Büchern dargestellt hat.

Für mich war das Veldt in seinem nüchternen Winterkleid überwältigend
schön. Es gab unebene Strecken, wo es wie ein Ozean wogte und rollte, sich
hob und senkte und in erhabenem Schwung fort und fort flutete, immer weiter und weiter auf den fernen Horizont zu, wobei sein blasses Braun sich in
zart abgestuften Schattierungen zu dunklem Orange vertiefte und schließlich
zu Purpur und Karmesinrot, wo es gegen die bewaldeten Hügel und die kahlen roten Felszacken am Fuße des Himmels brandete.

Überall, von Kapstadt bis Kimberley und von Kimberley bis Port Elizabeth und East London, waren die Städte mit gezähmten Schwarzen dicht bevölkert; mit gezähmten und, wie ich annehme, auch zum Christentum be-
kehrten Schwarzen, denn sie trugen die plunderige Kleidung unserer christlichen Zivilisation. Wäre sie nicht gewesen, hätten viele von ihnen auffallend
gut ausgesehen. Diese teuflischen Kleider, zusammen mit dem echten
Schlendergang, dem gutmütigen Gesicht, dem fröhlichen Aussehen und dem
rasch aufsteigenden Lachen, machten sie zu haargenauen Abbildern unserer
amerikanischen Schwarzen; in so manche Szene, an der alles andere so eindeutig, so harmonisch und überwältigend afrikanisch war, platzte eine
Gruppe dieser Eingeborenen hinein und verdarb alles, weil sie so völlig fehl
am Platze wirkten und einen schrillen Mißklang hineintrugen, halb afrikanisch und halb amerikanisch.

Eines Sonntags kamen in King William's Town zwei Dutzend farbige
Frauen geziert über den großen, kahlen Platz getrippelt, gekleidet in − oh, in
das Äußerste, was an modischer, neuartiger, kostspieliger Aufmachung zu
bieten ist, in einer grellen Zusammenstellung nicht harmonierender Farben
− alles genau so, wie ich es zu Hause so oft gesehen hatte; und in ihren Mienen und ihrem Gang lag jenes schmachtende, aristokratische, höchste Entzücken an ihrem Putz, das mir so vertraut war und mein Auge und Herz immer so erfreut hatte. Mir war, als befände ich mich unter ganz, ganz alten
Freunden, Freunden seit fünfzig Jahren, und ich blieb stehen und begrüßte
sie herzlich. Sie brachen in gutmütiges Lachen aus, blitzten mich mit ihren
weißen Zähnen an und antworteten alle gleichzeitig. Ich verstand kein Wort.

Ich war verblüfft; ich hatte mir nicht träumen lassen, daß sie anders als amerikanisch antworten würden.

Auch die Stimmen der afrikanischen Frauen waren mir vertraut – genau so süß und klangvoll wie die der Sklavinnen meiner Kindertage. Ich folgte einer solchen Gruppe durch den ganzen Oranjefreistaat – nein, durch seine Hauptstadt Bloemfontein –, um ihre sanften Stimmen und das lustige Geplätscher ihres Lachens zu hören. Ihre Sprache war ein großer Fortschritt gegenüber dem Amerikanischen. Auch gegenüber dem Zulu. Sie hatte nicht das Knacken der Zulusprache an sich; und sie schien keine Winkel und Ekken zu besitzen, keine Herbheit, keine häßlichen S oder andere Zischlaute, sondern war sehr, sehr weich und voll und fließend.

Bei den Bahnfahrten durch das Land hatte ich Gelegenheit, eine ganze Menge Buren aus dem Veldt zu sehen. Einmal stiegen auf einem Dorfbahnhof hundert Mann zum Essen aus den Wagen der 3. Klasse. Ihre Kleidung war sehr interessant. An Häßlichkeit des Zuschnitts und an Wunderdingen in unharmonischen Kombinationen häßlicher Farben stellte sie einen absoluten Rekord dar. Der Eindruck war fast ebenso erregend und fesselnd wie die Wirkung der strahlendschönen Kleider und des erlesenen Geschmacks, die man auf indischen Eisenbahnstationen stets vor Augen hat. Ein Mann trug Kordhosen in verblichenem Kaugummiton. Und sie waren neu – was bewies, daß dieser Farbton nicht durch ein Mißgeschick entstanden, sondern beabsichtigt war; die allerscheußlichste Farbe, die ich je gesehen habe. Ein dürrer, klapperiger, sechs Fuß großer Bauerntölpel mit breitrandigem, verbeultem grauem Schlapphut und alten harzfarbenen Hosen hatte einen greulichen nagelneuen Wollmantel an, der Tigerfell imitierte – breite, wellenförmige Streifen in grellem Gelb und tiefem Braun. Ich fand, man müßte ihn hängen, und fragte den Stationsvorsteher, ob sich das nicht machen ließe. Er sagte nein; und nicht nur das, er sagte es auch noch grob; sagte es mit ganz unnötigem Nachdruck. Dann murmelte er etwas wie, daß ich ein Esel sei, ging davon, machte die Leute auf mich aufmerksam und tat, was er nur konnte, um die öffentliche Meinung gegen mich aufzuwiegeln. Das hat man davon, wenn man sich bemüht, etwas Gutes zu tun.

Im Zug erzählte mir an diesem Tag ein Mitreisender noch etwas mehr über das Leben der Buren draußen im einsamen Veldt. Wie er sagte, steht der Bure früh auf und teilt seinen „Niggern" ihre Aufgaben zu (Kühe hüten), ißt, raucht, döst, schläft; gegen Abend beaufsichtigt er das Melken und so weiter; ißt, raucht, döst; geht zeitig nach Einbruch der Dunkelheit in den duftenden Kleidern schlafen, die er (oder sie) den ganzen Tag und jeden Wochentag seit Jahren getragen hat. Ich erinnere mich an diesen letzten Umstand aus Olive Schreiners „Geschichte einer afrikanischen Farm". Und der Mitreisende erzählte mir, die Buren seien zu Recht berühmt für ihre Gastfreundschaft. Er erzählte mir darüber eine Geschichte. Er sagte, Seine Gnaden der Bischof eines bestimmten Bistums habe einst eine Dienstreise durch das gasthauslose Veldt gemacht, und einmal stieg er für die Nacht bei einem Buren ab; nach dem Abendbrot wies man ihm das Bett; er zog sich aus, erschöpft und abgespannt, und schlief bald tief und fest; in der Nacht wachte er auf, weil er sich bedrängt und erstickt fühlte, und fand den alten Buren und seine dicke Frau bei sich im Bett, jeden auf einer Seite, ganz angezogen und schnarchend. Er mußte bleiben, wo er war, und es erdulden – wach und leidend – bis gegen Tagesanbruch, als er wieder eine Stunde Schlaf erhaschte. Dann wachte er wieder auf. Der Bure war fort, aber die Frau lag immer noch neben ihm.

Die Reformer verabscheuten jenes burische Gefängnis; sie waren beengte Räumlichkeiten, langweilige Stunden, ermüdende Untätigkeit, zeitiges Schlafengehen, begrenzte Bewegungsmöglichkeit, willkürliche und ärgerliche Vorschriften nicht gewöhnt, auch nicht das Fehlen von Genüssen, mit denen der Reichtum sich Tag wie Nacht angenehm macht. Die Gefangenschaft wirkte sich körperlich und seelisch bei ihnen aus; aber es waren Menschen, die über dem Durchschnitt standen, und sie holten aus den Umständen das Beste heraus, was überhaupt darin steckte. Ihre Frauen schmuggelten Delikatessen zu ihnen hinein, die dazu beitrugen, die Gefängniskost besser rutschen zu lassen.

Im Zug erzählte mir Mr. B., daß die burischen Gefängnisse die schwarzen Gefangenen – auch politische – unbarmherzig behandelten. Ein afrikanischer Häuptling und sein Gefolge waren neun Monate ohne Verfahren dort festgehalten worden, und die ganze Zeit waren sie vor Sonne und Regen ungeschützt. Er sagte, einmal hätten die Wachen einen großen Schwarzen in den Stock geschlossen, weil er seine Suppe auf den Boden geschüttet hatte; sie spreizten ihm die Beine schmerzhaft weit auseinander und setzten ihn so hin, daß er mit dem Rücken bergab saß; er konnte es nicht aushalten und stützte die Hände hinter sich auf den Hang, um Halt zu finden. Der Wächter befahl ihm, die Stütze aufzugeben – und trat ihn in den Rücken. „Darauf", sagte Mr. B., „riß der bärenstarke Schwarze den Stock auseinander und ging auf den Wächter los; ein gefangener Reformer riß ihn aber zurück und verprügelte den Wächter selbst."

69. KAPITEL

> Selbst die Tinte, mit der alle Geschichte geschrieben wird, ist nur flüssiges Vorurteil.
>
> *Querkopf Wilsons Neuer Kalender*

> Kein Breitengrad, der nicht dächte, er wäre Äquator geworden, wenn alles mit rechten Dingen zugegangen wäre.
>
> *Querkopf Wilsons Neuer Kalender*

Nächst Mr. Rhodes war für mich der Diamantkrater die interessanteste Ausgeburt der Natur. Die Goldfelder des Rands sind wahrhaft überwältigend und lassen alle anderen Goldfelder klein erscheinen, aber die Goldgräberei war mir nicht fremd; das Veldt war prachtvoll anzusehen, aber es war nur eine weitere und schönere Abwandlung unserer großen Ebenen; die Eingeborenen waren durchaus nicht uninteressant, aber sie waren nichts Neues; und was die Städte betraf, konnte ich mich durch die meisten ohne Führer hindurchfinden, weil ich die Straßen unter anderen Namen in genau gleichen Städten in anderen Ländern kennengelernt hatte; aber das Diamantbergwerk war etwas ganz Frisches, eine fabelhafte und fesselnde Neuheit. Sehr wenige

Menschen auf der ganzen Welt haben den Diamanten in seiner Heimat gesehen. Er hat überhaupt nur drei oder vier Heimstätten in der Welt, während Gold deren eine Million besitzt. Es lohnt sich, um den ganzen Erdball zu reisen, um etwas zu sehen, das mit Recht als Neuheit zu bezeichnen ist, und die Diamantmine ist die großartigste, erlesenste und engumrissenste Neuheit, die das Erdenrund auf Lager hat.

Die Diamantlager von Kimberley wurden, glaube ich, um 1869 entdeckt. Wenn man alles richtig bedenkt, ist das erstaunlichste daran, daß sie nicht schon fünftausend Jahre früher entdeckt wurden und der afrikanischen Welt von da an ständig bekannt waren. Aus diesem Grunde hat man die ersten Diamanten auf der Erdoberfläche liegend gefunden. Sie waren glatt und klar, und im Sonnenlicht sprühten sie Feuer. Sie waren genau das, was ein afrikanischer Wilder jeden beliebigen Zeitalters höher als alles andere auf der Welt schätzen würde, eine Glasperle ausgenommen. Seit zwei oder drei Jahrhunderten kaufen wir ihm sein Land, sein Vieh, seinen Nachbarn und was er sonst zu verkaufen hat, gegen Glasperlen ab; und deshalb ist es eigenartig, daß ihn die Diamanten kalt ließen – denn er muß sie oft, sehr oft aufgelesen haben. Es wäre ihm natürlich nicht eingefallen, zu versuchen, sie den Weißen zu verkaufen, denn die Weißen besaßen selbst genug Glasperlen, und auch noch eleganter geformte als diese hier; aber man sollte meinen, daß der ärmere Schwarze, der sich echtes Glas nicht leisten konnte, in aller Bescheidenheit froh gewesen wäre, sich mit der Imitation zu schmücken, und daß bald der weiße Händler die Dinger bemerkt hätte, daß ihm eine Vermutung aufgedämmert wäre, daß er ein paar davon mit nach Hause genommen und entdeckt hätte, was das wirklich war, und sogleich eine Meute Glücksjäger nach Afrika gelenkt hätte. Es kommen viele seltsame Dinge in der Geschichte der Menschheit vor; eines der seltsamsten ist, daß die glitzernden Diamanten so lange Zeit dort lagen, ohne bei irgend jemandem Interesse zu erregen.

Die Erleuchtung kam schließlich durch Zufall. In der Hütte eines Buren, mitten in der weiten Einsamkeit der Ebene, beobachtete ein durchreisender Fremder, wie ein Kind mit einem glänzenden Gegenstand spielte, und erfuhr, es sei ein Stück Glas, das man im Veldt gefunden habe. Der Fremde kaufte es für eine Kleinigkeit und nahm es mit; und da er ein ehrloser Mensch war, redete er einem anderen Fremden ein, es sei ein Diamant, holte dadurch 125 Dollar aus ihm heraus und war so zufrieden mit sich selbst, als hätte er eine gute Tat getan. In Paris verkaufte der betrogene Fremde es für 10 000 Dollar an eine Pfandleihe, die es einer Gräfin für 90 000 Dollar verkaufte, die es einem Brauer für 800 000 Dollar abließ, der bei einem König ein Herzogtum und einen Stammbaum dafür einhandelte, und der König versetzte es. Ich weiß, daß diese Angaben authentisch sind.

Die Nachricht verbreitete sich im Fluge, und das südafrikanische Diamantengeschäft begann. Der erstgenannte Reisende – der unehrliche – erinnerte sich jetzt, daß er einmal gesehen hatte, wie ein burischer Fuhrmann auf einer steilen Steigung sein Wagenrad mit einem Diamanten, so groß wie ein Fußball, festlegte, und er schob seine anderweitigen Vorhaben beiseite und machte sich nach ihm auf die Suche, aber nicht mit der Absicht, jemandem betrügerischerweise 125 Dollar dafür abzunehmen, denn er hatte sich gebessert.

Jetzt kommen wir zu lehrhafteren Dingen. Diamanten sind nicht wie das Johannesburger Gold in fünfzig Meilen langen Felsflözen eingebettet, sondern liegen sozusagen im Geröll eines zugeschütteten Brunnens verteilt. Der Brunnen ist reich, seine Wände sind scharf abgegrenzt; außerhalb der Wände finden sich keine Diamanten. Der Brunnen ist ein Krater, ein großer Krater. Bevor man sich an ihm vergriff, lag seine Oberfläche auf gleicher Höhe wie die flache Ebene, und kein Zeichen wies auf seine Existenz hin. Die Weidefläche über dem Kimberley-Krater genügte gerade für den Unterhalt einer Kuh, und die Weidefläche darunter genügte für den Unterhalt eines Königreiches; aber die Kuh wußte es nicht und verpaßte die Gelegenheit.

Der Kimberley-Krater ist geräumig genug, um das römische Kolosseum aufnehmen zu können; den Grund des Kraters hat man noch nicht erreicht, und niemand kann sagen, wie weit er in die Eingeweide der Erde hinabreicht. Ursprünglich war es ein senkrechtes Loch, dicht mit blauem Felsgestein oder Mörtel aufgefüllt, und in der blauen Masse verstreut lagen wie Rosinen in einem Pudding die Diamanten. So tief das blaue Gestein in die Erde hinabreicht, so tief wird man Diamanten finden.

In der Nähe liegen drei oder vier andere berühmte Krater – ein Kreis von drei Meilen Durchmesser würde sie alle einschließen. Sie gehören der De-Beers-Gesellschaft, einem Zusammenschluß diamanthaltiger Liegenschaften, den Mr. Rhodes vor zwölf oder vierzehn Jahren organisierte. Die De Beers besitzt noch weitere Krater; sie liegen unter dem Gras, aber die De Beers weiß, wo sie sind, und wird sie eines Tages erschließen, wenn der Markt es erfordern sollte.

Ursprünglich waren die Diamantlager Eigentum des Oranjefreistaates; aber eine zweckmäßige „Grenzberichtigung" verlegte sie in das britische Gebiet der Kapkolonie. Ein hoher Beamter des Freistaates erzählte mir, sein Staat habe den Betrag von 400 000 Dollar als Ausgleichszahlung oder Entschädigung oder etwas Derartiges bekommen, und er sei der Ansicht, sein Staat habe klug getan, das Geld zu nehmen und sich aus einem Streit herauszuhalten, da die Macht ganz auf der einen Seite und die Schwäche ganz auf der anderen gelegen habe. Die De-Beers-Gesellschaft schürft jetzt in einer einzigen Woche Diamanten im Werte von 400 000 Dollar. Der Kapkolonie fiel das Gebiet zu, aber kein Gewinn; denn die Minen gehören Mr. Rhodes und den Rothschilds und den anderen De-Beers-Leuten, und die bezahlen keine Steuern.

Heutzutage beutet man die Minen mit wissenschaftlichen Methoden aus, unter der Leitung der fähigsten und begabtesten Bergingenieure, die in Amerika zu haben sind. Es gibt komplizierte Anlagen, um das blaue Gestein zu zerkleinern und einem Prozeß nach dem anderen zu unterwerfen, bis jeder darin enthaltene Diamant aufgespürt und gesichert ist. Ich habe die „Konzentratoren" in Betrieb gesehen – große Behälter, die Erdreich, Wasser und unsichtbare Diamanten enthalten – und erfuhr, daß jeder pro Tag dreihundert Wagenladungen Erdreich rüttele und schüttele und bearbeite – sechzehnhundert Pfund je Wagenladung – und auf drei Wagenladungen flüssigen Schlammes zermahle. Ich sah, wie man drei Wagenladungen Schlamm zu den „Pulsatoren" brachte, der dort zu einer Viertelladung hübschen, sauberen, dunklen Sandes verändert wurde. Diesem folgte ich zu den Sortiertischen und sah, wie die Leute ihn geschickt und rasch ausbreiteten und wendeten und die Diamanten heraussuchten. Ich half dabei und fand einmal einen Diamanten, halb so groß wie eine Mandel. Es ist ein aufregender Angelsport, und man spürt jedesmal ein zartes Prickeln der Freude, wenn man den Schimmer eines dieser klaren Steine durch den Schleier dunklen Sandes erspäht. Ich würde gern hin und wieder meinen freien Sonnabend mit diesem bezaubernden Sport verbringen. Natürlich kommen auch Enttäuschungen vor. Manchmal findet man einen Diamanten, der gar kein Diamant ist; es ist nur ein Quarzkristall oder sonst etwas Wertloses. Der Experte kann ihn gewöhnlich von dem Edelstein unterscheiden, den er nachahmt; aber wenn man im Zweifel ist, legt man ihn auf ein Flacheisen und schlägt mit einem Schmiedehammer zu. Ist es ein Diamant, hält er das aus; ist es etwas anderes, zerfällt es zu Staub. Dieses Experiment gefiel mir sehr, und ich konnte es gar nicht oft genug sehen. Man war dabei von angenehm prickelnder Spannung erfüllt, die nicht durch ein Gefühl persönlichen Risikos beeinträchtigt wurde. Der De-Beers-Konzern bearbeitet täglich 8000 Wagenladungen – etwa 6000 Tonnen – blauen Gesteins, und das Ergebnis sind drei Pfund Diamanten. Wert, ungeschliffen, 50 000 bis 70 000 Dollar. Nach dem Schleifen wiegen sie weit weniger als ein Pfund, sind aber vier- oder fünfmal wertvoller als vorher.

Die ganze Ebene dort herum ist fußhoch mit blauem Gestein bedeckt, das die Gesellschaft dort abgesetzt hat, und sieht wie ein gepflügtes Feld aus. Wenn das Gestein eine Zeitlang im Freien liegt, läßt es sich leichter bearbeiten, als wenn es aus der Mine herauskommt. Würde die Förderung jetzt aufhören, könnte der Vorrat an Gestein, der über diese Felder ausgebreitet liegt, den Aufbereitungsanlagen noch drei Jahre lang die üblichen 8000 Wagenladungen pro Tag zuführen. Die Felder sind eingefriedet und stehen unter Bewachung; nachts werden sie ständig von hohen elektrischen Scheinwerfern bestrahlt. Sie enthalten Diamanten im Werte von 50- oder 60 000 000 Dollar, und es gibt eine Menge unternehmungslustiger Diebe ringsherum.

Im Straßenschmutz von Kimberley liegen große Schätze verborgen. Vor einiger Zeit gestattete man den Leuten, auf eigene Rechnung aufzuräumen. Es brach allenthalben ein Sturm los, die Arbeit wurde gründlich besorgt, und man sammelte eine gute Diamantenernte auf.

Den Bergbau unter Tage besorgen Eingeborene. Es sind viele hundert Mann. Sie wohnen in einem Lager längs der Innenseite eines großen umfriedeten Geländes. Sie sind ein fröhliches und gutmütiges Volk und sehr umgänglich. Sie führten uns einen Kriegstanz vor, der die wildeste Darbietung war, die ich je gesehen habe. Während ihrer Dienstzeit – in der Regel, glaube ich, drei Monate – dürfen sie nicht aus dem Grundstück heraus. Sie steigen in den Schacht hinab, arbeiten ihre Schicht ab, kommen wieder herauf, werden durchsucht und gehen schlafen oder widmen sich ihren Unterhaltungen im Lager, und diesen Ablauf wiederholen sie tagein, tagaus.

Man nimmt an, daß sie jetzt nicht mehr viele Diamanten – erfolgreich – stehlen. Früher verschluckten sie diese und benutzten andere Methoden, sie zu verbergen, aber der Weiße fand Mittel, ihren verschiedenen Tricks zu begegnen. Ein Mann schnitt sich ins Bein und schob einen Diamanten in die

Wunde, aber selbst dieser Plan gelang nicht. Wenn sie einen schönen, großen Diamanten finden, liefern sie ihn wahrscheinlich eher ab, als daß sie ihn stehlen, denn im ersten Falle erhalten sie eine Prämie, in letzterem bekommen sie vermutlich nur Ärger. Vor einigen Jahren fand ein Schwarzer in einer Mine, die nicht der De Beers gehört, einen Diamanten, angeblich den größten, der in der Geschichte bekannt ist; zur Belohnung wurde er von der Dienstpflicht entbunden und erhielt eine Decke, ein Pferd und 500 Dollar. Das machte ihn zum Vanderbilt. Er konnte sich vier Frauen kaufen und hatte immer noch Geld übrig. Vier Frauen bedeuten für einen Eingeborenen einen reichen Lebensunterhalt. Mit vier Frauen ist er völlig unabhängig und braucht nie wieder einen Handschlag zu tun.

Dieser besonders große Diamant wiegt 971 Karat. Manche sagen, er sei so groß wie ein Stück Alaun, andere, er sei so groß wie ein Stück Kandiszucker, aber die zuverlässigsten Quellen sind sich einig, daß er fast genau die Größe eines Eisbrockens habe. Aber diese Einzelheiten sind nicht wichtig und meiner Meinung nach nicht vertrauenswürdig. Er hat einen Makel, sonst besäße er unglaublichen Wert. So soll er nur 2 000 000 Dollar wert sein. Nach dem Schleifen dürfte sein Wert zwischen 5 000 000 und 8 000 000 Dollar liegen, deshalb sollten Interessenten, die Geld sparen möchten, lieber jetzt kaufen. Er gehört einem Syndikat, und offenbar existiert keine befriedigende Absatzmöglichkeit für ihn. Er bringt nichts ein; er frißt sich durch. Bis jetzt hat er außer dem Eingeborenen, der ihn gefunden hat, noch niemanden reich gemacht.

Er fand ihn in einer Mine, die auf Kontrakt ausgebeutet wurde. Das heißt, eine Gesellschaft hatte das Recht erworben, der Mine gegen einen festen Betrag und eine Gewinnbeteiligung 5 000 000 Wagenladungen blauen Gesteins zu entnehmen. Ihre Spekulation hatte sich nicht bezahlt gemacht; aber genau an dem Tag, da ihre Rechte ausliefen, fand jener Eingeborene den 2 000 000-Dollar-Diamanten und lieferte ihn ab. Selbst der Diamantabbau hat seine romantischen Episoden.

Der Kohinoor ist ein großer und wertvoller Diamant; aber er kann darin nicht mit den dreien konkurrieren, die sich – der Legende nach – unter den Kronjuwelen Portugals und Rußlands befinden. Einer davon soll 20 000 000 Dollar wert sein; ein anderer 25 000 000 und der dritte etwas über 28 000 000 Dollar.

Das sind wahrhaft wunderbare Diamanten, ob sie nun existieren oder nicht; und doch sind sie nur unbedeutend im Vergleich mit dem, den, wie bereits oben erwähnt, der burische Fuhrmann auf jener steilen Strecke benutzte, um sein Rad festzulegen. In Kimberley unterhielt ich mich mit dem Manne, der den Buren dabei beobachtet hatte – ein Vorfall, der sich sieben- oder achtundzwanzig Jahre vor der Zeit ereignet hatte, da ich mich mit ihm darüber unterhielt. Er versicherte mir, der Wert des Diamanten könnte mehr als eine Milliarde Dollar betragen haben, aber bestimmt nicht weniger. Ich glaubte ihm, denn er hatte siebenundzwanzig Jahre darauf verwendet, nach ihm zu suchen, und mußte es daher wissen.

Der geeignete und interessante Abschluß der Besichtigung all der langwierigen, mühseligen und kostspieligen Verfahren, mit deren Hilfe man die Diamanten aus den Tiefen der Erde holt und von den minderwertigen Stoffen befreite, die sie einschließen, ist ein Besuch in den Geschäftsräumen der De Beers in der Stadt Kimberley, wo die tägliche Ausbeute abgeliefert, gewogen, sortiert, abgeschätzt und bis zum Versandtag in Safes aufbewahrt wird. Eine unbekannte Person ohne besondere Empfehlung gelangt dort nicht hinein; und aus dem reichlichen Bestand an Warn-, Schutz- und Verbotsschildern, die überall aufgestellt werden, konnte man schließen, daß nicht einmal eine bekannte Person mit besonderer Empfehlung dort ohne Unannehmlichkeiten Diamanten stehlen kann.

Wir sahen die Ausbeute des Tages – glänzende kleine Diamantenhäufchen, die in Abständen von einem Fuß auf einem langen Tisch verteilt lagen, jedes Häufchen auf einem Blatt weißen Papiers. Der Ertrag jenes Tages war etwa 70 000 Dollar wert. Im Laufe eines Jahres gehen dort eine halbe Tonne Diamanten über die Waage und ruhen auf jenem Tisch; die Einnahmen daraus betragen 18- bis 20 000 000 Dollar. Profit etwa 12 000 000 Dollar.

Das Sortieren besorgten junge Mädchen – eine nette, saubere, feine und wahrscheinlich qualvolle Beschäftigung. Täglich rinnen glitzernd fürstliche Vermögen durch die Finger dieser Mädchen, und doch gehen sie abends genau so arm zu Bett, wie sie morgens beim Aufstehen waren. Das gleiche am nächsten Tag und so fort.

Schön sind diese Diamanten in ihrem ursprünglichen Zustand. Sie haben verschiedene Formen; sie besitzen ebene Oberflächen, abgerundete Ränder und niemals eine scharfe Kante. Alle Farben und Farbschattierungen weisen sie auf, von Tautropfenweiß bis buchstäblich Schwarz, und mit ihren glatten und abgerundeten Oberflächen und Konturen, ihrer Farbenvielfalt und durchsichtigen Klarheit sahen sie aus wie Häufchen gemischter Bonbons. Ein sehr helles Strohgelb ist die häufigste Tönung. Mir schien, diese ungeschliffenen Edelsteine müßten schöner sein, als es geschliffene je sein könnten; aber als man uns eine Kollektion geschliffener vorlegte, sah ich meinen Irrtum ein. Nichts ist so schön wie ein Rosendiamant, durch den das Licht spielt, ausgenommen jener billige Stoff, der ihm genau gleicht – gekräuseltes Meerwasser, in dem das Sonnenlicht spielt und auf weißem Sandgrund tanzt.

Noch in der ersten Julihälfte erreichten wir Kapstadt und damit das Ziel unserer afrikanischen Reisen. Und wir waren wohl damit zufrieden; denn über uns ragte der Tafelberg auf – ein Zeichen, daß wir nun absolut alle hervorragenden Sehenswürdigkeiten Südafrikas gesehen hatten, wenn man Mr. Cecil Rhodes ausnimmt. Ich bin mir bewußt, daß das eine sehr bedeutende Auslassung ist. Ich weiß sehr wohl, daß Mr. Rhodes, sei er nun der erhabene und verehrungswürdige Patriot und Staatsmann, für den ihn sehr zahlreiche Menschen halten, oder der wiedergekehrte Satan, wie ihn die übrige Welt sich erklärt, jedenfalls die bedeutendste Gestalt im Britischen Weltreich außerhalb Englands ist. Wenn er auf dem Kap der Guten Hoffnung steht, reicht sein Schatten bis zum Sambesi. Er ist der einzige Kolonialengländer in den britischen Dominien, dessen Kommen und Gehen unter allen Längengraden des Erdballs registriert und besprochen wird und dessen Reden man ungekürzt aus allen Ecken der Welt durch die Kabel laufen läßt; und er ist der einzige nichtkönigliche Außenstehende, dessen Ankunft in London soviel Aufmerksamkeit erregt, daß sie mit einer Sonnenfinsternis wetteifern könnte.

Daß er ein ungewöhnlicher Mensch sei und kein Zufallsprodukt des Glücks, wollten nicht einmal seine besten südafrikanischen Feinde abstreiten, soweit ich Ihre Meinung hörte. Die ganze südafrikanische Welt scheint eine Art schaudernder Ehrfurcht vor ihm zu empfinden, Freund und Feind gleichermaßen. Es schien, als wäre er für die eine Seite Stellvertreter Gottes, für die andere Stellvertreter Satans, Eigentümer der Menschen, fähig, ihnen durch einen Hauch seines Atems Glück oder Unglück zu bringen, von vielen verehrt, von vielen gehaßt, aber von keinem Besonnenen verlästert, selbst von den Unbesonnenen nur im Flüsterton.

Was ist das Geheimnis seiner ungeheuerlichen Macht? Der eine sagt, es sei sein sagenhafter Reichtum – dessen bloßer Abglanz in Form von Gehältern oder auf andere Weise ganze Menschenheere ernähre und sie zu mitinteressierten getreuen Untertanen mache; ein anderer sagt, es sei seine persönliche Anziehungskraft und seine beredsame Zunge, die jeden hypnotisiere und zu seinem bereitwilligen Sklaven mache, der in ihren Bannkreis gerate; ein anderer sagt, es seien seine erhabenen Ideen, seine ungeheuren Pläne zur territorialen Ausweitung Englands, sein patriotischer und selbstloser Ehrgeiz, Englands wohltätigen Schutz und seine gerechte Herrschaft über die heidnischen Einöden Afrikas auszubreiten und die afrikanische Dunkelheit mit dem Glanz des englischen Namens zu erhellen; und ein anderer sagt, er wolle die Erde und wolle sie für sich selbst, und die Überzeugung, daß er sie bekommen und seine Freunde in das Erdgeschoß einlassen werde, sei *das* Geheimnis, das so viele Augen an ihn fessele und ihm den Platz im Zenit sichere, wo die Aussicht unbehindert ist.

Man kann seine Wahl treffen. Sie kosten alle dasselbe. Eines ist sicher: Er behält seine Vormachtstellung und eine riesige Anhängerschaft, gleichgültig, was er tut. Er „täuscht" den Herzog von Fife – das ist der Ausdruck des Herzogs –, aber das zerstört nicht die Treue des Herzogs zu ihm. Er manövriert die Reformer mit seinem bewaffneten Einfall in ungeheure Schwierigkeiten, aber die meisten von ihnen glauben, er habe es gut gemeint. Er weint über die schwer besteuerten Johannesburger und gewinnt sie zu Freunden; gleichzeitig nimmt er den Siedlern seiner Englisch-Südafrikanischen Gesellschaft fünfzig Prozent ab und gewinnt ihre Zuneigung und ihr Vertrauen in einem solchen Maße, daß sie bei jedem Gerücht, das Privileg der Gesellschaft solle annulliert werden, die Verzweiflung überwältigt. Er überfällt, beraubt, erschlägt und versklavt die Matabele und erhält dafür von den privilegierten Christen ungeheuren Beifall. Er hat England verleitet, Papierabfall der Englisch-Südafrikanischen Gesellschaft gegen Noten der Bank von England zu kaufen, Tonne für Tonne, und die Hingerissenen beweihräuchern ihn noch als den potentiellen Gott des Überflusses. Er hat alles getan, was er sich nur ausdenken konnte, um sich zugrunde zu richten; er hat mehr als genug getan, was sechzehn große Männer gewöhnlichen Kalibers zugrunde gerichtet hätte; doch steht er bis zum heutigen Tage auf seinem schwindelerregenden Gipfel unter dem Himmelsdom, offenbar als Dauereinrichtung, als das Wunder seiner Zeit, das Rätsel seiner Generation, für die halbe Welt ein Erzengel mit Flügeln, für die andere Hälfte der gehörnte Teufel.

Ich bewundere ihn, das gestehe ich offen; und wenn seine Zeit kommt, werde ich mir als Andenken ein Stück des Strickes kaufen.

SCHLUSS

> Ich bin weiter als jeder andere gereist, und ich
> habe bemerkt, daß sogar die Engel Englisch
> mit Akzent sprechen.
>
> *Querkopf Wilsons Neuer Kalender*

Den Tafelberg habe ich jedenfalls gesehen – ein majestätischer Felsen. Er ist
dreitausend Fuß hoch. Er ist auch siebzehntausend Fuß hoch. Auf diese Zahlenangaben kann man sich verlassen. Ich erhielt sie in Kapstadt von den beiden bestunterrichteten Einwohnern, die das Studium des Tafelbergs zu ihrer
Lebensaufgabe gemacht haben. Und ich sah die Tafelbai, die so heißt, weil
sie so flach ist. Ich sah die Burg – vor dreihundert Jahren von der Hollän-
disch-Ostindischen Kompanie erbaut –, wo der Kommandierende General
wohnt; ich sah St.-Simons-Bai, wo der Admiral residiert. Ich sah das Regierungsgebäude, auch das Parlament, wo man sich, als ich dort war, in zwei
Sprachen stritt und in keiner einigte. Ich sah den Klub. Ich sah und durchforschte die wunderschönen meerbegrenzten Fahrstraßen, die sich um die
Berge und durch das Paradies des Villenviertels winden. Ich sah auch einige
der schönen alten holländischen Wohnsitze, freundliche Heimstätten früher,
freundliche Heimstätten heute, und genoß die Ehre ihrer Gastfreundschaft.

Und knapp vor meiner Abreise sah ich in einem dieser Häuser ein wun-
derliches altes Gemälde, das ein Glied in einer seltsamen Lebensgeschichte
darstellt – das Bildnis eines blassen, vergeistigten jungen Mannes in rosafarbenem Rock mit hohem schwarzem Kragen. Es war ein Porträt Dr. James
Barrys, eines Militärarztes, der vor fünfzig Jahren mit seinem Regiment zum
Kap heraus kam. Er war ein toller junger Bursche, und er benahm sich in
verschiedener Form daneben. Er wurde mehrmals dem Hauptquartier in
London gemeldet, und jedesmal erwartete man, es würden Befehle ergehen,
auf der Stelle streng mit ihm zu verfahren, aber aus irgendeinem rätselhaften
Grund kamen nie irgendwelche Befehle zurück – nichts als ein bedeutsames
Schweigen. Das machte ihn in der Stadt zu einer achtunggebietenden und
nicht recht geheueren Wundererscheinung.

Dann wurde er befördert – weit nach oben. Er wurde zum Generalarzt ernannt und nach Indien versetzt. Bald kehrte er zum Kap zurück und begann
seine Eskapaden von neuem. Es gab viele hübsche Mädchen, aber keine fing
ihn ein, keine konnte sein Herz gewinnen; offensichtlich hielt er nichts von
der Ehe. Und das war ein weiteres Wunder, ein weiteres Rätsel und gab der
verblüfften Umwelt Stoff zu unendlichem Gerede. Einmal wurde er nachts
zu einer Entbindung gerufen, um für die Frau, die man dem Tode geweiht
glaubte, zu tun, was in seiner Macht stände. Er ging rasch und fachmännisch
ans Werk und rettete Mutter und Kind. Es sind noch weitere Fälle überliefert, die für seine berufliche Meisterschaft sprechen, und viele, die seine
Liebe und Ergebenheit seinem Beruf gegenüber bezeugen. Unter anderen
Abenteuern trug er ein Duell auf Tod und Leben auf der Burg aus. Er tötete
seinen Mann.

Das Kind, das Dr. Barry, wie vorhin erwähnt, vor langer Zeit rettete,
wurde nach ihm genannt und lebt noch in Kapstadt. Es ließ Dr. Barrys Por-

trät malen und schenkte es dem Herrn, in dessen altem holländischem Haus ich es sah – die seltsame Gestalt in rosafarbenem Rock und hohem schwarzem Kragen.

Die Geschichte scheint im Sande zu verlaufen. Aber nur, weil ich sie noch nicht beendet habe. Dr. Barry starb vor dreißig Jahren in Kapstadt. Da erst kam heraus, daß es *eine Frau* war.

Es geht das Gerücht, daß – rasch unterbundene – Erkundigungen ergeben hätten, sie sei die Tochter eines großen englischen Hauses gewesen, und deshalb hätten ihre Tollheiten am Kap ihr keine Strafe eingebracht und seien sie nicht zur Kenntnis genommen worden, wenn man der Regierung zu Hause über sie berichtete. Ihr Name sei ein Pseudonym gewesen. Sie habe sich mit ihren Leuten überworfen, und so habe sie es vorgezogen, ihren Namen und ihr Geschlecht zu wechseln und in der Welt neu zu beginnen.

Wir reisten am 15. Juli mit der „Norman" ab, einem schönen, tadellos ausgestatteten Schiff. Die Reise nach England dauerte nur vierzehn Tage, mit einer einzigen Unterbrechung in Madeira. Eine gute und erholsame Reise für müde Menschen, und davon gab es unter uns mehrere. Mir war, als hätte ich tausend Jahre lang Vorträge gehalten, obwohl es nur ein Jahr war, und eine ganze Anzahl der anderen waren Reformer, die von der fünfmonatigen Haft im Gefängnis von Pretoria erschöpft waren.

Unsere Reise um die Welt endete in Southampton an demselben Pier, wo wir uns dreizehn Monate vorher eingeschifft hatten. Es schien mir eine schöne und große Leistung zu sein – die Umsegelung des großen Erdballs in so kurzer Zeit, und ich war im stillen stolz darauf. Für einen Augenblick. Dann kam von den Observatoriumsleuten eine jener aller Eitelkeit spottenden Verlautbarungen, wonach in den Weiten des Weltraums kürzlich ein weiterer großer Lichtkörper aufgeflammt war und in einem Tempo reiste, das ihm ermöglichte, die ganze von mir bewältigte Strecke in *anderthalb Minuten* zurückzulegen. Der menschliche Stolz ist nichts wert; es liegt immer etwas im Hinterhalt, um ihm den Wind aus den Segeln zu nehmen.